dtv

Die »Daisy Sisters«, das sind Elna und Vivi, Brieffreundinnen, Töchter der schwedischen Arbeiterklasse und beide siebzehn, als sie sich im Sommer 1941 zu einer gemeinsamen Radtour an die norwegische Grenze verabreden. Sie träumen von Freiheit und Unabhängigkeit und davon, aus der sozialen Enge ihres Alltags auszubrechen und etwas aus ihrem Leben zu machen. Doch Elna wird von einem jungen Grenzsoldaten vergewaltigt und schwanger, die Abtreibung missglückt, und 1942 wird ihre Tochter Eivor geboren.
Auch Eivor wird von einer rastlosen Sehnsucht getrieben, doch ihre Versuche, sich eine eigene Existenz jenseits von Heim und Familie aufzubauen, enden ein ums andere Mal mit ungewollten Schwangerschaften. Elnas und Eivors Schicksal wiederholt sich schließlich auch an Eivors Tochter Linda, die mit achtzehn ihr erstes Kind erwartet.
»Am Ende dankt man Henning Mankell für das Porträt zweier wirklich starker Frauen.« Brigitte.de

Henning Mankell, geboren 1948 in Härjedalen, ist einer der angesehensten und meistgelesenen schwedischen Schriftsteller, vor allem bekannt durch seine Wallander-Romane. Er lebt als Theaterregisseur und Autor abwechselnd in Schweden und in Maputo/Mosambik. Seine Taschenbücher erscheinen bei dtv. Eine Übersicht aller auf Deutsch erschienenen Bücher von Henning Mankell finden Sie unter www.mankell.de und am Schluss dieses Bandes.

Henning Mankell

Daisy Sisters

Roman

Aus dem Schwedischen
von Heidrun Hoppe

Deutscher Taschenbuch Verlag

www.mankell.de

Ausführliche Informationen über
unsere Autoren und Bücher
finden Sie auf unserer Website
www.dtv.de

Ungekürzte Ausgabe 2011
Deutscher Taschenbuch Verlag GmbH & Co. KG,
München
Lizenzausgabe mit Genehmigung des Paul Zsolnay Verlags

Titel der schwedischen Originalausgabe:
›Daisy Sisters‹ (Ordfronts Förlag, Stockholm 1982)

Umschlagkonzept: Balk & Brumshagen
Umschlaggestaltung nach einem Entwurf
von Hauptmann & Kompanie
Umschlagfoto: gettyimages/George Marks
Gesamtherstellung: Druckerei C. H. Beck, Nördlingen
Gedruckt auf säurefreiem, chlorfrei gebleichtem Papier
Printed in Germany · ISBN 978-3-423-21288-5

Daisy Sisters

Prolog

Hier ist sie: Eivor Maria Skoglund, 38 Jahre alt, Kranführerin seit drei Jahren, genauer gesagt seit Oktober 1977.

Sie hat gerade ihre Schicht beendet und steht vor dem Eingang von Domnarvets Västra in Borlänge, fröstelnd in der Novemberdämmerung. Beinahe widerwillig bückt sie sich und beginnt, die Kette vom Vorderrad ihres wackligen Fahrrads zu lösen. Es ist, als spiegelte der Herbsthimmel ihre stumme Verbitterung darüber, dass sie ihre verdammte Menstruation heute Nachmittag bekommen hat, dass sie wieder nicht schwanger ist. Trotz Temperaturmessens, um den Eisprung zu kontrollieren, trotz Kissen unterm Hintern und eines sturen, hartnäckigen Sexuallebens.

Hier ist sie, Eivor Maria Skoglund, in der Mitte des Lebens, das sie wie eine einzige Plage empfindet.

Natürlich gibt es auch einen Mann im Hintergrund, ihren dritten genau genommen, den Nachtwächter Peo, der in diesem Augenblick wie ein ausgezählter Boxer auf dem dunkelroten Kunstledersofa in der gemeinsamen Wohnung liegt und zu schlafen versucht. Er braucht seinen Schlaf und seine Träume, wenn er die endlosen Nächte in verlassenen Kaufhäusern und Gemeindebüros aushalten will.

Er liegt zusammengekauert, die verschwitzten Hände im Schritt, und versucht, an nichts zu denken. Aber er bleibt wach, Stunde um Stunde, bis Eivor nach Hause kommt.

Im Hintergrund gibt es auch noch das Resultat einer früheren Ehe. Eivors halbwüchsige Kinder, glücklich, betrogen, bitter, ziellos. Aber bis auf Weiteres kommen sie erst an zweiter Stelle, so muss es sein, wenn die Geschichte Fahrt aufnehmen soll.

Viele denkbare Ausgangspunkte also für diese Geschichte über Eivor.

Der wichtigste ist ihre Mutter Elna. Elna, die Dunkelhaarige. Ohne Vorwarnung konnte sie beim Abendessen in dem tristen, hellhörigen Mietshaus in Hallsberg ausrufen: »Wäre ich nicht so verdammt dumm gewesen und zur norwegischen Grenze in Dalarna geradelt, so wäre ich deinem Papa nicht in die Hände gefallen, und du wärst nicht entstanden, mein kleines Mädchen. *Vergiss das nicht! Niemals!*«

Das hatte sie 1952 oder 1953 gesagt, Eivor erinnert sich nicht genau. Aber ist Mutter ein schlechter Mensch? Gefühllos, gar einfältig? O nein, im Gegenteil! Eivors Mutter Elna hat einen klaren Verstand, ein offenes Herz, und sie hält es mit einer seltenen Religion: Ehrlichkeit! Die Tochter gleicht ihr, nicht nur im Aussehen, das sagen alle. Aber sie flucht nicht so viel und so grob wie ihre Mutter, auch wenn sie es manchmal gern täte.

Aber Hallsberg?

Ja, ich weiß, das ist zu früh. Ich muss meine Fantasie zügeln.

Gehen wir also durch die Flusstäler zum norwegischen Fjäll hinauf, zurück in die Vergangenheit.

Bis ins Jahr 1941.

1941

Das dritte Kriegsjahr, dem Höllenwinter eifert im ganzen Land ein Sommer nach, endlos, trocken und heiß.

Und da kommen sie auf ihren Rädern: Vivi und Elna. *Daisy Sisters* nennen sie sich nach amerikanischem Vorbild. Zwei Mädchen, die gerne singen, müssen so einen Namen haben, auch wenn ihr Repertoire aus schwedischen Volksschulliedern oder albernen Schlagern besteht. Nach *Lulu* dachten sie zunächst daran, sich *Ziegler Sisters* zu nennen, und als *Rosita* ins Gespräch kam, überlegten sie, ob *Serrano Sisters* nicht besser klänge. Elna war dafür, aber sie waren kaum aus Älvdalen herausgeradelt, wo sie den Zug verlassen hatten, als sie schon klein beigab. Vivi war ein eigensinniger Mensch.

Es ist Sommer, das steht fest, und Elna wird vergewaltigt werden, oder so gut wie.

So gut wie, das sind ihre Worte. Denn selbst in ihrer tiefen Erniedrigung zwingt sie sich zur Ehrlichkeit, wie sehr es auch schmerzt. Hat sie um sich getreten, gebissen, gekratzt? Lag da wirklich keine Waffe, kein Stein, mit dem sie den Mann hätte schlagen können? Außerdem hat sie ja eigentlich zu keiner Zeit Angst, als sie unter ihm liegt. Wie sollte sie auch? Er ist ja nur ein blasser, pickliger Soldat, der selbst Angst hat!

Zwei graue Damenräder, Marke Monarch, und die Welt will erobert werden. Auf den Gepäckträgern haben sie ihr Gepäck: eine kleine Reisetasche, den Schlafsack und obendrauf den Regenmantel, alles säuberlich festgezurrt. An

Vivis Gepäckträger baumelt noch zusätzlich eine graue Seitentasche.

Sie sind gleich alt, Wasserfrauen alle beide. 1924, am 22. Januar und am 2. Februar, sind sie geboren, jede an ihrem Ort. Denn Schwestern sind sie nur dem Namen *Daisy Sisters* nach. Vivi kommt aus Landskrona, Elna aus Sandviken. Elna ging in die letzte Volksschulklasse, als die Lehrerin eines Tages mit einem grauen Briefumschlag die Klasse betrat und fragte, ob jemand eine Brieffreundin haben wollte. Elna meldete sich, ohne zu wissen, warum. Sie hatte ja in ihrem Leben kaum je einen Brief geschrieben. Und beinahe wäre auch diesmal nichts daraus geworden, denn als sie zum Pult ging und knicksend den Brief entgegennahm, ergriff die Lehrerin gleich die Gelegenheit, Elnas Handschrift zu tadeln. Krähenfüße nannte sie ihre Buchstaben, und Elna konnte sich nur mühsam beherrschen.

Zu Hause in der Küche, wo die Fabrik vor dem Fenster aufragt, liest sie den Brief. Mutter Dagmar wirtschaftet mit dem Abendessen herum und will wissen, was sie da hat. Aber Elna kann jetzt nicht antworten, sie muss fertig sein, bevor der Vater und die beiden älteren Brüder aus dem Werk kommen. Denn wenn der Brief dann noch daläge, würde es ein unablässiges Fragen geben.

»Hast du etwa einen Brief bekommen?«, fragt die Mutter.

Elna antwortet nicht auf so eine törichte Frage. Sie liest. Wieder und wieder liest sie diesen verblüffenden Brief.

»Ich heiße Vivi Karlsson. Ich habe eine Nadel auf die Landkarte von Schweden fallen lassen, erst ist die Spitze draußen im Meer gelandet, irgendwo bei Kvarken, aber wer soll da schon wohnen. Beim nächsten Mal zeigte sie auf Skillingaryd, aber das klang so langweilig. Schließlich fiel sie auf Sandviken, und davon weiß ich jedenfalls, dass sie eine Fußballmannschaft haben. Die hat hier gegen BOIS gespielt, und das ging leider nicht so gut aus. Mein Papa arbeitet auf der Werft, er ist groß und war Ringer, bevor er Probleme mit dem Bauch bekam, Hämorrhoiden heißt das. Mutter ist zu Hause. Wir wohnen in einem Zimmer mit Küche, ich habe zwei Brüder, Per-Erik und Martin. Martin ist als Schiffsjunge zur See gegangen, und Per-Erik will Maurer werden. Wir sind Kommunisten, oder zumindest Papa. Falls du, die ich nicht kenne, Lust hast, mir zu schreiben, so ist meine Adresse …«

Wieder und wieder liest Elna den Brief, stellt sich Vivi Karlsson vor. Aber Mutter beginnt, mit Tellern und Schüsseln zu klappern. Man lässt sie nicht in Ruhe!

Die Kartoffeln sind erst zur Hälfte geschält, als Mutter bereits petzt. »Elna ist heute mit einem Brief von der Schule nach Hause gekommen.«

Vater Rune sticht mit der Gabel in die Luft. »Was zum Teufel hast du wieder angestellt?«, knurrt er.

Elna antwortet aber nicht.

Bruder Nils ist gerade sechzehn Jahre alt und picklig und fast immer gelb unter der Nase. Er streitet oft mit ihr, aber trotzdem mag sie ihn, vielleicht gerade weil er sich einmischt, sich kümmert, auch wenn es meist so ausgeht, dass er sie ärgert.

»Sie hat natürlich einen Schatz«, sagt er und schaufelt errötend das Essen in sich hinein.

Und so geht es weiter. Ein Brief, den keiner gesehen hat, wird zum einzigen Gesprächsthema, während Hering und Kartoffeln von den Tellern verschwinden.

Aber Elna bleibt stur, es ist ihr Brief. Sie sagt nichts.

Nach dem Essen verschwindet der ältere Bruder Arne im Keller, um sich zu waschen. Es ist Mittwoch, und er will mit dem Zug nach Gävle zum Tanz. Er ist zwanzig Jahre alt und hat nach der schweren Arbeit noch Kraft für zehn.

Nils rülpst, legt sich aufs Küchensofa und weigert sich,

einen Finger krumm zu machen, Vater legt sich drinnen im Zimmer aufs Bett und schläft sofort ein. Elna und die Mutter waschen ab, dann gibt es Kaffee.

Da niemand den Brief erwähnt, als sie am Küchentisch beim Kaffee sitzen, ergreift Elna die Gelegenheit, noch etwas zu fragen, was sie nicht versteht. Sie lässt die Frage so einfließen, als hätte sie mit der Schule zu tun. »Vater«, sagt sie, »was sind eigentlich Hämorrhoiden?«

Er starrt sie entgeistert an. Aber im Gegensatz zu den meisten Erwachsenen, die sie kennt, ist er ganz bei der Sache. »Die sitzen im Arsch«, erklärt er sachlich. »Scheißt man ein paar Jahre Steine, dann bekommt man sie.«

»Nicht, wenn wir Kaffee trinken«, sagt Mutter. Nisse grinst bloß, er ist wild auf alles, was mit den Geheimnissen des Körpers zu tun hat.

»Was heißt sitzen?«, fragt Elna.

Vater reibt sich die Nase. »Du weißt, wer Einar ist? Der, der über der Bäckerei wohnt, mit dem ich zusammen arbeite? Er hat welche. Er sagt, es sieht aus, als ob Weintrauben im Arsch wachsen, und er würde gerne aufhören zu essen, damit er aufhören könnte zu scheißen, weil es so weh tut.«

»Müsst ihr mit diesem Schweinkram weitermachen?«, fragt Mutter und steht vom Tisch auf.

»Wenn das Mädchen fragt, soll sie wohl eine Antwort bekommen«, sagt Vater bestimmt. »Frauenzimmer können übrigens auch so was kriegen, falls sie sich zu sehr verspannen, wenn die Babys rausgepresst werden.«

Da geht Mutter in die Kammer und schlägt die Tür hinter sich zu. Aber niemand kümmert sich darum.

»Eine Krankheit also«, sagt Elna.

Vater nickt und nimmt sich noch Kaffee.

»Können Schwule das nicht auch kriegen?«, fragt Nisse plötzlich und wird rot unter all seinen Pickeln.

»Jetzt hältst du die Klappe«, antwortet Vater scharf. Auch er setzt seine Grenzen, und über Schwule redet man nicht.

Elna hat eine gewisse Ahnung, was das ist. Die Pausenunterhaltungen haben mindestens ebenso viel nützliche Allgemeinbildung gebracht wie die langen Stunden im Klassenzimmer.

Schwule treiben es miteinander.

Und sie gehören erschossen, genauso wie diese verdammten Nazis, Hitlerteufel, Kommunisten …

Vivi Karlsson schreibt, dass ihr Vater Kommunist ist, vielleicht sogar die ganze Familie, das geht nicht richtig aus dem Brief hervor. Elna sieht ihren Vater an, wie er sich Schnupftabak unter die Oberlippe stopft, wo er bald keine gesunden Zähne mehr hat. Sie studiert ihn. Er ist Sozialdemokrat, Mutter auch, genau wie Arne. Was Nisse ist, weiß sie nicht, aber jedenfalls kein Kommunist. Das würde Vater Rune niemals tolerieren. Vater Rune ist ein halsstarriger Gegner. Also kann Vivis Papa unmöglich so aussehen oder sich so verhalten wie er.

»Die Revolution können sie im Maul führen«, sagt er. »Bei uns geht das langsamer, aber da wird auch jeder Grashalm ordentlich gemäht.«

So sagt er immer. Aber so viel reden sie daheim gar nicht über Politik. Wenn man mit Politik nicht die ständigen Unterhaltungen über schlechte Zeiten, die Angst vor Entlassungen, Einschränkungen und Lohnkürzungen meint; eben *das Brot auf dem Tisch*. Nur wenn Vater so viel getrunken hat, wie er kriegen konnte, dann verwandeln sich alle um ihn her in eine Art Gespenster, so irritierend wie die Konservativen einschließlich ihrer Weiber. Da kann er so irrsinnig werden in seinem prophetischen Eifer, dass er sein normales Urteilsvermögen verliert, das blasse Kennzeichen des Alltags, das Küchenfenster aufreißt, einen Topf hinauswirft, was wie ein

Keulenschlag von der Straße widerhallt, und einen wütenden Vortrag hält, geradewegs hinaus in die Nacht. Versucht Mutter, das Fenster wieder zu schließen, riskiert sie, eine Ohrfeige zu bekommen, also verschwindet sie in der Kammer und schlägt die Tür hinter sich zu. Das ist ihr einziger Protest: eine andere Art, sich Luft zu machen, kennt sie nicht.

Aber Rune säuft nicht oft, nicht mal regelmäßig an den Wochenenden. Er arbeitet, geht folgsam zu den Gewerkschafts- und Arbeiterversammlungen, sitzt immer weit hinten, »wo die Luft besser ist«, wie er es ausdrückt, und hat sich nie geäußert, nie das Wort ergriffen. (Na ja, möglicherweise in einer verschwommenen Vorzeit, als er den Jungsozialisten angehörte, aber das ist so unfassbar lange her ...)

Jetzt ist er zweiundvierzig und wird allmählich alt. Der Wechsel zwischen großer Hitze und großer Kälte hat zu Rheumatismus und Gefäßkrämpfen geführt. Jede Nacht muss er aufstehen und die Beine ausschütteln, damit das Blut wieder durch die Adern fließt. Aber sein Humor ist noch intakt, es braucht nicht viel, ihn zum Lachen zu bringen. Eine unanständige Geschichte, Tratsch über einen Vorarbeiter sind mehr als genug, dass sich ein Lächeln auf seinem Gesicht ausbreitet. Es macht ihm auch nichts aus, dass ihm ein paar Zähne im Oberkiefer fehlen. Wenn man auf dem Weg ist, alt zu werden, dann ist das eben so ...

Elna hat die gleichen widerspenstigen dunklen Haare wie ihr Vater, ebenso klarblaue Augen und einen Mund, der sich nach links zieht, wenn sie lächelt. Ihr Gesicht strahlt eine intensive Lebendigkeit aus. Sie ist vielleicht nicht schön, aber überaus lebhaft ...

Sie stellt sich Runes Reaktion vor, wenn sie erzählen würde, dass sie eine kommunistische Brieffreundin hat.

Und wo in aller Welt liegt Landskrona? Das muss sie herausbekommen, bevor sie eine Antwort schreibt.

Am Abend springt sie die Treppe hinunter zu Ester und ihrer Familie. Sie sind miteinander verwandt, aber Elna weiß nicht, wie. Bei Ester hängt eine Karte über dem Küchensofa, und dort findet sie mit viel Mühe die Stadt, die Landskrona heißt.

Skåne. Was ist das? Eine Landschaft, aber was sonst? Elna starrt auf die Karte und versucht, etwas anderes zu sehen, Menschen, die sich bewegen zwischen den kaum lesbaren Ortsnamen, Kilometerangaben, Schlössern.

Nils Holgersson ritt auf einer Gans,
die den Schnabel aufriss
und schrie
und auf eine Möwe schiss

murmelt sie für sich. Da unten wohnt also Vivi.

Elna und Nisse schlafen in der Küche. Arne eigentlich auch, aber er ist selten zu Hause. Er möchte gern glauben machen, dass verliebte Frauenzimmer ihn in ihre Betten einladen, aber Elna weiß, dass er sich meistens auf dem kalten Boden bei irgendeinem Kameraden zusammenrollt, der in einer der Junggesellenwohnungen der Fabrik wohnt. Und hätte er all die Frauenzimmer, von denen er erzählt, warum sollte er dann weiter unter der Bettdecke fummeln, wenn er mal in der Küche schläft und glaubt, er sei als Einziger noch wach? Elna hat es gehört und versucht, nicht auf das Keuchen zu achten.

Als Nisse tief und regelmäßig atmet, klettert Elna leise vom Küchensofa, zündet eine Kerze an und setzt sich an den Klapptisch, um Vivi eine Antwort zu schreiben. Die Flamme der Kerze flackert in der zugigen Küche. Es ist, als wollte das Licht aus der Küche fliehen. Sie zieht die Füße unter sich auf den Stuhl, die Bodenbretter sind kalt. Dann reißt sie ein Blatt aus dem Schreibblock und spitzt ihren Bleistift mit dem Daumennagel an.

Aber was soll sie schreiben?

Sie holt den Brief hervor und liest ihn ein weiteres Mal. Die Buchstaben sind gespreizt und ungeduldig, nichts erinnert an die runden und fließenden Schriftzeichen, mit denen Elna sich ständig abmüht. Aber die Tatsache, dass die Buchstaben ihr eigenes aufrührerisches Leben führen, erzählt etwas über die unbekannte Vivi.

Schließlich ahmt Elna Vivis Brief nach, erzählt von sich, nur dass ihre Buchstaben gegen ihren Willen rund werden wie wohlgenährte Ferkel.

Von diesem Tag an tauschen sie Briefe aus, vertrauen einander die geheimsten Gedanken an, fügen Lesezeichen, gepresste Blumen, Ansichtskarten, Zeitungsausschnitte hinzu. Aber die Jahre vergehen, ohne dass sie sich je fotografieren lassen und einander Bilder schicken. Warum? Das fragen sich beide.

Kurz nachdem sie ihren Briefwechsel begonnen haben, beenden sie die Schule. Vivi schreibt, dass sie gleich am letzten Schultag als Zimmermädchen im Stadthotel Landskrona angefangen hat. Sie muss von der Kirche aus loslaufen, um nicht zu spät zu kommen. Genau zehn Minuten dauert ihr Übergang von der Schulzeit zum Berufsleben. Elna hat es besser. Erst zwei Tage nach dem Schulabschluss steht sie an der Küchentür der Villa von Ingenieur Ask aus der Fabrik. Sie knickst und beginnt ihren Dienst als Hausgehilfin. Nach wenigen Wochen haben sich die Briefe der Mädchen verändert. Die gepressten Blumen weichen einem Austausch von Zukunftsträumen, und ernsthaft versuchen sie nun, ein Treffen zu planen.

Aber 1939 beginnt der Krieg. Hitler, dieser Teufel, den man schon vor fünf Jahren hätte erschießen sollen, schreit im Radio, sodass Elna sich fast fürchtet im Dunkeln. In solchen Unruhezeiten wagt man nicht, eine Arbeit aufzugeben, ebenso wenig, eine Reise zu einer Brieffreundin anzutreten. Außerdem hat sie es ganz gut bei Ingenieur Ask, obwohl der Lohn miserabel ist und sie fast nie freihat.

Wir müssen warten, schreiben sie einander. Der Krieg kann ja nicht ewig dauern, genauso wenig, wie man sein ganzes Leben lang Zimmermädchen in einem Hotel oder Hausgehilfin bei einem Ingenieur sein kann.

Wir sehen uns bald, schreiben sie. Aber plötzlich ändert sich etwas. Hitlers Truppen scheinen unbesiegbar zu sein, und Vivis Briefe werden kürzer, beinahe ausweichend. Da ist etwas mit ihrem Papa.

Es ist nicht leicht, jetzt Kommunist zu sein, schreibt sie schließlich geradeheraus. Und Elna ahnt, was sie meint. Sie hat ja eine Menge gesehen und gehört, nicht zuletzt in der Familie Ask, wo die Frau des Hauses offene Bewunderung für Hitler hegt. Den Ingenieur hingegen, klein, übergewichtig und ständig bekümmert, obwohl der Krieg die Stahlproduktion der Fabrik begünstigt, hört Elna murmeln: »*Sonderbare Burschen, gefährliche Burschen*«, als sie ihm im Raucherzimmer den Abendkaffee serviert, wo das Radio die letzten Nachrichten über den Feldzug des deutschen Attila gegen seine scheinbar willenlosen Nachbarn verbreitet.

Außer Schweden, bis auf Weiteres. Willenlos zwar, aber noch nicht eingekreist von Kanonenmündungen.

Elna ist eines Tages Zeugin, wie eine Gipsbüste von Hitler ausgepackt und auf dem schwarzen Flügel im großen Zimmer aufgestellt wird, von wo das gesamte Werksgelände zu sehen ist. Hinter einer Tür hört sie Ingenieur Ask vorsichtig fragen, ob das wirklich nötig sei, die Stadt sei ja immerhin klein und die Hausgehilfinnen hätten Augen und Ohren …

Aber die Frau faucht wie eine gebrannte Katze, und ihr Mann fällt sofort in sein Gemurmel zurück. Elna legt weiterhin *Dagens Eko*, herausgegeben von der zweifelhaften Gesellschaft Manhem, zum Mittagstee von Frau Ask bereit.

Der Krieg ist weit weg, aber auch sehr nah. Zu Hause ist für Vater natürlich alles klar. Hat nicht dieser Teufel einen Pakt mit dem Gorilla im Kreml geschlossen? Was bedeutet das? Stalin und Hitler, Kleiner Vater und Großer Vater, die einer dem anderen um den Bart gehen. Und das stützt die Kommunisten! Strategie nennen sie das? Landesbetrug und Hochverrat ist das! Da soll verdammt noch mal einer das Gegenteil behaupten!

Elna versucht, das Ganze praktisch zu sehen. Das Milchgeschäft unten am Bahnhofshügel wird von der alten Frau Ekblom geführt. Sie hat einen Klumpfuß und trägt schwarze Stiefel mit unterschiedlich hoher Sohle. Weißhaarig und freundlich ist sie, stets bereit, Kredit zu gewähren, und sie gibt offen zu, Kommunistin zu sein.

Landesverräterin?

Elna hört zu und stellt Fragen, aber die Antworten sind zu hoch für sie. Ein Mann namens Hess, der nach Schottland fliegt, ist für Frau Ask ein verrückter Spion, für den Vater aber ein *erstaunlich vernünftiger Überläufer, dafür, dass er Deutscher ist*. Himmler, München, Reichskanzlei, Obersturmbannführer, Messerschmidt, nie irgendein Zusammenhang. Und Mutter, die nervös nach ihren Lebensmittelmarken greift und Skisocken strickt, als ob das Jüngste Gericht bereits vor der Tür stünde.

Was macht Elna?

Nun, schließlich schreibt sie an ihre Freundin Vivi und sagt klipp und klar, wie es ist, dass sie verwirrt ist. Es wird ein langer Brief.

Zusammenhänge, Ursachen?

Kann Vivi das alles erklären? Versteht sie mehr?

Sie tauschen Briefe aus, versuchen, ihre Gedanken zu deuten, eignen sich die Klarheit und Übersicht an, die so verzweifelt notwendig scheint, um leben zu können, das komplizierte Leben zu verstehen.

Es wird Frühling, Vivi und Elna sind siebzehn geworden, und diesen Sommer werden sie sich treffen, Krieg oder nicht. Die unruhigen Zeiten scheinen anzuhalten, die Ungeduld wird zu groß. Die Frage ist nur, wie sie sich treffen können. Keine von ihnen hat so etwas, was man Ferien nennen könnte. (Vivi riskiert, entlassen zu werden, wenn sie nur einen einzigen Tag krank ist, das hat sie der Freundin in Sandviken in einem wütenden Brief geschrieben, nach einer Mandelentzündung, die den Arbeitstag doppelt so anstrengend machte.) Der Weg zwischen Sandviken und Landskrona ist weit. Aber ein paar Kronen können sie immerhin sparen, Fahrräder kann man leihen, und vielleicht hat jemand sogar einen alten Schlafsack ...

Ein Zufall hilft ihnen. Eines Tages Anfang Mai 1941, als der Winter sich endlich zurückzuziehen beginnt und ein Frühling folgt, der die frierenden Menschen langsam wärmt. Eines Tages, als es trotz allem möglich scheint, wieder an frisches Grün und Sommervögel zu glauben, trifft das unerhörte Ereignis ein. Rune kommt die Treppe heraufgestapft, öffnet die Tür und sagt, dass ein Gruß von seinem Onkel aus Skallskog gekommen sei. Falls Runes Kinder Lust hätten, bei der Heuernte zu helfen, so seien sie willkommen.

»Der hatte doch noch nie Familiensinn«, sagt Rune verwundert. »Aber jetzt ist es offenbar wichtig. Nun ja, der Krieg vereint. Aber er ist geizig, der Teufel, darum ist er wohl auf billige Hilfe aus. Vielleicht wurden seine Knechte einberufen. Da steht er jetzt vor der schrecklichen Situation, die Heugabel selbst in die Hand nehmen zu müssen.«

Über den Onkel, den wohlhabenden Bauern aus Skallskog, haben sie nie viel gesprochen. Elna vermutet, dass eine grimmige Eifersucht auf den Bauernhofbesitzer, der immer *Hühnerpitter* genannt wird, der schleichende Grund ist. Mit böswilligen Spitznamen kann man immer zu vornehme oder gut betuchte Emporkömmlinge heruntermachen.

»Es kann keine Rede davon sein, dass alle fahren«, bestimmt Rune energisch. »Aber du, Elna, hast vielleicht Lust. Und es würde den alten Geizkragen bestimmt ärgern, wenn da ein Mädel kommt statt meiner Söhne!«

Na klar will sie! Und Rune sieht keinen Grund, warum Vivi nicht mitkommen sollte. Eher ist es ihm lieb.

»Zwei Mädchen sind sicher nicht das, was er sich gedacht hat«, gluckst er vergnügt. Elna schaut ihre Mutter an. Sie sitzt ruhig da, aber es sieht so aus, als ob sie auch mitwollte. Aber wer fragt sie schon?

Elna hat gelernt, dass Glaube und Hoffnung nie ausreichen. Aber seltsamerweise ordnet sich in diesem Fall alles. In einem Brief, der von ungezügelter Freude überschäumt, erzählt Vivi, dass ihr der verhasste Direktor des Hotels, in dem sie arbeitet, in einem Zustand sentimentaler Rührung nach einem furchtbaren Rausch zwei Wochen freigegeben hat. Natürlich ohne Lohn. Elna muss auch nicht kündigen, Ingenieur Ask gewährt ihr gnädigst unbezahlten Urlaub, die Familie wird sowieso einige Wochen mit der besseren Gesellschaft von Stockholm in den Schären verbringen.

Und so steht Elna eines Tages, an einem Nachmittag gleich nach Mittsommer 1941, auf dem Bahnsteig in Borlänge und wartet auf den Zug nach Norden. In einem der Wagen erwartet sie Vivi, das aufgegebene Fahrrad in einem Güterwagen, mit einem roten Taschentuch am Fenster winkend. Seit drei Jahren sind sie nun Brieffreundinnen, Elna hat über hundert Briefe gezählt, und nun werden sie sich endlich treffen, mit dem Zug nach Älvdalen fahren, zur abgelegenen norwegischen Grenze radeln, zum Fjäll, und allmählich wieder nach

Süden ziehen, zum See Ejen und zu Hühnerpitters Heuernte in Skallskog. Die Ewigkeit ist plötzlich messbar: Vierzehn Tage, und jeder Tag bedeutet, dass die Freiheit aufs Neue entdeckt wird.

Elna ist hübsch, wie sie da auf dem Bahnsteig steht mit der Reisetasche zwischen den Füßen. Weißes Haarband, das die dunklen, widerspenstigen Haare zurückhält, weiße Söckchen, gelbes Kleid, Sandalen. Sie atmet heftig, als wäre die Aussicht auf die Zukunft anstrengend. Aber natürlich ist sie auch nervös. Sie stellt sich vor, dass Vivi, die vom südlichen Ende des Landes kommt, viel hübscher und stärker ist als sie, die in einer unansehnlichen Stadt wohnt, wo nicht einmal das Meer zu sehen ist, wie hoch man auch auf den Kirchturm klettern mag.

Sie wartet, unruhig und erwartungsvoll, voller widersprüchlicher Gefühle, wie die Situation es von ihr erfordert. (Doch hätte sie gewusst, dass sie als Resultat dieser Reise eine Tochter bekommen sollte, die in einer fernen Zukunft genau in dieser Stadt herumlaufen und unglücklich sein würde, da hätte sie sofort kehrtgemacht, wäre davongejagt, die staubige Landstraße entlang, bis sie wieder zu Hause in Sandviken gewesen wäre. Aber das Leben ist nicht so. Die Zukunft zeigt niemals etwas anderes als eine vorwitzige Nasenspitze, die hinter einem Vorhang hervorsieht.)

Da ist Vivi. Zuerst die zischende und schnaubende Lokomotive, Rauch und Quietschen, dann plötzlich ein rotes Taschentuch, das an einem Fenster eines Dritte-Klasse-Abteils vorbeifliegt, kaum sichtbar in dem beißenden Qualm. Und dazu ein Geheul in einem eigentümlichen Dialekt: »Da biste ja, Elna!«

Vivi, Vivi Karlsson. Tochter eines Werftarbeiters aus Landskrona. So sieht sie also aus: fast kreideweißes Haar, grenzenlos sommersprossig, stupsnasig, ein dunkler Zahn im Oberkiefer (nach einem Sturz von einer Klotreppe), klein, mager. Und gleich bei der Sache. Elna steigt in den Zug und lässt sich auf die Holzbank gegenüber von Vivi fallen, wirft Reisetasche und Schlafsack auf den Boden. Sie sagen kein Wort, bis der Zug sich ruckend wieder in Bewegung setzt. Sie sind frei und reisen, sie haben sich endlich getroffen.

»Hej«, sagt Elna.

»Hej, du«, antwortet Vivi.

Dann lachen sie. Schnell stellen sie fest, dass keine von ihnen so aussieht, wie die andere es sich ausgemalt hat. Nun ist es die Wirklichkeit, die gilt.

Insjön, Leksand, der glitzernde Siljan, Mora, und gegen Abend steigen sie in Älvdalen aus dem Zug und holen ihre Fahrräder aus dem Gepäckwagen. Ein beinahe leiser Abendregen empfängt sie. Vorsichtig öffnen sie die Tür eines abgestellten Güterwaggons und machen es sich dort für die erste Nacht bequem. Es riecht nach Dünger, aber Vivi schnüffelt herum wie ein witternder Terrier und entdeckt auf dem Bahnhofsgelände Zeitungen, die sie unter den Schlafsäcken ausbreiten können. Im Halbdunkel liegen sie und erzählen, manchmal sind sie still und lauschen auf den Regen, der auf das gewölbte Dach des Waggons tröpfelt.

Die ganze Sommernacht hindurch erzählen sie. Schlafen – das gehört in eine andere, weit zurückliegende Welt. Sie kriechen immer dichter zusammen, spüren den Atem der anderen. Kann man enger zusammen sein?

Gegen zwei Uhr morgens fragt Vivi, ob Elna noch unschuldig sei. Sie kichert nicht einmal, stellt die Frage genau so, wie sie gemeint ist.

Elna weiß nicht recht, was sie antworten soll. Sie hat sich niemals vorstellen können, dass ihr so eine Frage gestellt würde. Aber ist sie es nun? Ja, natürlich. Es gab ja kaum Zeit, um mit Jungen auszugehen. Und Vater Rune hat über sie gewacht, seine warnenden Augen sind ihr gefolgt, wohin sie auch ging. Er war es auch, der sie aufgeklärt hat, und nicht Mutter, mit hilflosen, unsortierten Informationen. Verstanden hat sie eigentlich nur, dass Jungs zu meiden sind. Denn schwanger zu werden wäre der Tod, da könnte man ja gleich den Kopf unters Beil legen. Einmal wurde sie jedoch von einem Tölpel aus Hofors überrumpelt, und der schaffte es, sie zu küssen. Birger, fand sie, war eigentlich nett, er lachte oft und laut und war immer sehr sauber. Bis er eines Samstagabends die Maske abwarf und nur noch ein lüsterner junger Mann war, der ihren Widerstand zu brechen versuchte. Er schaffte es aber nicht, zum Glück war Nisse gleich da, als diese nervösen und eifrigen Teenagerfinger ihr zusetzten. Sie hat ja selbst, lüstern und verschämt zugleich, gründlich versucht, die Gefühle in ihrem Unterleib zu erforschen, beim bleichen Schein der Straßenlaterne, der über die Bettdecke strahlte. Und Gefühle hat sie entdeckt, erregende, erschreckende, lockende.

Mit niemandem hat sie je so gesprochen wie in dieser Nacht mit Vivi. Sie errötet und kichert, erwartet jeden Augenblick, dass sich die Tür des Güterwaggons öffnet und Vater Rune dort steht und sie anbrüllt, worüber, zur Hölle, sie sich da unterhalten. Aber natürlich kommt er nicht, und sie flüstern und haben einen Schluckauf vor Lachen. Im Morgengrauen sind sie in der Lage, über Gott und die Welt zu reden, auch über Vorurteile, verbotene Gedanken, gefährliche Gedanken.

»Hitler«, sagt Vivi. »Stell dir vor, er wäre hier! Wenn er hier läge, zwischen uns?«

Sie bedenken ihn mit den schlimmsten Schimpfnamen, die man sich vorstellen kann. Kreuzotter, ein verrotteter Kadaver, eine braune Ratte mit Pestflecken – und Flöhen im Schwanz …

Es dämmert, als sie aus dem Güterwaggon klettern, ihre Fahrräder nehmen und sich auf den Weg machen. Es regnet nicht mehr, aber die Wolken hängen tief, es ist rau, und sie strampeln sich warm an den ersten Hängen. Draußen auf der Landstraße beginnen sie zu singen, es dauert einige Kilometer, bis sie den Namen *Daisy Sisters* gefunden haben. Sie radeln nebeneinander, mit der Sonne im Rücken.

Gott, denkt Elna. Wenn es dich gibt, wenn es dich gibt ...

Sie rasten, kochen Kaffee (es ist Vivi, die Kaffee bei sich hat, übermütig erzählt sie, dass sie ihn stibitzt hat, als die Hauswirtschafterin im Hotel ihr in der großen Vorratskammer den Rücken zuwandte), teilen ihren Aufschnitt, erleben ihren ersten gemeinsamen Morgen. Plötzlich beginnt Vivi auf der Wiese, auf der sie sich niedergelassen haben, Purzelbäume zu schlagen. »In Skåne gibt es nur Treppen«, schreit sie. »Wenn man hier fällt, schlägt man sich nicht die Zähne aus.«

So purzelt sie kopfüber durchs Gras und beginnt mit Trockenschwimmen. Als sie das Gesicht hebt, ist es braun und verschmiert, sie ist mitten in einem Kuhfladen gelandet. Aber sie lacht nur und wäscht sich in einem Graben.

Sie sind auf dem Weg mitten hinein in den Sommer.

Nach einigen Tagen kommen sie nicht weiter. Nördlich von Gröveldalsvallen, wo sie im Nordwesten schon das Långfjäll ahnen, werden sie an einer Brücke über den Grövla gestoppt. Der Wachtposten ist fett und verschwitzt, das Gewehr hängt wie ein Joch über seiner Schulter. Aber obwohl er aussieht wie Sigurd Wallén, ein *unglücklicher* Sigurd Wallén, spüren sie den Ernst. Auf der anderen Seite der unsichtbaren Grenze ist Krieg. Sie dürfen noch bis Lövåsen fahren, aber von dort sind es bestimmt noch fünfzehn Kilometer bis zur Grenze. Sie radeln weiter, nur singen mögen sie nicht mehr.

Eine verlassene Scheune wird ihr Zelt, ein Gebirgsbach

ihr See. Auf einem Hof können sie Lebensmittel kaufen. In den warmen Sommertagen ist alles eigentümlich still, die Menschen auf den verstreuten Bauernhöfen verrichten ihre Arbeit, auf den Landstraßen kommen vereinzelte schwarze Autos in einer Staubwolke vorbei. Im Übrigen herrscht Stille. Vielleicht ist das ebenso das Gesicht des Krieges wie Kanonengrollen und kreischende Kampfflugzeuge, denken sie. Stille, ein wolkenloser Himmel und eine Sonne, die sich unendlich langsam von Ost nach West bewegt.

Sie tasten sich vorwärts in der Stille, streunen herum, sonnen sich, erzählen. In dreizehn Jahren sind sie dreißig, was machen sie da, ist der Krieg zu Ende, wie sehen sie 1954 aus? Und zehn Jahre weiter, 1964? Wem hört man dann zu beim Samstagabendprogramm im Radio? Und noch später, wann werden sie sterben? Werden sie das Jahr 2000 noch erleben?

Vivi hat einen vagen Traum davon, in die Welt hinauszureisen. Wohin, weiß sie nicht. Elnas Träume sind weniger erhaben. Sich in Stockholm niederzulassen wäre mehr als zufriedenstellend. Und in einem Büro zu arbeiten ... *Gott, wenn es dich gibt, mehr begehr ich nicht.* Aber Vivi rümpft die Nase. Sie sitzen am Hang, und sie gräbt mit den Händen in der feuchten Erde. So sieht sie ihr Leben, versucht sie zu erklären. Unter allem gibt es noch etwas anderes, etwas Unerwartetes. Das will sie entdecken. Sie glaubt, das heißt Archäologie, aber sie ist sich nicht sicher. Elna kann ihr nicht helfen, sie hat das Wort noch nie gehört.

Eines Tages berichtet Vivi von ihrem Papa. Er hat einmal eine lange Reise gemacht in eine Stadt in Südfrankreich. Dort wurde er angehalten und zurückgeschickt. Er war auf dem Weg nach Spanien, zu einem anderen Krieg. Elna hat davon gehört, aber in Worten, die sie beunruhigen. Vater Rune hat bei mehreren Gelegenheiten das Wort Märtyrer eingeflochten, das ist sein verächtlicher Ausdruck für diejenigen, die freiwillig an einem Bürgerkrieg teilnehmen. Als Elna das erzählt, schneidet Vivi eine Grimasse und stampft mit dem Fuß auf. Einen kurzen Augenblick glaubt Elna, dass sie ernstlich böse wird, aber da ist es auch schon vorbei. Vivi zuckt nur mit den Schultern: »Die Zukunft wird zeigen, wer recht hatte«, sagt sie. (Das sind die Worte ihres Papas, sein Trost, wenn es am schlimmsten ist.)

Elna würde gern mehr fragen, aber sie traut sich nicht, sie hat gemerkt, dass Vivi verschlossen bleibt und geheimnisvoll, wenn es um die politischen Anschauungen der Familie und vor allem die ihres Papas geht. Als sie von seiner abgebrochenen Reise nach Spanien berichtet, sagt sie wenig oder nichts über den Anlass. Die Reise bleibt nur eine Reise, spannend, weil sie in fremde Länder führt und weil sie hastig abgebrochen wird. Aber den Zweck der Reise deckt sie nicht auf, sie sagt nur, dass er auf dem Weg war, sich der internationalen Brigade anzuschließen.

Brigade, was ist das? Aus Vivis Mund kommen Worte und Begriffe, Zeichen von Erfahrenheit, die Elna nicht hat. Oft muss sie fragen, aber genauso oft lässt sie es bleiben. Sie weiß nicht, woran es liegt, es ist einfach so ein Gefühl.

Eines Tages radeln sie in verbotenes Gebiet. Den Entschluss haben sie schon am Abend vorher in ihrer Scheune gefasst. Und wie gewöhnlich war Vivi die treibende Kraft. Elna war schon fast eingeschlafen, als Vivi flüsternd vorschlug, sich auf eine unerlaubte Expedition zu begeben. »Es kann uns ja nicht mehr passieren, als dass wir angehalten werden. Und was können sie anderes tun, als uns zurückzuschicken? Wir sagen einfach, dass wir uns verfahren haben.«

Elna muss nicht fragen, warum Vivi in verbotenes Gebiet will, sie weiß es sehr gut. Es ist die Grenze, die lockt. Sie haben eine vage Vorstellung davon, wie die Grenze aussieht. Eine Schranke? Ein Holzzaun? Ein Wachtturm mit Soldaten?

Früh am Morgen radeln sie los. Sie zittern in der Dämmerung. Die Landschaft ist eintönig, ein weißer Nebel, der tief über den Boden streicht, hüllt sie ein. Der Schotter knirscht unter den Gummireifen. Vivi radelt voraus, sie ist die Expeditionsleiterin.

Auf zur Grenze, raus aus der Stille, hin zum Krieg!

Sie kommen nicht sehr weit, wieder durchkreuzt die Grenze ihre Pläne. Aus dem Nebel lösen sich plötzlich zwei junge Wachtposten, und im Gegensatz zu dem fetten Brückenwachtposten sind diese beiden entschlossen und hellwach, trotz des frühen Morgens. Ihre sonnengebräunten Gesichter leuchten unwirklich im Nebel. Sie stehen auf dem Weg und halten ihr Gewehr in den Händen. Vivi schiebt ihr Fahrrad ein paar Meter und fragt in ihrem grellen, lauten Dialekt, wo sie sind, sie müssen sich im Nebel verfahren haben.

Einer der Wachtposten, von dem sich später herausstellt, dass er Olle heißt, mit dem Spitznamen Nypan, grinst sie an. »Hier gibt es nur einen Weg«, sagt er. »Hier kann man sich nicht verfahren.«

Elna will wenden und wegfahren, so schnell wie möglich, aber Vivi, ohne von der Antwort Notiz zu nehmen, fragt noch einmal, wo sie sind. Der Grenzsoldat Olle blinzelt sie an. Er hört, dass sie aus Skåne kommt, er selbst ist aus Växjö und hat Verwandte in Tomelilla. Er macht einen Schritt auf sie zu und beginnt mit dem geschickten kleinen Verhör, das vorgeschrieben ist, wenn Unbefugte innerhalb der Grenzzone entdeckt werden. Vivi antwortet munter, und ohne sich darum zu kümmern, dass sie die Regel bricht, die besagt, dass Zivilisten sich nach den Anordnungen des Militärs zu richten haben, fragt sie, ob es nicht eine Möglichkeit gäbe, die Grenze zu sehen.

Olle beginnt plötzlich zu grinsen. »Na klar«, sagt er. »Kommt heute Abend wieder. Sieben Uhr. Pünktlich.«

Und Vivi verspricht es, in beider – ihrem eigenen und Elnas – Namen.

Olle winkt mit dem Gewehr, und sie schieben ihre Fahrräder den Weg, den sie gekommen sind, zurück. Vivi ist richtig aufgedreht, weil sie nun endlich die Grenze sehen werden. Aber Elna ist misstrauisch, beinahe ängstlich: »Was kann man am Abend schon sehen?«, fragt sie.

»Vielleicht gibt es Scheinwerfer«, antwortet Vivi.

»Sie kommen vielleicht gar nicht«, wirft Elna ein.

»Dann gehen wir ohne sie«, antwortet Vivi. »Wir haben doch die Erlaubnis, oder nicht? Wir dürfen die Grenze sehen, wenn wir um sieben Uhr kommen.«

Sieben Uhr, ja. Wie sollen sie wissen, wann das ist, keine von ihnen hat eine Uhr. Aber Vivi wischt den Einwand weg, es sind noch mindestens zwölf Stunden bis dahin, Zeit genug, auch dieses Problem zu lösen.

»Wir wissen ja nicht mal, wie die heißen«, sagt Elna lahm.

Vivi sieht sie verwundert an. »Was spielt das für eine Rolle?«

Elna zuckt mit den Schultern, sie findet ihre Frage plötzlich auch dumm.

Der Nebel löst sich auf, sie kommen an einen fast zugewachsenen Pfad und beginnen, die Räder einen Hang hinaufzuschieben. Sie suchen einen Badesee. Es ist noch immer früh am Tag, das Gelände wird immer unwegsamer, und es kommt wieder Nebel auf. Als sie den Rücken des Hügels erreicht haben, führt der Weg hinunter in eine Talsenke. Die Fahrräder hopsen über den wurzelbedeckten Weg, sie bremsen mit dem Rücktritt, und Vivi ruft Elna zu, sie habe Hunger und Durst. Wenn man doch dieses Weiße hier trinken könnte.

Der Weg endet an einem kleinen unansehnlichen und verwitterten Hof. Ein niedriges graues Bauernhaus, bei dem die

Splitter der Holzwände an die Bartstoppeln eines Landstreichers erinnern, ein kleiner Viehstall und ein Klohäuschen. Eine schwarzweiße Kuh weidet an einem Hang, es raucht aus dem Schornstein. Der Hof taucht wie ein Geisterschiff aus dem Nebel auf. Sie stellen ihre Fahrräder ab und gehen zum Haus, um Milch zu kaufen, Butterbrote haben sie dabei, in einer Brotdose, die Elna unter Aufbietung all ihrer Überredungskunst von ihrem Bruder Arne geborgt hat. Elna klopft an die morsche Außentür, sie wissen inzwischen, dass Vivis Skånisch für die meisten Menschen hier im Grenzgebiet unverständlich ist.

Niemand öffnet, und Elna zeigt verwundert auf die niedrigen Fenster. Die Gardinen sind vorgezogen. Sie fragen sich, ob die Bauersleute etwa noch schlafen, aber das ist kaum möglich. Der Schornstein raucht, und Leute mit einer Kuh sind Frühaufsteher. Elna klopft noch einmal, diesmal kräftiger, nicht nur mit dem Knöchel, sondern mit der Faust. Schließlich steht ein älterer Mann in der Tür und nickt. Elna knickst und sagt, dass sie Milch kaufen möchten. Er antwortet nicht sofort, scheint nachzudenken, bevor er zur Seite tritt und sie hereinbittet. In der fast dunklen Küche sind vier Personen. Zwei Frauen und zwei Kinder, ein Junge und ein Mädchen. Die jüngere Frau, sie ist ungefähr dreißig, sieht verschreckt auf. Die ältere kämmt weiter die Haare des Mädchens, sucht nach Läusen. Der Junge, fünf oder sechs Jahre alt, sitzt auf dem Boden und umklammert ein Stück Brennholz.

»Sie wollen nur Milch kaufen«, sagt der Mann. »Einen Liter haben wir immer.« Die ältere Frau nickt freundlich, zustimmend. »In Ordnung, nur einen Liter«, sagt sie. »Mehr können wir nicht entbehren.«

Der Mann führt sie hinaus zur Rückseite des Hauses, wo ein Erdkeller in den Hang gegraben ist. Er fragt, wie es möglich sei, dass sie sich in diesem abgelegenen Teil der Welt befänden. Er lächelt, als er Vivis Dialekt hört, vermutlich versteht er nichts von dem, was sie sagt. Er gießt gut einen Liter von der duftenden Morgenmilch in die graue Milchkanne, die Elna ihm reicht. Elna bezahlt fünfundzwanzig Öre, und der Mann stopft sie in seine zerschlissene Börse. »Ich heiße Isak Fjällberg«, sagt er leise, als hätte er Angst, jemand Unbefugtes könnte ihn hören. »Die, die ihr in der Küche gesehen habt, waren meine Frau und drei norwegische Flüchtlinge. Da ist nichts Ungesetzliches dabei, aber ihr braucht trotzdem nicht darüber zu reden.«

Im selben Augenblick kommt das Mädchen hinaus auf den Hof. Sie ist elf, vielleicht zwölf Jahre alt. Sie bleibt ein paar Meter vor Vivi stehen und starrt auf ihren Kopf.

Vivi hat einen kleinen Kamm in ihr Haar gesteckt, sodass es ihr nicht ins Gesicht fällt, wenn sie radelt. Außerdem ist es Mode, sie hat den Kamm in einem Geschäft in Landskrona geklaut.

Das Mädchen schaut mit großen Augen auf diesen Kamm.

»Sie sind heute Nacht herübergekommen«, sagt Isak Fjällberg. »Sie sind müde, sie müssen später am Tag weiter. Sie sind eine Woche lang durch die Wälder gezogen, bevor sie es hierhergeschafft haben.«

Vivi ist impulsiv, sie löst den Kamm und gibt ihn dem norwegischen Mädchen, das ihn zögernd annimmt. Dann knickst es und läuft wieder ins Haus.

Jemand knickst vor Vivi? Herrgott, was sie durchgemacht haben müssen. Denn man knickst doch nicht vor Gleichaltrigen, schon gar nicht vor einer Werftarbeitertochter?

Isak Fjällberg lächelt und murmelt etwas Unverständliches.

Vivi und Elna sehen sich an. Endlich haben sie etwas vom Krieg zu sehen bekommen. Elna denkt, dass dies etwas ist, woran sie sich immer erinnern wird, solange sie lebt. In jedem Fall *wünscht* sie sich das.

Sie bekommen die Erlaubnis, sich auf die Treppe zu setzen, um zu frühstücken. Isak Fjällberg steht untätig auf dem Hofplatz, es sieht aus, als ob er lausche. Aber er ist nur müde. Er ist Grenzlotse, gehört zu dem letzten entscheidenden Glied in der Kette, die in diesem Gebiet, südlich von Röros und nördlich von Trysil, nachts über die Grenze nach Norwegen geht und norwegische Flüchtlinge in Sicherheit bringt, außer Reichweite der Nazis und der furchtbaren Denunzianten.

Vivi und Elna bleiben auf dem einsamen Fjällhof. Als der Nebel verschwindet, haben sie den Gedanken aufgegeben, zu einem Badesee zu fahren. Niemand scheint etwas gegen ihre Anwesenheit zu haben, vielleicht denkt Isak Fjällberg sogar, es sei gut, sie in der Nähe zu haben, bis er am Nachmittag die drei Flüchtlinge weiter das Tal hinunter zur Sammelstation geführt hat. Das Mädchen, das Vivis Kamm bekommen hat, heißt Toril. Während ihre Mama und ihr kleiner Bruder, die nach den langen, erschreckenden Tagen der Flucht erschöpft sind, im Haus ausschlafen, sucht sie die Nähe von Vivi und Elna. Ihre Schüchternheit vergeht, sie hat das Bedürfnis zu erzählen, berichtet von ihren Ängsten. Und Isak Fjällberg ergänzt, was fehlt, er wippt vor und zurück und wartet darauf, dass die Mutter und der Junge aufwachen und in der Lage sind weiterzugehen. Seine Frau Ida zeigt sich kaum. Sie wacht über die zwei Schlafenden in der Kammer, in ihrem und Isaks Bett. Als Norwegen im April 1940 angegriffen wurde und die Flüchtlingsströme eintrafen, zögerten sie nicht, es war selbstverständlich zu helfen. Und beide haben gute Kontakte zu ihren Nachbarn auf der anderen Seite der Grenze. Isak ist bekannt im Grenzgebiet, ihm kann man vertrauen, er hat keine Angst und ist jederzeit bereit, sich auf den Weg zu machen, wenn der Anruf kommt. Manchmal schläft er keine einzige Nacht, und am Tag muss er seiner Arbeit als Holzfäller nachgehen. Nur heute ist er gezwungen, die Flüchtlinge noch weiter bis zur Sammelstelle zu führen. Der, dessen Aufgabe das normalerweise ist, liegt krank darnieder. Ida nimmt sich der Flüchtlinge an, wenn sie über die Grenze gekommen sind. Dann erlebt sie oft die Reaktionen: Schreie und Zusammenbrüche, Apathie. Niemand weiß, wie sie es schafft, allen diesen Menschen etwas zu essen zu geben, die zu kleiden, die es nötig haben. Sie und Isak sind arme Fjällbauern, sie haben keinen Überfluss. Aber es geht alles, wenn es gehen muss.

Toril hat lebendige Deutsche gesehen. Für Vivi und Elna ist das die große Sensation. Es ist nicht länger als zwanzig Stunden her. Sie berichtet in ihrem singenden Norwegisch (Vivi und Elna staunen, dass es so leicht zu verstehen ist) von dem letzten kritischen Teil der Flucht, kurz bevor sie in den Wald sollten, um dem schwedischen Lotsen übergeben zu werden, welcher also Isak war. In der Dunkelheit mussten sie einen Weg passieren, der von deutschen Soldaten bewacht wurde. Ihr Bruder Aage hatte Rotwein bekommen, weil er schlafen sollte, Rotwein mit irgendeinem Zusatz. Der norwegische Lotse hat den Jungen getragen. In dem Moment, als sie über den Weg wollen, kommt plötzlich ein deutscher Truppentransport in einem Lastwagen, und sie müssen sich in den Graben werfen. Die Deutschen hatten den Zeitpunkt für die Wachablösung geändert, was der norwegische Grenzlotse nicht wissen konnte. Unten im Graben wird Aage wach, Mama muss sein Gesicht fest gegen ihre Brust drücken. In einem schrecklichen Augenblick sieht Toril, wie zwei deutsche Soldaten weniger als zwei Meter von ihnen entfernt stehen bleiben. Sie sieht die Stahlhelme, die grünen Uniformen, hört einen scharfen Wortwechsel in der furchterregenden deutschen Sprache. Aber sie werden nicht entdeckt und können schließlich weitergehen. Toril hat sie gesehen, gehört. Sie weiß nur so viel, dass sie ihr Haus in Hamar Hals über Kopf verlassen mussten. Ihr Vater ist in der norwegischen Widerstandsbewegung, und sie wissen, dass sie jederzeit als Geiseln für ihn genommen werden können. Sie hatten gerade mal eine halbe Stunde, um sich auf den Weg zu machen, alles mussten sie zurücklassen. Der Bruder durfte nicht mal seinen Teddy mitnehmen.

Vivi und Elna sehen das blasse Mädchen an, das von der anderen Seite der Grenze gekommen ist. Isak sagt ihr, sie solle hineingehen und sich auch hinlegen. Sie werden noch fünf Kilometer gehen müssen, nur wenn sie Glück haben, können sie ein Stück auf dem Pferdewagen mitfahren. Sein Auto ist kaputt, und sie müssen weiter. Er hat einen Bericht von seinem Kontaktmann auf der anderen Seite der Grenze bekommen, dass die Gestapo mehrere Widerstandszellen ausgehoben hat, und dann kommen die Flüchtlinge immer in großen Gruppen.

Toril gehorcht und verschwindet im Haus.

»Für diese drei ist es noch gefährlicher als für die anderen«, sagt er dumpf. »Der Vater ist nicht nur in der Widerstandsbewegung, er ist auch Mitglied in der kommunistischen Partei.«

Am Nachmittag führt Isak die norwegische Frau mit ihren Kindern nach Osten, hinunter ins Tal. Seine Frau winkt ihnen nach, Toril hält ihren Kamm ganz fest. Vivi und Elna schieben ihre Fahrräder auf demselben Weg zurück, den sie gekommen sind. Oben auf dem Hügelrücken ruhen sie sich aus, legen sich ins Gras. Es ist windig geworden, aber die Luft ist mild. Im Nordwesten türmen sich dunkle Wolkenbänke auf wie Kulissen. Bevor sie Isak Lebewohl gesagt haben, fiel es Elna noch ein, nach der Uhrzeit zu fragen. Er schaute zum Himmel und sagte, es sei vier. Also bleiben immer noch einige Stunden Zeit, bis sie zu den Wachtposten zurückkehren sollen, um zur Grenze eskortiert zu werden.

»Heute ist Samstag«, sagt Vivi.

Samstag?

Elna bekommt einen Schrecken. Es ist schon fünf Tage her, seit sie auf dem Bahnhof in Borlänge stand, um ihre Freundin zu treffen. Bald müssen sie die Rückfahrt antreten, zum Rechen und Heustapeln in Skallskog.

In einer Art zeitlosen Spiels sind die Tage vergangen, sie haben viele Nächte dicht beieinander geschlafen, nackt haben sie in Bächen und kleinen Waldseen gebadet, keine hat einen Leberfleck auf der Haut, den die andere nicht gesehen hat.

Nun scheint es, als ob die Haltbarkeit ihrer Freundschaft geprüft werden müsste.

Sie sitzen auf dem Rücken des Hügels und schauen über die Landschaft. Es ist ein geografisches Grenzland, Fjäll, Wald und Wiesen, ein bisschen Schweden, halb fremd, halb vertraut, eintöniger Kiefernwald rund um Sandviken, flache, unendliche Äcker um Landskrona (außer dem Sund natürlich).

Vivi kratzt an einem Mückenstich, gedankenvoll, abwesend. Sie ist eine Persönlichkeit ohne Übergänge, in einem Augenblick frech und herausfordernd, im nächsten tief versunken in einer fernen Welt. Und genauso schnell, ohne Vorwarnung, ist sie wieder zurück. Wie jetzt.

Sie wirft das Haar aus dem Gesicht (den Kamm hat sie schon vergessen) und schaut Elna aufmerksam an. »Verstehst du jetzt«, fragt sie. »Verstehst du, wie es Vater geht. Du hast gehört, was der Alte gesagt hat. Du hast es gehört!«

Elna ist bekannt dafür, nett und fügsam zu sein. Gerade das Letzte, gutmütig, genügsam, ist eine Auszeichnung. Der Genügsame hebt selten den Blick vom Boden, vermeidet es wahrzunehmen, dass die Welt sonderbarerweise ungerecht eingerichtet ist.

Aber ist sie wirklich so eine? Nein, natürlich nicht. Ihr Feuer brennt im Verborgenen, es weckt keine Aufmerksamkeit. Sie hat gemerkt, dass diese fünf Tage mit Vivi etwas Wichtiges bedeuten. Sie hat Mut bekommen. Ein Gefühl, dass die schwarze Farbe auf der Lampenschale weggewaschen wird, damit das Licht besser zu sehen ist. Sie hat Mut bekommen, und die ersten Bruchstücke eines Weltbilds, das anders aussieht als das, was sie bisher kennt, beginnen sich zusammenzufügen. Vivi saugt an einem Grashalm und fragt, ob sie verstehe. Was verstehe? Dass es einen Unterschied gibt zwischen Kommunisten und Sozialdemokraten, das hat sie wohl immer schon gewusst, das ist nicht bemerkenswerter, als dass es einen Unterschied gibt zwischen Volk und Volk. Aber dass der Unterschied etwas Wichtiges beinhaltet, dass es Menschen gibt, die freiwillig Gefahr und Außenseitertum wählen, dass Überzeugung etwas ist, was etwas kostet, das entdeckt sie erst jetzt.

Vivi hat gesagt, sie kommt nach ihrem Vater, und Elna weiß, dass sie selbst fast eine Kopie von Rune ist, nicht in allem, Gott bewahre, aber in vielem. Und sie und Vivi sind ungleich. Was bedeutet das? Dass sie beide Töchter der Arbeiterklasse sind, verbindet sie, aber die Frage ist, ob es nicht genauso viel gibt, was sie trennt.

»Rune ist Sozialdemokrat«, sagt Elna und legt den Kopf auf die hochgezogenen Knie.

»Man sieht deine Unterhose, wenn du so dasitzt«, sagt Vivi statt einer Antwort mit einem Grinsen.

Das ist nicht schlimm, aber doppeldeutig. Elna zieht ihr Kleid herunter und merkt, dass es ihr peinlich ist.

»Mein Papa sagt, Sozialdemokraten sind das Schlimmste, was er sich vorstellen kann«, fährt Vivi fort. »Aber er meint das nicht so, die meisten seiner Freunde und Arbeitskameraden sind ja Sozis. Aber er sagt es. Er ist wie ich, er hat eine große Klappe.«

Vivi streckt sich im Gras aus, blinzelt in die Sonne.

Elna überlegt, was sie antworten soll. »Mit Rune ist es genauso, nur umgekehrt«, sagt sie schließlich. »Es ist der Mittelstand, von dem er am wenigsten hält. Und das tu ich auch. Du nicht?«

Vivi hebt den Kopf, stützt ihn in eine Hand und blinzelt sie an. »Klar«, sagt sie. »Aber wie können wir ihnen beikommen, ohne uns mit ihnen zu einigen?«

Wer ist wir? Wir können uns doch einigen, denkt Elna. Oder geht das nur per Brief oder während einiger kurzer Sommertage auf einer Fahrradtour?

Sie wundert sich.

Aber mehr wird nicht daraus, die Sonne ist zu warm, die aufkeimende Diskussion erstirbt. Dass Vivis Art, direkt und freimütig, ihre Spur bei Elna hinterlassen hat, das wird sie später merken. Nun zieht die Sonne schon niedriger über den Himmel, bald werden sie die Grenze besuchen. Aber zuvor noch ein weiterer Kommentar vom Rastplatz auf dem Hügelrücken.

Es ist Vivi. »Sie waren süß«, sagt sie.

»Wer?«

»Die Wachtposten, natürlich! Wer sonst?«

Aber als sie vor ihnen auf dem Weg stehen, ist es nur Olle, den sie wiedererkennen. Der andere war am Morgen nicht dabei.

Vivi und Elna haben eine Weile an der Landstraße gestanden und gewartet, als die beiden hinter einem Gestrüpp auftauchen. Elna hat das unbestimmte Gefühl, dass sie dort gelegen und sie belauscht haben.

»Wir haben heute Abend Urlaub«, sagt der, der sich Olle

nennt, als er sich vorstellt. »Aber ich werde nie anders als Nypan, der Finger, gerufen«, fügt er hinzu.

Vivi hat ihr Fahrrad in den Graben gelegt und fordert ungeniert eine Erklärung, nachdem sie erzählt hat, dass sie Vivi und Elna heißen. Ohne Spitznamen. *Daisy Sisters* ist etwas anderes, das ist ein kindliches Spiel, das erwähnt man nicht vor Außenstehenden, wenn man siebzehn ist.

»Nypan, weil mich niemand im Fingerhakeln schlägt«, antwortet er und steht breitbeinig wippend auf der Landstraße, mit den Händen in den Hosentaschen. Der andere ist blass, lang wie eine Stelze und sagt nichts. Nur seinen Vornamen, Nils.

Wie Figuren in einer Art Entscheidungsrunde stehen sie auf dem Kies. In der Mitte Vivi und Olle (oder Nypan), schräg dahinter Elna und Nils.

Nypan dirigiert sie auf einen Waldweg.

»Ist das hier erlaubt«, fragt Vivi.

»Es ist verboten, zum Teufel«, antwortet Nypan. »Wir riskieren die Todesstrafe. Oder zumindest Ausgangssperre. Aber, zum Teufel ...«

Vivi ist an seiner Seite, Elna und der Blasse schleichen einige Schritte hinter ihnen.

Elna sieht ihn verstohlen an. Er ist nicht hübsch, außerdem picklig. Er ist scheu und verschämt, könnte über seine eigenen Füße stolpern, denkt sie und kann ein Kichern nicht unterdrücken.

»Was ist«, murmelt er.

»Nichts«, antwortet Elna. »Was soll sein?«

So hätte sie nie geantwortet, bevor sie Vivi getroffen hat, das ist Vivis Art, mit einer Gegenfrage zu kontern.

Sie trotten weiter, und Nypan erzählt, dass er keine Erlaubnis hat, etwas zu erzählen. »Falls irgendein Offis auftauchen sollte, so sagt um Himmels willen nicht, dass ihr wisst, wie wir heißen. Nur dass wir Nummer 34 und 72 sind. Nichts weiter.«

»Offizier«, verdeutlicht Nils. Aber das ist unnötig, die beiden haben verstanden.

Laut Nypan ist ihr Grenzabschnitt der wichtigste und gefährlichste im ganzen Land. Er sonnt sich darin, die großen Geheimnisse anzudeuten. Und die ganze Zeit mit den Fäusten in der Tasche.

Sie kommen auf eine Höhe und erkennen in der Ferne einen großen See.

Die Grenze. Irgendwo mitten im See. Unsichtbar, aber deshalb nicht weniger gefährlich.

Ein Ruderboot auf dem See, kratzende und klagende Ruderdollen. Mehr ist da nicht.

Elna fragt sich, welches Land das eigentlich ist, auf dem sie steht, als etwas anderes plötzlich wichtiger wird. Nils ist an ihre Seite getreten. Olle hat Vivis Hand gefasst, zum ersten Mal hat er eine Hand aus der Hosentasche genommen.

»Wir setzen uns«, sagt Nypan.

Elna geht ein Stück zur Seite, damit Nils nicht auch ihre Hand nimmt.

Aber nichts ist gefährlich. Sie sehen nur auf die Abendsonne, wie sie über den Wipfeln glänzt, und dann wird es Zeit zum Umkehren wegen der Mücken. Am Abend werden die Mücken hartnäckiger, und sie beeilen sich auf dem Rückweg.

Der Abschied auf der Landstraße ist kurz, aber Nypan will bezahlt werden für die Begleitung und für das Risiko, das er eingegangen ist. In natura soll es sein, und Vivi lässt sich von ihm küssen, wehrt sich aber energisch, als seine Zunge zu fordernd wird. Nils und Elna machen nichts.

Sie verabreden, sich am folgenden Abend zu treffen. Nils und Olle wollen sich wieder für einige Stunden davonschleichen. Vivi erklärt, wo die Scheune liegt, und weiter geschieht nichts.

Sie radeln, so schnell sie können, ohne ein Wort zu wechseln. In der Scheune kriechen sie gleich in die Schlafsäcke.

»Sie waren süß, alle beide«, sagt Vivi. Dann spricht sie plötzlich so tief, wie sie nur kann. »Prächtige Burschen, ein Stolz für die schwedische Verteidigung.«

Wen hat sie imitiert?

Elna weiß es nicht.

»War das so verdammt schlecht?«, sagt Vivi enttäuscht. »Das war Per-Albin. Hörst du nie Radio? Er ist doch Sozi. Dein Vater klebt bestimmt am Radio, wenn er spricht.«

»Mein Vater sagt, die Nachrichten in der Zeitung sind zuverlässiger«, antwortet Elna und merkt, dass sie verärgert ist. Sie mag es nicht, wenn Rune als jemand beschrieben wird, der an irgendetwas *klebt*. Sicher ist sie überempfindlich, aber trotzdem ...

»Na?«, fragt Vivi tief aus dem Schlafsack heraus.

Was Elna denkt?

Ja, sicher waren sie süß.

Morgen sehen sie sich ja wieder.

Morgen ist Sonntag. Spätestens Montag müssen sie gen Süden radeln. Die Zeit ist knapp, die Freiheit schrumpft. Aber die Grenze haben sie gesehen, auch wenn es nur an einem See mit einem Ruderboot darauf war.

Sie ziehen ihre Schlafsäcke zu, um nicht von den Mücken gestochen zu werden, und schlafen.

Es ist Sonntagabend. Die beiden Soldaten sind in die Scheune gekrochen, mit Mundharmonika und Schnaps. Das Musikinstrument haben sie von Nummer 42 geliehen, den Schnaps heimlich beim Bäcker Lundström in Särna gekauft. Arrak, von dem man gründlich betrunken wird. Lundström ist eine Fundgrube für alle, die die Grenze in diesem Gebiet bewachen. Er ist ein fanatischer Deutschenhasser und unterstützt, nachdem er selbst wegen Fettleibigkeit und Plattfüßen für untauglich erklärt wurde, die schwedische Verteidigung mit seinem Bäckerschnaps. So dient er seinem Land. Er hat vor, bis zum letzten Tropfen durchzuhalten, bis zu dem Tag, an dem die Behörden sich nicht länger damit begnügen, über diese kolossalen Mengen von Arrak zu murren, die in einer Bäckerei in der Wildnis zu verschwinden scheinen, und mit einer Kontrolle zuschlagen oder, noch schlimmer, mit einer verminderten Zuteilung.

Zwei Flaschen haben sie mitgebracht, eine davon zur Hälfte geleert, während sie zur Scheune geradelt sind. Schmutzige Witze haben sie sich zugerufen, und die Aufteilung haben sie schon am Abend vorher beschlossen, als sie im Gebüsch lagen und spähten, während die Mädchen mit ihren Fahrrädern dort standen und auf sie warteten. Das Heu in der Scheune ist muffig, aber die Mücken sind weniger unangenehm als im Freien. Nils, die Stelze, kann leidlich auf der Mundharmonika spielen. Sie quietscht bei jedem Ton, der nicht oder falsch getroffen ist, aber als Aufmunterung zum Singen taugt sie doch ausgezeichnet. Ein Vers hier und einer da, alle Lagen. Für den ersten Versuch, gemeinsam zu singen und zu zeigen, dass man Stimme hat, dürfen es gerne Dan Anderssons Wehrlieder und Luossas Finnwälder sein. Dann etwas Albernes, Blaubeerwald und Schafwolle, wimsige Spinnen und das Kindchen, das zur Erde kam. Und zum Schluss unbegreiflicher Swing.

Es ist so geplant, dass Vivi und Elna trinken sollen. Vivi zögert nicht, sie nimmt einen Zug und schneidet ein Gesicht, und auch Elna nimmt die Flasche entgegen, als sie ihr hingehalten wird. Sie hat vorher noch nie getrunken. Ihre Erfahrung beschränkt sich darauf, dass sie manchmal die Zungenspitze in Runes Schnapsglas tunken durfte. Vivi dagegen scheint es nicht fremd zu sein, eine Schnapsflasche an den Mund zu setzen. Sie trinkt auf eine gierige und selbstsichere Art. Selbst Nypan sieht verwirrt zu. Er verliert beinahe etwas von seiner angesammelten Manneskraft. Die hier trinkt ja, als ob sie nie etwas anderes getan hätte. Was hat das zu bedeuten?

Für Elna ist die Sache bald gelaufen. Das kratzt und brennt, sie fühlt eine unwiderstehliche Lust zu lachen, während sie gleichzeitig überzeugt ist, die Kunst des Mundharmonikaspiels aus dem Stegreif zu beherrschen. Als sie sich nach dem Instrument buckt, fallt sie vornuber. Aber was macht das, die Schlafsäcke und das Heu sind weich. Es dampft behaglich im Kopf, auch wenn es schwierig ist, die Bewegungen und Gedanken zu kontrollieren. Selbst die Zunge führt sich eigenartig auf, sie rutscht im Mund umher, wenn sie etwas sagen will, und das will sie ununterbrochen.

Im Gegensatz zu Vivi, die weiß, wann ihre Grenze erreicht ist und sich mit Bestimmtheit weigert, sie zu übertreten, hat Elna keine Erfahrung damit. Bekommt sie die Flasche zu fassen, so trinkt sie. Gut ist das nicht, ihr wird ubel, aber das Gesöff muss runter, und es bleibt drin.

Auf einmal sind Vivi und Nypan von der dunkelsten Ecke der Scheune verschluckt, und als Elna plötzlich merkt, dass sie unbedingt rausmuss, hat der blasse Nils nichts dagegen, sie zu begleiten. Aber warum in aller Welt zieht er einen der Schlafsäcke mit sich? Hübsch ist er nicht, aber lustige Einfälle scheint er immerhin zu haben! Und sicherlich kann man sich draußen in der Sommernacht etwas hinlegen. Es ist schön, die Feuchtigkeit erfrischt, und die Sommersterne schwirren wie leuchtende Wespen am Himmel. Oder sind die Lichtblitze in ihrem Kopf, hinter ihren Lidern? Sie kann es wirklich nicht sagen.

Als Nils eigensinnig versucht, über sie zu krabbeln, lässt sie ihn gewähren, das soll wohl so sein, und sie weiß ja, wann sie Halt sagen muss. Aber er begnügt sich nicht mit Küssen auf Hände und Kopf, Gesicht und Hals; er ist nicht gerade bescheiden, wie er wühlt und zieht. Als er unter das Kleid kommt und eine ihrer Brüste drückt, hat sie genug, rollt sich weg auf den Bauch. Und nun scheint sie ihre Ruhe zu haben, sie hört, dass er neben ihr rumort, aber was stört sie das? Das Gras ist feucht und erfrischt ihr Gesicht, eigentlich könnte sie jetzt gut schlafen. Aber da ist er wieder über ihr. Ohne dass sie richtig reagieren kann, hat er ihr das Kleid über den Rücken geschoben und ihre Unterhose bis zum Knie runtergezogen. Jetzt wird sie wütend, aber sie muss lange schlagen und schubsen, bevor es ihr gelingt, sich umzudrehen. Da sieht sie, dass er ohne Hosen ist, unter dem Hemdsaum steht das Glied hervor, und das ist nicht blass wie sein Gesicht, sondern rotblau und geschwollen. Er reißt ihr die Unterhose weg und beugt sich herunter zwischen ihre Beine. Als sie sein Haar zu fassen kriegt und daran zieht, gibt er ihr eine Ohrfeige und hält ihre Arme fest. Er stößt und stößt, trifft aber nicht richtig, und sie schlängelt und windet sich, wie sie kann. Es gelingt ihr, seine Hoden einzuklemmen, sodass er zusammenzuckt, aber es scheint, als ob der Schmerz ihm stärkere Kräfte gibt, und jetzt drängt er sich in sie hinein mit einem gequälten Grunzen, und Elna weiß plötzlich, dass sie vergewaltigt wird. Die Ohrfeige brennt, der Alkohol lässt alles verschwimmen. Sie wehrt sich, kann sich aber nicht befreien, er prustet und pumpt, und es fühlt sich an, als wäre er tief drinnen in ihrem Bauch. Und dann zuckt er heftig einige Male, stöhnt und sabbert und fällt schwer auf sie nieder. Als sie jetzt mit den Fäusten auf seinen Rücken trommelt, kümmert es ihn nicht, er wälzt sich ins Gras und prustet. Elna findet ihre Unterhose im Gras, zieht sie an und merkt, dass sie im Schritt klebrig ist, aber jetzt will sie nur noch schlafen. Sie schnappt sich den Schlafsack, schwankt damit zur Scheune und kriecht hinein, zieht den Reißverschluss zu. Das, was geschehen ist, ist nicht geschehen, und morgen ist alles anders.

Am Morgen sind sie weg. Als Elna aufwacht, sitzt Vivi da und kocht Kaffee auf dem kleinen Spirituskocher, eine Hummel surrt über ihrem Kopf. Sie hat einen trockenen Mund, und es dröhnt im Kopf.

»Guten Morgen«, sagt Vivi. »Wie du aussiehst!«

Elna kriecht aus dem Schlafsack und stolpert zu ihrer Reisetasche mit der Spiegelscherbe. Als sie ihr Gesicht sieht, fällt ihr die Ohrfeige wieder ein. Am Hals hat sie einen großen blauen Fleck. Aber ist der von einem saugenden Mund oder von einem Schlag?

Sie trinkt Kaffee und fragt Vivi, wie es ihr geht. Danke, ganz gut. Nypan und sie hatten es lustig. (Klar, er war eigensinnig und wurde wütend, als er nicht bekam, was er wollte, als sie nicht mal bereit war, ihn zu wichsen. Aber das muss man nun mal mit Gleichmut nehmen. Als er merkte, dass nichts zu machen war, trotz Schnaps und Versprechungen, ihn rechtzeitig rauszuziehen, wurde er ganz nett.) Schließlich stand Nils in der Scheunentür und sagte, dass sie sich jetzt auf den Weg machen sollten. Da hatten sie und Nypan längst gehört, wie Elna draußen an der Wand geschnarcht hat.

»Und du«, fragt Vivi.

Elna will nicht daran denken, es ist ein unbehaglicher Traum, der sicher verschwindet, sobald sie sich auf den Weg machen. »Ungefähr genauso«, sagt sie. »Aber er hat mich einfach nicht in Ruhe gelassen, bis ich dann in den Schlafsack gekrochen bin.«

Vivi findet immer noch, dass sie süß waren. Elna antwortet nichts.

Die Woche in Skallskog vergeht schnell. Hühnerpitter ist wütend, als ihm klar wird, dass Rune ihm zwei magere Mädchen geschickt hat; er hatte mit ordentlicher Erntehilfe gerechnet. Das sagt er auch geradeheraus, aber da sind Vivi und Elna gekränkt, und sie plagen sich bis zur Erschöpfung mit ihren Rechen, um zu zeigen, dass sie sehr wohl zupacken können. Die Wärme hält an, sie arbeiten von morgens bis abends und sind dann nur noch in der Lage zu essen, sich das Gröbste abzuwaschen und in einer ausgeräumten Knechtekammer zu schlafen. Rune hat genau richtig getippt: Hühnerpitters Sohn und Knecht sind als Neutralitätsbewacher im Landsturm eingezogen worden, und sie haben keinen Heimaturlaub zur Heuernte bekommen, trotz wiederholter Briefe von Hühnerpitter an die zuständigen Militärbehörden. Am wenigsten verstehen kann er jedoch, was die armen Jungen im Blekinger Schärengarten zu suchen haben, sie haben doch keine Voraussetzungen für maritime Arbeiten. Aber die Verteidigung scheint sich nun einmal nach den verwirrenden Gesetzen des Zufalls zu richten. Es geht das Gerücht, dass Kätnerjungen aus Lappland in Kärnan in Helsingborg auf Wache gehen, was soll man davon halten?

Hühnerpitter sieht nach einigen Tagen murrenden Zweifels ein, dass diese beiden Mädchen von großem Nutzen sind. Hätte man auch noch verstanden, was dieses schlagfertige Mädchen aus Skåne redete, so wäre alles ausgezeichnet gewesen. Sie brachten die Ernte in die Scheunen und Magazine, ohne dass ein einziger Regenschauer niederkam. In einem Anfall von Gutmütigkeit steckt Hühnerpitter jeder von ihnen einen Zehner zu, als die Arbeit vorbei ist und sie nach Rättvik radeln, um den Zug zurück zu nehmen. Ein ordentliches Fresspaket bekommen sie auch, Grüße an Rune und den Rest der Familie, und sie sind jederzeit wieder willkommen. Der Krieg kann ja dauern, man weiß nie, und die Jungen bekommen vorerst wohl kaum eine Heimreiseerlaubnis von ihren Schären, jedenfalls sieht es nicht so aus in den kurzen Briefen, die in unregelmäßigen Abständen eintreffen.

An einem Morgen um sechs Uhr müssen sie sich auf dem Bahnsteig von Borlänge trennen. Sie sind sonnengebräunt und erholt, trotz der Plackerei bei der Heuernte. Und natürlich werden sie sich weiter schreiben, noch intensiver jetzt, da sie sich getroffen und festgestellt haben, dass eine die Gesellschaft der jeweils anderen mag. Sie stehen auf dem Bahnsteig und drücken einander die Hände, versprechen sich das Blaue vom Himmel: was auch geschieht, Krieg oder nicht.

Vivis Zug geht als erster, und Elna läuft neben dem Wagen her und winkt, bis der Bahnsteig zu Ende ist.

Aber dann, als sie auf der Holzbank in ihrem eigenen Zug sitzt, bricht das, was sie in der letzten Woche unterdrückt hat, aus ihrem tiefsten Innern hervor. Sie sorgt sich so schrecklich, dass sie schwanger sein könnte. Wieder und wieder ist sie das, was vor der Scheune geschehen ist, durchgegangen, und bestimmt ist geschehen, was nicht geschehen darf. Sie schaut aus dem Fenster, über den See Runn, der durch die Kiefernstämme schimmert, und denkt, dass, Gott im Himmel, dieses nicht hätte passieren dürfen …

Wie hieß er? Nils? Und weiter? Und wo wohnt er, wenn er nicht einberufen ist? Was macht er? Gott im Himmel, sie weiß ja überhaupt nichts von ihm …

Fünf Wochen später, Mitte August, weiß sie, dass sie schwanger ist.

Sie wohnt jetzt in Ingenieur Asks Villa. Gleich nach der Heimkehr ist sie zur ersten Hausgehilfin aufgestiegen, nachdem ihre frühere Arbeitskollegin Stina die Gelegenheit ergriffen hat, während ihres Aufenthalts am Rande von Stockholm zu türmen. Sie hat das Angebot einer Witwe aus der

Kommandeursgatan angenommen und ist, undankbar und frech, einfach verschwunden.

Auf Elna kann man sich hingegen verlassen, sie ist ja so gefügig und genügsam.

Ein eigenes Zimmer vor der Küche hat sie jetzt, eng wie eine Kälberbox, aber immerhin. Und in dieser Kammer wacht sie nun jeden Morgen verzweifelt auf und hofft, dass da Blut im Bett sein könnte. Es ist schon einen Monat über der Zeit, und eines Morgens muss sie sich plötzlich übergeben, als sie das Teefrühstück des Ingenieurs zubereitet. Da erlischt der letzte Hoffnungsschimmer: Das Unglück ist passiert, sie trägt ein Kind im Leib.

Sie tut das Einzige, was ihr einfällt: Vivi schreiben, berichten, was wirklich geschehen ist draußen vor der Scheune, während sie und Nypan sich an die Wand gekuschelt haben. Die Gewalt, die Ohrfeigen, der stechende Schmerz im Unterleib, die pumpenden Stöße. Sie schreibt auch, dass sie sich gewehrt habe, dass er aber zu stark gewesen sei und zu betrunken. Und jetzt kommt keine Blutung, sie muss schwanger sein. Oder gibt es eine andere Möglichkeit …? Schreib, antworte nur, so schnell du irgend kannst. Ich hab nur dich, Vivi, niemanden sonst. Ich kann zu Hause nichts erzählen. Wenn du bloß nicht so weit weg wärst, ich ertränke mich, antworte mir, hilf mir.

Nein, sie übertreibt nicht. Wen um alles in der Welt kann sie um Rat fragen? Allein der Gedanke, Mutter oder Rune gegenüber etwas zu erwähnen, ist schlimmer als jeder Albtraum. Man würde sie sofort verurteilen. Mutter würde vermutlich nur in ihr Zimmer flüchten und die Tür hinter sich zuknallen, aber Vater, er würde wohl Amok laufen, sie im Wahnsinn schlagen und dann die Treppe hinunterwerfen mit den Worten, dass sie besser nie geboren wäre …

Sie weiß ja gar nichts. Man spricht doch nicht über so

was. Als sie zum ersten Mal ihre Menstruation bekam, glaubte sie, sterbenskrank zu sein. In Panik lief sie zu Ester, und dort bekam sie Hilfe, vor allem wurde ihr erklärt, was los war. Ester gab ihr eins von ihren eigenen Stopftüchern und lehrte sie, sich selbst welche zu machen. *Halt dich von den Kerlen fern*, das ist die einzige Schrift an der Wand. Aber ihr Bruder Arne? Wenn nur ein Zehntel seiner angeblichen Frauengeschichten auf Wahrheit beruht – wie viele Kinder hat er? Keins, das weiß sie bestimmt.

1937 kam ein Gesetz heraus, das den Verkauf von Präventivmitteln erlaubte. Sie verstand *Primitivmittel*, bis sie auf dem Schulhof das richtige Wort lernte. Sie hat einmal ein Gummi gesehen, das lag auf der Straße, schlaff, durchscheinend, eklig. Soll eine Frau so was in sich haben? Niemals!

Sie beißt die Zähne zusammen und erledigt ihre Aufgaben unter Frau Asks Habichtaugen. Der Krieg ist jetzt völlig unwichtig für sie; worüber Frau Ask und der bekümmerte Mann sich bei Tisch zanken, ist ihr egal. Manchmal, wenn sie über die letzten Frontnachrichten reden, hat sie große Lust zu schreien, dass sie schwanger ist. Hört ihr! Ich krieg ein Kind, und ich will es nicht haben!

Solange sie keine Antwort von Vivi hat, ist sie wie gelähmt, kann keinen klaren Gedanken fassen.

Ein großes Nein in einer Wolke von Verzweiflung, das ist alles, was zählt.

Als der Brief von Vivi kommt, reißt sie das Kuvert auf und stürzt in ihre Kammer, obwohl sie auf dem Hof stehen und Teppiche klopfen müsste. Vivi hört nicht auf, sie zu verblüffen. Das Erste, was sie schreibt, ist, dass sie mit ihrer Mutter gesprochen hat, *denn die hat mehrere Abtreibungen hinter sich, darum weiß sie mehr als ich!*

Es ist ein langer Brief, viele eng beschriebene Seiten mit Streichungen, Tintenklecksen und Ergänzungen, und Elna empfindet eine große Dankbarkeit, als sie merkt, dass Vivi sich wirklich um sie sorgt. Und auch ihre Mutter! Elna liest den Brief viele Male, bevor sie alles versteht. Und sie hätte ihn noch einige Male gelesen, als Frau Ask die Tür aufreißt, ohne zu klopfen, und fragt, ob Briefelesen zu Elnas Aufgaben gehöre. Elna stopft den Brief in die Schürzentasche, bittet um Entschuldigung und eilt auf den Hof. Dort klopft sie dann den Staub aus den dicken Teppichen, während der Brief wie ein Film durch ihren Kopf surrt.

Vivi und ihre Mutter sind Realistinnen. Sie glauben nicht an die Möglichkeit einer Anzeige wegen Vergewaltigung. Die Mädchen haben ja die Soldaten zu sich eingeladen, sie haben mit ihnen getrunken. Nein, das geht nicht. Da bleibt nur die eine Lösung, zu der so viele Frauen jedes Jahr gezwungen sind: die illegale Abtreibung.

»Ich weiß nichts über Sandviken«, schreibt Vivi. »Aber Gävle ist doch eine große Stadt, mit Hafen und Krankenhäusern. Dort muss doch jemand zu finden sein, der das kann. Aber sei sorgsam bei der Auswahl, es kann gefährlich sein. Hol dir Rat bei jemandem, der es selbst schon hat machen lassen.«

Gävle? Sie klopft die Teppiche, der Schweiß rinnt. Wen kennt sie in Gävle? Vivi, du bist so weit weg. Ich schaff das nicht ohne deine Hilfe. Sie schlägt und schlägt. Frau Ask, die am Wohnzimmerfenster steht, nickt zufrieden. Das Mädchen ist tüchtig, es schont sich nicht. Ihr Briefelesen kann fast entschuldigt werden, wenn man sieht, wie sie sich ins Zeug legt. Und dass Mädchen einen Liebsten haben, der schreibt, ist eigentlich nur natürlich ...

Am Abend fasst Elna ihren einsamen Beschluss. Alles muss geheim gehalten werden. Kommt es heraus, bringt sie sich um. Es bleibt ihr nur, Vivis Rat zu folgen und nach Gävle zu fahren. Aber sie braucht Hilfe, sie kann sich ja nicht auf den Bahnsteig in Gävle stellen und rufen, dass sie jemanden sucht, der eine Abtreibung vornimmt. Wer kann ihr helfen und doch nichts verraten? Es gibt schließlich nur eine Person, die sie sich in dieser Rolle vorstellen kann. Und sie tut es unwillig, sie kennt ihn so schlecht, weiß nicht, wie er reagieren wird, ob man ihm trauen kann. Arne, ihr ältester Bruder. Er kennt Gävle, er fährt zum Tanzen dorthin, er trifft Frauen. Sie weint sich in den Schlaf, versucht, nicht mehr daran zu denken, nachdem der Beschluss nun einmal gefasst ist.

Am Sonntag ist Fußball, Sandviken trifft auf Degerfors in Jernvallen und gewinnt mit 3:1. Vor der Stehplatztribüne schaut Elna nach Arne aus. Und da kommt er, aber er ist nicht allein, er hat seine Freunde bei sich. Sie zögert, er ist schon fast an ihr vorbei, als er sie entdeckt und stehen bleibt. Etwas in ihrem Gesicht sagt ihm, dass sie nicht zufällig dort steht.

Er ruft seinen Freunden zu, dass er noch bleibt, um sich mit seiner Schwester zu unterhalten. »Ich wusste nicht, dass du dich für Fußball interessierst«, sagt er.

»Ich hab hier auf dich gewartet«, antwortet sie und kann nicht verhindern, dass ihre Stimme zittert.

Aber er merkt nichts, der Sieg und vor allem das letzte Tor waren herrlich. »Ein Freistoß aus fünfundzwanzig Metern«, sagt er. »Geradewegs in die linke Ecke. Der Torwart stand bloß da und glotzte, er rührte sich nicht, hol mich der Teufel! Und was willst du?«

Sie gehen hinunter zum Storsjö und setzen sich auf den Anleger. Arne sieht seine Schwester fragend an. Was zur Hölle ist los mit ihr?

Sie erzählt erst, nachdem sie mehrfach Verschwiegenheit von ihm gefordert hat. Er verspricht, sicher, er sagt bestimmt nichts weiter. Aber was hat sie denn?

Sie berichtet nur das Notwendigste, sie bekommt ein

Kind, und das muss sie wegmachen lassen, sonst nimmt sie sich das Leben. Sie braucht Hilfe, um in Gävle jemanden zu finden, der ... Kennt er jemanden? Er muss doch jemanden kennen!

»Oh, pfui Teufel«, sagt er. »Was hast du angerichtet. Was werden sie zu Hause sagen!«

Niemand wird zu Hause etwas sagen, niemand darf je davon erfahren! Sie weint. Er sieht sich hilflos um, aber niemand kommt und niemand geht, es ist menschenleer, eine heulende kleine Schwester auf einem Anleger kann schon eine schwere Last sein für einen jungen Mann wie ihn.

Er will Einzelheiten wissen. Wer, wo?

Aber sie schüttelt nur mit dem Kopf, darum geht es nicht. Sie krallt sich an seine schwielige Faust.

»Ich weiß doch nichts über so was«, sagt er lahm. »Nur was man so hört. Aber das ist wohl meist nur Gerede.«

»Aber ein paar von deinen Mädchen da?«, wirft sie ein. »Du hast doch so viele. Vielleicht eine von denen?«

Da ist er erst stolz und dann beleidigt. Na klar kennt er viele Mädchen aus Gävle, aber er bringt sie doch nicht in *so eine Lage*. Er weiß schließlich, Teufel noch eins, wie man sich schützt, dass er nicht in die Situation kommt, viele Jahre für ein Kind zahlen zu müssen.

Er fährt ja heute Abend hin, sagt er zum Schluss. Er wird sehen, was er machen kann. »Aber wie, zum Teufel, kannst du so verdammt dämlich sein, so was anzustellen?«

»Weil ich so dämlich bin«, schreit sie, und er mahnt sie zur Ruhe und sieht sich um. Herrgott, sie wirkt ja richtig hysterisch. Die Welt geht schließlich nicht unter, wenn ...

Sie steht auf und legt all ihre Verzweiflung in ihre Worte. »Ich warte morgen auf dich vor dem Werk. Ich denke mir was aus, damit ich freikriege. Und komm lange nach Papa und Nisse.« (Selbst hier wird sie erinnert, Nisse hieß er, der sie ins Unglück gestürzt hat. Genau wie der Bruder. Wenn der es doch gewesen wäre, denkt sie und schaudert.)

Also gut, er verspricht es, er wird es zumindest versuchen. Aber sie soll sich nichts erwarten. Und wie kann sie nur so verflucht dumm gewesen sein, dass sie nicht wusste, was sich gehört! Sich aufzuführen, als wenn ... Pfui Teufel, und das in der Familie!

Am folgenden Tag mogelt sie sich aus der weißen Villa und läuft zum Werkstor, versteckt sich hinter einem Verladeplatz, der mit Zementröhren bedeckt ist, und sieht, wie Vater Rune und Nisse aus dem Fabriktor kommen, eingeklemmt in der müden Horde der Arbeiterschar. Kurz darauf steht Arne da. »Also, vielleicht«, sagt er.

Jemand, der jemanden kennt, der jemanden kennt, der es getan hat.

Mehr kann er heute nicht sagen. Aber am Mittwoch wird er wieder nach Gävle zum Tanzen fahren, und da erfährt er vielleicht mehr. Das ist eine verfluchte Aufgabe, die er sich da aufgehalst hat, aber wenn man eine Schwester hat, die nicht den Anstand hat, die Beine zusammenzukneifen, dann hat man keine Alternative ...

Am Mittwoch gibt es wirklich jemanden, der jemanden kennt, der wiederum Rut erwähnt, eine alte Brauereiarbeiterin, die sich nicht zu gut war rumzuhuren, als der Hunger vor der Tür stand und sich nicht abweisen ließ. Arne sitzt da und trinkt Saft im Tanzcafé, und es ist Viola, die ihren Namen erwähnt. Aber warum ist Arne denn interessiert an *so* einer? Nein, er fragt bloß, ohne besonderen Grund, aber wo wohnt diese Rut denn? Viola ist plötzlich nicht länger an seiner Gesellschaft interessiert, sie steht auf, um zur Toilette zu gehen und sich zu kämmen. Sie glaubt, dass Rut in einer Hütte hinter einer der Bierkneipen unten am Hafen wohnt, hinter dem *Anker* wahrscheinlich ...

»Jetzt musst du selbst klarkommen«, sagt Arne, als er seine Schwester wieder vor dem Fabriktor trifft. Er findet die Situation so verdammt unbehaglich, will um Himmels willen nichts damit zu tun haben. Aber er hat getan, was er konnte.

Am nächsten Tag geht Elna zu Frau Ask, die in ihren ausgewählten Zeitungen liest und über die sozialdemokratischen Ansichten zur Kriegsentwicklung die Nase rümpft. Dass die es nötig haben, so feige und falsch zu sein in all ihrer beklemmenden Vorsicht! Sehen sie nicht, dass der Krieg nur eine Richtung nehmen kann? War nicht Hitlers überraschender und taktisch souveräner Blitzangriff auf das russische Bolschewistennest der Auftakt zu einem entscheidenden Kreuzzug, auf den alle anständigen Menschen fünfundzwanzig Jahre gewartet hatten? Schweden ist ein kleines Land. Aber auch hier wird die Neuordnung den demokratischen Schlendrian hinwegwischen, wenn Hitler nur Zeit bekäme, die großen Aufgaben zu Ende zu führen ... Was will das Mädchen?

»Ob ich wohl einen Nachmittag freibekommen könnte«, sagt Elna und knickst.

»Elna hat doch die Sonntage und jeden zweiten Mittwochnachmittag«, antwortet Frau Ask über den Zeitungsrand hinweg. Sie mag es nicht, bei der Zeitungslektüre gestört zu werden. Da sie nun mal keine Kinder hat, sind es die Zeitungen, in die sie ihre überschüssigen Kräfte steckt. Und dabei will sie nicht gestört werden, das hat sie ausdrücklich angeordnet. Nicht wahr?

»Ich habe eine Freundin in Gävle, die bei einem Unglück schwere Brandverletzungen abbekommen hat«, lügt Elna, die sich gründlich vorbereitet hat. »Es kann sein, dass sie sterben wird.«

Frau Ask runzelt die Stirn und lässt die Zeitung sinken. Brandverletzungen?

»Sie hockte vor dem Herd, als ein großer Wasserkessel umgekippt ist«, fährt Elna fort. »Es war kochendes Wasser, und sie bekam alles über den Rücken und den Kopf. Das Haar ist völlig weggebrannt.«

Frau Ask schüttelt sich und will nicht mehr hören. Die Freizeit wird bewilligt, aber mit der strengen Ermahnung, dass sich das nicht wiederholen solle.

»Danke, liebe Frau Ask«, sagt Elna und knickst. Aber innerlich hasst sie den bleichen Habicht hinter seiner Zeitung, hasst sie und die Demütigung.

Am Tag darauf trifft sie Rut, eine fünfunddreißigjährige Frau, die wie sechzig wirkt. Ein Rausschmeißer vor der Bierkneipe hat teilnahmslos in einen Hinterhof gezeigt, da wohne das Weib zwischen Mülltonnen und Plumpsklos und Ratten.

Sie klopft an eine schiefe Tür in einem unbeleuchteten Treppenhaus, ein Zettel an der Tür teilt mit, dass dies hier Rut Asplunds (oder möglicherweise Asklund, das lässt sich nicht genau entziffern) Wohnung ist.

Nach einem kurzen Schlurfen öffnet sich die Tür einen Spalt, und eine Frau mit blutunterlaufenen Augen stiert sie an. »Wer zum Teufel bist du?«, fragt sie, und ein Dunst von altem Schnaps schlägt Elna ins Gesicht.

Dann ist sie in der Küche, schmutzig, verrußt, das einzige Fenster von Fett beschlagen. Ein Zimmer, beleuchtet von einer nackten Glühbirne, an der Decke. Kaputte Stühle, die Federn hängen unter den schmierigen Polstern herum, Stapel von Flaschen, Zigarettenpäckchen, und zum zweiten Mal in ihrem Leben sieht Elna ein Gummi. Aber dieses hier ist unbenutzt, es liegt auf einem Kleiderstapel in einer Ecke des Raums. Es gibt ein ungemachtes Bett mit schmutzigem, fleckigem Laken, und an den Wänden stehen weitere Matratzen. Der Raum ist muffig, als wäre er seit tausend Jahren verriegelt.

Gibt es noch mehr? Ja, zwei blasse und verschreckte Kinder, zusammengekauert in einer Ecke, bereit, sich anzuziehen und nach draußen zu laufen, falls es ein *Herr* ist, der zu Besuch kommt. Da müssen sie auf dem Hof herumlungern oder durch die Straßen laufen, bis sie sehen, dass der Besuch sich verzogen hat. Es sind zwei Mädchen, vielleicht acht und zehn Jahre alt.

Elna will umkehren, weglaufen. Nicht, weil sie über das, was sie sieht, schockiert ist. Das ist wohl nicht so viel schlimmer als bei den meisten. Nein, es ist das, worüber sie reden will, was sie zum Ausgang treibt. Aber sie geht nicht, sie bleibt. Rut treibt ihre Kinder hinaus, fragt, ob Elna ein Pils will und warum sie gekommen ist.

»Wenn du daran gedacht hast, Hure zu werden, dann musst du nach Stockholm fahren«, sagt sie und tritt nach einer räudigen Katze, die unter dem Bett hervorgekrochen kommt. »Da hat eine, die so jung ist wie du, die Möglichkeit, der größten Scheiße zu entgehen. Das ist immer noch besser, als in stinkenden Booten zu bumsen. Es stimmt zwar, dass die Seeleute meist anständig sind, bezahlen, was sie wollen, und außerdem Zugang zu Schnaps haben, aber sie sind oft so geil, dass sie nie genug bekommen. Und dann sind da alle die Ausländer auf den Schiffen, die ihre speziellen Wunschvorstellungen haben, das ist nicht immer so lustig.« Nein, nach Stockholm soll sie fahren, wenn es nun das ist, was sie fragen will.

»Oder hat da jemand was Kleines in dich gepflanzt? Warum sagst du nichts? Du bist wohl kaum aus reiner Neugierde hier. Wer hat dich hergeschickt?«

Rut ist betrunken. Nicht so, dass sie schwankt oder nicht weiß, was sie sagt, sie kann sich noch aufrecht halten. Die schmutzige Wohnung wird davon zwar nicht weniger beklemmend, die Kleinen sind nicht weniger blass, aber es ist trotzdem erträglicher. Doch was will dieses arme Ding nur?

Sie wirkt ja nun irgendwie gut ernährt, außerdem sonnengebräunt, und die Kleider sind heil. Warum soll sie auf die Straße gehen und anschaffen? Ist es der wahnsinnige Traum vom Glück und einem reichen Mann? Nein, so eine scheint sie nicht zu sein. Rut hat gelernt, Menschen zu beurteilen, anders wäre sie schon lange totgeschlagen worden oder aufgeschlitzt von irgendeinem Verrückten. Nein, das Mädchen wird wohl schwanger sein. Sie ist daran gewöhnt, dass so etwas passiert, dass sie dann Besuch bekommt und Fragen nach Adressen und Gegenmitteln.

»Jetzt musst du das Maul aufmachen«, sagt Rut und tritt nach der Katze, die wieder auf dem Weg zurück unters Bett ist, wo sie ihr unterirdisches Leben lebt.

Als Elna sagt, wie es ist, und Ruts Verdacht sich bestätigt, beginnt Elna zu weinen. Rut zieht eine Grimasse, Weinen schmeckt schlecht, denn Weinen ist so verdammt wahr, das einzig richtig Wahre. Sie weiß es, sie hat sieben Kinder geboren, und nur eins ist begraben. Aber die vier, die sie nicht bei sich zu Hause hat, vermisst sie, sie sind adoptiert worden, sie weiß nicht, wohin. Sieben Kinder von fünf verschiedenen Vätern. Nur die beiden Mädchen haben denselben Vater. Aber wie viele Abtreibungen und Fehlgeburten sie hatte, daran erinnert sie sich kaum. Nicht weniger als acht in jedem Fall. Und jetzt ist sie so zerfetzt am Gebärmutterhals, dass sie keine mehr bekommen kann, Gott sei Dank. Jedenfalls hat sie überlebt. Die Arbeit in der Brauerei hat sie nicht mehr, da wurde sie gefeuert, als sie sich eines Tages betrunken an der Abfüllung einfand, mit Erbrochenem am ganzen Körper. Es hat gestunken wie schon ihr ganzes Leben lang, ein Gestank, der nie mehr verschwindet, den sie schon lange nicht mehr bekämpft. Jetzt hat sie nur noch eins im Kopf, die beiden Kleinen zu versorgen, damit die Behörden sie ihr nicht auch noch wegnehmen. Aber manchmal fragt sie sich, ob der Gestank dieses Lebens ihr nicht auch noch in den Sarg folgt. Davor hat sie Angst, deswegen kann sie einen Anfall bekommen, wenn sie zu viel getrunken hat, und jeden, der es hören will, bittet und bettelt, dass sie verbrannt wird, wenn sie stirbt. Sie hält den Gedanken nicht aus, dass sie den Gestank mit in die Kiste nehmen wird.

Das ist es in etwa, was Rut, die kluge Hure, sagt. Schwanger zu sein ist für Elna wie eine ernste Krankheit. Und Krankheiten sollen verschwinden.

»Es gibt so viele Arten«, sagt Rut, als Elna aufhört zu weinen. »Es gibt so viele, weil niemand sicher ist. Für den einen können ein paar Chininkapseln und ein ordentliches Glas Branntwein genügen, damit das Kind verschwindet. Oder etwas Quecke, vermischt mit Mandelmasse … Medikamente gibt es natürlich auch, aber da braucht man ein Rezept, Mangan, Teton, wie das Zeug alles heißt, und welcher Arzt schreibt das auf, statt die Polizei zu rufen? Aber nichts ist sicher; was dem einen hilft, nützt bei dem andern gar nichts. Wie weit bist du, Kleine? Einen Monat? Na, da ist es nicht so schlimm. Weißt du, wo die Österportsgata liegt?«

Nein, Elna weiß es nicht, Rut muss es ihr erklären. »Den Hügel hinauf, vorbei an dem Schuppen, wo es nach Naphtalin riecht, dann nach links und dann wieder nach rechts. Johansson steht an der Tür, Eingang im Hof, schell dreimal lang und zweimal kurz. Ich war selbst bei ihm, und da ging es gut. Aber pass auf, dass er sich die Hände wäscht und nicht zu betrunken ist. Du kannst nicht damit rechnen, dass er je nüchtern ist, lass ihn die Augen schließen und die Zeigefinger zusammenführen. Schafft er das nicht, musst du wieder gehen. Was es kostet? Das ist unterschiedlich.«

Sie weiß es durchaus, will das Mädchen aber nicht unnötig erschrecken. Schnell genug wird sie das selbst herausfinden, Johansson und seine Launen. Und warum sie unnötig ängstigen, indem man ihr sagt, dass es so furchtbar weh tut, besonders wenn sie vorher noch nicht geboren hat. Nein, warum soll sie den Schmerz noch schlimmer machen? Die unglückliche Kleine hier muss es wohl selbst erfahren, wie alle anderen.

Möge es nun gut gehen. Denn selbst das ist ja nicht sicher. Es kann eine Infektion geben und eine Vereiterung, der Tod lauert immer im Hintergrund, wenn der Fötus heimlich abgetrieben wird. Wenn nur ein einziger Herr dort oben, Politiker, Pastor, Tambourmajor, was auch immer, selbst erfahren müsste, wie das ist. Ausgestreckt auf einem schmierigen Tisch, die Beine auseinander, ein zitternder Säufer, der versucht, eine schmutzige Sonde richtig einzuführen ... Wenn, wenn! Da würde es nicht so wie jetzt aussehen. Dass Kinder unter Schmerzen geboren werden müssen, ist eine Sache. Aber dass man stirbt oder innerlich verfault, bloß weil ein erbärmlicher Kerl sich nicht zurückhalten oder ihn rechtzeitig herausziehen kann, darum geht es. Darin liegt die Bedeutung des Gesetzes gegen Abtreibung.

»Danke für die Hilfe? Warum solltest du dich bedanken? Hast du denn Geld? Verschwinde jetzt, und denk daran, links und dann wieder rechts, dreimal lang und zweimal kurz. Schell nicht verkehrt, denn dann öffnet er nicht. Es ist ja schließlich verboten, was er tut, das weißt du. Geh jetzt und komm nie wieder hierher. Armes Mädchen. Du tust mir leid. Ich werde richtig wütend! Diese Gaunergesellschaft ... Mach dich jetzt auf den Weg, und bete zu Gott ...«

Auf der Treppe stößt Elna mit einem betrunkenen Mann zusammen, ein eleganter Hut ist ins Gesicht gezogen. Er stolpert an ihr vorbei und verschwindet bei Rut. Sie ist noch nicht ganz auf den Hund gekommen, der eine oder andere bürgerliche Rittersmann besucht sie weiterhin. Einige dieser Herren werden erst richtig erregt davon, in Verfall und

Schmutz bedient zu werden, die Unterwelt hin und wieder zu besuchen, eine wirklich gefallene Frau zu besuchen.

Dreimal lang, zweimal kurz. Der letzte Zug zurück nach Sandviken wird bald fahren, aber zuerst muss sie einen Termin bei diesem Arzt bekommen.

Aber es ist kein Arzt, der öffnet. Ein glatzköpfiger Mann in den Fünfzigern lässt sie leise herein in einen dunklen Flur. Er ist mit einem schwarzen Morgenrock bekleidet. Elna hat ihn sich weiß gekleidet vorgestellt. Er ist unrasiert, und die Augen sind stumpf. Ist er das wirklich?

In einer Woche kann sie kommen. Einhundert Kronen will er haben. Oder einen entsprechenden Gegenwert. Dann schiebt er sie hinaus, sie meint, dass jemand hinter der geschlossenen Tür jammert.

Es herrscht Augustdämmerung, als sie mit dem Zug nach Sandviken zurückkehrt. Ihr gegenüber sitzt eine schwangere Frau. Sie ist dürr, und ihr Bauch schiebt sich weit vor. Sie starrt mit leerem Blick durch die Scheibe, sie ist wohl nur ein paar Jahre älter als Elna.

Hundert Kronen. Woher soll sie hundert Kronen nehmen? Das sind drei Monatslöhne für sie. Einen Vorschuss zu bekommen wäre die einzige Möglichkeit. Gott sei Dank ist es nicht die habichtnasige Frau, die sie bezahlt, sondern der bekümmerte Mann. Er sieht sie ja ab und zu mit einem wehmütigen Lächeln an; hätte er die Erlaubnis seiner Frau, wäre er vielleicht so nett, wie er wirkt.

Den glatzköpfigen Mann verbannt sie aus ihren Gedanken.

Misslingt die Abtreibung, bleibt ihr nur noch übrig, sich das Leben zu nehmen. Und sie will doch leben.

Sie sieht aus dem Fenster, der Zug ruckelt vorwärts, die Schwangere auf der Bank gegenüber hat die Augen geschlossen.

Als Elna dem Ingenieur nach den Abendnachrichten den Kaffee serviert, knickst sie und fragt.

Er schaut sie verwundert an. »Drei Monatslöhne als Vorschuss, das ist ja nun ziemlich viel«, sagt er zögernd.

»Ich würde nicht darum bitten, wenn ich es nicht so sehr brauchte«, antwortet Elna.

»Nein, natürlich ... Ja, ich werde es mir überlegen ...«

»Ich brauche es schnell«, sagt Elna.

Er nickt. Er wird über Nacht nachdenken.

Sie bekommt fünfzig Kronen. Er hat sich mit seiner Frau beraten, und sie ist der Ansicht, dass sie auf keinen Fall mehr Vorschuss geben können. Hat die Habichtnase gesprochen, so wagt der Ingenieur nicht, etwas dagegen zu sagen. Sie nimmt den Schein entgegen – und knickst. Vielen Dank, vielen Dank. Aber woher soll sie den Rest bekommen? Das Kleingeld, das sie gespart hat, reicht gerade für die Hin- und Rückfahrt mit dem Zug.

Zu Hause leihen? Wie soll sie es denn begründen?

Nein, das wagt sie nicht. Die Fragen würden auf sie niederprasseln, und Vater Rune könnte etwas ahnen.

Aber plötzlich erinnert sie sich an etwas, was der glatzköpfige Mann gesagt hat. Etwas von *Gegenwerten*. Hätte sie ein Silbertablett im Wert von fünfzig Kronen, so würde er das also auch nehmen. Aber sie besitzt ja nun nichts, absolut gar nichts!

Sie wischt Staub und schaut auf das Silberservice, hinter den Glasscheiben in einem großen Schrank. Das Bild dort vor dem offenen Kamin, so hat sie während eines Fests sagen hören, ist drei- oder viertausend Kronen wert. Und in diesem Haus kann sie nicht mehr als fünfzig Kronen Vorschuss bekommen! Würde es überhaupt jemand merken, wenn ein paar Teller verschwänden? Doch, die Habichtnase, die nichts anderes zu tun hat, als Hitlers Vormarsch zu überwachen und ihre Hausmädchen zu scheuchen, würde es natürlich entdecken, früher oder später.

Und hier steht Elna mit ihrem Staubtuch und einer großen Wut, genauso stark wie Vater Runes unterdrückte Raserei, die nur zum Vorschein kommt, wenn er trinkt. Ihr steigen die Tränen in die Augen bei dem Gedanken an die gigantische Ungerechtigkeit, die sie umgibt. Eine Welt, in der sie Staub wischen muss. Wenn das die Wut ist, auf die Vivi hinauswollte, als sie von dem politischen Glauben ihres Vaters erzählte, so fällt es ihr nun leichter, sie zu verstehen. Denn jetzt sieht sie es. Alle diese Porzellanvasen, von denen sie vorsichtig die Staubteilchen wegwischen muss, wofür in aller Welt werden die hier gesammelt? Sie steht plötzlich da mit einem Silberteller in der Hand. Das Ding könnte darüber entscheiden, ob sie weiterleben kann – oder mit einem Sprung ins schwarze Wasser enden muss.

Aber natürlich stiehlt sie nichts, sie ist nicht so eine. Eigentum ist heilig, auch wenn es ungerecht verteilt zu sein scheint, es reicht, sich Mutters Worte vorzusagen: Sich rein halten und ehrlich sein, das ist ein Zeichen von Adel. Unser Adelszeichen.

Fünfzig Kronen ist das, was sie hat. Zum Schluss sieht sie keinen anderen Ausweg, als zu hoffen, dass der glatzköpfige Mann sie in Raten zahlen lässt, sie hat ja trotz allem eine feste Anstellung, sie kann eine Arbeitsbescheinigung vorweisen.

Am Abend, bevor sie nach Gävle fahren muss, geht sie hinunter in den Waschkeller und wäscht sich, zieht alles aus und wäscht den ganzen Körper gründlich. Sie nimmt nicht die gewöhnliche Schmierseife, sondern Seifenflocken, die sie von Habichtnases Badeseife abgekratzt hat. Die hat einen süßen Duft nach Parfüm, sie riecht nach etwas, an das sie sich vom Sommer erinnert.

Elna bleibt mit der Hand auf dem Bauch stehen und versucht sich vorzustellen, dass sich dort etwas befindet, das ein Kind werden soll. Noch nie hat sie die Möglichkeit in Betracht gezogen, *ob sie es haben will.* Der Gedanke ist unmöglich. So verbietet sie sich, etwas zu empfinden.

Sie legt sich saubere Kleider zurecht und kriecht ins Bett. Sie beginnt einen Brief an Vivi, aber nach ein paar Zeilen kommt sie nicht weiter, der Stift fällt ihr einfach aus der Hand. Sie hat Angst und fängt an zu schwitzen. Sie wirft die Decke von sich, sie will ja sauber sein am nächsten Tag, wenigstens *das.* Sie macht das Licht aus und liegt ganz still in der Dunkelheit und fragt sich, ob sie ein Gebet sprechen soll, an Gott, der alles zum Besten lenkt. Nein, das kann sie nicht. Aber was kann sie dann? Nichts.

Absolut nichts.

Plötzlich steht Nils vor ihr, nicht ihr Bruder, sondern, der andere. Die Hose ist auf seine weißen Beine gerutscht, das Glied steht aufrecht, und er will sie haben, jetzt sofort.

»Was spielt es für eine Rolle?«, sagt er. »Jetzt kann doch nichts passieren. Den Hintern in die Luft, dann probieren wir es auf diese Weise ...«

Wenn er nur in ihrer Nähe wäre, so hätte sie ihn getötet. Und hundert Kronen aus seinem Portemonnaie genommen.

Diese Nacht liegt sie wach, Stunde um Stunde.

Am Nachmittag nimmt sie den Zug nach Gävle. Wie sie auch dagegen ankämpft, so rinnt doch der Schweiß aus den Achselhöhlen.

Und dann steht sie in dem dunklen Flur und kommt nicht mehr davon. Die Augen des glatzköpfigen Mannes sind blutunterlaufen wie beim letzten Mal, aber er scheint nicht betrunken zu sein. Was war es, wozu Rut sie ermahnt hatte? *Die Zeigefinger zusammenführen und gleichzeitig die Augen schließen können?* Aber wie kann sie es wagen, das von ihm zu verlangen? Er zeigt schweigend auf einen Kleiderhaken, und sie zieht den Mantel aus. Dann öffnet er die Tür, hinter der sie beim letzten Mal ein schwaches Wimmern gehört hat. Es ist ein gewöhnlicher Raum mit düsteren braunen Tapeten, nichts, was einer Klinik gleicht. Höchstens der Wandschirm in einer Ecke und ein Rolltisch mit Zinkbecken. Elna schreckt zurück, als sie die Instrumente sieht und ein blutbeflecktes Handtuch. Die Gardinen vor dem Fenster sind zugezogen, schwache Glühbirnen tauchen den Raum in ein verschwommenes, unwirkliches Licht. Mitten im Zimmer befindet sich ein länglicher Tisch mit Wachstuch, dessen Beine durch Holzklötze erhöht worden sind. Unter dem Tisch steht ein Eimer. Durch eine Tür, die sie bisher nicht bemerkt hat, tritt jetzt eine Frau, die einen grauen Kittel trägt, als ob sie in einem Lager arbeitete. Sie schaut forschend auf Elna und verschwindet dann hinter einem Vorhang, ohne sich mit einem einzigen Wort zu äußern. Bis zuletzt hat Elna verschweigen wollen, dass sie nur fünfzig Kronen hat. Aber jetzt wagt sie es plötzlich nicht, es länger zurückzuhalten. Sie wendet sich an den glatzköpfigen Mann und sagt, wie es ist. Er steht an dem Rolltisch und hantiert mit den Instrumenten. Er wird seltsamerweise nicht wütend, nicht einmal unfreundlich. Er sieht sie nur an, studiert sie von oben bis unten und beginnt plötzlich zu lächeln und einen Schritt auf sie zuzugehen. »Da sagen wir doch fünfzig Kronen und eine Nummer.« Seine Stimme ist leise und lüstern, aber gleichzeitig bestimmt. Und die ganze Zeit lächelt er.

Meint er, dass … Unfreiwillig geht Elna einen Schritt zurück, das kann doch nicht möglich sein! Will er wirklich, dass sie … In dieser Situation? Herrgott, wie widerlich!

»Das ist schnell erledigt«, sagt er mit seiner weichen Stimme. »So sind wir weniger verspannt, und dann geht alles gut. Und ich werde sehr nett zu dir sein. Es reicht, wenn du ihn in den Mund nimmst.«

Er beginnt, seine Hose aufzuknöpfen, dann hält er inne und geht zu einem Schrank und gibt etwas in ein Glas. »Trink das hier, das beruhigt. Und mach dann den Oberkörper frei, dass ich etwas zum Anschauen habe.«

Sie trinkt. Es erinnert sie an das, was sie in der Sommernacht in der Scheune getrunken hat.

»Nein«, sagt sie dann. »Das mache ich nicht. Ich kann ja bezahlen, ich habe ja eine feste Arbeit, ich habe die Bescheinigung mitgebracht.«

Plötzlich schnauzt er sie an, es zuckt in seinen Mundwinkeln. »Keine nachträgliche Bezahlung. Jetzt, jetzt! Beide Teile. Sonst kannst du gehen.«

Er spricht Stakkato, wie ein kleines Kind, gleichzeitig macht er sich an den Knöpfen des Hosenschlitzes zu schaffen.

Es geschieht, Elna muss sich hinknien, er steht vor ihr und keucht und presst ihren Kopf an sich. Es geht zum Glück schnell, sie würgt und weint und erbricht sich. Plötzlich ist die Frau wieder im Zimmer, ihre Hände sind freundlich, die Augen betrübt, mitfühlend. Und ängstlich.

Dann liegt sie mit gespreizten Beinen auf dem Tisch, die Frau hat ein Handtuch über ihre Knie gelegt, damit sie nichts sehen muss. Flüsternd hat die grau gekleidete Frau gesagt, dass sie nicht schreien darf, sie soll auf das Boot beißen, und Elna tut, was man ihr sagt, und hört, dass die Frau mit ausländischem Akzent spricht. Hinter dem Handtuch klappert es. Sie schließt die Augen.

Es tut so furchtbar weh, so unsinnig weh. Die Frau hält ihre Schultern, drückt sie auf das Wachstuch nieder. Sie beißt die Zähne auf dem Gummiboot zusammen. Jetzt geschieht es, denkt sie verzweifelt. Gleich ist es vorbei, dann ist es vorbei ... Der Schmerz ist so stark, dass alle Begriffe sich auflösen und in ihrem Kopf nur ein einziger Gedanke wie ein verzweifelter, gefangener Vogel flattert: Warum wird sie nicht ohnmächtig?

Aber sie ist weit weg, als der glatzköpfige Mann plötzlich etwas sagt und die grau gekleidete Frau zusammenzuckt. Sie antwortet ihm, beugt sich über das Handtuch und bricht in einen rasenden Wortschwall aus in dieser fremden Sprache. Aber Elna registriert es kaum, der Schmerz beginnt nachzulassen und wird von einem warmen Strom im Unterleib ersetzt, als liefe warmes Badewasser über ihr Bein. Was stört es sie, dass die beiden sich in den Haaren liegen, einander anschreien. Was kümmert sie das, sie, die wieder auf dem Weg zurück ins Leben ist?

Aber plötzlich zuckt sie zusammen und sieht an ihrem Bein hinunter, sie hebt sogar den Kopf, und was sie sieht, ist Blut und zwei verschreckte Gesichter.

Die grau gekleidete Frau fährt fort, einen zusammengerollten Leinenlappen zwischen ihre Schenkel zu drücken und mit einem weißen Band zu umwickeln. Dann packt sie ihre Beine und drückt sie zusammen. »Kneif zusammen«, ruft sie. »Kneif zusammen, kneif zusammen!«

Was ist passiert? Die Frau scheint mit dem glatzköpfigen Mann zu streiten, der mit hängenden Armen dasteht, eine blutige Sonde in der Hand. Er schüttelt den Kopf, und sie schreit ihn an. Aber plötzlich brüllt er zurück, und da spricht er ihre Sprache, er schlägt mit der Sonde nach ihr und ist nicht länger gelähmt. Während Elna noch halb auf dem Tisch liegt, wird sie angezogen, und er läuft sogar in den Flur und holt ihren Mantel.

Als sie nach ihrem Portemonnaie greift, das in der Manteltasche steckt, schlägt er ihre Hand heftig weg.

Will er nicht bezahlt werden?

»Zum Krankenhaus«, sagt er. »Geh direkt hin. Folge der Straße hier, dann die erste Querstraße nach links. Da siehst du das Krankenhaus. Geh dahin. Nicht zu schnell und nicht zu langsam. Kneif die Beine zusammen, atme tief. Bleib nicht stehen. Geh immer weiter. Direkt hinein. Und sag, dass du blutest. Nur das, nichts anderes.«

Seine Stimme ist bestimmt, aber Elna hört, dass er Angst hat. Aber warum? Er fasst sie um die Schultern, hart, und sie liest Angst in seinen Augen. »Hier bist du nicht gewesen«, sagt er. »Wenn du sagst, dass du hier gewesen bist, kannst du für den Rest deines Lebens ins Gefängnis kommen. Denk dran. Nie hier gewesen.«

»Taxi«, ruft die Frau. »Taxi, Taxi. Ruf an.«

Aber der glatzköpfige Mann schiebt Elna energisch in den Flur hinaus. Vorsichtig späht er ins Treppenhaus, ob es leer ist. Dann schubst er sie hinaus und schlägt die Tür zu.

Sie geht. Es ist seltsam heiß zwischen den Schenkeln, da rinnt etwas. Sie ist schwach und will sich am liebsten hinsetzen, aber als sie jemanden auf der Straße trifft, atmet sie tief durch und geht weiter. Der Kopf ist leer, es klopft nur schwer in den Schläfen. Nicht zu schnell und nicht zu langsam. Einmal stolpert sie, die Beine knicken ein, aber sie fällt nicht, sondern geht weiter, mit gegeneinanderscheuernden Beinen, und sie kommt direkt ins Krankenhaus. Sie läutet eine Glocke, nach einigen Augenblicken sieht sie flüchtig eine weiß gekleidete Gestalt, alles ist so trübe geworden vor ihren Augen, dass sie kaum erkennt, was da ist, und dann fällt sie …

Als sie aufwacht, liegt sie in einem Bett in einem weißen Zimmer.

Am Fußende sitzt ihre Mutter.

Den schwarzen alten Hut hat sie in den Händen und dreht ihn ununterbrochen. Als sie sieht, dass Elna aufgewacht ist, verlässt sie ohne ein Wort das Zimmer.

Sie kommt mit einer Krankenschwester zurück. Die junge

Schwester nimmt Elnas Handgelenk und fühlt den Puls, zählt, legt die Hand wieder auf die Bettdecke. Sie sieht aus, als ob sie etwas sagen wollte, aber nicht weiß, was. Nachdem sie einen verstohlenen Blick auf die leichenblasse Mutter geworfen hat, die verkrampft ihren Hut drückt, wendet sie sich zu Elna und lächelt. »Das wird schon wieder«, sagt sie schließlich. »Und trink viel Wasser. Deine Mutter holt mich oder jemand anderen, wenn etwas sein sollte. Hast du Schmerzen?«

Elna horcht in sich hinein. Nein, sie hat keine Schmerzen, sie schüttelt den Kopf, und die Krankenschwester geht. Mutter? Was macht sie hier? Und wie kam sie selbst ins Krankenhaus? Klar, sie erinnert sich. *Nicht zu schnell und nicht zu langsam.*

Dann wird ihr ganz kalt. Warum ist sie im Krankenhaus? Und, guter Gott, wenn Mutter hier ist, dann muss sie ja wissen, was passiert ist!

Aber was ist eigentlich passiert? Mutter ist ja leichenblass! Und warum sagt sie nichts?

Schließlich wird das Schweigen unerträglich. Das Schweigen und der schwarze Hut, den sie nur zu festlichen Anlässen trägt.

Aber ist dies ein festlicher Anlass?

»Was mache ich hier?«, sagt Elna und schaut sie an.

Mutter zuckt richtig zusammen bei der Frage. Aber dann beugt sie sich vor, nachdem sie sich vorsichtig umgeschaut hat, als ob noch jemand im Raume sein könnte. »Dass du so was deinen Eltern antun kannst«, flüstert sie. Elna hört kaum, was sie sagt. Mutter weiß also Bescheid! Wie um alles in dieser unseligen Welt ist das zugegangen? Ist es Arne, der trotz allem seinen Mund nicht halten konnte?

»Wie wir uns schämen müssen«, flüstert Mutter. Elna denkt, dass sie sich wie eine fauchende Katze anhört.

Es muss ihr also schlecht ergangen sein nach der Abtreibung, und darum musste sie ins Krankenhaus. Und da haben sie natürlich ihren Namen entdeckt, der im Futter des Mantelkragens eingenäht ist. Da steht alles miteinander, Name und Adresse.

Aber was spielt es für eine Rolle, dass Mutter hier ist und sich schämt? Sie kann ja nichts wissen. Mehr als ... Ja, was? Dann erinnert sie sich an all das Blut und begreift, dass sie deswegen ins Krankenhaus gehen sollte.

»Jeder kann wohl mal bluten«, sagt sie.

Mutter scheint nicht zu hören. Der Hut wird in den Händen geknetet, und sie fährt fort zu zischen, von Schande, der entsetzlichen Schande. »Du hättest ja sterben können«, sagt sie, ohne dass Elna etwas Mitfühlendes in ihrer Stimme erkennen kann.

Und natürlich übertreibt sie. Es gehört mehr dazu als ein bisschen Blut, um zu sterben.

Elna schließt die Augen und denkt, dass es nun vorbei ist. Jetzt kann sie wieder anfangen zu leben. Wenn Mutter sich schämen will, weil sie im Krankenhaus liegt, so soll sie das gerne tun. Was stört sie das? Hätte sie nicht getan, was sie getan hat, dann könnte sie von Schande sprechen. Aber so nicht.

»Wie lange bin ich schon hier?«, fragt sie, ohne die Augen zu öffnen. Den Hut, der von den Händen bearbeitet wird, kann sie trotzdem sehen.

»Seit zwei Tagen«, antwortet Mutter.

Zwei Tage? Aber, ihre Arbeit ...

Es ist, als ob Mutter ihre Gedanken lesen könnte. »Ich habe natürlich Frau Ask unterrichtet«, sagt sie mit einer hoffnungslos unpersönlichen Sprache. *Frau Ask unterrichtet*, das klingt wie ... wie ein Pastor. »Und du musst dort natürlich sofort aufhören«, sagt Mutter.

Da erst schlägt Elna die Augen auf. Warum das?

»So eine wie dich wollen sie natürlich nicht behalten«, fährt Mutter fort, und Elna verabscheut plötzlich die Bitterkeit, die in ihrer Stimme liegt. Aber trotzdem kümmert sie eigentlich nichts anderes, als dass sie frei ist. Es ist nur merkwürdig, dass der Glatzkopf keine Bezahlung wollte ... An das andere will sie nicht denken, da spürt sie ein Würgen. Mutter merkt es und fragt, ob sie brechen muss. Nein, sie wird nicht brechen, damit ist jetzt Schluss. Aber trotz des Ekels ist sie doch dankbar dafür, dass es vor dem Eingriff geschah, vielleicht wird man auf diese Weise auch schwanger, was weiß sie eigentlich? Nichts! Wie kommt es, dass alles, was damit zu tun hat, so undurchdringlich und geheimnisvoll ist?

»Papa ist schwer erschüttert«, sagt Mutter und steht auf. Wieder redet sie in ihrer gespreizten Sprache. »Ich komme morgen und hole dich nach Hause«, fährt sie fort. »Da musst du hier weg. Und wo sollst du sonst hin?«

Dann geht sie, mit ihrem Hut in der Hand. Die Tür schlägt hinter ihr zu.

Es ist schön, allein zu sein. Elna denkt an Vivi. Sobald sie das Krankenhaus verlassen hat, wird sie ihr schreiben und berichten, dass alles vorbei ist. Und dann wird sie nie wieder daran denken. Doch, an Rut wird sie sich erinnern. Und vielleicht auch an die grau gekleidete Frau, die in der fremden Sprache redete. An ihre Hände und ihre betrübten Augen.

Eine stille Freude breitet sich in ihr aus. Jetzt, wo alles vorbei ist, wird sie auch mit dem Vater zurechtkommen. Aus all diesen Widrigkeiten erwächst auch eine Stärke.

Das Einzige, woran sie jetzt denken will, sind die zwei Sommerwochen zusammen mit Vivi. Die unglückselige Nacht in der Scheune wischt sie fort.

Sie erwacht, als ein Arzt und zwei Krankenschwestern an

ihrem Bett stehen. Die, die gelächelt hat, ist nicht dabei; die zwei, die untertänig einige Schritte Abstand von dem grauhaarigen Arzt halten, sehen ernst aus.

»Sie hatten Glück«, sagt der Arzt barsch. »Sie haben viel Blut verloren. Haben Sie das selbst gemacht? Womit? Eine Stricknadel? Ein Quirl?«

Elna denkt fieberhaft nach und erinnert sich an die Worte des Glatzköpfigen. Also nickt sie.

Ja, sie selbst. Niemand sonst.

Der Arzt sieht sie lange an. »Sie hatten Glück«, sagt er wieder. »Sie haben viel zerstört mit dem, was Sie da angewendet haben. Adern und Gewebe. Aber nicht die Hülle. Wir haben den Fötus gerettet. Er ist unverletzt.«

Und dann, als er auf dem Weg aus dem Zimmer ist: »Morgen können Sie nach Hause fahren.«

Das geht so schnell, dass sie gar nicht dazu kommt, sich zu wehren. Alles ist also schiefgelaufen? Der Glatzkopf wollte keine Bezahlung, weil es schiefgegangen war, er hatte sie nur verletzt? Sie ist weiterhin schwanger, das Kind liegt immer noch da unter ihrer Haut und wird mehr und mehr ein Mensch mit jedem Atemzug?

Da fängt sie an zu schreien. Sie will es nicht haben, will es nicht. Sie tritt und schlägt um sich, aber was hilft das? Jemand gibt ihr etwas zu trinken, und dann schlummert sie wieder ein. Und diesmal will sie nie mehr erwachen.

In der Küche sitzt Vater am Tisch. Die Hände liegen wie zwei Schmiedehämmer vor ihm auf dem Wachstuch. Nils wurde hinausgebeten, Arne hält sich von allein fern. Im Fenster der unteren Wohnung hat sie Esters Gesicht hinter der Gardine gesehen. Aber nichts berührt sie noch, alles ist schon vorbei. Mit etwas Glück wird Vater vielleicht so unbändig, dass er sie totschlägt. Oder auf den Hof hinauswirft, wie er es mit den Töpfen macht, wenn er betrunken ist. Aber er tut nichts dergleichen. Von ihm geht nur eine kompakte Stille aus, als ob er eine gefrorene Statue wäre. Nicht ein einziges Wort. Nur der Blick, der ihr die ganze Zeit folgt.

Sie versteht ja, dass er sich schämt. Aber versteht er, dass sie am liebsten auf seine Knie klettern und sich verstecken würde? Versteht er das? Dass Mutter das nicht tut, weiß sie bereits. Sie ist im großen Sumpf der Schande verschwunden, er bedeckt schon ihren Kopf. Zuoberst schaukelt der schwarze Hut wie ein toter Vogel.

Es vergeht eine Stunde, vielleicht mehr. Mutter ist in der Kammer verschwunden.

Elna sitzt ganz außen auf dem Küchensofa und sieht aus dem Fenster. Vater atmet schwer und müde, es rasselt und quietscht, als ob jeder Atemzug eine Plage wäre. Und das ist es ja auch.

»Wer ist er?«, sagt er schließlich.

Wer er ist? Das fragt sie sich auch. Einen Vornamen kann sie ihm geben, sogar an seine Militärnummer erinnert sie sich. Und eine Personenbeschreibung: lang wie eine Stelze, pickelig, schüchtern (sie hört ein höhnisches Lachen in sich), zeugungsfähig wie kaum jemand. Ein Soldat, ein Neutralitätsbewacher. Von irgendwo in Schweden. Sie sagt, wie es ist, sie weiß nicht mehr. Das folgende Schweigen ist lang, sie fragt sich, was Vater denkt. Als sie sich vom Fenster abwendet, sieht sie, dass er direkt auf das Tischtuch niederstarrt.

Sie kann es nicht lassen.

»Papa«, sagt sie, ein Wort, das sie fast nie anwendet. »Papa, du musst mir helfen.«

Er starrt weiter auf das Tischtuch, aber er antwortet ihr, indem er eine neue Frage stellt. »Willst du ihn haben?«

Nein, das will sie nicht. Um nichts in der Welt.

»Aber wir müssen in jedem Fall nach ihm forschen«, fährt

er fort. »Er soll wenigstens bezahlen, und vielleicht interessiert es ihn ja, dass er ein Kind bekommen hat. Oder bekommen wird. Und falls er nicht daran interessiert ist, so schadet es wohl nicht, wenn er es trotzdem erfährt.«

Es ist, als hätten sie eine Rinne ins Eis geschlagen. Er seufzt und sieht sie an.

»Ich wollte das nicht«, sagt Elna. »Aber er hat mich geschlagen, und ich konnte mich nicht wehren.«

»Er hat dich geschlagen?«, sagt er, und sie sieht, dass es in seinem Gesicht zu zucken beginnt. Herrgott, er ist ja tatsächlich nahe daran zu weinen. Aber er beherrscht sich wie gewöhnlich.

»Ja«, sagt Elna.

»Ich kann wohl schlecht den Vater des Kindes meiner eigenen Tochter umbringen«, sagt er mit zitternder Stimme. »Aber ich würde es gern tun. Nur, dass du es weißt.«

»Wenn du willst, verschwinde ich von hier«, sagt Elna. »Dann entgeht ihr der Schande.«

»Wo könntest du schon hin?« Seine Stimme verrät mehr Unruhe als Erstaunen, und sie ist sich plötzlich sicher, dass er sie doch noch gern hat.

Aber dann bricht es plötzlich aus ihm heraus, die Wut folgt immer der Milde auf den Fersen.

»Wohin, zum Teufel, könntest du denn gehen?«, brüllt er. »Raus auf die Straße?«

Weiter kommt er nicht, ehe Mutter in der Kammertür steht. »Nicht so laut«, ermahnt sie. »Denk an die Nachbarn.« Und natürlich regt das Vater noch mehr auf, nie wird sie sich merken, dass die Nachbarn etwas sind, um das er sich den Teufel schert. Was die hören oder nicht, daran verschwendet er keinen Gedanken. Denn wenn man das täte, müsste man sich mit kleinen Zetteln verständigen, um ganz sicher zu sein, dass nichts durch die Wände sickert.

Die Nachbarn? Was, zum Teufel, haben die mit der Sache zu tun? Er steht auf, zieht sich die Strickjacke an und geht.

Zu Elnas Verwunderung beginnt Mutter nicht mit ihrem gewöhnlichen Klagen, als er gegangen ist. Im Gegenteil, sie setzt sich an den Tisch, streicht die Schürze glatt und fragt vorsichtig, wie es Elna gehe.

Das ist so aufsehenerregend, dass Elna neugierig wird. Sie kann sich nicht erinnern, wann Mutter zuletzt so freundlich war. Das muss irgendwann gewesen sein, als sie sehr klein war. Ansonsten gab es immer nur Ermahnungen, Fragen, neuerliche Ermahnungen. Elna sieht, dass sie wirklich meint, was sie sagt.

»Natürlich fühl ich mich beschissen«, antwortet Elna. Mutter sagt ihr seltsamerweise nicht, dass sie aufhören solle zu fluchen.

»Wir müssen das Bestmögliche aus der Situation machen«, sagt Mutter vorsichtig. »Wir müssen uns an das Neue gewöhnen. Wie es nun auch gehen soll. So eng, wie es hier ist.«

»Ich verschwinde«, sagt Elna. Als Mutter fragt, wohin, antwortet sie nicht, denn sie hat ja nichts darauf zu sagen.

So geht es ein paar Tage, und Elna merkt, dass beide Eltern versuchen, ihr zu helfen, sie aufzumuntern, ihr Halt zu geben, aber dass das nie gleichzeitig geschieht. Es ist, als ob sie voreinander ausweichen. Wenn alle zusammen sind, sagt man überhaupt nichts. Nils grinst, aber er ist nicht unfreundlich, nur peinlich berührt, weiß nicht, wie er sich verhalten soll. Und Arne steckt ihr Karamellen zu und blinzelt unsicher.

Nach einigen Tagen kommt ein Bescheid von Habichtnase aus der weißen Villa: Man erwartet, dass Elna so lange wie möglich ihrer Arbeit an ihrem alten Arbeitsplatz nachkommt. Der gezahlte Vorschuss ist sicherlich eine Ursache, aber die Kündigung muss nicht unmittelbar vollzogen werden, sie darf noch eine Weile arbeiten ...

Solange es nicht zu sehen ist, mit anderen Worten. Aber der Verschlag vor der Küche hat immerhin einen Vorteil, da wird sie in Ruhe gelassen. Besser da als hier in der Küche die unleidlichen stummen Mahlzeiten mit den Eltern und den Brüdern.

Der Brief an Vivi wird aufgeschoben. Sie kommt nicht zum Schreiben, obwohl mindestens ein Brief pro Woche aus Landskrona eintrifft. Und Vivi ist unruhig. Was ist passiert? Da weint Elna fast, denn mit der Sorge wird sie nicht fertig. Aber antworten, nein, das schafft sie nicht. Noch nicht.

Habichtnases Spott hat zugenommen, aber Elna duckt sich nur, weicht aus. Der bekümmerte Ingenieur sieht sie mitleidig an. Manchmal öffnet er den Mund, als wollte er etwas sagen, aber es wird mehr ein Gähnen, er sagt nie etwas.

Das geht eine Woche, das geht zwei Wochen. Bald ist es Mitte September. Der Monat der Vogelbeeren. In der großen Welt scheint Hitlers Herrschaft immer unumschränkter zu werden, in der kleinen Welt kann Elna nicht vor ihrem Kind weglaufen. Es ist da, woran sie auch denkt, was sie auch tut, wohin sie auch geht.

Schließlich schreibt sie einen Brief an Vivi. In all seiner Einfachheit lautet er wie folgt:

»... was im Sommer noch grün war, ist jetzt rot und gelb. Das ist schön. Es ist alles missglückt, was ich zu tun versucht habe, das Kind ist immer noch da. Ich träume, dass ich laufe, aber ich komme nirgendwo an. Das bin nicht ich, die sich bewegt, sondern das, was um mich herum ist, bewegt sich, die Bäume, Häuser, Menschen. Ich habe ein kleines Buch entdeckt, als ich vor ein paar Tagen die Buchrücken abgestaubt habe, es lag hinter dem Regal, vielleicht war es heruntergefallen, aber ich glaube eher, dass es dort versteckt wurde. Ich begann zu blättern, und da stand Folgendes: ›Willkommen ist wohl im Allgemeinen das erste Kind, möglicherweise noch Nummer zwei, wenn das Kind und die Mutter gesund sind und der Vater eine halbwegs gut bezahlte Arbeit hat. Aber dann ... Kindergeschrei, durchwachte Nächte, die gesegneten Kinder werden die verdammten Jugendlichen ... Und so entdeckt man eines Tages, dass die Sehnsucht nach Kindern, die man einmal hatte, sich verwandelt hat in Entsetzen, weil Mutter schon wieder ein Kind erwartet ...‹ So stand es da, und noch viel mehr. *Unwillkommene Kinder* heißt es, und ich denke, dass alles anders sein könnte, wenn ich das vorher gewusst hätte. Jetzt kann ich nicht mehr weiterschreiben, aber ein andermal ...«

Ganz unten kommt dann noch ein Hilfeschrei, aber Vivi kann nicht helfen, also streicht sie die Worte wieder durch, bis sie unleserlich sind. Der Brief bleibt viele Tage liegen, bevor er endlich abgeschickt wird.

Am letzten Novembertag hört Elna bei Familie Ask auf. Eine neue Haushaltshilfe ist schon seit einer Woche im Haus, und Elnas letzte Aufgabe ist es, sie in die Arbeitsroutine einzuweisen. Die Frau ist wenigstens zehn Jahre älter als Elna. Sie kommt aus Linköping, und Elna merkt schnell, dass sie die gleiche politische Auffassung hat wie die Habichtnase. Elna ahnt, dass eine Annonce in dem vom Ingenieur so verhassten und gefürchteten *Dagens Eko* dieses Resultat erbracht hat. Aber das kann Elna egal sein; Hauptsache, die Neue merkt sich, dass der Morgentee des Ingenieurs nicht zu stark sein darf.

Am letzten Tag, als Elna den Hemdenkragen des Ingenieurs bügelt, kommt er plötzlich zu ihr herein. »Nein, mach nur weiter«, sagt er, als sie das Bügeleisen wegstellt, um die erwartete neue Anordnung zu hören. »Ich will Elna nur das hier geben«, sagt er und streckt ihr einen Zehnkronenschein entgegen, einen von den neuen, mit Bild von Gustav Wasa und dem leeren Spiegeloval daneben.

»Das ist schade, das hier«, sagt er dann. »Wenn ich dir raten dürfte, dann …« Er bricht ab und entfernt sich murmelnd. Elna denkt, dass sie so etwas wie Dankbarkeit fühlen müsste, aber das tut sie nicht. Sie ist zu müde.

Um sechs Uhr trottet Elna durch die Gemeinde nach Hause. Es schneit, und sie hat Schmerzen im Rücken. Sie schaut auf die Straße, um nicht auszurutschen. Sie denkt, dass die, die sie sehen, den niedergeschlagenen Blick so deuten, als ob sie sich schämt. Aber das tut sie keinesfalls! Das Unglück ist ein ganz anderes, es handelt sich um ein verlorenes Leben.

Als sie zu der rötlichen Arbeitersiedlung kommt, steht Ester in der Tür und wartet auf sie. »Komm einen Moment zu mir rein«, sagt sie. »Jetzt hast du es wohl nicht mehr eilig?«

Ester hilft ihr aus dem Mantel und bittet sie, sich zu setzen. Dann kocht sie richtigen Kaffee, ein paar Bohnen hat sie gespart. Kann Elna die Kaffeemühle nehmen und mahlen? Dann wird sie unterdessen etwas Kuchen auftischen.

Ester ist klein und sehr dick, die Beine sind geschwollen und gewickelt, ihr Gesicht ist hochrot, und sie ist immer verschwitzt. Sie atmet schwer, bewegt sich jedoch mit erstaunlicher Leichtigkeit. Aber dass sie auf den Knien liegen und Bodenbretter schrubben kann, das ist unbegreiflich. Trotzdem lebt sie davon, und niemand putzt den Boden reiner und duftender als sie. Manchmal springt sie außerdem als Hilfsköchin ein, wenn eine größere Veranstaltung im Festsaal des Hotels stattfindet. Ihr Mann arbeitet im Werk, ihre zwei Töchter sind Laufmädchen in einem Farbenhandel und einem Kurzwarengeschäft, beide mit Aufstiegsmöglichkeiten zur Verkäuferin.

»Auf welche Art sind wir eigentlich verwandt?«, fragt Elna plötzlich.

Ester lacht und trocknet sich den Hals mit einem Taschentuch, das sie aus der Armbeuge zieht. »Wie du und ich verwandt sind, weiß ich nicht«, sagt sie. »Aber deine Mama und ich sind entfernte Cousinen.«

Elna nimmt ein Stück Zuckerkuchen. Sie hat gemerkt, dass sie eine unmäßige Lust auf alles bekommen hat, was süß ist – oder salzig. Sie vermutet, dass das mit der Schwangerschaft zu tun hat; sie erinnert sich an ein Pausengespräch aus dem letzten Schuljahr, als ihr eine Schulkameradin anvertraute, dass sie ein Schwesterchen bekommen würde. Als Elna fragte, woher sie das wisse, bekam sie zur Antwort, dass die Mama plötzlich angefangen hätte, an Tannenzapfen zu saugen – und das hatte sie auch getan, bevor der Bruder auf die Welt kam. Tja, so hing das wohl zusammen.

Der Zuckerkuchen ist gut, und bei Ester fühlt sie sich geborgen. Wenn sie doch bei ihr wohnen könnte, es vermeiden könnte, die Treppe hinaufzugehen zu den stummen Eltern, die sich nie einigen können, ob sie ihr nun helfen oder sich die Augen aus dem Kopf schämen sollen.

»Nimm mehr«, sagt Ester. »Ich hab extra für dich gebacken. Ich wusste, dass du heute kommen würdest. Hierherkommen.«

Hierherkommen? Warum sagt sie nicht nach Hause kommen würdest? Und – für sie gebacken?

»Das hier wird bestimmt gut gehen«, fährt sie fort. »Du bist nicht die Erste, die so etwas durchmacht. Und sicher auch nicht die Letzte. Wenn eines meiner Mädchen nach Hause käme und ihr wäre dasselbe passiert wie dir ... Da hätte ich, jedenfalls so gut ich könnte, geholfen. Und gnade dem Alten, wenn er anfinge zu motzen. Ich bin zwar fett wie eine Gans, aber da wäre ich so wütend geworden, dass ich es geschafft hätte, ihn zu verprügeln.«

Und dann, mit leiser Stimme: »Ich weiß ja, dass es nicht leicht für dich ist da oben. Ich hab's ja gehört. Aber du sollst wissen, dass du jederzeit herkommen kannst zu mir, wenn es zu beschwerlich wird. Nicht weil wir miteinander verwandt sind oder weil du mir leidtust. Sondern weil ich dich mag. Ich dachte, du solltest das wissen.«

Elna steigen Tränen in die Augen, ihr steigen jetzt immer gleich Tränen in die Augen.

Aber Ester schüttet nur den letzten Rest Kaffee in ihre Tasse und lässt sich nichts anmerken. »Komm wieder her«, sagt sie, als Elna geht. Und Elna verspricht es. Klar macht sie das. Sie wird viel Zeit haben, jetzt steht ja nichts anderes mehr an, als zu warten.

Auf was? Dass das Unfassbare wirklich eintrifft, dass sie ein Kind zur Welt bringt. Aber weiter als bis dahin reicht ihr Vorstellungsvermögen nicht, danach hört alles auf. Das ist es also, was sie tun kann, darauf warten, dass sich zeigt, dass wirklich alles vorbei ist …

In der Tür dreht sie sich um und schaut Ester an. »Was passiert dann?«, sagt sie. »Mit …«

Ester wackelt zur Tür und legt ihre großen roten Hände auf ihre Schultern: »Das werden wir dann schon sehen«, sagt sie. »Erst wenn es da ist, wirst du fühlen, wie es ist.«

»Ich will dieses Kind nicht haben«, schreit sie.

Manchmal drängt alles heraus, eine aufgestaute Verzweiflung bricht aus ihr hervor.

Ester hält sie fest, sie sagt nicht, dass sie sich beruhigen soll, sie redet ihr zu, sich auszuweinen, zu kratzen, etwas zu zerschmeißen … Alles, was sie will. Aber jetzt kommt kein Weinen, nur dieser eine Schrei.

»Natürlich willst du es nicht«, sagt Ester. »Aber jetzt können wir nichts machen. Wir werden schon sehen, wenn es so weit ist …«

Der Schnee fällt, die kleine Stadt wird weiß. Elna liegt in den Nächten wach auf ihrem Küchensofa. Am gegenüberliegenden Ende der Küche, zwischen Tisch und Spüle, schnarcht Nisse auf seiner Matratze. Er hat aufgehört, sie zu ärgern, er kann nicht einmal mehr ihrem Blick begegnen, wirkt nur verlegen und unsicher. Und sie tut auch nichts, um sich ihm zu nähern. Was sie in den Nächten wach hält, ist eine Mischung aus Hass und Unruhe. Hass gegen den, der sie ins Elend gestürzt hat, Unruhe wegen dem, was nun kommen wird. Manchmal meint sie auch zu spüren, dass nicht alles tiefstes Dunkel ist, sondern dass es eine Lösung gibt.

Sie kann das Kind ja weggeben. Es gibt kinderlose Paare, die nichts lieber wollen. Ja, sie braucht es wohl noch nicht einmal zu sehen, wenn sie nicht will.

Aber will sie das? Beim ersten Mal, als sie die Bewegungen spürte, das Kind, das sich rührte, war da auch etwas anderes, was zum Leben erwachte. Was, weiß sie nicht, sie hat kein Wort, das dieses Gefühl beschreibt. Es war keine Freude, keine Sehnsucht, keine ... Nein, sie findet kein Wort. Auch das verwirrt sie. Fragen und Gedanken, die sich festklammern in der Vorwinternacht, als sie wach liegt.

Es ist wenige Tage vor Weihnachten. Elna hilft Mutter beim Backen. Jetzt ist bald Essenszeit, und der Blutpudding steht warm auf dem Herd. Heute ist auch Arne zum Essen zu Hause. Ihn rechnen sie nie mit, darum muss Elna noch einen Teller dazustellen. Vater Rune wirkt müde, er sagt nichts und starrt nur auf den Boden. Er war den ganzen Herbst müde, und das, was Elna geschehen ist, macht ihm zu schaffen. Außerdem das Bein, das verdammte Blut, das nicht durch seinen Körper kreisen will, ohne dass er nachhilft, sein ständiger Nachttanz. Auch seinen Appetit hat er verloren, der Blutpudding liegt beinahe unberührt auf seinem Teller. Es ist eine der stummen Mahlzeiten, weder Arne noch Nisse brechen das Schweigen. Stattdessen hören sie sich das Abendgezanke aus der Nachbarwohnung an, bei Wretman und seiner Alten. Wretman arbeitet am Bahnhof, seine Alte ist zu Hause, und die Wohnung, so klein wie alle anderen im Haus, wimmelt von Kindern. In neun Jahren haben sie sieben Kinder bekommen, und erstaunlicherweise sind alle am Leben geblieben. Aber Wretmans Husten hört sich gar nicht gut an, er ist wohl lungenkrank. Türen schlagen, die Kinder schreien, irgendwas wird an die Wand geworfen, und es ist unmöglich, nicht hinzuhören. Das Schweigen am eigenen Tisch scheint sich noch zu vertiefen durch den Krawall auf der anderen Seite der dünnen Wand.

Vater Rune schiebt den Teller von sich, nimmt vom Schnupftabak, den Arne anbietet, und wendet sich an Elna. »Ich hab jetzt Bescheid bekommen«, sagt er.

Alle wissen, worauf er anspielt; er ist es, der die schwere Bürde auf sich genommen hat, den Saukerl aufzuspüren, der seiner Tochter das angetan hat. Bei der Staatsanwaltschaft musste er sich demütigen, indem er fragte, was er tun könne, um den Grünschnabel zu finden, aber wenigstens war der Staatsanwalt liebenswürdig, hat ein paar Fragen gestellt und sich Notizen gemacht. Er wird tun, was er kann. Die Militärbehörde hat selbst eine besondere Einheit, die sich aller Vaterschaftsangelegenheiten annimmt, die die schlimme Zeit leider mit sich bringt. Wenn er wiederkommen kann, Mitte Dezember vielleicht, dann werden wir sehen, was sie herausgefunden haben. Weiß die Tochter wirklich nicht den Nachnamen des in Frage kommenden Mannes?

Und jetzt ist also der Bescheid da. Ein Einberufener, auf den die genannten Daten passen, war unter den aktuellen Grenzwachen während des in Frage kommenden Zeitraums nicht ausfindig zu machen, auch andere konnten keine Auskunft geben, damit überweisen wir den Auftrag zurück, unterzeichnet …

Die Tochter könne ja in der Reichspresse annoncieren, rät

der Staatsanwalt. »Es kann doch sein, dass der Kerl zwischendurch mal eine Zeitung aufschlägt. Anzeigen unter Vermischtes finden ja das größte Interesse, abgesehen von Sport und Serien natürlich. Aber ich weiß nicht, ob was dabei rauskommt. Wie soll die Polizei nach jemandem forschen, der Nils heißt? Da gibt es wohl eine halbe Million Kerle, die Nils heißen in diesem Lande. Nein, sie muss es wohl nehmen, wie es ist, und sich damit abfinden, dass der Vater unbekannt ist.«

Das alles sagt Rune natürlich nicht. Er sagt nur, wie es ist, dass keiner gefunden wurde, der als Kindsvater in Frage kommt.

Damit ist es wieder still am Tisch. Elna sieht ihren Vater an, es bekümmert sie, dass er es so schwer hat. Und Mutter ... Elna verkraftet viel, aber nicht dieses vorwurfsvolle Schweigen. Sie ist ja nun schuld daran, dass es so bedrückend ist, Vergewaltigung hin oder her.

Silvester. Zwölf Glockenschläge, und dann ist es 1942. Von Vivi ist eine Karte gekommen. Ein verschwommenes Luftbild von Landskrona. Elna schämt sich, dass sie nicht geschrieben hat. Vater Rune betrinkt sich und fängt an, sich über die Lage in der Welt auszulassen, darüber, wie die Posaunen des Jüngsten Gerichts immer stärker tönen, dass alle Welt sich nahe dem Ende befindet. Wenn nicht ...

»Was?«

Zu aller Verwunderung ist es Nils, der den Mund aufmacht und sich erdreistet, eine Frage zu stellen. Und eine Antwort bekommt er, eine Antwort, die sich weit in die Nacht erstreckt, so weit, dass Elna beinahe auf dem Stuhl einschläft. Der Rücken schmerzt, und der Bauch ist schwer. Das Kind tritt schlimmer als gewöhnlich. Ist er dabei, sich umzudrehen? Er? Warum nicht sie?

»Hitler«, sagt Rune erbost. »So einer kommt nur alle hundert Jahre einmal. Und passt man nicht auf, so legt dieser Herr die ganze Welt in Trümmer, sodass es Jahrzehnte dauern wird, um alles wieder aufzubauen, und dann kommt der nächste Verrückte, Napoleon, Cäsar, Karl XII. Denk bloß, dass es diesmal notwendig war, die Norweger zu bitten, reinen Tisch zu machen. Wir haben es nicht mal geschafft, unsere eigene Wäsche zu waschen ... Ja, ja, Herrgott. Verstehst du, was ich meine?«

Nein, Nils versteht nichts. Und diesmal kümmert es ihn nicht, dass die Pickel sprießen, wenn er sich aufregt, er wird das neue Jahr damit beginnen, dass er widerspricht. Nicht nur seinem Vater, sondern der ganzen Welt, wenn es sein muss. Aber man kann ja schon mal mit seinem Vater anfangen, und das hier, dass Hitler ein Verrückter sein soll, das versteht er nicht.

Aber jetzt erschallen Neujahrswünsche im Treppenhaus, man hat sich gegenseitig besucht, und während die Kerle Schnäpse tranken, haben sich die Frauen zu Plätzchen und Kaffee eingeladen. Surrogatgesöff bei den meisten, richtige Bohnen bei einigen wenigen. Und das Gesprächsthema ist das übliche, das Jahr ist vergangen – *trotz allem!* Die immer knapper werdenden Lebensmittel. Und wie, zum Teufel, ist es ihm oder ihr geglückt, an Kaffee zu kommen? In dem Loch hier gibt es doch wohl keinen Schwarzmarktbaron? Geschichten machen die Runde: Ein Verrückter hat versucht, ins Hotel einzudringen, um an die Getränke zu kommen, ist dabei in einem Kellerfenster stecken geblieben und musste von der freiwilligen Feuerwehr herausgezogen werden. Er dürfte auch an den empfindlichen Stellen Schnittwunden haben ... Aber es ist schon schade, dass er es nicht geschafft hat. Das gewöhnliche Volk hat ja keine Möglichkeiten, sich auf dem offenen Schwarzmarkt Gehör zu verschaffen, der ist nur für die Kapitalisten. Und war da nicht noch ein anderer Verrückter, der an den König geschrieben und darum gebeten hat, ihm gnädigst eine extra Kaffeeration zu bewilligen, weil sein Herz aufhöre zu schlagen, wenn es nicht die gewohnte Tagesdosis bekomme? Das Surrogat hat ihn bestimmt auch verrückt gemacht, er lief Amok, als ob er Fliegenpilze gegessen hätte. Nein, das ist ein verfluchtes Jahr gewesen, und das nächste wird auch nicht besser. Denkt bloß an diese Umsatzsteuer, die niemand begreift. Teuer genug ist es auch so schon ... *Aber man muss wohl hoffen, solange die Hosen noch halten.* Prost und ein gutes neues Jahr. Man muss wohl damit zufrieden sein, solange man noch Arbeit hat. Aber es ist nicht besonders lustig, in einer Waffenschmiede zu arbeiten, so wie die Welt aussieht ...

Die Welt, ja. Wohin man auf der Karte oder dem Globus auch blickt, überall ist Krieg, schwarze Pfeile, Zickzack-Frontlinien, neue Pfeile. Die weißen Flecken werden immer weniger. Schweiz, Türkei, Südamerika und einige seltsame Staaten in Afrika, um die sich sowieso keiner kümmert ... Und dann eben Schweden. Es wäre töricht zu glauben, dass wir uns da raushalten können. Wie es jetzt aussieht, muss man wohl *akzeptieren*, wie es so schön heißt, dass die Steuern angehoben werden, um die Verteidigung zu verstärken. Wenn nun die Arbeiter in allen Ländern ringsum gezwungen werden, sich gegenseitig zu erschießen, so kann man sich nicht länger in Illusionen wiegen ... Nee, Prost auf ein gutes neues Jahr ... Man muss hoffen und darf sich nicht in die Hosen scheißen. Heute Nacht wird der letzte Tropfen geleert, das Kontrollbuch ist bis zum Äußersten strapaziert, und da gibt es keinen, der einen runden Geburtstag hätte, sodass man eine Extrazuteilung Alkohol herausschlagen könnte ...

Später am Abend ist jeder in seine Wohnung gegangen. Nisse hat ein paar Schnäpse von Vater Rune stibitzt und die

Flasche mit Wasser aufgefüllt. Er macht sich keine Sorgen, heute Abend sind da so viele, die Schnaps anbieten, dass das Risiko, entdeckt zu werden, nicht so groß ist. Es wärmt jedenfalls gut und löst die Zunge.

Und außerdem ist es Zeit zum Bleigießen. Rune fängt an. Er öffnet die Ofenluke, steckt die Schöpfkelle hinein, und als das Blei geschmolzen ist, gießt er es in den Eimer mit Wasser. Es zischt, dann landet der unförmige Klumpen auf dem Tisch. Wie gewöhnlich gleicht es auf den ersten Blick überhaupt nichts, einem grauen Hundeschiss vielleicht, aber wenn man genau hinsieht, kann man schon fantasieren, was der Klumpen für das neue Jahr bedeuten könnte. Reichtum, Macht und Ehre. Oder Tod und Untergang. Sicher ist es nur Aberglaube und Heuchelei, aber was soll's …

»Das hier sieht aus wie ein Motorrad«, sagt Rune und wischt damit alle anderen Vorschläge vom Tisch. Was hat das nun zu bedeuten? Dass man von Schutzmann Lundin überfahren wird, der ein Motorrad hat und so teuflisch schlecht fährt? Ja, ja, danke für die Warnung, man muss wohl aufpassen, wenn dieser Verrückte um die Ecke kommt. Der Nächste ist dran! Es ist Nils. Nach Mutters Ansicht hat der Klumpen die Form eines schönen Engels, aber Nils sagt, das sieht ja wohl jeder, dass das ein Auto ist. Was man jetzt damit soll, wo es kein Benzin gibt und man keinen Führerschein machen darf? Nein, vielleicht ist es doch ein Engel, ein weiblicher Engel, eine Frau. Das Schöne am Bleigießen ist ja, dass man selbst bestimmt, was man sieht. Eine nackte Frau ist das! Mutter ist an der Reihe. Vater Rune lacht zufrieden in sich hinein, als er meint, ihr Klumpen erinnere ihn an einen Elch. Will sie etwa wirklich zur Jagd?

Mutter sieht kein Tier, sie sieht eine Sommerlandschaft. Aber das behält sie für sich. »Ein Radioapparat«, sagt sie stattdessen. »Aber den haben wir ja wohl schon.«

Jetzt bleibt nur noch Elna übrig. Sie sieht, wie das Blei in der Kelle schmilzt, und gießt die graue Masse dann vorsichtig in das Wasser. Es sieht aus wie ein Bild von Vivi von hinten. Oder wie ein Flugzeug, wenn sie den Klumpen umdreht. Oder wie ein Tannenzapfen. Nein, sie schafft es nicht, sich festzulegen.

»Ich seh nicht, was es ist«, sagt Mutter plötzlich, »aber dein Klumpen ist der schönste.«

Alle sind so nett zueinander heute Abend. Man bietet sich gegenseitig Kaffee an, reicht den Plätzchenteller herum, nickt freundlich und gutmütig, wenn Vater Rune meint, es sei Zeit für einen weiteren Schnaps. Das ganze Haus scheint auf Frieden und Ruhe eingestellt zu sein. Keiner streitet, keiner schlägt sich, kein Kind schreit. Die Frage ist nur, ob nicht vielleicht doch eins von Wretmans Kindern Rachitis hat. Eins der Kleinsten hustet so schlimm.

Der Schnee fällt in der dunklen Nacht. Mutter öffnet das Küchenfenster, und der Klang der Kirchenglocken des Marktfleckens mischt sich mit dem der Domkirche von Lund aus dem Radio. Aber vorher hat de Wahl sein großartiges Gedicht gelesen, und alles ist so festlich, wie es sein soll. Vater Rune hat Tränen in den Augen, er denkt daran, dass er alt wird, obwohl er noch keine fünfzig ist. Aber mit einem Arbeiter, der sich tagein, tagaus abplagt, kann es schnell bergab gehen. Nein, er kann sich nicht sicher sein, dass er noch ein Jahr lebt. Aber er muss ja, wegen des armen Mädchens, um das es so schlecht bestellt ist.

Mutter sieht Elna an, die sich wohl fragt, wie es weitergehen soll. Sie ist doch viel zu jung für ein Kind. Mutter merkt, wie müde sie selbst ist, ausgebrannt nach dem Weihnachtsfest, das alles von den Millionen Frauen fordert, die es sauber im Haus und ein gutes Essen auf dem Tisch haben wollen. Aber man wird nicht nur davon müde, alles ist so ungewiss. Der Krieg, Elna und nicht zuletzt der geliebte Rune, der solche Schmerzen im Bein hat und keine einzige Nacht schlafen kann, ohne dass er aufstehen und stampfen und schlagen muss. Wenn bloß Arne sich anständig aufführt, wo er auch gerade sein mag. Dass er nur nicht zu viel trinkt, nichts Dummes anstellt ...

Nils steht da und ist geil und umfasst sein Glied mit der Hand in der Tasche. Er hat sich die Kunst angeeignet, es zu tun, ohne dass jemand etwas merkt. Dies ist jedenfalls die letzte Silvesternacht, die er zu Hause verbringt, das gibt er sich selbst als heimliches Gelübde. In einem Jahr wird er mit irgendeinem Mädchen im Bett liegen, und dann, Teufel auch. Es ist blöd, dazustehen und sich Unmengen von Glocken anzuhören, die nie mehr mit dem Läuten aufhören wollen. Morgen ist ein neuer Tag, und dann ist Schluss damit. Wenn es jetzt bloß nicht die ganze Nacht schneit, sodass man morgen den ganzen Vormittag Schnee räumen muss ...

Elna. Sie steht nur da und schaut. Der Klang der Kirchenglocken verstärkt die immer wiederkehrende Frage, warum alles so kam, wie es gekommen ist ... Als sie da am Fenster steht und fühlt, wie die kühle Nachtluft ihr entgegenströmt, fängt das Kind plötzlich an zu treten. Die Bewegungen im Bauch sind stärker als jemals zuvor. Ohne zu wissen, warum, dreht sie sich um, die Glocken haben aufgehört zu läuten, und Mutter hat die Hand ausgestreckt, um das Radio auszuschalten.

»Das Kind tritt«, sagt Elna.

Vater Rune wird rot im Gesicht. Die Lippen bewegen sich, als ob er etwas sagen wollte. Schließlich bringt er es doch fertig, ihr mit seiner groben Hand die Wange zu tätscheln, und sie bemerkt, dass er Tränen in den Augen hat. Dann murmelt er etwas und verschwindet im Treppenhaus, um auf den Hof zu gehen und zu pissen. Normalerweise macht er das im Ausguss, aber diesmal nicht. Nils lacht, viel zu schnell und viel zu gekünstelt. Aber was soll er machen? Dass Frauen mit einem Kind im Bauch herumlaufen und dass es zum Schluss *auf dem Weg* herauskommt, nein, das ist einfach eklig. Und dass seine Schwester das gemacht hat, woran er selbst ständig denkt, das macht die Sache nicht weniger kompliziert. Nur Mutter reagiert ganz ruhig. Sie geht zu Elna und legt die Hand auf ihren Bauch. Ja, sie fühlt, dass es sich bewegt. »Es ist bestimmt alles in Ordnung mit ihm«, sagt sie und lächelt.

Ihm. Auch sie denkt an einen Er.

»Vielleicht wird es eine Sie«, sagt Elna.

»Das werden wir sehen«, sagt Mutter. Und mehr wird nicht gesagt. Trotzdem wird das Kind in diesem Augenblick für alle Wirklichkeit. Natürlich sollte die Mutter mit ihrer Tochter über die Möglichkeit reden, das Kind zur Adoption freizugeben, aber … Nein, das kann sie nicht. Noch nicht. Zuerst muss es ja mal geboren werden, dann wird man sehen.

Als Rune gepisst und sich beruhigt hat, kommt er wieder rauf und ist bester Laune. Das ist seine Art, einen Strich darunter zu ziehen, dass er zu viele Gefühle gezeigt hat. Jetzt ist es Zeit für einen letzten Schnaps, um ein bisschen Farbe ins Elend zu bringen, ein bisschen Farbe und ein bisschen Geschmack.

»Frohes neues Jahr«, ruft er laut. »Wir haben ja ganz vergessen, uns gegenseitig ein frohes neues Jahr zu wünschen.« Und dann gibt er Mutter einen Klaps auf den Hintern, das gehört dazu. Kann vielleicht jemand noch etwas von diesem sogenannten Kaffee kochen? Und dann wechseln wir ein paar Worte über den Krieg. Seid ihr euch darüber im Klaren, dass in dieser Nacht der Krieg praktisch ins vierte Jahr geht? Hitler, der ist so ein Beispiel dafür, dass die gesammelten

Sünden eines Jahrhunderts zur Geburt eines solchen Mannes führen, einmal alle hundert Jahre taucht so einer auf.

Nils versteht nicht, was er meint, und er sagt es geradeheraus, sein Ton ist richtig schroff. Vater Rune glotzt ihn an. Wenn er getrunken hat, kann er es bekanntlich nicht ausstehen, dass ihm widersprochen wird, und schon gar nicht vom eigenen Sohn. Aber zu aller Verwunderung zeigt sich, dass Nils sich auch Gedanken gemacht hat. Ja, man könnte fast sagen, dass er eine eigene Ansicht hat. Er stimmt mit seinem Vater weitgehend überein, was den deutschen Vormarsch betrifft, aber in der Ansicht über die Sowjets scheiden sich ihre Meinungen. Ganz zu schweigen von der Frage der schwedischen Neutralität. Das soll ein neutrales Land sein, das deutsche Divisionen hindurchlässt, die von einem Kriegsschauplatz zum nächsten verfrachtet werden? Nein, das ist nichts anderes als hoffnungslose Schwäche. Da hat sich die Nation auf den Rücken gelegt wie ein Dackel, der eine Bulldogge zu Gesicht kriegt.

»Ich stimme dir zu, das ist unangenehm«, sagt Vater. »Aber das war eine Anfangserscheinung. Und lieber das, als den Krieg im Land zu haben ...«

Nils unterbricht, will jetzt sagen, was er denkt. »Wir wären nie besetzt worden, wenn wir Widerstand geleistet hätten«, sagt er. »Die Deutschen haben genug an dem, wie es ist. Und im Gegensatz zu Norwegen und Dänemark haben wir eine Verteidigung. Und wir hatten Zeit, uns vorzubereiten.«

»Darf man vielleicht fragen, wohin alle Flüchtlinge sollten, wenn wir auch in den Krieg gezogen wären?«, fragt Vater, der langsam wütend wird. »Bei uns kann man Luft holen, hier kann der Widerstand organisiert werden.«

»Hätten die Deutschen uns angegriffen, so wären sie in Norwegen und Dänemark schwächer geworden. Und dann hätte der Widerstand da gestärkt werden können.«

»Jetzt redest du Quatsch, mein Junge. Die Deutschen haben so viele Reserven, wie sie wollen.«

»Gegen zwanzig Millionen Russen?«

»Wie kommst du auf die Russen?«

»Sowjets.«

»Willst du frech werden?«

»Ich sag nur, wie es ist!«

»Und ich frage, ob du begriffsstutzig bist! Wie sollte Stalin zwanzig Millionen Mann mobilisieren können, wenn er nichts anderes getan hat, als seine Bauern zu erschießen seit Mitte der dreißiger Jahre? Jetzt könnte er sie brauchen, aber er hat sie ja erschossen.«

»Natürlich hat er das nicht. Und ich kann nicht sehen, dass es einen Unterschied macht, wenn wir eine Menge eigenes Volk in den Wald schicken, in Internierungslager.«

»Das sind Landesverräter. Käme Stalin, würden sie am Kai stehen und die Trosse entgegennehmen.«

»Aber warum sperren wir dann nicht alle ein, die Hitlers Truppen empfangen würden? Die es praktisch schon getan haben?«

»Das ist doch nur dummes Zeug!«

»Das ist meine Ansicht!«

Eine von Vaters Fäusten fällt auf den Tisch wie ein Hammer. »Ein Hosenscheißer wie du hat keine eigene Ansicht. Aufsässigkeit ist nicht dasselbe, als wenn man weiß, wovon man redet.«

Elna hört zu. Selbst Mutter bleibt sitzen. Es ist ja trotz allem Silvesternacht, und sicherlich beruhigt es sie zu sehen, dass der Sohn anfängt, seine Kräfte mit seinem Vater zu messen. Wenn er nur nicht zu weit geht.

Aber natürlich läuft es aus der Spur. Und als Nisse heftig entgegnet, dass die, die wirklich bereit wären, das Land zu verteidigen, die Kommunisten sind, bricht ein ernster Streit los. Mit lautem Gebrüll springt Vater von seinem Stuhl hoch, schwankt, hält aber noch die Balance, zeigt auf die Tür und ruft, dass er keine Kommunisten im Haus dulde. Und Nils erhebt sich, um zu gehen. Er ist so aufgewühlt, dass er kein Wort herausbekommt. Aber die Zeit der Wunder ist noch nicht vorbei, denn da hebt Elna die Hand, und mit normaler Stimme bittet sie die beiden, sich wieder zu beruhigen. Sie fühle sich nicht richtig wohl …

Und so geschieht es, das Kind bestimmt. Vater Rune schüttelt sich und geht dann murrend in seine Kammer. Von dem eigenen Sohn Widerworte zu hören … Wohin soll das führen?

Nils schläft auf seiner Matratze, Elna liegt wach. Durch die Wand hört sie, wie jemand drinnen bei Wretmans hustet.

1942. In knapp einem Monat wird sie achtzehn. Und in drei Monaten wird sie ein Kind bekommen, ein Winterkind, ein Fugenkind zwischen Winter und Frühling. Einen kurzen Augenblick versucht sie sich vorzustellen, wo sich der Vater des Kindes befindet, steht er Wache irgendwo in der Winternacht? Aber sie kann sich nicht einmal mehr an sein Gesicht erinnern, und das ist wohl auch gut so.

An einem Tag Mitte Januar, es ist ein klarer und kalter Sonntagvormittag, geht Elna durch den Ort. Der aufgepflügte Schnee türmt sich meterhoch an den Hauswänden; es gilt, um jeden Preis die Wärme im Haus zu halten. Denn dieser Winter 1942 scheint nicht milder zu werden als der im Jahr zuvor. Es ist, als ob selbst das Klima protestierte gegen das, was in der Welt geschieht. Die Angriffswaffe ist die Kälte. Elna geht schnell, obwohl ihr Bauch schwer ist und sie schnell Atemnot bekommt. Aber sie will nicht anfangen zu frieren, ihr dunkler Mantel und der Schal, den sie ein paarmal um den Hals geschlungen hat, halten die Kälte kaum ab. Doch es ist windstill, es ist erträglich. Sie geht durch den

Ort, vorbei an dem Werk, das mit seinen hohen Schornsteinen aussieht, als hätte es zwei Hörner, vorbei an den weißen Villen, in denen Ingenieure und Direktoren wohnen, und dann ist sie draußen auf der Landstraße. Sie biegt auf gut Glück in einen gepflügten Waldweg ein. Abdrücke von breiten Kufen und Pferdehufen weisen darauf hin, dass hier Holz abtransportiert wurde. Sie hat kein Ziel, sie geht einfach vor sich hin, lässt die Gedanken schweifen. Plötzlich steht sie auf einer Lichtung im Wald. Neben dem Weg, der sich weiter zwischen Tannen und Kiefern entlangwindet, steht ein Wachtturm, ein graues Holzskelett, mit einer gebrochenen Treppe, die oben an einer Plattform endet. Sie schaut hinauf und sieht, dass keine Wache auf dem Turm steht. Am Fußende der Treppe hängt ein Schild: Zutritt für Unbefugte verboten. Ohne dass sie sich richtig klar darüber ist, beginnt sie, die Turmtreppe hinaufzusteigen. Sie geht langsam. Sie zählt die Stufen … 43, 44, 45, und bei 62 ist sie oben. Die Plattform besteht nur aus einem Bretterboden und einem Geländer, das ihr bis zum Bauch reicht. Hier oben befindet sie sich über den Baumwipfeln, und ein schwacher Wind zieht über dem Wald auf.

Sie schaut über die Winterlandschaft hinaus, folgt mit dem Blick den dunkel bewaldeten Hügeln, den weißen Feldern, die wie ausgebreitete Laken daliegen. Sie lehnt sich weit über das Geländer. Hier und da eine einsame Scheune. Weit entfernt meint sie auch einen Skifahrer zu sehen, der eins von den weißen Feldern passiert. Sie blinzelt mit den Augen, und es dauert lange, bevor sie sicher ist, dass da etwas ist, was sich bewegt. Aber da ist wirklich ein Skifahrer, langsam verflüchtigt er sich und verschwindet kurz darauf im Wald, als ob er nie existiert hätte. Sie mag, was sie sieht. Nur eine Winterlandschaft, kalt und eintönig, aber es ist ihre. Daran ist sie gewöhnt. Ihr Reich, ein einsames Schneereich, aber trotzdem das schönste, das sie kennt. Sie stellt sich auf die Zehenspitzen, und obwohl der Bauch im Weg ist, kann sie unten ihre eigene Fußspur sehen.

Wenn ich springe, wäre es in wenigen Sekunden vorbei, denkt sie. Ich hätte gar keine Zeit nachzudenken, ich würde mitten in einem Atemzug sterben, und ich würde nicht mal einen Schmerz spüren. So einfach wäre das, ein Fall in meine eigene Fußspur, und alles wäre vorbei.

In einer Ecke der Plattform ist ein Brett zum Sitzen angebracht, sie klettert hinauf, es ist nur ein Einfall, der durch ihren Kopf wirbelt. Sie ist so müde, die langen durchgrübelten Nächte haben ihr die Kraft geraubt, nicht einmal die Geborgenheit in Esters Gesellschaft hilft noch. Und jetzt steht sie auf einem Turm und fühlt den Sog der Tiefe. Sie wehrt sich dagegen …

Lange steht sie so, mit dem Oberkörper über dem Geländer hängend, bevor sie von der Bank hinunterklettert und zusammensinkt. Sie friert so sehr, dass sie zittert. Aber jetzt weiß sie es. Sie wird nicht springen. Nicht weil sie sich nicht traut, sondern weil sie es nicht will.

Zu sterben scheint ihr ganz einfach kein Ausweg. Sie beschließt, den Kampf aufzunehmen. Neben ihr auf der Bank liegt ein rostiger Nagel. Mit dem ritzt sie ihren Vornamen in das Turmgeländer, den Vornamen und das Datum.

Elna. 16/1/1942.

Dann steht sie noch eine Weile am Geländer, und wie eine Königin schaut sie über ihr Land. Schließlich steigt sie die Treppen hinunter, vorsichtig, um nicht auszurutschen, und biegt wieder in den Weg ein, den sie gekommen ist. Sie geht neben ihren eigenen Fußspuren, die in die andere Richtung führen.

Da ist die Ortschaft wieder. Bald beginnt der Gottesdienst, und einige Menschen streben schwerfällig zur Kirche.

Am selben Abend schreibt sie einen Brief an Vivi. Inzwischen fragt niemand mehr, was sie da tut, es ist zur Gewohnheit geworden, dass sie sich in der Küche einen Platz bereitet am Klapptisch und Papier und Bleistift hervorholt. Jeder versucht, ruhig zu sein und möglichst viel Rücksicht zu zeigen.

»... *Ich habe mich entschlossen zu leben«*, schreibt sie. »*Wir werden ja sehen, was dann passiert. Danach.«*

Und dann das Alltägliche. Dass es kalt ist, aber sie ist gesund. Und wie geht es Vivi da unten im abgelegenen Skåne? Ist es immer noch so mühselig und schwierig im Hotel? Und gibt es Schnee in Landskrona? Wenn nicht, so kann Vivi nach Sandviken kommen und sich welchen holen. Hier gibt es so viel, wie man sich nur wünschen kann. Das wird sicher ein langer Winter. Vielleicht bleibt der Schnee bis lange in den Mai hinein liegen ... Und ihr Vater? Ist er immer noch in diesem Lager da oben in Norrland? Er hat ja nichts getan, so wird er sicher bald freigelassen. Jetzt herrscht ja auch Krieg zwischen den Deutschen und den Sowjets ... Glaubt Vivi, dass der Krieg irgendwann einmal aufhört? Oder wird er andauern, bis keine Soldaten mehr übrig sind? Oder kein einziger lebender Mensch ...?

Viele Grüße von Elna.

Sie hat recht. Es wird ein langer Winter.

So lang, dass es auch nicht das kleinste Frühlingsanzeichen gibt, als sie früh am Morgen des 16. März 1942 ein Mädchen zur Welt bringt. Es wiegt 3450 Gramm.

Das Mädchen bekommt den Namen Eivor Maria.

Und heißt Skoglund mit Nachnamen. Wie Elna.

Als sie ihr Kind zum ersten Mal sieht, glaubt sie, es sei ein Abbild von ihr selbst, genauso hilflos, genauso ungeschützt.

1956

Es gibt viel Seltsames auf der Welt.

Wer hat zum Beispiel jemals von einem Mann gehört, der eine Zeit lang davon lebte, Mücken zu jagen? Zweifellos war es keine lange Zeit, aber immerhin sieben Monate. Der Mann besitzt sogar ein etwas arg zugerichtetes Dokument, das die Geschichte bestätigt. Er trägt es immer bei sich, in der linken Innentasche, genau über dem Herzen. Aber selten oder nie kommt es so weit, dass er diesen schriftlichen Beweis hervorzieht. Seine Zuhörer sind da meist schon an einen anderen Tisch geflüchtet oder raten ihm, die Klappe zu halten, wenn er keine Prügel beziehen will.

Und er hält natürlich die Klappe. Er hat immer Angst vor Prügeln gehabt, und was hat es schon für einen Sinn, Leuten etwas aus der großen Welt zu erzählen, denen sowieso die Voraussetzungen dafür fehlen, zu begreifen, wovon er spricht. Aber manchmal fragt er sich schon, was sie wohl gesagt hätten, wenn er erzählt hätte, dass sein Name *Abd-ur-Rama* ist. Da wäre er vermutlich mit dem Stock aus dieser kleinen, unansehnlichen Gesellschaft gejagt worden. Und möglicherweise wäre es das Beste gewesen, was ihm hätte geschehen können. Obwohl er bald siebzig wird, sitzt immer noch die alte Rastlosigkeit in seiner Seele. Hat man große Teile seines Lebens auf der Landstraße verbracht, so kommt man nie mehr davon los.

Er sitzt im Bierausschank am Bahnhof in Hallsberg, trinkt

ein Pils und grübelt über sein Geschick. Es ist Anfang April und noch kein Frühling in Sicht. Herrgott, er lebt nun schon seit drei Jahren in diesem Loch hier! Drei Jahre, und nichts ist geschehen; er ist noch älter geworden, hat noch ein paar Zähne verloren, und es fällt ihm schwer, den Urin zu halten.

Vor drei Jahren hat ihm seine Schwester ihr kleines Haus in Hallsberg vererbt. Natürlich ist er dankbar dafür, dass seine Schwester ihr Testament so aufgesetzt hat; sie hätte ihr Haus ja auch der Wohlfahrt überschreiben können. Natürlich ist es schön, einen Schlupfwinkel zu haben. Im Altersheim wäre er sofort krepiert, und im Winter draußen in Scheunen zu liegen, das schafft er nicht mehr. Es war also sein Glückstag, als er in Hugo Håkanssons Zigarrengeschäft in Vetlanda gestiefelt kam und einen Brief vorfand, der dort seit einem Monat lag. Hugo und er kannten sich, seit sie in den zwanziger Jahren gemeinsam von Markt zu Markt gezogen waren. Damals war Hugo Gummimann. Er hatte so viel Verstand, ein bisschen Geld übrig zu behalten, und passte auf, dass er sich keine unehelichen Kinder zulegte. Und für ein Zigarrengeschäft reichten die zusammengesparten Mittel. Dort hatte er seine Adresse, und hin und wieder fragte er nach Post. Meistens war nichts für ihn da, und er zog weiter, nachdem er ein paar Nächte in einem ordentlichen Bett geschlafen hatte, den Dreck abgewaschen und vielleicht auch ein paar abgelegte Kleider von dem gutmütigen Hugo übernommen hatte. Aber vor drei Jahren lag da der Brief von Åkermans Rechtsanwaltskanzlei in Örebro und wartete auf ihn. Das Haus samt Inventar konnte er sofort nutzen.

Alles wäre so gut gewesen, wenn bloß das Haus nicht in Hallsberg gestanden hätte. Er hält es nicht aus in diesem Loch; es ist klein und eng, und alles dreht sich um die Züge, die kommen und gehen und aus denen nie jemand aussteigt, um zu bleiben.

Natürlich heißt er nicht *Abd-ur-Rama*. Das ist nur einer seiner Künstlernamen (und er hat deren mehrere!). Als er 1886 in Broddebo geboren wurde, erhielt er den Taufnamen Anders nach seinem Großvater, Anders aus Björkhult. Und sicherlich konnte das arme junge Bauernpaar, das so glücklich über seinen erstgeborenen Sohn war, sich nicht vorstellen, dass der kleine Wurm einmal Fakir werden sollte.

Oder Mückenjäger bei festem Wochenlohn. Oder alles mögliche andere, womit er sein rastloses Leben ausgefüllt hat …

Nein, Herrgott! Es gibt so viel, woran man denkt, wenn man die Nachmittage im Bahnhofscafé in Hallsberg verbringt. Drei Pils pro Tag gönnt er sich, und mit einer neuen Flasche jede Stunde hat er genug Zeit zu denken.

Wie jetzt an die Sache mit den Mücken. Es ist wahr, und er hat den Beweis, aber keiner will ihm glauben. In diesem Teufelsloch scheint sich alles nur um Güterwagen zu drehen. Vorausgesetzt, dass alles weiterhin so unbegreiflich gut bleibt. Soll nicht die Arbeitszeit schon dieses Jahr – 1956 – von 48 auf 45 Stunden die Woche zurückgehen? Und ist nicht das Kontrollbuch schon seit einem halben Jahr abgeschafft? Nein, jetzt geht es in die richtige Richtung, die Industrie läuft auf Hochtouren, die Löhne steigen, und bald hat man, hol's der Teufel, genug Geld für ein Auto und für ein Ferienhaus … So tönt es rund um ihn herum. Hallsberg ist ein Eisenbahnknotenpunkt, nicht mehr und nicht weniger, und das Bahnhofscafé ist der Ort, wo der Bahnhofsarbeiter seinen Kaffee bestellt und seine mitgebrachten Brote isst. Es sind viele, die Arbeit am Rangierbahnhof geht in Schichten den ganzen Tag. Nur ausnahmsweise mal verirrt sich ein Reisender in die Gaststätte und schreckt zurück vor dem scharfen Geruch von Tabak und Gummistiefeln.

Hier verbringt also der alte Bauernkomiker, Fakir und

Marktunterhalter Anders Jönsson seinen Lebensabend. Wer kann glauben, dass dieser zottige und altmodisch gekleidete Alte vor langer Zeit sogar eine Anstellung in der wunderbaren Welt des Films hatte? Und jetzt kommen die Mücken ins Spiel.

Zu Beginn der dreißiger Jahre hatte er sich aufgemacht zu einer kraftzehrenden und bedrückenden Wanderung durch Europa. Er wollte nie wiederkommen. Kein Mensch in Schweden war noch interessiert an seiner Kunst. Jetzt waren Tanzmädchen und Varietés in kostspieligen Lokalen gefragt. Selbst in seinen besten Kleidern wäre es nicht sicher gewesen, dass man ihn überhaupt eingelassen hätte. Die Zeit der Alleinunterhalter schien unwiderruflich vorbei. Auf einer wackligen Bühne zu stehen und Soldatenlieder oder lustige Geschichten vorzutragen lohnte sich nicht länger. Möglicherweise hätte er sich als ausgestopftes Relikt nach Skansen zurückziehen können, aber nicht einmal das ist wahrscheinlich. Denn er war kein bekannter Bauernkomiker, er war nur *Anders aus Hossamåla*, der sich als Vorsänger und Anheizer für die großen Stars durchschlug. Darum machte er sich davon. Raus nach Europa, da war es in jedem Fall wärmer, die Winter sind nicht so höllisch kalt wie in Schweden.

So kommt er zu Fuß durch Frankreich getrottet, und südlich von Paris geht er direkt in ein Filmstudio. Gewohnheitsmäßig fragt er, ob es etwas zum Zupacken gibt, er nimmt alles, egal, was es ist, für ein bisschen Kleingeld, das für Brot und vielleicht auch ein paar Glas Rotwein reicht, der so unbegreiflich billig ist in diesem Land.

Ein kleiner Mann mit einem Rattengesicht und Eisenplomben im Mund steht am Eingang zum Studiogelände und hat etwas anzubieten … Ob er mitkommen wolle? Ein paar Franc am Tag kann er diesem schwedischen Landstreicher zahlen; gerade heute ist er vom Aufnahmeleiter angeschnauzt worden, warum noch immer niemand das katastrophale Problem in Angriff nimmt …

Man dreht einen melodramatischen Film, in dem eine Mutter den Liebhaber ihrer Tochter heiratet, der seinerseits den heimlichen Liebhaber der Tochter umbringt, der seinerseits … Alles in unerhört kostspieliger Szenerie. Und ausschließlich Innenaufnahmen! Andauernd explodiert einer der empfindlichen Scheinwerfer mit ohrenbetäubendem Knall. Die Schauspieler sind hysterisch vor Angst, ihre Gesichter könnten von den Glassplittern verletzt werden, und der Produzent rast wegen der Verzögerungen. Und all das nur, weil Mücken in der Dekoration herumfliegen. Mücken, die ihren Weg zum Licht suchen und gegen die Scheinwerfer prallen.

Sieben Monate lang jagt nun der ehemalige Bauernkomiker Anders aus Hossamåla Mücken in diesem Studio. Und er ist findig: Er klettert auf Leitern und an schwankenden Lichtrampen entlang. In der Hand hält er eine Fliegenklatsche, er ist treffsicher und legt seine ganze Seele in die Arbeit. Aufgrund dieser Emsigkeit kommt es nicht mehr zu so vielen Verzögerungen, und der Kassierer erhält den Auftrag, dem Mückenjäger einen höheren Lohn auszuzahlen. Die Franc, die er erhält, reichen für Essen und Rotwein alle Mal und für ein Bett in der Mansarde eines Studioarbeiters. Herz, was begehrst du mehr? So ist es also wahr, dass er davon gelebt hat, Jagd auf Mücken zu machen.

Und hier, an diesem Eisenbahnknotenpunkt, wo niemand aus dem Zug steigt, um zu bleiben, soll nun seine Endstation sein? Zwar hat ihm das Leben öfter seine tragischen und komischen Masken gezeigt, aber das hier ist schlimmer als alles andere … Tot und begraben in Hallsberg.

Als die Uhr auf sieben zugeht, steht er auf und macht sich auf den Weg nach Hause.

Sein Haus ist klein und rot und liegt in einem zugewachsenen Garten. Es gibt nur einen Kartoffelacker und knotige Apfelbäume, um die er sich kümmert; Kartoffeln und kleine unreife Äpfel bekommt er jedes Jahr genug. Das Haus besteht aus Küche und Kammer und einem kleinen Schlafalkoven. Im letzten Jahr ihres Lebens hat die Schwester noch elektrische Leitungen verlegen lassen, das Linoleum auf dem Boden erneuert und die alte Kücheneinrichtung rausgeworfen. Jetzt glänzt alles rostfrei, und er hat sowohl einen elektrischen Herd als auch einen Kühlschrank. Aber ihre Möbel stehen noch am selben Platz, und die Wandbehänge mit den gestickten frommen Texten hängen noch genauso da wie bei seinem Einzug. Als er aus Örebro nach Hallsberg kam, nachdem er sein Erbe, den Schlüssel und ein Sparbuch, bei der Rechtsanwaltsfirma Åkerman quittiert hatte, war alles, was er bei sich hatte, ein zerschlissener Reisekoffer, von Schnüren zusammengehalten. Der Koffer enthielt ein Paar Galoschen, schmutzige Hemden, eine Weste mit Blumenmuster, einen gesprungenen Schminkspiegel und ein paar alte Werbezettel für *Abd-ur-Rama, Anders aus Hossamåla* und den *garantiert lustigen und stimmgewaltigen Malaien »42 Klingen«*. Dazu ein Pass und diverse Zeugnisse.

Seit drei Jahren sitzt er nun mit seinen Erinnnerungen am Küchentisch, holt eine nach der anderen hervor, betrachtet sie und stopft sie zurück ins dunkle Versteck seines Gehirns. Ein verwildertes Katzenjunges hat er zu sich genommen. Das saß eines Morgens auf der Treppe und miaute, das Fell war abgescheuert und voller Läuse. Wenn die Katzen nachts draußen heulen, verschwindet es, aber es kommt immer wieder zurück, schlimm zugerichtet und mit zerfetzten Ohren. Aber was macht das, Hauptsache, es kommt zurück und fühlt sich auf Anders' Knien zu Hause.

Neben seinem Haus steht ein gelbes Mietshaus. Durch

sein Küchenfenster bekommt er einen guten und vielseitigen Einblick in das Alltagsleben der Menschen von heute. Drei Küchenfenster und drei Schlafzimmerfenster muss er im Blick behalten, um zu wissen, was in der Welt geschieht. Das Haus ist ausschließlich von Angestellten der Eisenbahn bewohnt, »seine Fenster« gehören zwei Bahnhofsarbeitern und einem Rangierlokomotivführer. Sjögrens wohnen in der unteren Etage, und das ist ein Glück für ihn. Frau Sjögren ist eine auffallende junge Dame, kaum älter als dreißig Jahre. Sie hat die angenehme Gewohnheit, sich auszuziehen, ohne die Rollos herunterzulassen. Sie ist dunkelhaarig und stattlich, hat große Brüste, die bei jeder Bewegung schwingen und vibrieren. Hat er richtig Glück, so bückt sie sich nach etwas auf dem Boden, und dann kann er direkt in die große Herrlichkeit hineinsehen.

Sie steht oft am Fenster und kämmt sich. Aber manchmal sinkt die Hand, die den Kamm hält, und sie starrt geradeaus in die Nacht. Anders versucht sich vorzustellen, woran sie denkt. Kummer hat sie wohl kaum, alles wird ja nur besser und besser jeden Tag. Nein, sie hat wohl die Gabe, in die Zukunft zu sehen ... Ist wirklich alles vergänglich? Wird nichts zurückbleiben? Wird die Welt sich so verändern, dass eine Tapete über die andere geklebt wird und sich keiner daran erinnert, wie die, die daruntersitzt, aussah?

Neuntausend Kronen hat er von seiner Schwester geerbt. Wie konnte sie so viel zusammensparen, sie, die ihr ganzes Leben lang Wagenreinigerin war? Und noch seltsamer ist es, dass sie ihm diese ungeheure Summe testamentarisch überlassen hat. Wohl haben sie dann und wann Kontakt gehabt; war er in der Nähe von Hallsberg, so hat er sie besucht. Und obwohl sie aktiv im Missionsverbund war, hat sie nie gezögert, ihn auftreten zu sehen. Vielleicht empfand sie es als genauso wichtig, ihn vor der Vereinsamung im Altersheim zu erretten, wie die Christianisierung der Heiden im entlegenen Afrika? Das ist die einzige Erklärung, die er geben kann. So hält er Ordnung auf ihrem Grab auf dem Friedhof, das ist alles, was er als Beweis für seine Dankbarkeit tun kann.

Es ist also April 1956, und er hat einen Entschluss gefasst. Jetzt soll es bald genug sein mit dem Leben. Wenn er es jetzt nicht einmal mehr schafft, das Pissen unter Kontrolle zu halten, sondern eine über die andere Nacht in seinem durchnässten Bett aufwacht, wo es schließlich so gewaltig nach Urin stinkt, dass selbst die Katze anfängt, die Nase kraus zu ziehen, so hat die Stunde geschlagen. Hat er nun siebzig Jahre überlebt, meistens dank seines starken Willens, so soll dieser Wille ihm auch den letzten Dienst erweisen.

Zweitausend Kronen hat er noch übrig. Das Geld reicht wohl bis Weihnachten, dann ist Schluss. In acht, neun Monaten wird er es schaffen, sich totzusaufen. Das ist es nämlich, wozu er sich entschlossen hat. Das Geld versaufen, sitzen und träumen, sich um die Katze kümmern.

Und dann? Es gibt kein Danach. Da ist er tot. Passend zu Neujahr, passend zur kältesten Winterperiode. Und es wird ihm ein wahres Vergnügen sein, den Winter um seine erfrorene Beute zu betrügen. Er hat die Winter immer gehasst, und jetzt hat er endlich die Möglichkeit, zurückzuzahlen für all die Nächte, die er zusammengerollt und zitternd vor Kälte im Park lag, unter Brücken, in Treppenhäusern. Nein, saufen wird er, saufen bis zum Untergang.

Aber dann und wann passiert ja doch mal etwas Unerwartetes.

Eines Abends Ende April, als er so dasitzt und in seinem dunklen Haus und eine Mischung aus Klarem und Rotwein trinkt, hört er, dass etwas an der Hausecke kratzt. Die Katze kann es nicht sein, die liegt vor ihm auf dem Boden und schläft zwischen den Flaschen. Was ist es dann? Eine andere

Katze? Ein geiler Freier? Ein Igel? Nach einer Weile stirbt das Geräusch ab, und er vergisst es sofort. Er befindet sich in Gedanken auf dem Markt von Skänninge an einem Sommertag 1917. Da ist er nicht Anders von Hossamåla oder »42 Klingen«, der unter Garantie lustig ist. Nein, er ist von Tivolidirektor August Cederlund als Fakir engagiert, mit der Spezialität, Zweizollnägel zu schlucken. August Cederlund ist einer der schlimmsten Schurken der schwedischen Vergnügungsindustrie. Das erwartungsvolle Publikum ahnt natürlich nichts, aber die, die für ihn gearbeitet haben, wissen Bescheid. In schlechten Zeiten stellt er keine Frauen ein, weder Schlangenbeschwörerinnen noch Kartenverkäuferinnen, wenn er nicht vorher das Versprechen bekommt, wenigstens an drei Tagen in der Woche mit ihnen bumsen zu dürfen. Um die Nächte geht es nie, da spielt er Poker und betrügt seine Tivoliarbeiter um ihre Löhne. Er wird von allen gehasst, aber wenn man nur die Wahl hat zwischen Hunger und Cederlunds Wanderwagen mit dem dazugehörigen Sofa …

Bei diesem Cederlund soll also *Abd-ur-Rama* neunmal am Tag Nägel schlucken während der drei Tage, die der Markt dauert. Das wäre also siebenundzwanzigmal, und zwischendurch soll er sich auch noch vor dem Varietézelt zeigen, um Bauern zu überreden, sich die Vorstellung anzusehen. Fünfundzwanzig Kronen pro Tag soll er bekommen, und er erhält, seltsam genug, die Hälfte als Vorschuss. Und dann steht er da und schluckt Nägel, während das murrende Publikum sich wundert, wie zum Teufel er das schafft. Tja, das ist ein Berufsgeheimnis, aber so viel kann er wohl sagen, dass er nach jedem Auftritt in den zugigen Kulissen steht und die Nägel wieder aus dem Hals zieht, einen nach dem anderen an dem dünnen Draht, den er so geschickt vor dem Publikum verbirgt. Und herauf kommen sie, einer nach dem anderen, gefolgt von Galle und Speichel.

Er wird in seinen Gedanken dadurch unterbrochen, dass jemand versucht, durch die Außentür einzudringen. Normalerweise hat er Angst um sein Leben, aber jetzt ist er so betrunken, dass er vor allem neugierig ist. Wer in aller Welt will da in sein Haus einbrechen? Zwar ist das Haus dunkel, und der vernachlässigte Garten legt nahe, dass es unbewohnt sein könnte ... Aber trotzdem. Was glaubt ein Dieb hier zu finden? Er bleibt sitzen. Die Katze ist aufgewacht und spitzt die Ohren.

Als die Außentür aufgeht, dreht Anders am Lichtschalter hinter sich, und die Küche wird von Licht überflutet. In der Tür steht ein kleiner magerer Teenager, schlammig und schmutzig. Wie ein Tier wird er vom Licht gelähmt und starrt verschreckt auf Anders.

Dass dies keine gefährliche Person ist, erkennt Anders sofort. Er steht auf, und das halbwüchsige Lehmstandbild schreckt zurück. »Versuch jetzt verdammt noch eins nicht abzuhauen! Denn dann, zum Teufel, komme ich hinterher«, lallt Anders.

Der Junge gehorcht, er bewegt sich vorsichtig, und Anders sieht, dass der Schreck nicht nur eine Maske ist, sondern sein wahres Gesicht.

»Setz dich! Und halt die Klappe!«

Anders betrachtet den Eindringling. Der ist merkwürdig bekleidet. Skischuhe, viel zu kurze Golfhosen, ein zerrissenes kariertes Hemd unter einer offenen Lederjacke. Es ist eigentlich nur die schwarze Lederjacke, die ihm passt. Das andere wirkt wie in großer Eile zusammengerafft, vermutlich ist es gestohlen.

Der Junge ist dunkelhaarig, die Zotteln streben in alle Richtungen. Anders versucht, sein Alter zu bestimmen, und kommt zu der Überzeugung, dass er achtzehn ist.

»Siebzehn«, bekommt er zur Antwort, als er fragt.

»Wie heißt du?«

»Lasse.«

»Und weiter?«

»Nyman. Ich dachte, das Haus hier wäre unbewohnt. Ich wollte nicht …«

»Halt die Klappe, bis du gebeten wirst, dich zu äußern!«

Anders kann herrisch sein, wenn er will, und das genau will er jetzt. Aber zu seiner Verbitterung merkt er, dass er dabei ist, sich vollzupinkeln. Es läuft schon an den Hosenbeinen herunter, und er kann jetzt nicht zum Abfluss laufen und den Rest da rauslassen, dann könnte er dem Jungen gleich erklären, was für ein armseliger Alter er eigentlich ist. Soll der Urin also rinnen, und er setzt sich, um den größer werdenden Fleck zu verbergen.

Plötzlich fängt der Junge an zu weinen. Ein Weinen aus Wut und Verbitterung. Anders vergisst fast die vorübergehende Wärme, die man fühlt, wenn man sich in die Hose pisst. Er selbst hat seit über dreißig Jahren keine Träne mehr vergossen, und er war der Meinung, dass die Leute heutzutage nur noch im Kino weinen.

Aber der siebzehnjährige Lasse Nyman weint, wenn er auch die Beherrschung schnell wiedergewinnt und wütend die Tränen aus dem Gesicht wischt.

»Wie fühlst du dich?«, fragt Anders. »Hier kannst du ganz ruhig sein. Hier sind nur die Katze und ich, die hier sitzen und saufen.«

Eine Katze, die säuft?

Lasse Nyman lacht plötzlich los und zeigt hoffnungslos ungepflegte Zähne.

»Willst du einen Schluck?«, fragt Anders, und der Junge nickt. Anders zeigt auf die Spüle, und der Junge holt ein Glas. Anders gießt Branntwein ein. Lasse Nyman leert das Glas in einem Zug, ohne sich zu schütteln.

»Jetzt bist du an der Reihe«, sagt Anders. »Aber lüg nicht. Da werde ich wütend.«

»Gibst du mir eine Chance?«, sagt Lasse Nyman. Anders lokalisiert sofort seinen Dialekt: Stockholms Süden. »Wie hast du dir gedacht, die Chance zu nutzen, wenn man fragen darf?«, antwortet er schnell im selben Dialekt. Sehr richtig wird der Junge völlig aus der Fassung gebracht und reißt erstaunt den Mund auf. Anders wechselt schnell zurück in die Sprache, die er normalerweise spricht. »Also, zum Teufel«, sagt er. »Warum rennst du mitten in der Nacht hier in Hallsberg herum?«

Lasse Nymans Antwort kommt prompt. »Hallsberg?«, sagt er verwundert. »Hallsberg ...«

Er weiß also nicht, wo er ist. Ist er aus dem Zug gefallen? Anders sieht, wie er zögert und den einen Mittelfingernagel bis zur Wurzel abkaut.

»Ich habe wohl keine Wahl«, sagt er schließlich. »Ich bin auf der Flucht. Aus dem Jugendgefängnis in Mariefred. Ich bin Freitag abgehauen.«

Heute ist Montag. Seit vier Tagen ist er also auf dem Weg von Mariefred nach Hallsberg.

»Jetzt sollst du, Teufel noch eins, ein bisschen ausführlicher antworten«, sagt Anders. »Aber lüg nicht, denn dann bekommst du Ärger.«

Sagt er, der Urin-Alte, der noch nicht einmal seine Blase unter Kontrolle hat ...

Aber Lasse Nyman erzählt, und es scheint ihn zu erleichtern. Und das, was aus ihm herauskommt, in unvollständigen Sätzen, die zu nichts führen, in seiner dürftigen Sprache, die von Flüchen zusammengehalten wird, ist keine besonders erschütternde Geschichte. Es ist eigentlich nur das alte Lied: Lasse Nyman ist der Spross eines versoffenen und gewalttätigen Gelegenheitsarbeiters, der seine Frau von Zeit zu Zeit schlägt und es nebenher auch schafft, sie zu schwängern. Eine feuchte Einzimmerwohnung im Slum der Hornsgata ist Lasses Kindheitsmilieu, und er flüchtet auf die Straße, sobald er laufen kann. Schläge bekommt er regelmäßig, und wie soll er sich auf die Schularbeiten konzentrieren, wenn jeden Nachmittag ein neuer Zweikampf wartet? Als er zwölf ist, versucht er, eine Schneise in diese Hölle zu schlagen, indem er ganz einfach seinem Vater eine Axt in den Kopf haut. Aber der Schlag ist schlampig ausgeführt, er hat nicht gezielt; so gelingt es ihm nur, seinem Vater ein Ohr abzuschlagen. Das Blut spritzt, Mama wird ohnmächtig, und die Polizei poltert durch das Treppenhaus. Da landet er zum ersten Mal in den Akten von Götaverket (ja, das heißt so) und trotz des Makels, dass er eine vielversprechende Totschlägerbrut ist, kann er sicherlich in einer Pflegefamilie untergebracht werden, und natürlich bei Bauern weit draußen auf dem Lande. Der Schulbesuch kann damit als abgeschlossen angesehen werden. Dass er kaum schreiben kann, ist nun nichts, was man besonders hervorheben müsste. Im besten Fall kann er ein Blaukittel in einer passenden Fabrik werden ... Der Bauer versucht, ihn noch am ersten Abend zu vergewaltigen, und da nimmt er seine Zuflucht zu dem einzigen Ausweg, den er kennt, zu den Fäusten. Neuer Bericht und neuer Bauernhof, diesmal in Strömsund. In diesem einsamen und melancholischen Binnenland soll die Erinnerung an die Hornsgata verjagt werden. Um vier Uhr aufstehen, um neun Uhr ins Bett, nie ein freundliches Wort. Als er vierzehn ist, stiehlt er das Auto des Gemeindearztes und schafft es bis nach Slussen in Stockholm. Aber mit dem Großstadtverkehr kommt er nicht zurecht, er kracht direkt in eine Droschke, und nun hat er definitiv die Grenze zur Kriminalität überschritten. »Die armen Eltern«, bekommt er oft zu hören ... Und dann braucht es nicht mehr viel, bald hat er das Alter fürs Jugendgefängnis, und nach ein paar Einbrüchen kann er endlich dort platziert werden. Aber das Gefängnis in Mariefred knackt er, und durch die Wälder hat er sich bis Hallsberg geschlagen. Das Haus sah leer aus, er ist so hungrig, dass ihm der Bauch wehtut, und was hat er zu verlieren?

Anders hat ein paar kalte Kartoffeln und ein Stück Fleischwurst anzubieten. Lasse Nyman schlingt alles hinunter und trinkt einen Krug Wasser dazu.

Dann schläft er. Sofort, mit dem Kopf auf dem Tisch. Was, zum Teufel, hat er für ein Interesse an morgen?

Ein Ausbrecher kann eigentlich nur in seinem Schlaf das perfekte Versteck finden.

Lasse Nyman bleibt bei Anders. Der Grund ist einfach der, dass es keinen Grund gibt, warum er nicht bleiben sollte. Zumindest bis auf Weiteres, dann wird man schon sehen.

»Bleib ruhig da«, sagt Anders. »Wasch deine Sachen, kauf neue Schuhe. Geld kannst du von mir haben. Und geh raus. Sei genauso wie immer, sieh dich nie um. Du bist ein Verwandter, der zu Besuch gekommen ist.«

Lasse Nyman darf in der Kammer schlafen, während Anders auf einer Matratze in der Küche bleibt. Da gefällt es ihm sowieso am besten; dass er vorher in der Kammer geschlafen hat, lag nur daran, dass das Bett da stand, als er kam.

Lasse Nyman kämmt sein schwarzes Haar zu einem perfekten Hahnenkamm, die Kleider reibt er in der Spülschüssel sauber, und als sie getrocknet sind, geht er ruhig und würdevoll zu Oscaria und kauft ein Paar schwarze spitze Herrenschuhe der besten Örebromarke. Und sieht sich dabei nicht um. Obwohl er natürlich die ganze Zeit über nervös ist, so glaubt er sich ganz sicher in diesem Loch hier. Die Treibjagd auf ihn findet natürlich in Stockholm statt, in Söder. Und da können die Teufel ruhig suchen …

Als er zurückkommt mit seinen neuen Schuhen an den Füßen – die Skistiefel hat er in einen Wassergraben geworfen –, wird er fast von einem radelnden Mädchen angefahren, das aus dem Hof des Mietshauses kommt. Er springt zur Seite und flucht, sie wird rot und strampelt weiter.

»Wer ist sie?«, fragt er, als er sich Anders in der Küche gegenübersetzt. Sie? Welche Sie?

Ach so, die. Das muss Sjögrens Mädchen sein, die Beschreibung könnte passen. Dunkles Haar, hübsches Gesicht, hager und schlaksig, aber schlagfertig. Anders weiß, dass Frau Sjögren die Mutter des Mädchens ist, aber Erik Sjögren ist nicht ihr Vater. Sie hat keine Geschwister.

»Das ist bestimmt Eivor, die du meinst«, sagt Anders.

Als Anders nach Hallsberg kam und seine Residenz bezog, war sie ein kleines mageres Mädchen, das ihn gleich am ersten Tag grüßte, als er aus seiner Tür trat.

»Wirst du hier wohnen? Da werden wir Nachbarn. Ich heiße Eivor. Wie heißt du?«

Aber das war vor drei Jahren. Nun hat sie Brüste bekommen, malt ihr Gesicht an und trägt andere Kleider. Grüßen tut sie weiterhin.

»Wie ist das Leben so?«, fragt er Lasse Nyman. Es sind ein paar Tage vergangen, und der Junge hat meistens geschlafen, besonders tagsüber. Er scheint ein ausgeprägter Nachtmensch zu sein.

»Was für eine blöde Frage!«, bekommt er zur Antwort.

Klar, natürlich ist die Frage blöd. Sie ist allzu direkt. Aber die Antwort interessiert ihn. Darum lässt er nicht locker. »Was wünschst du dir? Wovon träumst du? Wovor hast du Angst? Begreifst du?«

Na klar, Lasse ist pfiffig. Außerdem ist er fasziniert von diesem Alten, der ihm Freundlichkeit erweist, ohne etwas dafür zu erwarten. Gibt ihm sogar noch Geld für Schuhe, Zigaretten, Essen. Und scheint vor allen Dingen nicht das Bedürfnis zu haben, ihn zurückzuschicken in dieses verdammte Gefängnis. Ist er senil? Nein, es scheint nicht so. Obwohl er den ganzen Tag über säuft, behält er irgendwie einen klaren Kopf. Lasse Nymans Erfahrungen mit Säufern sind anderer Art. Schlägereien, Geschrei und Zank. Er empfindet Sympathie für diesen Alten, der nach Urin stinkt. Außerdem ist das etwas, wofür er Verständnis hat. Er ist selbst viele Jahre Bettnässer gewesen, und es kann immer noch passieren, dass er wach wird, weil er sich vollgepisst hat. Aber das geschieht immer seltener. Dank sei Gott oder jemand anderem. Allerdings ist der Alte hoffnungslos zurückgeblieben. Von dem, was in der Welt passiert, scheint er nicht viel zu begreifen.

Wie von den Autos jetzt. Das Wichtigste von allem ist, ein gutes Auto zu haben. Und damit ist natürlich ein Ami-Schlitten gemeint. Ein Ford oder Chevrolet.

Er versucht zu erklären: Dass man damit schnell flüchten kann. Dass man die Autotür zuschlägt und sich davonmacht, wohin auch immer. Dass es warm im Auto ist, obwohl draußen Eiseskälte herrscht. Dass sich eine Bande im Auto zusammendrängen und losdüsen kann. Oder dass man mit einer Braut eine Waldpartie unternehmen kann und fürs Mitnehmen belohnt wird.

Ohne Auto steht man, buchstäblich gesagt, auf der Straße und sieht alles vorbeisausen. Da ist man nicht mit dabei.

Soweit er das mit der begrenzten Erfahrung seiner Jugend begreifen kann, verläuft dort die Grenze zu dem, was früher war. Jetzt kann sich jedermann ein Auto kaufen. Fast. Für solche wie Lasse Nyman ist es jedoch weiterhin notwendig, sich eins von anderen zu leihen. Aber wer weiß …

Anders säuft und hört zu. Der junge Rumtreiber ist nicht dumm. Er spricht eine begreifliche Sprache. Das mit dem Auto versteht er. »Kann man da auch drin schlafen?«, fragt er.

Aber klar doch!

Hat er es jetzt begriffen?

Ja, aber da muss es doch noch mehr geben. Die Welt besteht doch wohl immer noch aus Armen und Reichen. Die Politik ...

»Politik ist etwas, worauf man scheißt«, antwortet Lasse Nyman. Dass manche von Anfang an alles haben, dass deren Wiege gefüllt ist mit Zaster, das ist etwas, womit man leben muss. Aber jetzt können sich alle das beschaffen, was sie brauchen, wenn sie nur ein bisschen clever handeln, schnell denken und frech genug sind.

Es werden keine langen Gespräche. Lasse Nyman schläft, so viel er kann, und bereitet sich darauf vor, zu verschwinden. Nach zwei Tagen hat er gemerkt, dass Hallsberg wohl ein ausgezeichnetes Versteck ist, aber nur für eine kurze Atempause. Dann muss er weiter, hier gibt es keine Möglichkeiten für so einen wie ihn.

Morgens hat Anders einen entsetzlichen Kater, wenn er aufwacht. Aber er hält immer ein paar Pils in Reichweite, und das beruhigt, bevor es Zeit ist, Nachschub zu kaufen. Bis dahin hat er sein Morgenritual, um durchzuhalten.

Eine der neuzeitlichen Verbesserungen ist auch für ihn von Bedeutung. Er hat eine Anzahl Plastiktüten gekauft, in die er zwei Löcher geschnitten hat. Abends steigt er in die Tüte wie in eine Unterhose und hat damit etwas, was wie eine Windel funktioniert. Natürlich läuft hier und da etwas durch, aber die Matratze ist wenigstens nicht immer platschnass, wenn er wach wird. Jeden Morgen entfernt er dann die Plastiktüte, wäscht sich den entzündeten Schritt und zieht sich an. Nur nachts trägt er die Plastiktüten, tagsüber versucht er, sich zu kontrollieren, so gut er kann. Es geht nur darum, sich nicht aufzuregen, sich langsam zu bewegen und nicht beim Systembolaget die Nerven zu verlieren. Er vermeidet es tunlichst, samstags einzukaufen, wenn sie Schlange stehen in den Geschäften, und auch genau dann, wenn die Geschäfte öffnen und alle Säufer hineinwollen. Nein, zehn Uhr ist in Ordnung, da kann er meistens direkt zur Kasse durchgehen und das bekommen, was er will.

Sich selbst rechnet er nicht zu den Säufern. Er trinkt bewusst, er hat ein philosophisches Motiv für sein Besäufnis. Er mit seinem Ablebensprozess kann nicht verglichen werden mit diesen zitternden Figuren, die ständig in Sorge sind, dass ihr Kauf nicht bewilligt wird. Er nickt höflich, bestellt mit klarer und bestimmter Stimme das, was er haben will, und sagt artig »Auf Wiedersehen«, wenn er geht. Das ist der Unterschied zu allen alten Streckenarbeitern, die da vor der Tür stehen und schlottern.

Dass die Leute Rente bekommen und somit Geld zum Versaufen haben, ist eigentlich am merkwürdigsten an dieser neuen Zeit. Woher kommt das ganze Geld? Wie konnte dieses Land, das er als ein Arme-Leute- und Läuse-Reich erlebt hat, sich so gewaltig verändern?

Darauf hätte er gerne eine Antwort von Lasse Nyman.

Als er nach Hause kommt mit seinem Schnaps- und Rotweinvorrat und außerdem einem neuen Paar Hosen aus *Terylene*, ist die Tür zur Kammer geschlossen, und er hört, dass da drinnen geflüstert wird. Lasse Nyman hat also Besuch. Er bleibt im Flur stehen und lauscht. Nach einer Weile hört er, wie gekichert wird. Lasse Nyman hat also weibliche Gesellschaft gefunden in Hallsberg, schon nach ein paar Tagen. Aber so soll es wohl auch sein. Schnell und frech. Und dass er die Tür hinter sich schließt, ist natürlich seine Sache. Anders geht in die Küche und gießt sich die erste richtige Dosis des Tages ein, gibt der Katze Futter und setzt sich an den Küchentisch. Nach einer halben Stunde hat er seinen Pegel erreicht und kann sich in der Zeit zurücktreiben lassen. Was

Lasse Nyman vorhat – und vor allem mit wem! –, wird sich früh genug zeigen. Aber dieses Gekicher. Auch das weckt Erinnerungen. In seinen besten Jahren, die gewiss nicht richtig gut waren, lag auch er nicht auf der faulen Haut. Während der endlosen Reisen durch ganz Schweden, der Auftritte in ausgekühlten Gemeindelokalen, Zelten und den nach und nach gebauten Volkshäusern gab es immer ein *Hinterher*. Nach der Vorstellung, beim Tanz, lud ihn manchmal jemand ein, mitzukommen zu irgendeiner Festlichkeit. Da war immer etwas los, und oft konnte er die Nacht im Bett bei einer willigen Frau verbringen. An die Gesichter erinnert er sich durchaus, manchmal auch an die Körper, aber selten an die Namen. Und an die Liebe selbst, die beinahe immer den gleichen Verlauf nahm. Zuerst kicherndes Abwehren, wenn er in der Dunkelheit anfing, das Hemd auszuziehen, dann die inbrünstigen Bitten, vorsichtig zu sein, während er sich weiter vorarbeitete, und schließlich der meist kurze Beischlaf, der damit endete, dass er ihn herauszog und auf den warmen und verschwitzten Bauch der Frau spritzte. Nicht ein einziges Mal während all dieser Jahre riskierte er, einer Frau ein Kind zu machen.

Nur mit Miriam war es anders. Miriam hatte er 1914 in Varberg getroffen. Der Krieg hatte begonnen, er war auf einer Tournee mit *Schwente aus Flena*, und eines Samstagabends sollten sie im Volkshaus von Varberg auftreten. Dort arbeitete Miriam in der Lazarettküche der Stadt. Zum ersten Mal in seinem Leben war er mit einer Heftigkeit verliebt, die er selbst für unmöglich gehalten hatte. Und sie erwiderte seine Gefühle. Von diesem Zeitpunkt an folgte sie ihm vier Jahre lang auf seinen Reisen durch das Land. Beide wünschen sich ein Kind, sie sparen jede Krone, um sich irgendwo ein eigenes Heim zu schaffen ... Herrgott, wie genau er sich erinnert! Die langen Reisen in rüttelnden Wagen dritter

Klasse, in zugigen Bussen, mit Pferd und Wagen. Und immer hielten sie sich an der Hand. Miriam mit ihren blauen Augen, dem hellbraunen Haar. Was machte es ihnen aus, dass sie sich manchmal nicht satt essen konnten? Dass der Traum, irgendwo zu wohnen, nur ein Traum blieb? Jedenfalls so lange, wie er darauf beharrte, ein Artist zu sein, der eben nie wusste, ob er ein Engagement bekam. Das Glück gab ihnen mehr als genug Kraft.

Mehr Alkohol. Zur Hälfte Klarer, zur Hälfte Rotwein. Eine Teufelsmischung, die entsetzlich schmeckt, die ihn aber wohl einen Schritt voranbringen kann, bevor es wieder Winter wird. Und es ist gut, dass er jetzt trinkt, da er an die glücklichen Jahre denkt. Draußen vor dem Fenster ist es endlich Frühling. Aprilsonne und Huflattich. Aber er ist irgendwo ganz anders. 1917, in Vagnhärad. Am Morgen sind sie aus Trosa gekommen, wo er vor einer Bauernversammlung aufgetreten ist. Um die dreißig Zuhörer. Seine Soldatenlieder haben denen am besten gefallen. Die Bauern waren betrunken und dachten an ihr eigenes Soldatenjahr. Draußen in der Welt ist ja Krieg. Da ist es gut, an seine eigenen Manöver in der schwedischen Heide zu denken. Es war ein guter Abend, er ist bezahlt worden, und Miriam hat ihm aufmunternd zugewinkt. Es ist ein Abend, an dem er seine ganze Seele in die Vorstellung legt, grimassiert und spottet, seltsame Bewegungen macht, auf die überraschendste Art dämlich und verzwickt aussieht ... Ein guter Abend. Ein Abend, an dem er fühlt, dass er trotz allem nicht ganz untauglich ist.

In einer Pension leisten sie sich ein ordentliches Frühstück. Vor sich haben sie einen freien Tag, Anders muss erst am nächsten Abend auftreten, und dann wird er in Tystberga sein, nicht sehr viele Meilen entfernt. Im Gegensatz zu vielen seiner Kollegen kommt er lieber erst am Tag des Auftritts in den Ort und am liebsten so spät wie möglich. Außer wenn er an einen Ort kommt, wo der Dialekt unbekannt für ihn ist. Sie mieten ein billiges Pensionszimmer, es ist Winter, und sie kriechen unter die Decke, liegen dicht beieinander und hören jeder des anderen Atemzüge. Ein Augenblick reinster Stille.

»Ich hasse den Winter«, sagt Anders.

»Ich habe etwas Magendrücken«, antwortet Miriam und rollt sich zusammen.

»Das geht vorbei«, sagt Anders. »Du hast zu schnell gegessen.«

Am Abend ist sie tot. Das Magendrücken war das erste Anzeichen einer Darmverschlingung, der hinzugezogene Provinzarzt stand machtlos davor, und bevor es gelang, einen Transport ins Krankenhaus von Nyköping zu organisieren, war alles vorbei. Miriam stirbt unter schrecklichen Schmerzen, ihre Nägel zerkratzen Anders' Hände bis aufs Blut. Ihre Augen sind voller Angst. Und dann ist es vorbei.

In wahnsinniger Wut flieht er, nachdem sie auf dem Friedhof von Vagnhärad begraben wurde. Er steht allein an ihrem Sarg, nur der Pastor und ein Totengräber, der im Hintergrund auf den richtigen Augenblick wartet, sind an diesem kalten Wintertag auf dem Friedhof zugegen.

Er zieht sein Engagement in Tystberga durch, reist dann nach Stockholm und beginnt zu saufen. Es dauert über ein Jahr, bis er sich wieder auf den Weg macht. Verändert, zwar immer noch Bauernkomiker, aber tief drinnen in dem Unbekannten, das man Seele nennt, gezeichnet.

Mehr Branntwein, mehr Rotwein. Nicht vergessen, einmal jede halbe Stunde in den Ausguss zu pissen, damit es nicht in die Hose geht. Draußen scheint die Sonne, Frau Sjögren kommt aus der braunen Tür des Mietshauses und geht in den Ort, um zu *shoppen*, wie das neuerdings heißt. Hallsberg, Vagnhärad ... Es ist jetzt bald vierzig Jahre her ...

Nächstes Jahr, nächsten Winter … Februar … Aber da wird es ihn schon nicht mehr geben. Und es ist wohl fünfundzwanzig Jahre her, mindestens, dass er ihr Grab besucht hat. Und es eingeebnet fand, verschwunden.

Er geht zum Ausguss und pisst und wundert sich, warum er nicht weint, nicht die kleinste Träne. Wenn einer wie Lasse Nyman das kann? Nein, trink aus und schenk nach.

Aber wen, zum Teufel, hat Lasse Nyman da in seiner Kammer?

Ja, ja. Der Saukerl hat es wohl nicht leicht gehabt. Und er wird es wohl auch nie leichter haben. Sein ganzes Leben auf der Flucht …

Er schläft am Tisch und wacht davon auf, dass es an der Außentür klopft. Lasse Nyman kommt in die Küche gestürmt und starrt ihn verschreckt an.

»Nicht doch, bleib ganz ruhig, geh rein und schließ die Tür. Ich mache auf. Weiß der Teufel, wer das ist.«

Es ist Frau Sjögren.

»Guten Tag«, sagt sie. »Ich hoffe, ich störe nicht.«

»Überhaupt nicht.«

»Ich frage mich nur, ob Eivor vielleicht hier bei Ihnen ist, Herr …«

»Jönsson heiße ich. Wir haben uns wohl nie bekannt gemacht. Anders mit Vornamen.«

»Ich bin Frau Sjögren.«

»Das weiß ich.«

»Elna mit Vornamen.«

»Das wusste ich nicht.«

»Heutzutage kennt man kaum noch die Namen seiner Nachbarn.«

»Ja, das ist schade.«

Soll er sie hereinbitten? In die Küche, wo es wie auf einem Schlachtfeld aussieht? Und was hat sie überhaupt gefragt? Er braucht dringend ein paar Gläser seiner Mischung, um klar zu denken. Aber er kann sie doch nicht in die Küche bitten …

Natürlich kann er! Er ist ja dabei, sich zu Tode zu saufen! Es gibt keinen Grund, damit hinterm Berg zu halten. Und sie, die er so oft heimlich beobachtet hat … Hol mich der Teufel, wenn er nicht gerade dabei ist, auch noch einen Ständer zu kriegen.

»Bitte, kommen Sie doch rein«, sagt er und macht einen Schritt zur Seite und zeigt auf die Küche.

Sie scheint sich nicht im Mindesten darum zu kümmern, wie es dort aussieht, sondern setzt sich einfach auf einen Stuhl und nimmt die Katze auf den Schoß.

Die Situation erschüttert ihn. Es ist, als ob er Frau Sjögren – oder Elna, wie sie anscheinend heißt – eigentlich nie wirklich gesehen hat. Er hat sie beobachtet, sie war sich dessen bewusst, und die Tatsache, dass sie nun hier ihm genau gegenübersitzt, zerstört das frühere Bild. Gleichzeitig scheint es wirklich so zu sein, dass die Hoffnung auf eine Frau das Letzte ist, was ein Mann aufgibt, selbst wenn er siebzig ist. Aber Tatsache ist, dass er einen Ständer hat und sich flüchtig fragt, ob es vielleicht doch eine Möglichkeit gibt …

Als sie ihm nun so nah ist, bemerkt er, dass sie womöglich noch stattlicher ist als aus der Ferne. Sie strahlt eine unverhohlene Üppigkeit aus und streichelt die Katze raffiniert und bestimmt.

»Eivor«, sagt sie wieder. »Ich dachte, ich hätte sie hier hereingehen sehen.«

Also ist sie das, die da drin bei Lasse Nyman kichert. Plötzlich wird Anders unruhig, aber auch zornig. Unruhig darüber, was dieser Gangster wohl treibt, und zornig darüber, dass er sich der Nachbarn bedient, ohne um Erlaubnis zu fragen. Er sieht ein, dass er kaum etwas daran hätte ändern können, und er hat dem Ausbrecher ja selbst geraten, sich hinter einem normalen Benehmen zu verstecken. Aber was weiß er darüber, was normal für Lasse Nyman ist? Von dunklen Waldwegen und Rücksitzen in Autos hat er gesprochen. Aber das war wohl hauptsächlich Wichtigtuerei. Nein, der Teufel weiß, was er da wohl treibt.

Er muss antworten. Aber statt etwas zu sagen, steht er schwankend auf, geht in den Flur und öffnet die Tür zur Kammer, ohne zu klopfen. Man muss der Wahrheit ins Gesicht sehen, ohne Umwege, denkt er. Wenn es denn irgendeine Wahrheit gibt. Und wenn er nur sicher wäre, dass sie erträglich ist.

Eivor und Lasse sitzen da und spielen Karten. Sie schauen auf. Lasse Nyman sieht fast beleidigt darüber aus, dass er gestört worden ist.

»Hej«, sagt Eivor freundlich.

Anders steht düster in der Tür, ist aber erleichtert darüber, dass nichts Schlimmeres passiert ist.

»Deine Mama ist da«, sagt er. »Sie wartet in der Küche.«

Eivor zieht ein Gesicht, zögert und wirft dann demonstrativ die Karten von sich. Sie steht auf und geht an Anders vorbei in die Küche. »Was ist los?«, fragt sie ihre Mama.

»Ich wollte nur wissen, ob du hier bist.«

»Jetzt weißt du, dass ich hier bin.«

Das ist alles. Dann geht sie zurück in die Kammer, hebt ihre Karten auf, und Lasse Nyman sieht Anders auffordernd an. Die Aufforderung ist deutlich, die Tür soll geschlossen werden.

Anders geht zurück in die Küche. »Ich habe einen Cousin zu Besuch«, sagt er. »Sie sind gleichaltrig. Ich hätte nicht gedacht, dass die jungen Leute heutzutage noch Karten spielen.«

Soll er Kaffee kochen? Er kann sie wohl kaum zu Rotwein einladen. Und noch weniger zu einem Schnaps.

Er weiß überhaupt nicht, was er tun soll, und wünscht plötzlich, dass er alleine wäre. Als sie nichts sagt, fragt er, ob sie aus Gävle komme.

»Hört man das?«, fragt sie errötend.

»Ja.«

»Aber es stimmt nicht.«

»Ganz aus der Nähe dann?«

»Sandviken.«

Ist er jemals in Sandviken aufgetreten? Ja, bestimmt, ohne dass er sich so aus dem Stegreif daran erinnern kann. Vermutlich ist es leichter für ihn, sich daran zu erinnern, wo er nicht gewesen ist.

»Ich bin gleich nach dem Krieg hierhergezogen«, sagt sie. »Als ich nach Skåne fuhr, um eine Freundin zu besuchen, habe ich meinen Mann kennengelernt. Wir saßen einander im Abteil gegenüber und kamen ins Gespräch. Und so ist es gekommen.«

Bevor sie fortfahren kann, wird die Tür zur Kammer aufgerissen, und Eivor kommt in die Küche. Plötzlich sieht Anders, dass das Mädchen dabei ist, zu einem Ebenbild der Mutter heranzuwachsen.

Eivor ist wütend. Als sie den Mund öffnet, spricht sie so heftig, dass sie sich fast verhaspelt. »Warum bist du noch hier? Warum gehst du nicht nach Hause?«

Elna beherrscht sich, Anders kann nicht sagen, ob es ihr schwerfällt.

»Ich unterhalte mich mit Anders.«

»Du spionierst mir nach.«

»Nein, das tu ich nicht. Aber darf ich ihn nicht besuchen, wenn du hier bist?«

»Nein, das darfst du nicht.«

Eivor dreht sich um und schlägt die Tür hinter sich zu. Aber jetzt ist sie zu weit gegangen.

Elna steht so plötzlich auf, dass die Katze davonspringt und verschreckt hinter dem Herd verschwindet. Elna reißt die Tür zur Kammer auf, geht direkt hinein und streckt Lasse Nyman die Hand hin. »Ich heiße Elna«, sagt sie.

»Lasse Nyman.«

Eivor wirft das Kartenspiel auf den Boden und schreit. »Verdammt! Teufelsweib!«

»So nennst du mich nicht! Dass du es nur weißt!«

Anders hört alles.

Genauso wie Lasse Nyman. Normalerweise ist er nicht beunruhigt, wenn Leute sich anbrüllen, daran ist er gewöhnt. Aber wenn diese Mutter hier plötzlich auf die Idee kommt, ihn auch anzubrüllen?

Er verdrückt sich in die Küche. »Weshalb schreien die so?«, fragt er.

»Weiß nicht«, antwortet Anders.

Nein, worüber streiten sie nur? Es hört sich an, als ginge es um einen Haufen Dinge. Darum, dass Elna ihrer Tochter überhaupt nicht nachspioniert. Darum, dass sie sich sorgt, weil Eivor sich nicht um ihre Schulsachen kümmert, wobei es doch so wichtig ist, ein gutes Zeugnis zu bekommen ... Dann schneidet Eivors Stimme dazwischen. Sie scheiße auf die Schule, sie warte nur darauf, dass sie zu Ende ist, damit sie anfangen kann zu arbeiten. Niemand kann sie zwingen, auf die Realschule zu gehen, niemand ... Wovon will sie dann aber leben? Begreift sie denn nicht, dass sie etwas lernen muss? Begreift sie nicht, dass sie, Elna, was auch immer dafür gegeben hätte, in die Schule zu gehen, als sie jung war?

»Weil du ein Kind gekriegt hast ...«

»Werd nicht frech, Kind!«

Und dann knallt eine Ohrfeige, man hört ein Schluchzen, Eivor weint, und Elna kommt in die Küche, und da fängt auch sie an zu weinen.

Herrgott, welch ein Aufruhr! Was für ein Nachmittag! Der Tag hatte so gut angefangen mit schönem Frühlingswetter und einer neuen Hose.

Der Alte und der Ausreißer starren sich an. Sie befinden sich in einer Art Niemandsland mitten zwischen den weinenden Frauen. Unsicher bleiben sie im Flur stehen. Dort haben sie den Überblick über die Kammer und über die Küche.

»Wofür hast du sie ins Haus geholt?«, schimpft Anders. Da er nun die Kontrolle über die ganze Situation verloren hat, findet er keinen besseren Ausweg, als seinen zufälligen Untermieter anzuschreien.

»Fahr zur Hölle«, bekommt er zur Antwort. Jetzt ist es der Ausreißer, der in seiner gewohnten Sprache spricht. Der Alte soll sich nur ja nichts einbilden.

Lasse Nyman geht zu Eivor hinein, die zusammengekrümmt auf dem Boden sitzt und weint, und Anders schwankt auf Elna zu, die auf einem Stuhl sitzt, den Kopf zwischen den Händen.

Lasse Nyman hat keine Ahnung, wie man jemanden tröstet. Er ist selbst nie getröstet worden. Und wie zur Hölle soll man dieses Geschrei abstellen? Die einzige Erfahrung, an die er sich halten kann, ist eine Ohrfeige, gefolgt von dem gebrüllten Befehl, Ruhe zu geben. Aber er zögert, er kann dieses Mädchen hier doch nicht schlagen. Er muss sich zurückhalten, er ist ja auf der Flucht. So sammelt er die Karten zusammen und fängt an, eine Patience zu legen.

Anders stellt sich hinter Elna und klopft ihr auf die Schulter. Sie zuckt nicht zurück, als sie seine Hand spürt, aber sie hört auch nicht auf zu weinen. Er bleibt stehen, klopft ihr leicht auf die Schulter, ohne etwas zu sagen.

Nach einer Weile kommt Eivor in die Küche, setzt sich auf den Spülstein und starrt vor sich hin. Lasse Nyman taucht im Flur auf und wirft einen Blick in die Küche, aber die Stille ist ihm so unbehaglich, dass er sich hastig wieder zu seinen Karten zurückzieht. Elna trocknet ihr Gesicht und schaut aus dem Fenster, genau auf die Art, wie Anders es so oft getan hat. Er fühlt sich unwohl, er macht, dass er auf den Hof kommt, um gegen die Hauswand zu pissen. Dann bleibt er zögernd stehen. Soll er wieder reingehen? Wo soll er bleiben? Die Küche ist besetzt, in der Kammer sitzt ein Lümmel und spielt Karten. Schließlich geht er wenigstens in den Flur. In der Küche streiten sich Mutter und Tochter. Obwohl sie merken, dass Anders im Flur steht, brechen sie ihren Streit nicht ab. Sie scheinen der Meinung zu sein, dass er genauso gut zuhören kann.

Elna findet, dass die Tochter sich zu stark schminkt.

»Wie soll ich denn sonst in Filme mit Alterbeschränkung kommen?«

Es ist Elna, die angreift, und Eivor, die sich wütend verteidigt. »Womöglich willst du auch noch, dass ich studiere«, sagt Eivor und streicht sich nervös über die Haare, als ob sie Angst hätte, dass sie verschwinden könnten.

»Ja, natürlich«, antwortet Elna. »Aber geh wenigstens auf die Realschule. Dann kannst du Sekretärin werden.«

»Das will ich aber nicht.«

»Was willst du dann?«

»Den Führerschein machen.«

»Davon kannst du kaum leben.«

»Was ich will, kann ich sowieso nicht werden.«

»Warum nicht?«

»Ich habe zu hässliche Beine. Und eine zu große Nase. Nur die Augen und der Mund sind in Ordnung. Darum male ich sie an. Sie sollen auffallen.«

»Ich finde, du kannst dich nicht beklagen. Und von seinem Aussehen kann keiner leben.«

»Kann man wohl. Wenn man etwas vorzuweisen hat.«

»Du träumst.«

»Das kann dir doch scheißegal sein!«

»Fluch nicht.«

»Fluch selbst nicht! Schließlich hab ich das von dir gelernt.«

Ungefähr so, hin und zurück.

Anders steht im Flur, tritt von einem Fuß auf den anderen und fühlt sich wie ein ungebetener Gast im eigenen Haus. Was kümmern ihn deren Probleme? Er pfeift drauf, was sie da erzählen. Die einzige Befriedigung, die er dabei empfindet, ist, dass in dieser neuen Welt auch nicht alles so einfach zu sein scheint. Die Leute sitzen im Jugendgefängnis, Mütter und Töchter fluchen und ohrfeigen sich. Und trinken Schnaps mitten am Tag. In anderer Leute Küche. Dass Elna hübsch anzusehen ist und dass die Tochter auf dem Weg ist, es auch zu werden, ist die eine Sache. Mit allem anderen aber hat er nichts zu tun.

»Jetzt müsst ihr gehen«, trompetet er wie ein Kind nach einer missglückten Geburtstagsfeier. Und schon übernimmt die unpersönliche glatte Freundlichkeit wieder das Kommando. Elna entschuldigt sich für alles, was geschehen ist, und Eivor murmelt ein schwaches »Hej« zu Lasse Nyman hinüber, als sie aus der Tür schlüpft. Dann ist die Küche so leer wie gewöhnlich, die Katze wagt sich hervor, und aus der Kammer hört Anders Lasse Nyman wütend seine Spielkarten auf den Tisch knallen, eine nach der anderen.

»Ich verschwinde morgen«, sagt er, als er kurz darauf wieder in der Küche auftaucht. Der Ton ist jetzt ein anderer, aggressiver. Nicht gegen Anders, aber gegen die Welt gerichtet.

»Findest du, dass sie sich zu stark anmalt im Gesicht?«, fragt Anders, der jetzt wieder ordentlich voll ist.

»Zu wenig«, antwortet Lasse Nyman höhnisch. »Außerdem hat sie Pickel auf dem Rücken.«

Am nächsten Morgen gibt Anders ihm fünfzig Kronen und bekommt ein kurzes Nicken als Dank.

Dann verschwindet Lasse Nyman ohne ein weiteres Wort.

Es vergehen einige Wochen, es kommt der Erste Mai.

Der große Krawall einige Wochen zuvor scheint etwas zu sein, was nur in seinem Kopf geschah. Wenn er Elna trifft oder Eivor sieht, wie sie vor der Tür herumhängt, lustlos, sich ständig über das dunkle Haar streichend, lassen sie sich nichts anmerken. Nun ist es nur das gewöhnliche Nicken und Lächeln, und das Sonnenlicht ist so scharf, dass es ihm schwerfällt, ihre Pupillen auszumachen. Das ständige Saufen hat ihn lichtempfindlich gemacht. Jetzt geht er nur noch Branntwein und Wein kaufen, wenn Wolken am Himmel sind, lieber noch, wenn es regnet und die Luft kühl ist. Der Frühling ist so schnell gekommen, dass er sich beinahe überfallen fühlt. Er versucht daran zu denken, dass dies der letzte Frühling in seinem Leben ist, dass er beim nächsten Mal, wenn die Wärme nach einem langen Winter kommt, nicht länger mehr da sein wird. Aber er spürt nur eine dunkle Ohnmacht in sich, manchmal auch einen Klumpen im Hals. Und das will er nicht, da flüchtet er schnell wieder in seine Erinnerungen.

Aber er schaut weiter zu, wenn Elna sich auszieht, und jedes Mal wird er erregt. Es ist merkwürdig, dass dieser Trieb nie nachlässt.

Eines Abends sieht sie plötzlich direkt zu seinem Küchenfenster, und er zieht sich schnell zurück, als ob er entlarvt worden wäre. Aber er weiß, dass sie ihn nicht sehen kann, er sitzt so weit in der Küche, dass das Licht ihn nicht erreichen kann. Aber trotzdem …

Nach diesem Abend wird er vorsichtiger. Vielleicht ahnt sie etwas? Aber die Gardine zieht sie nicht vor.

Und Lasse Nyman? Anders ertappt sich oft bei der Hoffnung, dass er es schafft, einen Ausweg zu finden. Aber er bezweifelt es. Wer einmal geschlagen ist, wird immer wieder geschlagen, das ist seine Erfahrung. Das meiste ist schon mit dem ersten Erscheinen auf dieser Welt entschieden. Nur wenige schaffen es, über den eigenen Zaun zu krabbeln und dabei am Leben zu bleiben … Aber hoffen kann man ja immerhin. Wer weiß, vielleicht ist Lasse Nyman ein begabter junger Mann, eine Naturbegabung? Hat eine schöne Gesangsstimme? Vielleicht kann er zumindest ein Meister im Kartenspiel werden …

Aber viel öfter fragt er sich, wie es Lasse Nyman gelungen ist, Eivors Pickel auf dem Rücken zu entdecken. Was haben sie tatsächlich getrieben? Das Mädchen ist ja noch nicht erwachsen, erst vierzehn Jahre. Knapp entwickelt erst, wenngleich die Sommerkleider, die sie jetzt zu tragen beginnt, enthüllen, dass es sprießt und sich rundet, wo es soll …

In dieser Zeit beginnt er auch, laut mit sich selbst in der Küche zu sprechen. Meistens ist es Miriam, die er im Stuhl vor sich platziert, der er noch ein Glas Wein einschenkt, obwohl sie nie trank, und dann unterhalten sie sich … Alles fließt zusammen. Der geile Cederlund, bügelfreie Nylonhemden, Wanderungen an den Kais von Göteborg, der zunehmende Autoverkehr, Vorstellungen, in denen er ausgepfiffen wurde, Vorstellungen, die er gerne gegeben hätte. Miriam ist als Zuhörerin eine Göttin. Nie wird sie müde, nie gibt sie andere Antworten, als er wünscht.

Täglich wechselt er auch einige Worte mit der Katze. Und die Katze stimmt mit ihm darin überein, dass Amerika das Land in der Welt zu sein scheint, wo die Zukunft längst begonnen hat. Nein, die Katze macht keine Einwände, es ist schon richtig, was er sagt.

Erster Mai. Kumuluswolken am Himmel, Regen in der Luft, drückend. Ein Tag, um ihn in der Küche zu verbringen.

Plötzlich kommt er auf die Idee, einen Ausflug in die Wirklichkeit zu machen. Er hat gesehen, dass ein Demonstrationszug stattfinden soll, und jemand wird eine Ansprache halten. Die neuen Hosen, ein sauberes Hemd, den alten Hut, der gegen das verdammte Licht schützt. Dann ist er fertig. Ein letztes Glas – und los.

Er stellt sich vor dem Bahnhof unter einen Baum und sieht die Demonstranten vorbeiziehen. Er versucht, in den Gesichtern der Menschen eine Botschaft zu lesen.

Für die Sicherheit der Familie – garantierte Zusatzrente, liest er mit schmerzenden Augen. Das klingt natürlich ausgezeichnet.

Er hätte sich eine Flasche mitnehmen sollen, der Mund ist trocken, und ihm wird schwindlig. Aber der Zug ist nicht so lang, das passt ja nun gut, hier in Hallsberg ...

Die Gesichter, was sagen sie? Dass niemand hungrig ist und niemand krank. Die Winterblässe ist natürlich noch da, der Frühling hat ja gerade erst begonnen, aber wenn er es mit den Gesichtern vergleicht, die vor fünfzig Jahren an ihm vorbeigezogen sind, so ist der Unterschied schier unfassbar. Und dieses Gewimmel von Farben! Früher war alles braun, schwarz und grau. Was er hier sieht, sind helle Pastellfarben, eine Blumenwiese im Gegensatz zu dem Beerdigungszug und den unterernährten, geisterhaften Gesichtern, die früher das Merkmal von Demonstrationszügen waren.

Das Ganze sieht so verblüffend *gemütlich* aus.

Als der kurze Zug den Baum passiert hat, unter dem er steht, nimmt er die Verfolgung auf der schattigen Seite der Straße auf ... Er fühlt sich schlecht und sollte nach Hause gehen, aber jetzt hat er sich, zum Teufel noch mal, vorgenommen, den Auftritt der Politiker zu sehen.

Unterhalb einer kleinen Rednertribüne stehen ein paar Bankreihen, und dahinter haben sich die Demonstranten im

Gras niedergelassen. Irgendein lokaler Sozialdemokrat steigt als Erster auf die Tribüne und redet, aber er hat eine so schwache Stimme, dass Anders nicht mitkriegt, was er sagt. Es ist merkwürdig, dass die Leute die richtige Atemtechnik nicht lernen. Was hat man davon, sich diesen Graugekleideten anzusehen? Er hätte nicht übel Lust, den Mann, der da redet, herunterzustoßen und selbst eine seiner alten Nummern vorzuführen. Würde das einschlagen?

Nein, natürlich nicht. Er muss über seine Einfalt lachen.

Aber immerhin – der Anblick eines Publikums und eine wacklige Tribüne machen ihn unruhig.

Er fühlt sich plötzlich so elend, dass er sich hinlegen muss. Die Wolken ziehen über ihm dahin, und jetzt bekommt er Angst. Er wird doch wohl nicht hier auf diesem Grashang sterben? Vielleicht ist er ein paar Minuten ohne Bewusstsein, aber er stirbt nicht, sondern erwacht wieder zum Leben und schlägt die Augen auf.

Er sieht keine Wolken, sondern direkt in Eivors geschminkte, aber unruhige Augen. »Bist du krank, Onkel?«, fragt sie.

Er nimmt ihre dünne Hand und ist so froh darüber, nicht allein zu sein. Und sie zieht die Hand nicht zurück.

»Das geht vorbei«, murmelt er. »Bleib nur hier sitzen ... Das geht vorbei.«

»Soll ich Hilfe holen?«, fragt sie.

»Nein, bleib nur bei mir sitzen«, antwortet er und versucht zu lächeln. Die kleine Hand gibt ihm Sicherheit.

»Du hast dir in die Hose gepinkelt, Onkel«, sagt sie und zieht ihre Hand zurück.

Natürlich hat er das. Die braune Terylenhose hat einen dunklen Fleck auf dem linken Schenkel. Und es riecht nach Urin. Herrgott ... Kann sie nicht weggehen?

Aber sie geht nicht. Sie rückt nur ein Stück zur Seite, hat die Arme um die hochgezogenen Knie geschlungen und saugt an einem Grashalm. Auf der Tribüne beginnt jemand in selbstbewusstem Västgötländisch zu reden.

»Er heißt Kinna-Ericsson«, sagt sie. »Ich hätte nicht gedacht, dass du herkommen würdest.«

»Das hätte ich auch nicht gedacht«, antwortet Anders.

»Nur ich bin hier«, sagt Eivor. »Mutter und Erik sehen sich ein gebrauchtes Auto an.«

»Verstehst du, wovon er redet?«, fragt Anders nach einer Weile.

»Nein«, antwortet sie fröhlich. »Nicht die Spur. Du etwa?«

»Nein.«

Der Redner hat eine gute Atemtechnik, und die Stimme strotzt vor Willenskraft. Wenn er eine Pause macht, bekommt er höflichen Applaus.

»Geht es dir besser?«, fragt Eivor, ohne ihn anzublicken.

»Ja«, antwortet Anders. »Aber ich sollte wohl zusehen, dass ich nach Hause komme.«

Ohne ein Wort begleitet sie ihn.

Am Zaun bleiben sie stehen. Sie tritt rastlos in den harten Kies.

»Willst du mit reinkommen?«, fragt Anders.

Dort sitzt sie ihm dann genau gegenüber und sieht zu, wie er sich mit zitternder Hand ein paar ordentliche Schlucke eingießt, die er sogleich hinunterschüttet. Sie wirkt weder verwundert noch neugierig, sie sitzt nur da und schaut.

»Erzähl«, sagt Anders.

»Worüber denn?«

»Tja, worüber? Egal. Jetzt fühl ich mich wieder wohl. Jetzt kann ich zuhören.«

»Ich wünschte, ich hätte etwas zu erzählen.«

»Das haben alle Menschen.«

»Ich nicht.«

»Du auch.«

Natürlich ist es so. Nicht dass er sich an besonders viel erinnert aus seiner eigenen Zeit als Heranwachsender, aber sie muss doch wohl irgendwas zu erzählen haben. Sie ist nicht hungrig, und Kleider hat sie auch, sodass sie sich jeden Tag umziehen kann. Und Herrgott! Keine Geschwister, Einzelkind! Kann sie nicht zumindest darüber reden, dass sie es eigentlich ausgezeichnet getroffen hat?

»Wo ist Lasse?«, fragt sie leise, und er hat den Eindruck, dass sie die Antwort fürchtet.

Aber er sagt es, wie es ist, er weiß es nicht.

»Er wollte von sich hören lassen«, sagt sie.

Aha, wollte er das? Anders ist nicht erstaunt. Mit Versprechungen um sich zu werfen, er werde von sich hören lassen, ist wohl die ewige Lösung des flüchtenden Mannes vor der Verantwortung.

Aber Lasse Nyman wird nichts von sich hören lassen.

»Mochtest du ihn?«, fragt Anders lahm.

»Äh«, antwortet sie.

»Ich mochte ihn auch«, sagt er.

Und dann beginnt sie plötzlich zu erzählen, das Gesicht leuchtet auf in der muffigen Küche. Anders hört zu, zuerst neugierig, dann immer erstaunter. Trotz seiner großen Verwunderung kann er es sich nicht verkneifen, eine wehmütige Freude darüber zu empfinden, dass Lasse Nyman das Talent zu Tagträumen hat. Dass das arme Mädchen nicht in der Lage ist, Traum und Wirklichkeit voneinander zu trennen, ist eine andere Sache. Dass sie nicht erwachsen genug ist, zu unterscheiden, was wahr ist und was nicht, macht Lasse Nymans erdichtete Glanztaten und Zukunftsvisionen nicht notwendigerweise zu Lügen.

Oder vielleicht doch?

Er ist unsicher. Fasziniert und unsicher.

Mit Lasse Nyman hat das Leben endlich einen erfrischenden Wind in Hallsbergs und Eivors Leben geblasen, daran ist nicht zu zweifeln. Dass dann der Himmelsstürmer ein entflohener Jugendstraftäter aus Mariefred ist und dass er noch nicht einmal mit Anders verwandt ist, tut nicht viel zur Sache. Für Eivor ist er der, der gekommen ist, um ihr zu erzählen, was sie *eigentlich* denkt, was sie *eigentlich* will, ohne dass sie es selbst für sich hätte formulieren können. Aber was ist es denn, was er gesagt hat, dieser bemerkenswerte junge Mann?

Sie haben sich draußen auf der Straße getroffen. Er hatte sich vor ihren Eingang gestellt und war dort herumgelungert, sie hatte gekichert auf ihrem Fahrrad, und die Unterhaltung hatte damit begonnen, dass er ihr in seinem unverfälschten Riksovensk gesagt hatte, sie müsse mehr Luft in ihren Hinterreifen pumpen. *Oder fährt man direkt auf der Schwarte hier in Hallsberg? Man wird ja noch fragen dürfen.* Sie kichert bei der Erinnerung. Anders wundert sich, dass sie so aufrichtig ist. Sie, ein vierzehnjähriges Mädchen, und er, ein vollgepisster, alter Kerl, und sie erzählt so, als wäre er ihre beste Freundin oder ein rosa Tagebuch.

Lasse steckte sich eine Zigarette an, ließ sie an der Unterlippe festtrocknen, nahm ihr dann die Pumpe aus der Hand und pumpte den Hinterreifen auf, bis er fast platzte. Dann fragte er nach ihrem Namen. Er selbst sei aus Stockholm und heiße Lasse Nyman. Und er verstehe zum Teufel nicht, wie man draußen auf dem Land wohnen kann, aber der Name Eivor ist hübsch, verdammt hübsch. Warum wohnt sie nicht in Stockholm?

Anders kann die Stimme fast hören. Laut, nasal, frech. Lasse weiß, dass verächtliches Reden Eindruck macht.

»Diese eine Straße, die von einer Tannennadel zur nächsten führt. Willst du mit reinkommen? Der Alte ist draußen.«

»Dann haben wir Karten gespielt«, fährt Eivor fort. »Und er hat gesagt, dass er auf dem Weg nach Göteborg ist, um sein neues Auto zu holen. Einen Ford Thunderbird. Dann würde er es gemütlich angehen lassen und nur herumfahren. Da er selbst Autoverkäufer ist, kann er ja arbeiten, wann er will. Keine festen Arbeitszeiten, nur, wenn er Lust hat.«

Und dann der wichtige Zusatz:

»So will ich auch leben. Nicht so wie hier.«

»Du bist doch noch ein Kind. Du hast doch noch nicht mal die Schule beendet.«

Er sieht, wie sie zusammenzuckt, und will retten, was zu retten ist. »So meinte ich das nicht. Missversteh mich nicht.«

»Wie meinst du es denn?«

»Du willst auch so leben, sagst du. Wie lebst du denn jetzt?«

»Das weißt du doch.«

»Ich weiß gar nichts.«

»Ich habe nie meinen richtigen Vater getroffen«, sagt sie plötzlich.

Der Rotwein rinnt angenehm den Hals hinunter, der haut rein, aber der Magen scheint resigniert zu haben. Oder ist er vielleicht gelähmt? Ihm ist aufgefallen, dass er viel seltener kotzt.

»Und ich sitze hier und sauf mich zu Tode«, antwortet er.

»Mama weiß auch kaum was über ihn. Es gibt keine Fotografie, und sie kann ihn nicht beschreiben. Er hieß Nils, das war irgendwann während des Krieges. Aber das Schlimmste ist, dass er nicht weiß, dass es mich gibt. Er läuft irgendwo rum und weiß nichts davon, dass er mich hat. Vielleicht ist er tot. Keiner weiß etwas. Klar, dass ich da wütend auf Mama werde. Erik kann nie mein Vater werden, wie sehr er es auch versucht. Aber er ist nett.«

»Das ist ja nun unangenehm«, sagt Anders langsam und unsicher.

»Was?«

»Keinen Vater zu haben.«

»Es ist nicht lustig, ein Unglücksfall zu sein.«

Herrgott! Kann es möglich sein, dass sie sich so erlebt? Als Unglücksfall, der hätte abgewendet werden können?

»Mein kleines Mädchen«, sagt er und streckt seine Hand über den Tisch. Aber er erreicht sie nicht, sie zieht sich auf dem Stuhl zurück.

Und das kann man ja verstehen. So schmutzig, wie er ist. Und nie kann man sich so ekeln, als wenn man jung ist. »Aber was willst du denn nun?«, fragt er.

Das weiß sie natürlich nicht. Irgendetwas Unbestimmbares. Eine rastlose Sehnsucht, weg von hier, zuerst einmal das. Weg, dann sieht man weiter. Was auch immer, aber nicht das hier, nicht eine Minute länger als notwendig. Was hat Hallsberg mit der Welt zu tun? Wer steigt hier aus?

Er nickt. Sie denkt ja wie er selbst.

»Es ist gut, dass du dich sehnst«, sagt er. »Aber sehne dich nur nicht zu Tode.«

»Deswegen will ich ja hier weg. Verstehst du denn gar nichts?«

»Nein. Das hab ich dir doch gesagt.«

»Bist du mir böse?«

»Böse? Nein, nein ... Aber es ist doch nichts verkehrt mit deiner Mama? Elna? Oder deinem Stiefvater?«

»Das habe ich ja auch nicht gesagt.«

Das Gespräch schleppt sich langsam weiter. Anders kann nicht sagen, ob er nun wirklich an dem interessiert ist, was er hört. Auf der einen Seite ist da seine Neugier, aber gleichzeitig hat er es am ruhigsten mit sich selbst. Sich zu Tode zu saufen ist keine leichte Sache, das hat er eingesehen. Und manchmal ist es, als ob er sich nicht einmal auf seinen eigenen Willen verlassen kann, aus eigener Kraft zu sterben. Und was ist er ohne seinen Willen? Nichts. Vollständig hilflos. Er sieht sie an. Merkt sie das etwa? Nein, natürlich nicht. Und sie hat wohl, genau wie er, genug mit sich selbst zu tun. Wie alle anderen auch. Es ist sicher nicht leicht, nichts von seinem Vater zu wissen. Aber andererseits ...

»Lasse Nyman hat seinem Vater das Ohr abgeschlagen«, sagt er. »Und das war ein Fehlschlag. Er wollte den Schädel treffen.«

»Du bist nicht gescheit«, zischt sie.

»Ich sage nichts Schlechtes über Lasse«, verteidigt er sich. »Kümmere dich nicht darum, was ich sage, ich bin ein alter Kerl.«

»Du bist betrunken.«

»Das auch. Ich sitze hier und saufe mich zu Tode. Willst du wissen, warum?«

Darauf antwortet sie nicht, aber er versucht, es trotzdem zu erzählen. Natürlich wird es missglücken, sie weiß ja nicht einmal, was ein Bauernkomiker ist.

»Was bringen sie euch eigentlich in der Schule bei?«

»Aufpassen, Gehorchen, Nachplappern«, antwortet sie. »Und einiges andere. Aber damit ist bald Schluss ...«

»Lasse Nyman verkauft keine Autos«, unterbricht er sie. »Er stiehlt sie.«

Da geht Eivor. Das will sie nicht hören. Und es fällt ihm nicht schwer, sie zu verstehen. Seine Träume will man in Ruhe träumen. Er hat kein Recht, auf ihrem Herzen herumzutrampeln, als ob er sich im Flur den Schnee von den Stiefeln trampelt.

»Wie erziehen die Leute eigentlich ihre Kinder«, murmelt

er. Aber da ist sie schon gegangen, hinaus in die Sonne, hat ihr Fahrrad genommen und ist losgeradelt. In die Richtung, in der Lasse Nyman verschwand.

Um fünf Uhr hupt es vor dem Haus, und da sind Erik und Elna und Eivor im Auto und winken ihm zu! Er erhebt sich mühsam vom Tisch und geht hinaus. Es ist immer noch viel zu warm für ihn, das Licht sticht, und er blinzelt. Aber das Auto steht da, ein gebrauchter PV444.

»War es teuer?«, fragt er.

»Ein Schnäppchen«, antwortet Erik.

Anders steht da und betrachtet seinen Nachbarn. Er trägt einen Anzug, schwarz wie das Auto. Man zieht also seine besten Sachen an, wenn man ein Auto kaufen will. Und die Freude ist wirklich nicht zu übersehen.

»Ist er nicht schön?«, fragt Eivor. Die Motorhaube steht offen, ebenso die Kofferraumklappe und die Türen. Es sieht aus wie ein Käfer, der gerade gelandet ist und vergessen hat, seine Flügel zusammenzulegen.

»Der ist schön«, antwortet Anders. »Wirklich schön. Von wem habt ihr ihn gekauft?«

»Von einem Bäcker.«

»Konditor«, verbessert Elna. »Wir haben noch ein Weizenbrot dazubekommen.«

Fröhliches Gelächter. Herrlicher Mai, strahlender Mai, jubelnder Frühling. »Mögen Sie auch einen Kaffee? Sie sind ja noch nie bei uns gewesen.«

Zwei Zimmer, Küche, Bad. Der Kaffee wird im Wohnzimmer serviert. Anders wirft verstohlen einen Blick ins Schlafzimmer. Ja, da steht ein Doppelbett, und da ist der Tisch mit dem Spiegel, da liegt die Bürste.

»Ich schlafe hier«, sagt Eivor und zieht einen Vorhang zur Seite, der einen kleinen Schlafalkoven vom Wohnzimmer abtrennt. Die Wand über dem Bett ist mit Bildern von verschiedenen Filmstars bedeckt.

Auf einem hellen Holztisch vor dem Fenster stehen gerahmte Fotografien. »Das ist mein Großvater Rune«, sagt Eivor. »Und das ist Großmutter Dagmar. Da sind Arne und Nils, Mamas Brüder. Sie wohnen alle in Sandviken.«

»Arne nicht«, sagt Elna, die gerade mit der Kaffeekanne hereinkommt. »Er ist nach Huskvarna gezogen.«

Und dann Eriks Eltern, eine alte Luftaufnahme von Hallsberg, ein entfernter Verwandter in Arizona. Anders setzt sich auf den zugewiesenen Platz auf dem Sofa, und der ist weich und behaglich. Er konzentriert sich darauf, sich nicht vollzupinkeln.

»Anders und ich haben heute demonstriert«, sagt Eivor plötzlich. »Aber wir sind bald nach Hause gegangen.«

»Na so was«, sagt Erik in einer Mischung aus Verwunderung und Zerstreutheit. Zwischen Kaffeetasse und Plätzchenteller hat er die Gebrauchsanweisung für das Auto, und hin und wieder geht er zum Fenster und sieht nach, ob es noch dasteht.

»Na so was«, sagt er wieder. »Ja ... Waren viele Leute da?«

»Viele von deinen Kollegen. Von der Eisenbahn.«

»Ah, ja. Ja, ja ...«

Anders steht auf. Er hat das Gefühl, den Familienfrieden zu stören. Lass sie allein mit ihrem Auto, das ist nun das Wichtigste. Er bedankt sich und zwinkert Eivor zu, als er in der Tür steht.

Da wird sie rot.

Ein paar Tage danach kommt Erik eines Abends und fragt, ob er Lust habe, im Juli eine kleine Spritztour mit ihnen zu machen. Falls er keine anderen Pläne habe. Die hat er natürlich nicht, aber ...

»Es gibt kein Aber ...«, sagt Erik. »Wir haben allemal Platz für vier im Auto. Und wir haben ein kleines Einmannzelt, in dem du schlafen kannst. Wenn du also Lust hast? Eine Woche ein bisschen rumfahren.«

Anders fühlt einen Kloß im Hals, Erik hat ihn geduzt, es ist ein Heidendurcheinander in seinem Kopf.

»Denk darüber nach«, sagt Erik. »Wir fahren ja noch nicht morgen.«

Er hat Lust, und wie große Lust er hat! Das hieße, noch einmal aus Hallsberg rauszukommen. Und dann nach Hause und das Ganze abschließen. Ja, er will. Aber warum haben sie ihn gefragt? Ist es Mitgefühl oder echte Freundlichkeit?

Er mischt seinen roten Branntweingrog, humpelt hinaus und setzt sich auf einen alten Gartenstuhl im Schatten einer Birke. Nachdenklich stochert er im Kartoffelacker, denkt, dass er vielleicht dieses Jahr auch welche setzen müsste. Glas und Flasche hat er nicht mit rausgenommen. Es gehen ja nun trotz allem Menschen auf der Straße, und wer weiß, was für Gerüchte in so einem Loch wie hier in Gang gesetzt werden. Plötzlich können da einige Übereifrige aus dem Gesundheitsamt am Zaun stehen, und dann kommt er in eine Entzugsanstalt, davon gibt es genug im Lande. Nein, wenn er Nachschub braucht, geht er in die Küche. Im Garten sitzt er nur da, fühlt den milden Sommerwind, lauscht den Vögeln. Und da sitzt er auch, als Eivor in ihrem weißen Kleid von der Schulabschlussfeier kommt. Sie ist nicht allein, sie hat ihre beste Freundin bei sich, Åsa, Åsa Hansson, Tochter einer Konsumverkäuferin. Sie winken ihm vom Weg zu, und er winkt zurück.

»Jetzt ist Schluss«, ruft Eivor. »Endlich. Das hier ist Åsa.«

»Was ist das nun für ein Gefühl?«, fragt er.

Åsa Hansson wird an der Realschule in Örebro weitermachen. Im Sommer hilft sie einem Onkel beim Erdbeerpflücken.

»Sie hat ein prima Zeugnis bekommen«, sagt Eivor.

»Wie du auch«, sagt Åsa.

»Ärgerst du dich nicht?«, fragt Anders.

»Weswegen?«

»Dass du mit der Schule nicht weitermachst.«

»Auf keinen Fall. Ich komme schon klar.«

»Tut sie das, Åsa?«

»Klar, das tut sie bestimmt.«

Mehr wird nicht gesagt. Am Abend sollen die Klassen irgendwo ein Fest haben, und so direkt nach dem Abschluss kann man unmöglich ruhig bleiben. Die große Freiheit ist immer von Unruhe gezeichnet.

Sie verschwinden in ihren hellen Kleidern, und Anders ist wieder allein in seinem Garten.

3. Juli 1956. Ein schöner Morgen nach einer Nacht mit anhaltendem Regen. Anders, der nicht schlafen konnte vor Reisefieber, hat gesehen, wie Erik mehrere Male am Schlafzimmerfenster erschien und duster in den Regen starrte. Aber gegen Morgen begann der Regen nachzulassen, und um sechs Uhr war der Himmel nahezu wolkenlos.

Die Abreise ist für acht Uhr geplant. Um sechs beginnen Erik und Elna damit, das Auto zu beladen, während Eivor weiterschläft. Anders hat seinen neuen Koffer seit mehreren Tagen fertig gepackt und zugemacht. Lange konnte er sich nicht entscheiden, ob er seinen alten Tourneekoffer nehmen sollte oder einen neuen. Aber nachdem sich der Handgriff gelöst hatte, als er den alten aus dem Staub unter dem Bett hervorzog, sah er ein, dass er einen neuen kaufen musste. Das machte ihm einen gewissen Kummer, schließlich hat der Koffer ihn begleitet, seit …

Ja, wie viele Jahre waren das eigentlich? Herrgott, er erinnert sich plötzlich ganz deutlich, dass er diesen Koffer bei sich hatte, am letzten Tag, als Miriam noch lebte.

In den neuen Koffer hat er seine neu gekaufte Unterwäsche gestopft, Strümpfe und Hemden, eine Zahnbürste und so viele Flaschen, wie Platz fanden. Von Erik kann er einen Schlafsack leihen, und das ist mehr, als er während seiner vielen Wanderjahre besaß, da musste er sich mit Heu und Zeitungspapier begnügen.

Erik, ja. Er wundert sich über diesen merkwürdigen Mann, der müde und gebeugt zur Arbeit trottet, aber leicht wird wie ein Frühlingsschmetterling, wenn er sein Auto polieren kann, es zur Probe startet und bis ins kleinste Detail untersucht. Wer ist er eigentlich, der Ehemann der schönen Elna und der Stiefvater von Eivor?

Eine Woche im selben Auto, da wird es sich zeigen.

Um acht Uhr ist alles im Auto verstaut. Das Zelt liegt unter einer grauen Plane auf dem Dach, der Kofferraum ist vollgepackt. Anders' Koffer liegt zuoberst.

»Willst du vorne sitzen?«, fragt Erik. Wenn es ums Auto geht, ist er es, der bestimmt.

»Ich sitz auch gerne hinten«, antwortet er.

»Du wirst nicht reisekrank?«

»Nein, ist mir noch nie passiert.«

So sitzen er und Eivor auf der Rückbank. Es wird ihm sofort schlecht, aber er beißt die Zähne zusammen.

Sie verfahren sich nach kurzer Zeit. Es war ausgemacht, dass sie es den ersten Tag ruhig angehen lassen und nur bis zu einem Zeltplatz vor Västerås kommen wollten. Aber Erik hat die Karte studiert und viele *interessante Abkürzungen* gefunden. Das heißt, dass sie von der Hauptstraße nach Örebro abbiegen und irgendwo am Kvismarekanal landen, bevor auch Erik zugeben muss, dass sie sich verfahren haben.

Aber was macht das schon? Hat man nicht zwei Wochen Ferien? Wenn es jemand eilig hat, so gibt es ja noch den Zug ...

Nein, natürlich hat es niemand eilig, es ist schön in Odensbacken und an Hjälmarens Südstrand, aber es ist noch zu früh, um den Essenskorb auszupacken. Also suchen sie den Weg zurück zur Hauptstraße.

Eivor hockt in ihrer Ecke, mit der Nase an der Autoscheibe. Anders schielt zu ihr hinüber und sieht, dass sie träumt. Wovon? Von der Zukunft? Von Lasse Nyman?

Erik kommentiert alle entgegenkommenden und überholenden Autos. »Das ist einer aus Västgötland, ein verdammter P... Du glaubst es nicht, das ist ein Ford Consul. 59 Pferde unter der Motorhaube ... Kostet wohl so zehn-, elftausend. Ohne Mehrwertsteuer ... Ja doch, ich seh den Motorroller. Das war vielleicht eine verfluchte Ladung, die der da hintendrauf hatte. Ich frage mich, wohin der will. Hoffentlich nicht nach Västerås ... Siehst du, Elna! Im Rückspiegel! Jetzt werden wir von so einem neuen Citroën überholt. DS 19. Der hat bestimmt auch so eine Federung. So eine Art Pumpe. Der ist nicht billig ... Fünfzehntausend mindestens ... Sitzt du gut, Elna?«

Ja, Elna sitzt gut. Zwar kann sie die Füße kaum bewegen, denn da steht der Essenskorb mit der undichten Thermosflasche, aber es ist, weiß Gott, schön, aus Hallsberg wegzukommen. Bei Glanshammar rasten sie zum ersten Mal. Erik nimmt sich kaum Zeit, den Kaffee zu probieren, den er in einem Plastikbecher serviert bekommt. Er muss unter die Motorhaube sehen und kontrollieren, dass alles so ist, wie es zu sein hat. Die drei anderen machen es sich im Gras neben dem Parkplatz bequem, einem schmalen grünen Streifen, der zum See führt. Es ist warm. Eivor legt sich auf den Rücken und blinzelt in die Sonne. Elna sitzt da und schaut über den See, während ihre braunen Haare vom Wind zerzaust werden.

Anders starrt in seinen Becher. Es dauert eine Weile, bis er versteht, dass der aus dem gleichen Material ist, aus dem er in drängenden Zeiten Unterhosen gemacht hat. Plastik.

»Es gibt so viel Neues«, sagt Elna, die sieht, wie er da seinen Becher untersucht. »So vieles, was neu ist und von dem man glaubt, dass man es haben muss.«

»Das ist wohl so. Aber nicht für mich. Ich bin zu alt.«

»Er war Bauernkomiker«, sagt Eivor plötzlich, ohne die Augen zu öffnen. »Weißt du, was das ist, Mama?«

»Das ist eine Art Künstler«, sagt sie zögernd.

Anders merkt, wie sehr es ihn irritiert, dass Eivor ihn entlarvt hat. Es ist merkwürdig, dass er, wenn jemand unerwartetes Interesse für seine Person und Vergangenheit zeigt, gleich unwillig wird, darüber zu sprechen. Bei ein paar Pils in dem verräucherten Café ging das dagegen ausgezeichnet.

»Da gibt es nichts drüber zu erzählen«, sagt er.

»Wir haben uns schon ein paarmal darüber unterhalten, was du so getrieben hast«, sagt Elna. »Besonders, als du eingezogen bist. Wir haben ja gehört, dass du der Bruder von Vera bist, die vorher dort gewohnt hat. Aber mehr wussten wir nicht.«

Eivor zuckt mit den Schultern und springt auf, sie kann nicht länger in der Sonne liegen, hat keine Geduld. »Kommst du mit runter an den See?«, sagt sie.

Wer? Elna oder Anders? Anders schüttelt den Kopf, und Elna sagt, dass sie es nicht schafft. Eivor läuft allein den Abhang hinunter.

In einem kurzen Augenblick erinnert sich Elna, wie ihre Freundin Vivi vor vielen Jahren auf genau die gleiche Art einen Hang hinuntersprang, irgendwo nördlich von Älvdalen. Sprang und stolperte und mitten in einem Kuhfladen landete.

Das ist so unerhört lange her.

Ihre Gedanken werden dadurch unterbrochen, dass Erik die Motorhaube zuschlägt und zu ihnen kommt. Er hat ölige Finger und reibt sie mit einem alten Lappen ab. »Alles in Ordnung«, berichtet er zufrieden. »Gibt es noch Kaffee?«

»Der ist jetzt alle.«

»Sollen wir weiterfahren?«

»Noch nicht. Es ist so schön hier ...«

Anders fragt sich, ob Autobesitz Rastlosigkeit mit sich bringt. Erik wirkt so, als wollte er so schnell wie möglich wieder auf die Straße kommen. Er läuft hin und her, und Elna fragt, ob er vergessen habe, dass er Urlaub hat. Da setzt er sich.

»Wo ist Eivor?«, fragt er und schaut sich um.

»Am See. Ich glaube, ich mache es wie sie. Laufe runter und tauche die Füße ein.«

»Geht es dir gut?«, fragt Erik, als sie allein sind. Anders nickt. Es geht ihm ausgezeichnet.

»Ich hab mal eine Geschichte gehört«, sagt Erik plötzlich. »Da waren ein Junge und ein Mädchen, die nach Kopenhagen gefahren sind, um einen draufzumachen. Aber da sie nicht verheiratet waren, durften sie nicht zusammen in einem Zimmer schlafen. Da bohrte der Junge ein Loch in die Wand zwischen den Zimmern, und sie verabredeten, dass er ihn, wenn sie dreimal auf den Boden klopfte, durch das Loch stecken würde. Und so machten sie es ein paar Tage. Aber einmal war die Putzfrau im Zimmer des Mädchens, während es weggegangen war, um eine Zeitung zu kaufen. Zuerst hörte er ein Klopfen, das war, als sie den Eimer auf den Boden stellte, dann hörte er noch ein Klopfen, da war ihr der Aschenbecher auf den Boden gefallen, dann kam ein drittes Klopfen, da stieg sie auf einen Stuhl. Er ließ natürlich die Hosen herunter und führte ihn durch die Wand. Die Putzfrau sah ihn, sprang raus auf den Flur und schrie: ›Hilfe, da ist eine räudige Ratte hier drin.‹ Oder wie zum Teufel das nun auf Dänisch heißt …«

Anders starrt ihn verblüfft an, bevor er anfängt zu lachen. Das war eins der ersten Dinge, die er lernte, als er jung war, ein naturgetreues Lachen hervorzubringen, auch dann, wenn er die Augen voller Tränen hatte.

»Das ist lustig«, sagt er.

»Ja, nicht wahr?«

Und dann fahren sie weiter in den Hochsommer.

Der Zeltplatz außerhalb von Västerås ist klein. Als sie ankommen, ist er voll mit Zelten, Fahrrädern, Autos und Kinderwagen, aber sie haben Glück und entdecken eine Ecke, wo es noch Platz gibt. Zu Mittag war Erik so großzügig, sie in Västerås in eine Milchbar einzuladen, wo es Pfannkuchen und Milch zu einem annehmbaren Preis gab. Anders versuchte Erik zu überreden, weil er bezahlen wollte, aber der weigerte sich entschieden. Anders ist eingeladen, er darf sich noch nicht mal an den Benzinkosten beteiligen. In Västerås ergreift Erik die Gelegenheit, zum Systembolaget zu gehen, und wenn die beiden Zelte aufgebaut sind, wird er einen Cognac ausgeben. Als er darauf besteht, vor dem Zelt zu sitzen, protestieren beide, Elna und Eivor, aber Erik bleibt sitzen. Und sind das da drüben nicht ein paar Italiener, die Wein trinken und die ganze Zeit ASEA, ASEA rufen? Man kann, zum Teufel noch eins, wohl einen kleinen Abendgrog draußen im Freien zu sich nehmen, wenn man Urlaub hat. »Und dich wollte ich auch dazu einladen, Elna.«

Elna verzichtet und macht stattdessen mit Eivor einen Spaziergang. Anders, der in sein enges Zelt gekrochen ist, sobald er es mit aufgestellt hat, und der ein paar ordentliche Schlucke und eine halbe Flasche Rotwein aus dem Vorrat zwischen seiner Unterwäsche zu sich genommen hat, versucht, sich auf Abstand von Erik zu halten. Es wäre ungezogen, wenn er mit einer Fahne ankäme, wenn er eingeladen wird …

Obwohl Erik schon weiß, dass er Alkoholiker ist, dass er nichts anderes tut, als Tage und Nächte durchzusaufen. Das kann ihm nicht entgangen sein. Elna und Eivor müssen es ihm doch wohl gesagt haben? Und er hat ja mit eigenen Augen gesehen, wie es in der Küche aussah, als er bei ihm war und ihn einlud, mit in die Autoferien zu kommen.

Erik hat ein Brett entdeckt, das er mit ein paar Steinen zu einer Bank macht.

»Jetzt setzen wir uns«, sagt er. »Jetzt ist Sommer. Wenn es Sommer ist, soll man stillsitzen.«

Es dauert nicht lange, da ist Erik voll. Er scheint den Alkohol nicht gewohnt zu sein, und er trinkt viel zu schnell. Anders sieht, wie er torkelt, als er aufsteht, um pinkeln zu gehen. Aber der größte Unterschied ist auf jeden Fall, dass er gesprächig wird. Als er zurückkommt vom Pinkeln, hat er vergessen, den Hosenschlitz zuzuknöpfen. Der Hemdenzipfel guckt zwischen dem Spalt heraus, aber Anders schert sich nicht darum und sagt nichts. Ist er voll, dann ist er es eben.

Anders sitzt da und schaut ihn in der Abenddämmerung an. Den Eisenbahnarbeiter Erik Sjögren. Einen netten Kerl sieht er neben sich auf dem Brett. Nett, ordentlich, meist schweigsam. So grundverschieden zu den beiden, Elna und Eivor.

Anders nimmt seinen Mut zusammen und fragt, wie es ist, Stiefvater zu sein.

»Auf und ab«, antwortet Erik ausweichend. »Hin und her, auf und ab.«

»Sie ist ein nettes Mädel.«

»Elna sollte nur nicht so verdammt viel an ihr herumnörgeln.«

»Nörgeln?«

»Wegen der Schule. Du solltest das Theater mal hören. Sie schreien und fluchen und knallen die Türen. Wenn sie nicht lernen will, soll sie mit der Schule aufhören und arbeiten. Das hab ich gemacht, das hat Elna gemacht, das ist ausgezeichnet gegangen. Was soll so Besonderes aus ihr werden? Sie ist doch, verdammt noch mal, ein Arbeiterkind, ob ihr Vater nun ein General war oder Landstreicher.«

»Hast du ihnen das gesagt?«

Erik ist erstaunt. »Ich? Nein. Es ist doch nicht mein Kind. Ich halte mich da raus.«

»Ich finde trotzdem, dass du das sagen solltest. Schon dem Mädchen zuliebe.«

»Die hab ich als Zugabe bekommen. Ich misch mich da nicht ein. Aber sollte ich jemals diesem Kerl, der ihr Vater ist, die Hände um den Hals legen, dann würde ich zudrücken. Und dann würde ich seine Brieftasche leeren. Und ihm die Taschen umdrehen.«

Jetzt ist er richtig berauscht, er schwankt auf seinem Sitz vor und zurück. Anders hört den drohenden Unterton heraus, und er späht in die Dunkelheit nach Elna und Eivor. Er wäre ruhiger, wenn sie hier wären. Erik scheint bedeutende Veränderungen durchzumachen, wenn er trinkt. Kaum hat er seine Wut über Eivors unbekannten Vater rausgelassen, da fängt er an zu singen. Viel zu laut.

»Vielleicht solltest du etwas leiser singen«, sagt Anders vorsichtig. »Die Leute schlafen, und man hört alles sehr laut durch die Zeltwände.«

Er bekommt ein höhnisches Lachen als Antwort. »Saßen da nicht gerade noch ein paar verdammte Italiener und sangen? Sangen und tranken Rotwein?«

Und dann äfft er sie nach, schrill und wütend: ASEA, ASEA …

Plötzlich stehen sie einfach da. Zwei Italiener, barfuß, in Unterhemd und Hose. Sie sind vielleicht fünfundzwanzig Jahre alt. Auf jeden Fall sind sie wütend. Ein furchterregender Wortschwall kommt aus ihrem Mund, eine Mischung aus Italienisch und Schwedisch. Sie haben sich Erik zugewandt, um Anders kümmern sie sich nicht. Erik sitzt da mit seinem Glas und schaukelt, er begreift nichts. Er hebt sein Glas, lächelt und sagt »Skål«. Aber das hätte er besser nicht getan, denn einer der Italiener schlägt ihm wütend das Glas aus der Hand, und das trifft Eriks Autotür und zerbricht.

Erik sieht verwundert auf das Auto, und dann versteht er. »Was zur Hölle«, sagt er und steht auf. Es wird keine lange Schlägerei. Der Platzwart kommt angerannt, von allen Seiten kommen die Leute, die den Streit gehört haben, und alle gehen auf die Italiener los. Erik wird zur Seite gestoßen, und dann werden die zwei Italiener weggejagt, mit Flüchen und Tritten bis zu ihrem Zelt verfolgt.

Verdammte Spaghettifresser. Satansbraten ...

Erik sitzt auf der Erde und tupft das Blut von der Nase. Anders hat sich natürlich vollgepinkelt. Vor Schlägen hat er sich immer schon gefürchtet, das liegt an der Ochsenpeitsche in der Kindheit ...

»Was ist passiert?«, keucht Erik und drückt das Taschentuch gegen seine Nase. »Ich blute ja, zum Teufel ...«

»Du hast sie wohl beleidigt.«

»Was?«

»Dadurch, dass du ASEA, ASEA gerufen hast.«

»Ist das denn eine Beleidigung?«

»Sie scheinen es so aufgefasst zu haben.«

Endlich kommen Elna und Eivor. Sie haben den Streit aus der Entfernung gehört, als sie auf einer Bank unten am Wasser gesessen haben. Während Elna sich um Erik kümmert, versucht Anders zu erklären, was geschehen ist. Und er ergreift die Partei der Italiener. Aber was er sagt, überzeugt nicht, und als der Platzwart zurückkommt und unter vielen Entschuldigungen mitteilt, er habe die zwei Italiener gebeten, den Zeltplatz unverzüglich zu verlassen, wollen beide, Erik und Elna, dass die Polizei geholt wird.

»Kann man nicht einmal auf dem Zeltplatz in Frieden gelassen werden?«, fragt Elna aufgebracht. »Von so welchen da!«

»Es reicht doch wohl, dass sie gehen müssen«, versucht es Anders.

»Aus dem Land raus sollten sie.«

Erik ist jetzt richtig rasend. »Dürfen solche Teufel kommen und den Leuten aufs Maul schlagen, wenn man in Ruhe und Frieden vor seinem Zelt sitzt? Ungestraft? Nein, ich werde dieses verdammte Zelt niederreißen, sodass sie es nie wieder aufbauen können.«

Elna hält ihn zurück, und der Platzwart mahnt ihn zur Ruhe. »Wir wollen in keinen schlechten Ruf kommen.«

Und dann ist er weg.

Elna gelingt es bald, Erik zu beruhigen, und sie hilft ihm ins Zelt. Anders nimmt einen großen Schluck aus der Cognacflasche und versucht, wieder ruhig zu atmen.

Aber wo ist Eivor?

Sie hat sich auf dem Rücksitz des Autos versteckt und hält sich die Ohren zu.

Da entdeckt er sie. »Es ist jetzt vorbei«, sagt er.

»Was denn«, antwortet sie. »Was ist vorbei?«

»Alles ...«

»Gar nichts ist vorbei«, antwortet sie. »Nichts. Ich will, dass man mich in Ruhe lässt.«

Sie rollt sich zusammen, und er lässt sie in Ruhe. Er krabbelt in sein Zelt, zieht sich die verschmutzte Hose aus, legt sich auf den Schlafsack und nimmt einen tiefen Schluck aus der Branntweinflasche. Ein schwaches Licht sickert durch das morsche Zelttuch, er meint, das Sirren einer Mücke zu hören.

So einer ist Erik also. Ein richtiger schwedischer Prachtlümmel, wenn er ein bisschen Cognac intus hat. Abgesehen davon, dass die Italiener vielleicht unnötig heftig reagiert haben – sicher hätte es eine mündliche Beschimpfung auch getan –, versteht er sie gleichzeitig auch. Sicherlich gibt es überall auf der Welt Stinkstiefel, er hat viele getroffen während seines Umherziehens in Europa. Aber da ist so etwas *Grenzenloses* in der schwedischen Stieseligkeit, das fast immer mit Alkohol einhergeht. Entweder weint man sich die Augen aus den Höhlen, oder man läuft Amok.

Erik hat mit anderen Worten eine normale Seite gezeigt, als er da mit seinem Cognac saß. Aber es gibt noch so vieles bei ihm, was Anders verwundert. Was war es noch mal, worüber sie geredet haben …

Seine Gedanken werden unterbrochen, als er hört, wie Elna die Hintertür des Autos öffnet und leise mit Eivor redet. »Er schläft jetzt«, sagt sie. »Komm rein und leg dich hin.«

Was Eivor antwortet, kann er nicht hören, aber aus Elnas Antwort reimt er sich zusammen, dass sie dort bleiben will, vielleicht kommt sie etwas später rein.

Und Elna protestiert nicht. »Mach, was du willst«, sagt sie nur. »Schlaf gut.«

Um vier Uhr steckt Anders den Kopf hinaus in Tau und Morgendunst. Er hat einige Stunden gedöst, bestürmt von unruhigen Traumbildern, und dann, plötzlich, war er hellwach. Er ist steif im Rücken, die Beine schmerzen, das Zelt ist so eng, dass er mit knapper Not durch die Öffnung nach draußen kommt, ohne das Zelttuch wie ein Schneckenhaus hinter sich herzuziehen.

Da draußen sitzt Erik auf der Stoßstange des Autos.

Und auf dem Rücksitz schläft Eivor, zusammengerollt wie ein Kätzchen.

Erik starrt vor sich hin. Die Nase ist blau und geschwollen, die Lider sind schwer.

»Du bist wach«, sagt Anders.

Was, zum Teufel, soll er anderes sagen? Er versteht, wie es Erik geht, die Reue leuchtet aus seinen Augen. Und er kann keinen Morgenschluck nehmen, um mit dem Schlimmsten fertig zu werden, er muss ja Auto fahren.

»Was ist passiert?«, murmelt er. »Die Nase ...«

Anders berichtet in kurzen Zügen.

»Aber wir zwei hatten es lustig«, schließt er. »Wir sollten öfter miteinander reden.«

Erik sieht ihn mit flehendem Blick an. Sagt er die Wahrheit? Oder lügt der Alte? Und warum liegt Eivor im Auto?

»Du weißt doch, wie Kinder so sind«, antwortet Anders. »In ihrem Alter. Da will man seine Ruhe haben. Und dann schläft man plötzlich. Wo auch immer.«

»Da ist nur eine Sache, über die ich mich wundere«, sagt Erik nach einer Weile mit leiser Stimme. »Das ist, warum sie ASEA gerufen haben.«

»Sie arbeiten da wohl«, antwortet Anders. »Wir sind schließlich in Västerås. Oder vielleicht wollen sie dort Arbeit suchen. Ich hab mal gelesen, dass man im Ausland nach Arbeitern sucht.«

»Warum das?«

»Es gibt nicht genug Schweden, die die Arbeit machen wollen. Man findet vielleicht niemanden.«

Erik nickt. Ja, so muss das wohl zusammenhängen. Aber ...

»Was?«

»Nein ... Nichts. Pfui Teufel, wie ich mich fühle.«

»Das geht vorbei. Ich weiß das.«

Erik antwortet nicht, kommentiert die Bemerkung nicht, sondern fährt nur mit seinem eigenen Stöhnen fort. »Habe ich was Dummes gesagt gestern?«

»Nein ...«

»Sicher?«

»Ganz sicher.«

Anders macht einen langsamen Spaziergang über den Zeltplatz. Vorsichtig trampelt er Leben in seine Beine, passt auf, dass er nicht über die Zeltpflöcke und -leinen stolpert. Der Nebel ist in eine eigentümlich graue Morgendämmerung übergegangen. Er hat plötzlich die Vorstellung, die ganze Zeltstadt sei aufgegeben worden. Wie ein Schlachtfeld, das hastig evakuiert wurde.

Ein Friedhof mit grau-weißen Steinen.

Er schüttelt sich und geht vorsichtig zurück.

Aber plötzlich bleibt er stehen.

Erik sitzt da und weint, mit den Händen vor dem Gesicht.

Erst als Erik seine Tränen getrocknet hat, geht Anders zu ihm hinüber. Da hat der Nebel sich zu lichten begonnen, die Sonne drängt sich durch, der Tau trocknet.

Sie brechen zeitig auf. Sie nehmen sich nicht einmal die Zeit, Kaffee auf dem Spirituskocher zu kochen. Es ist offensichtlich, dass Familie Sjögren aus Västerås verschwinden will, so schnell es irgend geht.

Ich hätte zu Hause bleiben sollen, denkt Anders. Wie, zum Teufel, soll das hier enden?

Aber als sie endlich wieder auf der Straße angelangt sind, fühlen sie sich auch wieder wie in Ferien. Eriks Kater und seine geschwollene Nase sind immerhin keine zu verachtende Urlaubserinnerung, kein schlechter Start. Und die Italiener haben das bekommen, was sie *verdient* haben. Zur Hölle mit diesen Menschen ... Ein Glück, dass man nicht bei ASEA arbeitet ...

Richtung Hummelsta und dann nach rechts, über die glitzernden Wasser des Mälaren, nach Strängnäs und Sörmland. Wieder ein schöner Tag, keine Wolken, der Himmel ist blau. Hier bleiben wir. Was steht auf dem Schild? *Dunkers Kirche*? Seltsamer Name. Aber jetzt sollten wir wohl endlich frühstücken. Wer als Erster ein Geschäft sieht, sagt Bescheid.

Sie kommen gegen drei Uhr in Stockholm an. Erik ist nervös, weil er in einer Großstadt Auto fahren muss. Sie wollen nach Skansen, und Anders, der hier schon war, hat keine Ahnung, wie man mit dem Auto dahin kommt. Aber da er eigentlich irgendetwas wiedererkennen müsste, tauscht er den Platz mit Elna und setzt sich nach vorne.

Natürlich findet er sich nicht mehr zurecht. Erik schafft es nicht, die Straßenschilder zu lesen, und sie irren lange in Söder herum, bis es Anders gelingt, sie nach Slussen zu dirigieren.

Im Rückspiegel sieht Anders, wie Eivor gespannt die Menschen auf dem Gehweg mustert.

Lasse Nyman, Lasse Nyman …

Ist es hier, wo du dich versteckst, in deinem eigenen Viertel?

Aber natürlich ist er hier nicht zu finden.

Und genauso natürlich wird Stockholm zu einer einzigen großen Enttäuschung für Eivor. Es liegt daran, dass sie so ganz andere Bedürfnisse hat als Erik und Elna. Anders trottet sowieso nur mit wie ein müder Hund, der keine eigenen Wünsche hat.

Nein, sie hat keine Lust, vor Slottsbacken auf und ab zu gehen und sich die Soldaten anzusehen, die dort Wache stehen. Dass es die *Hauptstadt* ist, sieht man wohl auch so, ohne dass man anhalten und aussteigen und eine Menge Zeit verlieren muss. In die Geschäfte wird sie gehen, die Kinoplakate will sie ansehen und sich vielleicht einen Weg zu dem verwunschenen Paradies suchen, das *Nalen* heißt. Ungesehen die Gleichaltrigen der Hauptstadt betrachten. Wie sehen sie aus, wie kleiden sie sich? Aber es spielt keine Rolle, wie sehr sie auch protestiert, Elna schnauzt sie an, und Erik steuert das Auto, wohin er will.

So tut Eivor das Einzige, was sie kann, zieht den Vorhang runter, blockt ab, ist sauer. Wenn es so weitergeht, können sie auch gleich wieder nach Hause fahren.

Vier Menschen, drei verschiedene Auffassungen. Anders ist müde und macht sich meist nicht einmal die Mühe, aus dem Wagen zu steigen. Er bleibt sitzen und trinkt heimlich einen Schluck aus einer seiner Flaschen. Außerdem hat er Glück. Einmal bremst Erik ganz in der Nähe eines Systembolagets, und während die anderen sich irgendetwas ansehen, kann er seinen Proviant mit einigen neuen Flaschen auffüllen.

Den Abend verbringen sie in Gröna Lund. Anders, der müde ist nach dem langen, warmen Tag, ist im Hotel zurückgeblieben, das sie sich ausnahmsweise geleistet haben. Es ist klein und muffig, liegt eingeklemmt im Klaraviertel. Elna und Erik wirken erst etwas skeptisch, als sie in dem dunklen Hotelaufgang stehen und ein verschwitzter, nach Bier riechender Portier aus einem Flur kommt. Aber das Zimmer ist billig, es ist nur für eine Nacht, und wovor sollte man eigentlich Angst haben? Außerdem hat Erik wohlweislich Zimmer auf der unteren Etage verlangt. Die größte Gefahr ist ein Brand, und aus dem Fenster der ersten Etage könnte man sich mit heiler Haut retten.

Anders lässt sich nicht erweichen, mit nach Gröna Lund zu kommen. »Nicht so ein alter Kerl wie ich«, versucht er zu scherzen. »Ich dachte, ihr geht dahin, um Spaß zu haben …«

So bleibt er allein in dem Zimmer, das er mit Erik teilen soll. Er öffnet das Fenster und schaut in einen Hinterhof mit

Teppichstangen, Mülltonnen und verrammelten Außentoiletten. Sobald er allein ist, packt er seine Flaschen aus und mischt seinen roten Grog. Den Stadtlärm hört er aus der Ferne wie ein unbestimmtes Brausen, dann und wann unterbrochen von einer Autohupe.

Das Alter, denkt er. Das hässliche Alter.

Plötzlich, als er so im Auto saß, glaubte er zu verstehen, wie ohnmächtig man ist, wenn man alt ist, auf dem Weg hinaus in die große Dunkelheit. Als er die Heftigkeit des Lebens sieht, in hellen Sommerkleidern, mit flatternden Hosenbeinen, hellen und leichten Bewegungen; da versteht er überhaupt nicht mehr, wie jemand sich wünschen kann, alt zu werden. Als ob es irgendwo ein Alter gäbe, das schön ist, einfach nur schön.

Aber jetzt geht es um den blutroten Grog. Dieselbe Farbe wie sein Blut, aber so unendlich viel frischer ... Er fragt sich, ob er verbittert ist. Dies wird mein letzter Sommer. Und so säuft er, einsam am Sommerabend, allein in seinem Hotelzimmer mit Aussicht auf einen Hinterhof.

Er will seine Ruhe haben. Darum wollen wir ihn verlassen und lieber nach Familie Sjögren suchen, die bereits im Gewimmel des Vergnügungsparks Gröna Lund verschwunden ist, zwischen Lampions und Leierkasten, Karussells und Schiffschaukeln.

Zum ersten Mal seit der Abreise ist es eine frohe und vergnügte Familie, die wir treffen, keiner ist sauer, nicht einmal Eivor. Sie ist sogar froh darüber, die schützenden Arme ihrer Mutter und ihres Stiefvaters um sich zu haben. Sie gewinnt einen Bären, von dem sie sofort weiß, wo sie ihn platzieren wird in ihrem kleinen Schlafalkoven, Elna und Erik tanzen auf einer der Außentanzflächen, und zusammen quetschen sich alle drei in einen Wagen des Blauen Zuges. Und zum Schluss Berg- und Talbahn, wo sie wie angestochene

Schweine quietschen. Herrgott ... Wie war es, früher zu leben, als man noch keinen Urlaub hatte? Früher, als vom Auto noch keine Rede war?

Eivor denkt plötzlich an Lasse Nyman. Stell dir bloß vor, wenn es wahr ist, was Anders damals am Küchentisch gesagt hat. Dass Lasse Nyman kein Autoverkäufer ist, sondern Autos *stiehlt*!

»Dass er bloß nicht gestohlen wird«, sagt sie zu Erik, als sie an einer der vielen Würstchenbuden anstehen.

»Wer? Dein Bär?«

»Der Wagen natürlich.«

»Ich möchte den sehen, der es wagt, mein Auto zu stehlen.«

Aber Elna und Eivor merken beide, wie er bei dem Gedanken erschrickt.

»Wir werden bald ins Hotel fahren«, sagt er. »Er steht schon noch da.«

Sie essen ihre Wurst und jagen dann auf der Suche nach einem Pissoir für Erik umher. Als sie endlich eins entdecken, ist dort eine Schlange, und während Erik von einem Bein aufs andere tritt, drehen sich Elna und Eivor diskret zur Seite.

Was haben eigentlich Elna und Eivor am Abend zuvor gemacht? Als Erik und Anders auf dem wackligen Brett saßen und ihren Cognac trinken wollten? Tja, sie sind zum Strand hinuntergeschlendert, einander näher als seit langer Zeit. Auf einmal schaffen sie es, über Eivors Zukunft zu reden, ohne einen Streit anzufangen, und zum ersten Mal bekommt Elna auch eine Antwort, die mehr als ein böses Zischen ist. Schneiderin will Eivor werden. Kleider nähen. Und da sie nun so darauf besteht, die Schule nicht weiterzumachen, denkt Elna auf einmal, dass dies eine gute Alternative ist. Augenblicks verspricht sie ihrer Tochter, ihr alles beizubringen, was sie vom Nähen versteht. Und vielleicht gibt es jemanden in Hallsberg, der ihr mehr beibringen kann. Oder in Örebro. Eivor sagt jedoch, dass sie zuerst eigenes Geld verdienen will, um sich die Kleider zu kaufen, die in den Schaufenstern locken. Auch das versteht Elna, und sie fühlt plötzlich eine innige Liebe für ihre Tochter, die ihr auf so vielerlei Art gleicht.

»Stell dir vor, er wäre heute Abend hier«, sagt Eivor ohne Übergang.

»Wer?«

»Mein richtiger Papa. Nils.«

Ausnahmsweise gelingt es Elna, an ihn zu denken, ohne dass es ihr einen Stich gibt. »Dann hätte ich es dir gesagt«, antwortet sie.

»Hättest du ihn wiedererkannt?«, fragt Eivor verwundert.

Elna schüttelt den Kopf. »Nein, aber er hätte mich sicher erkannt.«

Eivor versteht nicht so ganz, was sie meint, aber das macht nichts. Nicht jetzt, wo es endlich einmal möglich ist, mit der Mutter zu reden, ohne dass sofort ein Streit entsteht.

»Wir sind uns ähnlich«, sagt sie.

»Ja«, antwortet Elna. »Sehr ähnlich.«

»Obwohl du hübscher bist als ich.«

»Findest du?«

»Warum hast du Erik geheiratet?«, fragt sie.

»Ich mochte ihn.«

»Mochte?«

»Mag.«

»Stell dir vor, ihr hättet euch nicht in diesem Zug getroffen.«

»Ja, denk dir bloß!«

»Wie schwer es gewesen wäre ...«

»Was?«

»Ja … Allein zu leben mit mir.«

Kann es möglich sein? Elna sieht sie verblüfft an. Muss man erst eine Reise machen, um ein vernünftiges Gespräch mit seiner Tochter führen zu können? Aber eigentlich ist es kein Wunder … Sie ist ja erwachsen. Es ist das dritte Jahr, dass sie ihre Menstruation hat, und einen BH hat Elna ihr schon vor zwei Jahren gekauft.

Eine Tochter auf dem Weg, eigene Entscheidungen zu treffen. Ein Mensch mit seinem eigenen wachsenden Horizont, auf den er sich konzentrieren muss.

Aber jetzt sind wir wieder mit ihnen im Vergnügungspark. Erik kommt vom Pissoir zurück, leicht wütend über das, was da alles an den Pissoirwänden geschrieben stand. Das waren keine Kinderlieder. Und er hätte gute Lust, seiner Frau davon zu erzählen.

»Hier stehe ich und kann nicht anders«, sagt er stattdessen. Einer seiner üblichen Sprüche, seine Art, immer zu versuchen, von seiner Unsicherheit abzulenken, indem er sich in vorgefertigte Formulierungen flüchtet, woran Elna sich schnell gewöhnt hat.

Mein Leben, denkt sie. Ich kann wieder anfangen, daran zu denken, jetzt, wo Eivor bald selbst zurechtkommt. Ich bin nicht älter als zweiunddreißig Jahre. Das darf ich nicht vergessen.

»Ihr seht geheimnisvoll aus«, sagt Erik.

»Und wenn«, erwidert Elna.

Und dann gehen sie ins Hotel, durch den Tiergarten, entlang Strandvägen, Hamngatan und Hötorget.

Als sie sich draußen im Korridor gute Nacht sagen und Erik vorsichtig die Tür zu seinem Zimmer öffnet, liegt Anders hellwach da.

Aber natürlich tut er so, als ob er schliefe.

Er begrüßt Erik Sjögren mit einem lauten Schnarcher.

Den Rest der Nacht liegt er wach. Dann und wann richtet er sich tastend auf und leert ein Glas. Rot wie Blut.

Welche Farbe hat der Tod?

Ist es ganz sicher, dass es Schwarz ist?

Am Tag darauf ist es bewölkt.

Wohin wollen sie nun eigentlich? Über Öland hatten sie gesprochen, aber warum gerade Öland?

Eivor und Elna werfen die Frage auf. Anders sagt nichts, er sitzt in seiner Ecke und genießt es, unterwegs zu sein. Am Morgen ist es ihm noch gelungen, ein paar Flaschen einzukaufen. Jetzt reicht es für die Woche.

»Gibt es jemanden, der etwas gegen Öland hat?«, fragt Erik verwundert.

Nein, das ist es nicht. Aber beinhaltet die Freiheit, im eigenen Auto zu fahren, nicht auch, dass man seine Pläne ändern kann?

»Ich fahre, wohin ihr wollt«, sagt Erik galant.

»Können wir nicht einfach gucken, wo wir hinkommen?«, schlägt Eivor vor.

Das ist der Augenblick, in dem Elna erkennt, warum sie eigentlich nicht nach Öland will. Es gibt etwas anderes, was sie lockt und anzieht. Etwas, was mit dem verbesserten Kontakt zu Eivor zu tun hat.

Nun weiß sie es. »Skåne«, sagt sie. »Wir besuchen Vivi.«

»Zur Hölle«, antwortet Erik. »Das ist zu weit.«

»Nicht viel weiter als Öland. Und du hast gesagt, dass du uns fährst, wohin wir wollen. Nicht wahr?«

Der Regen prasselt herab, die Scheibenwischer sind schlecht, und Erik kann nicht gut sehen. Aber dass er gleich so wütend werden muss, dass er fast in den Graben fährt? Er fährt an den Straßenrand und bleibt stehen, plötzlich, ruckartig.

»Zur Hölle«, sagt er wieder. »Nicht nach Skåne.«

Eivor findet es auch verlockend. »Da können wir nach Dänemark rüberfahren«, versucht sie ihn zu überreden.

Aber nein, er ist beleidigt. Abgesprochen ist abgesprochen. Irgendeine Ordnung muss nun mal sein.

»Erik«, sagt Elna bestimmt. »Wenn ich doch so gerne will …«

»Und ich!«

Er fährt nach Skåne, ohne ein Wort zu sagen. Aber weder Elna noch Eivor nehmen seine Bockigkeit sehr ernst, und Anders kümmert es überhaupt nicht. Skåne oder Lycksele, Hauptsache fahren …

Sie kommen zu einem Ort, der Häglinge heißt, mitten in der Nacht. In strömendem Regen wirft Erik die Zelte auf einen kleinen Grasplatz am Wege. Er murrt, als Elna und Eivor in den Regen hinausklettern wollen, um zu helfen.

»Lass ihn machen«, sagt Elna. »Jetzt sitzen wir hier drinnen, und er tut uns leid, dann ist er morgen wieder fröhlich.«

Beide Zelte sind undicht, es wird eine schlimme Nacht, und schon um sieben Uhr sind sie wieder unterwegs. Erik sitzt verstimmt hinter dem Steuer. In Höör entdecken sie ein Café, in dem sie frühstücken können, und hier öffnet Erik endlich seinen versiegelten Mund.

»Kennst du dich in Malmö aus?«

Nein, Elna kennt sich nicht aus. Anders vielleicht? Er auch nicht.

»Ich fahr in die Stadt hinein«, sagt Erik. »Dann müsst ihr selbst zurechtkommen.«

»Es ist schön in Skåne«, sagt Elna entwaffnend und tätschelt ihm die Wange. »Du fährst gut, weißt du das?«

Vivi Karlsson, Werftarbeiterstochter aus Landskrona. Die Jahre sind vergangen, es ist über zehn Jahre her, seit der Krieg zu Ende ging. Acht Jahre, seit sie und Elna sich zuletzt getroffen haben. Die Briefe gehen hin und her, aber nicht so oft und auch nicht mit der gleichen Vertrautheit wie damals, als sie kaum älter waren als Eivor heute.

Was ist inzwischen geschehen?

Dieselbe Frage hat sich Vivi Karlsson viele Male gestellt. Und wenn sie sich selbst in eine Ecke manövriert hat und sich fragt, womit sie ihre Zeit vertut, so ist es kein stilles Gespräch, das dann beginnt. Es gleicht eher einem Tigerkampf. Einmal landete sie mit dem Gesicht in einem Kuhfladen außerhalb von Älvdalen. Das hat sie nie vergessen. Das Ereignis hat sie sich aufbewahrt als ein Zerrbild, das sie ständig vor Augen hat über ihr ewiges Abstrampeln in einem Leben, in das sie keine Ordnung bekommt.

Dieses Leben, das so gut begonnen hatte, mit einem starken Familienzusammenhalt in Landskrona. Ein Zuhause, in dem es dann und wann an Essen und an Kleidung mangelte, aber nie strebte einer danach, sie zu einem selbständigen und lebenstüchtigen Menschen zu erziehen. Ein Zuhause, wo keiner leise durch die Türen ging, wo es nie muffig war oder man sich eingeschlossen fühlte.

Als sie die Volksschule beendet hatte, blieben gerade mal zehn Minuten Zeit, um von der Kirche – in ihrem roten Kleid! – zur Arbeit als Zimmermädchen im Stadshotel zu sausen. Aber das war nur eine bezahlte Atempause, in der es ihr eigentlich egal war, was sie tat. Danach versuchte sie auf die Realschule zu kommen, und sie schaffte es. Damals begannen die Probleme. Nicht dass sie Schwierigkeiten gehabt hätte, dem Unterricht zu folgen, sie hat ja einen scharfen Verstand, klar wie der Gesang eines Vogels. Nein, es waren die Mitschüler und die Lehrer hinter dem Katheder. Natürlich gab es auch andere Arbeiterkinder, die sich hierher verirrt hatten, aber die passten sich schnell an. Alle außer ihr. Die scharfen Kanten, die bisher eine positive Eigenschaft waren, wurden nun etwas, mit dem sie sich selbst schadete. Ein Jahr lang, fast zwei, ging es gut, obwohl sie unter dem Tadel fast erstickten. Natürlich gab es Ausnahmen unter den Lehrern, und heimlich wurde sie von einigen ihrer Klassenkameraden bewundert. Aber schließlich war sie allein, immer allein. An einem Tag im neuen Jahr in der Obersekunda, nur wenige Tage vor dem Sommerhalbjahr, steht sie plötzlich mitten in der Geschichtsstunde auf, packt unter dem atemlosen Schweigen der Klasse und des Lehrers ihre Bücher zusammen und verlässt den Klassenraum ohne ein Wort, um nie wiederzukommen. Draußen auf der Straße hebt sie das Gitter über einem Gully auf und wirft ihre Schultasche hinein. Im Lehrerzimmer wird bedauert, dass das begabte Mädchen Karlsson so unerwartet seine Studien abgebrochen hat, aber hinter den Masken grinst der Triumph; die widerspenstige Werftlerche war gedemütigt, es war ihre Niederlage.

Als sie nach Hause kam, sagte sie genau, wie es war, noch eine einzige Stunde mehr, und sie hätte den offenen Krieg gegen die Schule begonnen. Ihre Eltern brummten, aber sie verstanden sie. So ist das, die Klassengesellschaft hat vielleicht ihre Verkleidung und Waffen geändert, aber eine verdammte Klassengesellschaft ist sie geblieben!

Papa freut sich, das Mädchen schlägt nicht aus der Art. Ein Kommunist kann keine Tochter haben, die das goldene Kalb verehrt. Sie ist stark, obwohl man in einer finsteren Zeit lebt, in der der gemeine Mann das Radio ausschaltet, wenn Herr Hagberg an der Reihe ist, etwas Vernünftiges in die schwache Diskussion einzubringen.

Was sie macht? Im gleichen Jahr, in dem ihre Klassenkameraden mit ihren weißen Mützen die Treppen hinunterstürzen, legt sie ihr Abschlussexamen an Hermods Fernunterrichtsinstitut ab, und sie besteht es mit Glanz. Aber da ist sie so abgemagert und ausgelaugt, dass sie fast ohnmächtig wird, und als sie sich selbst im Spiegel sieht, fängt sie an zu weinen. Aber Vivi ist aus einem starken Holz geschnitzt, im selben Herbst schreibt sie sich an der Universität in Lund ein, trifft einen versoffenen Kurator und besorgt sich ein Studentenzimmer bei einer Offizierswitwe. Archäologin will sie werden, und sie springt gleich ins kalte Wasser. Aber auch hier muss sie bald das Handtuch werfen. Es ist eben so, dass sie das Studentenleben einfach nicht schafft, alle diese merkwürdigen Rituale, diese institutionellen Wüsten, auf die man sie nie vorbereitet hat. Manchmal möchte sie darüber verrückt werden, ihre Eltern anklagen, aber sie weiß ja, dass das ungerecht ist. Guter Gott, wenn sie doch wie diese Sturköpfe werden könnte, die sich durch Seminare und Fakultäten schleppen. An einem Werktag, als ihre Wirtin das Grab ihres Mannes in Karlskrona besucht, verbrennt sie ihre Bücher in dem offenen Kamin und läuft hinaus auf den Hof, um zuzusehen, wie der dichte Rauch über den blauen Himmel fortweht.

Was macht sie jetzt? Sie trinkt und bumst, schreit und schimpft und hat eine Abtreibung im Sommer. Sobald sie wieder auf den Beinen ist, macht sie sich auf und trampt nach Europa, trifft einen spanischen Koch in Amsterdam und folgt ihm nach Paris, Pamplona, Madrid, und da ist sie wieder schwanger. Neue Abtreibung, ein Albtraum auf einem stinkenden Kellertisch, und dann bittet sie ihren spanischen Freund, sich zum Teufel zu scheren ... Einen Winter wieder zu Hause in Landskrona, Gelegenheitsjob, heftiges Engagement gegen den Krieg der USA in Korea, ein neuer Traum: China sehen – und dann sterben. Durch Paris ist sie schon gebummelt. Aber China ... Sie heuert auf einem Bananenschiff der Johnsonlinie an, da hat sie eine schöne Zeit zusammen mit ihrem Bruder Martin, der vierter Maschinist ist. Aber in Santiago bekommt sie eine Blutvergiftung, und als sie zurück nach Göteborg kommen, muss sie abmustern, Mädchen für die Messe gibt es hierzulande genug.

Und dann? Dann, dann ... Das fragt sie sich auch.

Eines Tages sterben ihre Eltern beide, im Abstand von zwei Monaten. Der Vater stürzt auf den Küchenboden, von einem Hirnschlag dahingerafft. Und die Mutter tut ihre Pflicht, folgt ihm, so schnell sie kann, nachdem gerade mal so viel Zeit vergangen war, dass die drei Kinder, das Mädchen und ihre zwei Brüder, neuen Kummer verkraften konnten.

Im Alter von siebenundzwanzig Jahren zieht Vivi nach Malmö und arbeitet als Sekretärin in einem Fuhrgeschäft. Ein Jahr lang will sie bleiben. Daraus werden zwei. Dann rafft sie sich wieder auf, schreibt sich erneut an der Universität ein, und es missglückt wieder, diesmal aus reinem Widerwillen. Und nach neuen Ausflügen ist sie mit zweiunddreißig Jahren zurück im Fuhrgeschäft, gewissermaßen mit dem Gesicht im Kuhfladen ...

Während Elna und die anderen mit dem Regen in Häglinge kämpfen, liegt Vivi in ihrer Wohnung in der Fabriksgata in Malmö. Sie hat Urlaub, aber sie will nicht verreisen. Gleich nach Urlaubsende wird sie ihre Kündigung auf den Tisch des Fuhrunternehmens knallen, das hat sie nun beschlossen, und dieser Gedanke hält sie aufrecht. Wenn das getan ist, wird sie auch ihr Verhältnis zu einem Künstler beenden, das schon viel zu lange dauert. Sie ist seiner überdrüssig, seiner schmutzigen Nägel, seiner düsteren, unbegreiflichen Bilder. Während ihres Urlaubs will sie ihn nicht sehen, das hat sie ihm mitgeteilt, und er hat sich einem Kollektiv angeschlossen, das sich in Falsterbo eingemietet hat.

Sie schläft, sammelt Kraft für den Zweikampf, der sie erwartet.

Gleichzeitig prasselt der Regen auf die beiden Zelte in Häglinge ...

Natürlich ist Vivi überrascht und erfüllt von spontaner Freude, sie haben sich ja schließlich gern. Aber was mehr?

Wiederentdeckte Gemeinsamkeiten?

Peinlichkeit und Unsicherheit?

Als Erik und Anders im Auto verschwunden sind, kommt endlich eine Bewegung, eine Gefühlsregung auf.

»Was machen wir?«, fragt Vivi. »Jetzt seid ihr hier. Sollen wir baden gehen, in die Stadt bummeln, hier sitzen?«

»Entscheide du«, sagt Elna. »Du!«, sagt Vivi und wendet sich an Eivor. »Du hast doch sicher feste Wunschvorstellungen. Was willst du?«

Es bleibt beim Stadtbummel.

Als Elna sich Sorgen darüber macht, dass es spät werden könnte, dass Erik und Anders sich wundern könnten, wischt Vivi das mit einem Lachen fort. »Solange es Kneipen auf der Welt gibt, leiden unsere geliebten Männer keine Not«, sagt sie.

Sie nehmen eine der Fähren von Malmö aus, Vivi drängelt sich auf dem überfüllten Schiff zu einem Fenstertisch in der Cafeteria. Ein Mann, der sich gerade setzen will, schreckt zurück, als Vivi ihn scharf ansieht. Sie braucht Ellbogenfreiheit. Sie kann es nicht haben, wenn ihr die Menschen zu nahe kommen.

Es ist bewölkt und windig, aber die schwere Fähre schaukelt kaum. Regenböen schlagen gegen die Fenster der Cafeteria und rinnen in ungleichmäßigen Bächen an den Rahmen herab, wo die groben Nieten sich durch die gesprungene Farbe gedrängt haben.

Es ist lange her, seit Vivi und Elna sich gesehen haben.

Aber während Elna fast bedauernd feststellt, dass die Zeit nur so davongelaufen ist, scheint Vivi mehr auf Neues eingestellt zu sein.

»Erinnerst du dich, dass wir uns darüber in unseren Briefen geschrieben haben?«, fragt Elna.

»Es wäre seltsam gewesen, wenn wir das nicht getan hätten!«

»Denk nur, wie lange das alles her ist!«

»Ein Glück, dass die Zeit nicht stillsteht. Wenn wir immer noch auf unseren Rädern sitzen und über dieselben Hänge trampeln würden wie vor fünfzehn Jahren.«

»Du bist immer noch die Alte«, sagt Elna.

Vivi zieht ein Gesicht. »Sag das nicht.«

»Warum nicht?«

»Kannst du dir etwas Schlimmeres vorstellen? Sich nicht zu verändern?«

Eivor ist verlegen in Vivis Gesellschaft. Diese Direktheit kennt sie nicht. Vivi prescht vor wie ein Windhund, ihre Art, ihr in die Augen zu schauen, Fragen zu stellen, gleich zur Sache zu kommen …

»Erzähl«, sagt sie zu Eivor.

Eivor wird rot, weiß überhaupt nicht, was sie antworten soll.

»Ich hab eigentlich nichts zu erzählen«, murmelt sie und kratzt mit dem Nagel auf dem Tisch.

»Das kann nicht sein.«

»Du musst doch nicht schüchtern sein«, sagt Elna. Und da wird Eivor natürlich wütend. Dass ihre Mutter nie im richtigen Moment die Klappe halten kann! Jetzt muss sie sie vorführen, die Tochter, wie einen Zirkushund.

Drei Frauen auf einem Schiff, an einem Julitag, auf dem Weg nach Kopenhagen. Zwei Jugendfreundinnen und die Frucht einer Sommernacht vor vielen Jahren. Wenn ich nun

Vivi zur Mutter gehabt hätte, denkt Eivor. Wenn sie es gewesen wäre, die mich während des Krieges als Kind im Bauch gehabt hätte? Dann hätte sie Skånisch gesprochen. Wäre Hallsberg entkommen. Könnte nach Kopenhagen fahren, wann es ihr passte. Würde nicht neben einer Mutter sitzen, die am Tischtuch zupft und so verschreckt aussieht.

»Kopenhagen«, sagt Vivi, und Eivor sieht, wie die Fähre in die Hafeneinfahrt gleitet. Große Lastkähne mit fremden Flaggen liegen an dem scheinbar unendlichen Kai. Die Häuser sehen anders aus als in Schweden, eine weißrote Flagge mit drei Zungen weht von einem Militärfahrzeug, und es ist ein tolles Gefühl, außerhalb von Schweden zu sein, Schwedin zu sein und Eivor zu heißen in einem fremden Land.

Sie betritt den Kai und die fremde Erde und versteht nicht ein Wort von dem, was die Leute sagen. Es hört sich an, als ob alle wütend wären. Aber gleichzeitig ertönt Lachen um sie herum. Dänemark also. Wut und Lachen.

Eivor schaut Vivi an, und sie lächelt. »Wir gehen ins Zentrum«, sagt sie.

»Es sieht nach Regen aus«, sagt Elna und schaut zum Himmel auf.

»Jetzt fängt sie schon wieder an«, denkt Eivor. »Das Erste, was sie sagt, wenn sie nach Dänemark kommt, ist, dass es regnen könnte.«

»Dann springen wir einfach in ein Café«, erwidert Vivi. »Davon gibt's jede Menge in Kopenhagen.«

Ströget. Die Hauptader durch die Stadt. Menschen, die sich von allen Seiten drängen, in Geschäften verschwinden oder in kleinen Gassen, die geheimnisvoll aussehen, andere Menschen, die aus dem Dunkel der Gassen herauskommen und in den mächtigen Menschenstrom hineingleiten. Da ist etwas in den Gesichtern, die an Eivor vorbeieilen, etwas Vertrautes, Gemütliches. Hier bekommt sie keine Angst, nicht einmal, als sie vor einem Schaufenster stehen bleibt und dann plötzlich bemerkt, dass Elna und Vivi verschwunden sind. Sie geht einfach weiter, und an der nächsten Straßenkreuzung stehen sie auch schon und warten.

»Du gehst hier verloren«, sagt Elna.

»Wenn du das noch einmal sagst, kann es passieren, dass ich das mache«, faucht sie.

Vivi schaut sie an, verwundert, aber gleichzeitig amüsiert.

»Jetzt ist Grün«, sagt sie und zerschlägt den Knoten zwischen Mutter und Tochter. Ohne viel Aufhebens, bestimmt, als sei es die selbstverständlichste Sache der Welt.

»Genau so«, denkt Eivor. »Ganz genau so.« Eine Bagatelle. Aber hätte sie ihr nicht Bescheid gesagt, so wäre die Mutter zum Schiff zurückgekehrt und wäre den Rest des Tages sauer gewesen.

Wie in aller Welt können sie einmal beste Freundinnen gewesen sein? So verschieden, wie sie sind? Die eine jammert wegen des Regens wie ein verschrecktes altes Weib, die andere trägt den Kopf hoch und ist in Kopenhagen zu Hause wie in ihrer eigenen Küche. Das kann nicht nur Gewohnheit sein. Da muss es einen Unterschied geben! Wie zwischen einer Kuh und einer Katze!

Aber leider behält Elna recht damit, dass es regnen wird. Sie sind gerade bis zum Rathausplatz gekommen, als die schwarzen Wolken sich auftun zu einem gewaltigen Schauer.

»Dahin«, zeigt Vivi. »Da rein, die Treppe runter.«

Eine Kneipe, Rauchwolken, Geklapper von Gläsern und Flaschen, Holztische, Biergeruch. In diesem überfüllten Lokal übertrifft sich Vivi selbst, indem sie eine Tischecke und drei freie Stühle entdeckt. Sie haben es gerade geschafft, sich auf die niedrigen Stühle zu setzen, als schon eine Bedienung vor ihnen steht, ein Mann mit dickem Bauch und einer schmutzigen Schürze über dem Wanst.

»Bier und Schnaps«, sagt Vivi. »Coca-Cola für dich?«

Eivor nickt.

»Ich will kein Bier«, sagt Elna verschreckt. »Mitten am Tag?«

»Du bist in Kopenhagen«, antwortet Vivi. »Was spielt das für eine Rolle? Ich dachte, du hättest Urlaub?«

»Falls du es nicht austrinkst, kann ich das tun«, denkt Eivor.

»Wenn ich bloß begreifen könnte, warum du so beunruhigt aussiehst«, sagt Vivi, und Eivor merkt, dass sie irritiert ist.

So ist's recht, denkt Eivor hastig, gib's ihr, fahr über sie weg.

»Es regnet nie anhaltend in Kopenhagen«, fährt Vivi fort. »Nur so lange, dass man ein Bier und einen Schnaps trinken kann.«

»Ich bin nicht beunruhigt«, sagt Elna. »Wieso glaubst du das?«

»Ich sehe, was ich sehe.«

»Dann siehst du falsch.«

Zwei Flaschen Tuborg stehen jetzt auf dem Tisch, ebenso zwei bis zum Rand gefüllte Schnapsgläser. Eivor füllt ihr Glas mit Coca-Cola und stößt mit an, als Vivi ihr das Glas entgegenhält. »Skål!«

»Ich verstehe wirklich nicht, warum du meinst, ich wirke unruhig«, beginnt Elna erneut, und Eivor stöhnt leise. Mutter, Mutter …

»Das ist eben so«, sagt Vivi. »So war das immer mit mir. Das weißt du doch wohl noch? Ich denke, dass mir etwas auffällt an einem Menschen, und dann sage ich es. Ich erinnere mich, dass das eins der ersten Dinge war, die du mir gesagt hast, als wir uns getroffen haben in jenem Kriegssommer. Dass ich immer gleich zur Sache käme.«

»Habe ich das getan?«, fragt Elna.

»Du willst doch wohl nicht behaupten, dass du das vergessen hast?«

»Es ist so lange her …«

»Das glaube ich dir nicht. Und weißt du, warum?«

»Nein?«

»Weil du mir später in einem Brief geschrieben hast, das wäre etwas gewesen, was ich dich gelehrt hätte.«

»Was denn?«

»Immer gleich zur Sache zu kommen.«

Vivi runzelt die Stirn und betrachtet Elna nachdenklich. Kann es wirklich sein, dass sie das vergessen hat? Oder dass sie sich an ganz unterschiedliche Dinge erinnern aus diesem Kriegssommer, von dieser Fahrradtour? Will sie sich nicht erinnern? »Die Daisy Sisters hast du aber doch nicht vergessen?«

»Nein«, sagt Elna ausweichend.

»Willst du nicht darüber sprechen?«

»Das ist so lange her …«

Vivi schüttelt den Kopf und schaut Eivor fragend an. »Aber du hast doch wohl davon gehört? Dass wir uns Daisy Sisters nannten, als wir in Dalarna herumgeradelt sind.«

Daisy Sisters? Wovon sprechen sie? Eivor hat nie ein Wort darüber gehört.

»Ich habe nie etwas über diesen Sommer gehört«, sagt sie. »Das Einzige, was ich weiß, ist, dass mein Vater an irgendeiner Ecke mit dabei gewesen sein muss … Einer kleinen Ecke.«

»Eivor«, sagt Elna aufgebracht. »Was meinst du –«

Sie wird unterbrochen von Vivis lautem Gelächter. »Entschuldige«, sagt sie. »Aber das hört sich so komisch an … eine *kleine* Ecke.«

»Ich kann nicht verstehen, was daran so lustig ist«, sagt Elna.

Aber das hätte sie nicht tun sollen. Zu plötzlich, ohne Vorwarnung, wird Vivi wütend.

»Elna«, sagt sie. »Ich verstehe nicht, warum du mich besuchst, wenn du so sauer bist und über nichts reden willst. Du warst es doch wohl, die kommen wollte, wir zwei sind es doch, die sich kennen. Ich verstehe nicht, was dir nicht gefällt. Was auch immer ich sage, es ist nicht in Ordnung. Wenn du so weitermachen willst, denke ich, dass wir zurückfahren sollten, sobald es aufgehört hat zu regnen.«

Elna wird weiß im Gesicht. Sie starrt auf die Tischplatte, einen kurzen Augenblick glaubt Eivor, dass sie gleich in Tränen ausbrechen wird, aber sie sitzt nur da, unbeweglich.

Natürlich tut sie Eivor augenblicklich leid. Das ist immer so, wenn Mutter nicht antworten kann, auch wenn es ihr eigener Fehler ist, auch wenn sie wegen nichts schmollt. So ist es immer gewesen, und so wird es wohl auch immer bleiben. Schmollt Elna, dann sitzt Eivor da und bittet stumm um Entschuldigung dafür, dass sie nicht den Anstand hatte, ungeboren zu bleiben …

Die Tür zur Kneipe schlägt plötzlich auf. Der Schauer ist vorüber.

»Geh eine Weile raus«, sagt Vivi zu Eivor. »Wir bleiben noch hier. Und du findest zurück. Oder?«

Ja, natürlich tut sie das. Aber gerade jetzt hat sie keine Lust, hier wegzugehen. Nicht, wenn Mutter dasitzt und aussieht, als ob ihr jemand gesagt hätte, sie sei nichts wert.

Vivi wirkt jedoch sehr entschlossen, sie will offensichtlich allein mit ihr sein, also erhebt sich Eivor und geht raus auf die Straße.

Da draußen trifft sie auf einen Mann mit einem Affen auf der Schulter. Sie ist erschrocken, als er vorbeigeht und das verschrumpelte Altmännergesicht des Affen beinahe ihr Haar streift.

Vivi will also allein mit Elna sein. Sie ist wütend geworden, Elna schottet sich ab, und nun wird Vivi versuchen, das Ganze zu lösen. Aber worüber werden sie sprechen?

Eivor ist neugierig. Sie hätte so gern zugehört, und Elna wird ihr wohl niemals etwas darüber erzählen. Wenn Eivor zurückkommt, wird sie wieder wie immer sein, als ob absolut nichts geschehen wäre.

Eivor streift umher, sieht sich die Schaufenster an, die Menschen. Wenn sie in eine andere Kneipe ginge und sich volllaufen ließe? Einen Zehner hat sie in ihrem Portemonnaie, und sie sieht älter aus, als sie ist, wenn es denn in diesem Land für Alkohol eine Altersbegrenzung gibt. Wenn sie das täte und dann zurückkehrte auf schwankenden Beinen?

Oder wenn sie gar nicht zurückkäme? Wenn sie verschwände hier auf der Straße, ein Verschwinden, wie man es an dunklen Winterabenden besingt?

Dann könnte sie dasitzen mit ihrer Sorge und ihrer Schuld, und in dreißig Jahren würde sie zurückkommen und sagen, sie habe einen etwas längeren Spaziergang gemacht.

Der Gedanke ist natürlich sinnlos, aber das ändert nichts daran, dass er lockt und brennt. In die Welt hineinzuverschwinden. Ein Rätsel zu werden ...

Sie bleibt vor der Kellertür der Kneipe stehen. Soll sie runtergehen? War sie lange genug weg? Sie geht wieder Richtung Stöget, betrachtet die Auslagen in den Schaufenstern.

Als sie schließlich in die Kneipe zurückgeht, sagt Vivi: »Jetzt haben wir geredet, Elna und ich«, und Elna lächelt und nickt. Eivor bringt es nicht übers Herz zu fragen, worüber, Antwort bekommt sie ja sowieso nicht. Aber wenn Mutter jetzt nicht mehr schmollt, so kann sie froh sein.

Und dann streifen sie in Kopenhagen herum, jede mit ihren Geheimnissen. Elna, die ihr Schmollen aufgegeben hat, sehnt sich raus, will nicht schon alt sein in den Dreißigern.

Vivi, die zuhört und Ja sagt, sie hat recht, etwas geht *immer*. Mit Lust und Freude kann vieles erreicht werden. Das weiß sie wohl, sie, die das ganze Meer, das in ihr stürmte, zur Ruhe gebracht hat.

Und Eivor, die das Bild ihres Gesichts als Suchmeldung in der Zeitung sieht. Eine Verschwundene, die Sorge und Schuldgefühle hinterlässt ...

Vivi geht zwischen Mutter und Tochter und hat beide untergehakt. Es regnet nicht mehr, und sie schauen und kommentieren, fragen und antworten. Erst als der Sommerabend bereits hervorbricht, kehren sie mit der Fähre zurück, und kein einziges Mal fragt Elna, wie es den Männern wohl ergangen ist, die ganz alleine in Malmö zurückgeblieben sind.

Dieser Julitag war das Paradies für die Kneipen, denn in Ermangelung einer Alternative und in vollem Verständnis für Anders hat Erik gleich nach einer Kneipe gesucht, wo sie ihre Zeit über einer nie versiegenden Batterie von Flaschen vertrödeln konnten. Sie haben dagesessen und Unsinn geredet, sich das merkwürdige Skånisch angehört, Würstchen gegessen, getrunken und gepisst. Der Rausch ist schwach, kaum spürbar.

»ASEA«, sagt Erik, nach welchem Ordnungsprinzip sein Gehirn funktioniert, weiß Anders nicht. »ASEA ... diese verdammten Italiener saßen in Unterhosen da und haben Wein getrunken.«

»Jaa«, sagt Anders.

Was soll er sagen? In Schweden sitzt man nicht draußen vor seinem Zelt in *Unterhosen* und trinkt – schon gar nicht Wein.

»Zigeuner«, sagt Erik.

»Das ist vielleicht nicht ganz richtig«, murmelt Anders.

»Natürlich, zum Teufel, waren das Zigeuner«, sagt Erik wieder. Und da hat es keinen Zweck, etwas zu entgegnen.

Ein Glück, dass man nicht da arbeitet!

Gibt es wirklich nicht genügend Schweden, die da arbeiten können? ASEA baut doch, zum Teufel, elektrische Loks! Das ist doch ein angesehenes Unternehmen. Merkwürdig, sehr merkwürdig ...

Noch ein Pils. Es ist heiß in Malmö.

»Hei, wie das geht«, sagt Erik und hebt das Glas.

Diese Nacht schlafen sie in Vivis Wohnung, auf Matratzen und Feldbetten. Alle hatten einen inhaltsreichen Tag, obwohl eigentlich keiner meint, dass er etwas zu erzählen hätte.

Aber zwei von ihnen liegen fast die ganze Nacht wach. Anders, der von Vivi in ihr eigenes Zimmer und Bett dirigiert wurde, und Vivi selbst, auf einer Matratze auf dem Boden in der engen Küche. Sie liegen wach und lauschen den Vögeln, die in der Sommernacht singen.

Einen Tag später fahren sie heim, und obwohl sie es nicht eilig haben, fährt Erik ohne Aufenthalt bis nach Hallsberg. Es ist, als ob es eine Grenze dafür gibt, wie lange man es aushalten kann, freizuhaben, ohne ein schlechtes Gewissen zu bekommen.

Anders steigt mit eingeschlafenen Beinen aus dem Auto. Er sieht sein Haus an und denkt, dass er hier sterben wird. Aber er lässt sich nichts anmerken, nimmt nur seine Tasche und bedankt sich, dass er mitfahren durfte.

»Das war doch nicht der Rede wert«, sagen sie.

Die Katze sitzt auf der Treppe und wartet auf ihn. Stumm, unergründlich.

»Da wär man also wieder zu Hause«, sagt Erik, als alles ausgeladen und das Auto abgeschlossen ist und man sich einen Gutenachtkuss gegeben hat.

»Morgen schreiben wir an Jenny Anderssons Schneideratelier«, sagt Elna.

Und Eivor nickt. Einige Tage bevor die Ferien zu Ende sind, kommt ein Brief an Elna von Vivi. Als sie auf dem Sofa sitzt und liest, schielt Eivor darauf und sieht, dass der Brief endet mit »Viel Glück!«.

Wobei, denkt sie. Wobei?

Aber Elna faltet den Bogen nur zusammen, stopft ihn in den Umschlag und sagt, dass Vivi grüßen lässt.

»Wie hat sie dir gefallen?«, fragt sie.

»Ja ... Gut.«

»Sonst nichts?«

»Nein. Gut.«

»Es ist meine beste Freundin. Meine einzige.«

»Ja ...«

»Das ist sie wirklich.«

Montagmorgen. Eivor wacht in ihrem Schlafalkoven auf und hört Erik in der Küche rumoren. Es ist sechs Uhr, er muss wieder zum Bahnhof. Sie hört, wie er vor sich hin summt, als er mit der Kaffeekanne und dem Brotkasten klappert.

Kann man so froh darüber sein, wieder zur Arbeit zu gehen?, denkt sie. Wenn das so ist, will sie schon morgen bei Jenny Andersson anfangen.

Es ist September geworden, der Monat der Ebereschenbeeren. Es dämmert immer früher an den Abenden, mit dem Morgenfrost kommt die große weiße Stille immer näher. Und damit wächst Eivors Unruhe. Es wird immer schwerer, sich in seine zerbrechlichen Träume zu hüllen und die Wirklichkeit ausgesperrt zu halten. Es ist, als ob sie sich hineinschleicht durch die undichten Fenster und ihre kalten, unsichtbaren Finger auf sie legt. Tagsüber näht sie mit Elna, da konzentriert sie sich nur darauf, dass die Nähte gerade werden. Aber mit der Dämmerung kommt die Unruhe zurück.

Die Zeit schleppt sich dahin bis zum ersten Oktober, langsam wie ein um sein Leben bangender Soldat hinter der feindlichen Linie. Auf dem Küchenkalender über dem Herd streicht Eivor die Tage aus. Sie kann nichts anderes tun als warten. Aber ist es wirklich das, was sie will? Nähen lernen bei einer Schneiderin in Örebro? Sie weiß es nicht, und sie weiß auch nicht, wie sie das Problem im Kopf lösen soll.

Aber da ist noch etwas, was sie erschreckt, was nicht stimmt.

Die Krähen kommen in schwarzen Schwärmen und plündern die Eberesche, die als Schildwache zwischen dem Mietshaus und Anders' geducktem Holzhaus steht. Eivor drückt die Nase gegen die Scheibe. Alles ist grau, die Krähen picken, und Anders' schäbige Katze streicht um den Steinsockel des Holzhauses.

Sie schüttelt sich, zittert. Die innere Kälte. Erwachsen zu sein, ohne zu wissen, wie sie mit sich selbst umgehen soll. In ihren Träumen ist alles so einfach, sie steuert, wie sie will. Aber sobald sie die Augen aufschlägt, sind die schweren Wolken da.

Immer seltener flüchtet sie sich zu Anders. Aber sie sprechen über ihn beim Abendessen, dass er kräftiger zu saufen scheint, dass sie wohl etwas unternehmen müssten. Aber was? Er hat eine Unnahbarkeit, die nicht zu durchdringen ist.

Eivor sieht ihn manchmal wie einen grauweißen Schatten, wenn er sich in seiner Küche auf seinen schmerzenden Beinen bewegt.

Sieht ihn und kann plötzlich in Tränen ausbrechen. Aber nur, wenn sie allein ist, wenn Erik bei der Eisenbahn und Elna irgendwo unterwegs ist. Niemals sonst.

September, der erste Herbststurm. Anders sitzt in der Küche, ein zerrissenes Hemd um die Hand gewickelt. Er ist gefallen und hat sich an einer Konservendose geschnitten, die auf dem Boden gelegen hat. Plötzlich knickte einfach das

Bein weg, als er Kaffee kochen wollte. Es dauert lange, bis er aufsteht. Er hat die größte Lust, liegen zu bleiben, aber er weiß, dass er noch nicht so weit ist. Er würde sicherlich einschlafen, aber er würde auch wieder aufwachen. Und da steht er lieber auf, quält sich zurück zum Küchentisch und wickelt das Hemd um die blutige Hand. Der Sturm reißt an den Dachziegeln, es kracht und schlägt in den Holzwänden. Er sitzt im Dunkeln und fühlt den kalten Zug vom Fenster.

Als er die Hand auf seiner Schulter spürt, glaubt er, es sei der Tod, der da steht. So hat er ihn sich immer vorgestellt, wie eine Hand, die von hinten kommt, der letzte Polizist in seinem Leben.

Aber es ist Lasse Nyman, der zurückgekommen ist. Die Außentür war unverschlossen, der Sturm hat seine Schritte übertönt, und in der Dunkelheit hat Anders nichts gesehen mit seinen trüben Augen.

Es ist also nicht der Tod, sondern Lasse Nyman, und er setzt sich Anders gegenüber.

»Hast du Angst bekommen«, fragt er mit leiser Stimme.

»Nein«, antwortet Anders.

Lasse Nyman hat eine Papiertüte mit ein paar Bierflaschen bei sich. Anders schüttelt den Kopf, er hält sich an seinen roten Branntwein. Fragt, ob Lasse Nyman auch diesmal wieder hungrig sei. Nein, er will kein Essen, er hat seine Bierflaschen.

»Du lebst«, sagt Anders.

»Was, zum Teufel, hast du denn geglaubt?«

»Ich hab mich gefragt.«

»Es war die Hölle«, sagt Lasse Nyman. Aber er hat es geschafft, er ist nicht festgenommen worden, und das ist das Einzige, was zählt. Er hat draußen geschlafen, im Keller, im Hotel, wenn er Geld hatte. Aber Anders merkt, dass er noch verbitterter geworden ist, noch mehr von Hass und Verzweiflung erfüllt. Das Gesicht ist weiß und hart wie Gips, die schwarze Lederjacke schlottert über dem mageren Körper.

Er ist mit dem Auto gekommen, berichtet er. Einem Volkswagen, den er vor ein paar Tagen in Södertälje gestohlen hat.

»Vor einem Bauernhaus«, fügt er mit einem höhnischen Lachen hinzu. »Die liegen wohl auf den Knien und beten. Und so mies, wie das Auto ist, können sie es zurückhaben.«

Er hat es auf dem Parkplatz vor dem Bahnhof abgestellt und ist das letzte Stück zu Anders gelaufen.

»Wohin bist du unterwegs«, fragt Anders.

Er wundert sich darüber, dass der dünne Körper so viel Leid zu ertragen vermag.

»Die werden mich nie kriegen«, sagt Lasse Nyman. »Nie. Ich haue morgen wieder ab. Kann ich heute Nacht hier schlafen?«

»Das Bett steht, wo es immer steht.«

Lasse Nyman hat nichts weiter zu sagen. Er ist nur müde.

»Geh und leg dich schlafen«, sagt Anders. »Ich bleib hier sitzen.«

»Genau wie damals.«

»Genau wie damals.«

Am Morgen bittet Lasse Nyman Anders, Eivor zu holen.

Einen kurzen Augenblick ist Anders wieder auf der Hut. »Warum«, fragt er.

»Ich will sie nur begrüßen.«

Das klingt plötzlich so weich. Tja, er wird sehen, ob er sie abfangen kann auf dem Weg zurück vom Systembolaget. Mit seinen schmerzenden, kraftlosen Beinen muss er trotzdem raus und Schnaps einkaufen.

»Ich wäre gern selbst gegangen«, sagt Lasse Nyman. »Aber ich will mich nicht zeigen. Ich bin ein Nachttier.«

»Nur wegen Eivor?«

»Nur wegen ihr.«

Anders sieht sie am Küchenfenster. Er stellt sich vor die Eberesche und winkt ihr zu. Ein Schwarm Krähen erhebt sich. Sie winkt zurück, und es dauert eine Weile, bis sie versteht, dass sie auf den Hof hinunterkommen soll.

Er sieht in ihre Augen, die ihn an Miriams Augen erinnern.

»Was machst du?«, fragt Anders. »Bist du allein zu Hause?«

»Ja. Mama ist einkaufen.«

»Du hast Besuch.«

Sie versteht sofort, erstarrt und merkt, dass sie Herzklopfen bekommt. »Geh ruhig rein«, sagt er. »Er ist gestern Nacht gekommen.«

Als er dann mit seinen Flaschen zurückkommt, haben sie die Tür zur Kammer hinter sich geschlossen, wie er es erwartet hat. Aber jetzt ist er nicht irritiert. Im Gegenteil, zum ersten Mal seit langer Zeit empfindet er so etwas wie innere Wärme. Ein himmlisches Gefühl ...

Nach einigen Stunden kommen Eivor und Lasse aus der Kammer, Eivor geht nach Hause, Lasse Nyman setzt sich ihm gegenüber an den Küchentisch.

»Ich hau heute Nacht ab«, sagt er.

Anders nickt und fragt, ob er Geld braucht.

»Na klar. Ein paar Zehner für Benzin ...« Anders gibt ihm einen Fünfziger, alles wiederholt sich.

»Habt ihr euch nun begrüßt?«

»Haben wir.«

»Sie wird wohl in einigen Wochen in Örebro anfangen zu arbeiten.«

»Hat sie erzählt.«

Lasse Nyman brutzelt sich sein Mittagessen aus Eiern und Fleischwurst zusammen. Anders sieht seinen Kampf mit der Bratpfanne. Ein Auto kurzschließen kann er, ein Kartenspiel blitzschnell in zwei Stapel legen und mit den Daumen ineinanderfließen lassen, aber die Bratpfanne ist wie eine fauchende Katze in seinen Händen.

»Wie kommst du zurecht?«, fragt er und schaut Anders an, während er das Essen hineinschlingt.

»Wie du siehst.«

»Du säufst zu viel. Du solltest damit aufhören.«

»Warum das?«

Lasse Nyman zuckt mit den Schultern. Warum ... Das ist wohl nur so eine Redensart. »Isst du nichts?«

»Sehr wenig.«

»Du stirbst, wenn du nicht isst.«

»Ich sterbe wohl sowieso.«

»Äh ...«

Um Mitternacht macht sich Lasse Nyman auf den Weg. Es regnet und ist windig, er steht mitten in der Küche und zieht den Reißverschluss seiner Lederjacke zu. An den Füßen hat er braune Gummistiefel.

»Was hast du mit deinen Schuhen gemacht?«, fragt Anders, mehr um etwas zu sagen zum Abschied.

»Weiß nicht. Die sind verschwunden.«

»Viel Glück.«

Er nickt und geht, verschwindet in der Dunkelheit.

Anders sitzt wieder allein da. Die Hand, die nach dem Glas greift, ist der einzige Teil seines Körpers, der dann und wann in Bewegung ist. Dass das Herz weiterhin schlägt, ist unbegreiflich für ihn.

Vielleicht, weil man es nicht sieht?

Um neun Uhr am nächsten Morgen steht Elna in der Küche. Sie ist bleich, hat zerzaustes Haar. In der Hand hält sie ein zerknittertes Papier. »Eivor ist weggelaufen«, sagt sie mit zitternder Stimme. »Ich hab den Zettel hier gefunden.«

Sie liest, Anders hört, dass die Tränen nicht mehr weit sind.

Ihr braucht euch nicht zu beunruhigen. Ich komm schon klar. Aber wenn ihr nach mir sucht, komme ich nie mehr zurück. Nie. Eivor.

»Sie war gestern hier unten bei dir?«, fragt sie.

»Ja, das war sie. Lasse Nyman war zurückgekommen.«

»Herrgott ... Ist er es, mit dem sie verschwunden ist?«

Auf bemerkenswerte Weise gelingt es Anders, einen klaren Kopf zu behalten. Sie ist also weggelaufen, sie haben sich irgendwo draußen in der Dunkelheit getroffen, sind in dem gestohlenen Volkswagen aus Hallsberg verschwunden. Aber Elna kann unmöglich wissen, dass Lasse Nyman ein jugendlicher Straftäter ist.

Und er entschließt sich schnell, er zögert nicht. »Es war eine Überraschung«, sagt er. »Aber ... setz dich doch. Es muss ja nicht so gefährlich sein. Er ... er hat ein Auto. Sie sind bestimmt in ein paar Tagen zurück. Das ist nichts, worüber man sich Sorgen machen müsste.«

Aber natürlich hat er Angst. Wie soll er wissen, ob Lasse Nyman sie nicht in etwas hineinzieht, dessen Folgen sie nicht ahnt? Mit seiner Bitterkeit, seiner Verzweiflung.

»Wenn sie heute Abend nicht zurück ist, gehe ich zur Polizei«, sagt Elna, und die Angst leuchtet aus ihren Augen.

»Warte wenigstens bis morgen.«

»Sie ist doch erst fünfzehn!«

Er versucht wider besseres Wissen, sie zu überreden, noch nicht zur Polizei zu gehen. Aber wen will er damit schützen? Lasse Nyman? Und was tut er Eivor an, indem er zu verhindern sucht, dass nach ihr gesucht wird?

Lasse Nyman ist imstande, sonst was zu tun. Das hat er in der Nacht in seinem Gesicht gelesen.

Elna will, dass er von Lasse Nyman erzählt. Wer ist er? Ist er vertrauenswürdig? Wo wohnt er eigentlich? Er antwortet, so gut er kann, murmelt, versucht, Fragen unbeantwortet zu lassen. Aber die bleiche Frau, die vor ihm in der Küche steht, verwandelt sich in eine Tigerin, die ihr Kind verteidigt, ihr einziges Kind, ihre Tochter.

»Warte wenigstens bis morgen früh«, fleht er.

»Wenn sie bis heute Abend neun Uhr nicht zu Hause ist, geh ich zur Polizei«, sagt sie, und an ihrer Stimme erkennt er, dass es nutzlos ist, weiter auf sie einzureden.

Er hat Angst. Aber er vermag nicht, Elna zu sagen, wie es ist. Er ist zu feige, die Angst vor einem Streit sitzt zu tief in seiner Seele.

Sie geht.

Neun Uhr heute Abend.

Anders sitzt da und starrt auf den Tisch. Plötzlich fühlt er, dass etwas Schreckliches geschehen wird, vielleicht schon geschehen ist. Etwas, was man nicht verhindern kann. Mit zitternden Händen beginnt er ein verzweifeltes Besäufnis, aber die Angst weicht nicht.

Guter Gott ... Guter Gott im Himmel ...

Ja, guter Gott. Das denkt Eivor auch, aber mit dem Gefühl einer rauschhaften Befreiung, als sie da in der Nacht auf der Landstraße dahinjagen, Städte umfahren, durch stürmische und schwarze Wälder. Als Lasse Nyman sie bat mitzukommen, hat sie nicht lange überlegt. Das ist ja genau das, worauf sie gewartet, wovon sie geträumt hat. Als sie sich um Mitternacht aus der Haustür schleicht, ist sie so erfüllt von gespannter Erwartung, dass sie laut schreien könnte. Aber sie läuft auf leisen Sohlen durch den verlassenen Ort, und im Schatten hinter der Kirche steht der Volkswagen mit ausgeschalteten Scheinwerfern. Lasse Nyman öffnet ihr die Tür, und mit einem Blitzstart sind sie auf dem Weg. Die dunkle Landstraße stürzt ihnen aus der Nacht entgegen, schimmert im Scheinwerferlicht. Der Regen glitzert, wo die Straße asphaltiert ist, der Schotter spritzt, wo der Belag fehlt. Die Reifen sirren und kreischen in den Kurven. Lasse Nyman sitzt zusammengekauert über dem Lenkrad und starrt hinaus in den Regen. Er fährt schnell, sehr schnell, Ausbrecher haben es immer eilig. Keiner sagt etwas, nur hin und wieder bittet er sie, ihm eine Zigarette anzuzünden und zwischen die Lippen zu stecken.

Und warum nimmt sie sich nicht auch eine? Rauch, zum Teufel, rauch ...

Plötzlich bremst er, biegt auf einen Holzabfuhrweg ein und schaltet die Scheinwerfer aus. Sie sitzen in vollständiger Dunkelheit, sie spürt den Geruch seiner Haarcreme.

»Ich bin kein verdammter Autoverkäufer«, sagt er plötzlich heftig, als ob ihn jemand aus der Dunkelheit angegriffen hätte. »Du bist mit einem Ausbrecher unterwegs. Nur dass du es weißt. Wenn du willst, lass ich dich vor Töreboda raus. Wir sind bald da. Dann kannst du per Anhalter nach Hause. Ansonsten bist du bei allem dabei, was geschieht. Entscheide dich jetzt.«

»Ich will mit.«

Mit einem Zischen dreht er den Zündschlüssel, und schon sind sie wieder unterwegs. Jetzt hat er ein Ziel, jetzt wird er ihr zeigen, wie man sich benimmt, um in der Welt zurechtzukommen. Und sie soll nur mal sehen, was er alles draufhat.

In Skövde wird das Benzin knapp, die Anzeige ist unter dem Strich. Aber da ist es auch höchste Zeit, das Auto zu wechseln, es kann dem Opfer aus dem Bauernhaus zurückerstattet werden. Jetzt ist auch der richtige Zeitpunkt, um in der Nacht zuzuschlagen. Sich ein Auto zu schnappen ist zwar etwas, was sich am leichtesten am Tage machen lässt, unbeschwert mitten im Sonnenschein. In der Nacht sind alle Bewegungen verdächtig. Aber jetzt muss es so gehen, er kann sich nicht länger dazu herablassen, mit ihr in einem Volkswagen herumzufahren ... Sie steigen aus und machen sich auf den Weg ins Zentrum. Kommt ein Auto, zieht er Eivor schnell zur Seite. Er ist wachsam, und sie folgt ihm dicht auf den Fersen.

Bevor er die Autotür des Volkswagens zugeschlagen und den Schlüssel in die eine Außentasche seiner Lederjacke gesteckt hat (er sammelt Autoschlüssel, das sind seine Skalpe), hat sie gesehen, dass er etwas in seiner Lederjacke versteckt. Aber was? Sie fragt nicht, sie folgt ihm nur atemlos.

In einer dunklen Straße mit Wohnhäusern, die mit geschlossenen Fassaden aufragen, steht ein Ford Zephyr. So einen hat er schon mal kurzgeschlossen, es ist kein Erste-Klasse-Auto, aber doch ein ordentlicher Schritt aufwärts. Der Ford ist grün mit weißem Dach und steht genau zwischen zwei Straßenlaternen, dort, wo es am dunkelsten ist.

»Du bleibst hier stehen«, sagt er und schubst sie dicht an eine Hauswand. Von dort sieht sie ihn geduckt schräg über die Straße laufen, sich vor der Fahrertür auf die Knie niederlassen. Sie hört einen schwachen Laut von Metall, als er die Tür mit einem Dietrich öffnet. Schon ist er verschwunden, und plötzlich hört sie, wie das Auto widerwillig anspringt. Langsam rollt das Auto die Straße hinunter, während er durch die heruntergekurbelte Scheibe winkt. Und sie macht es genau wie er, geht schräg über die Straße und macht sich so klein wie möglich, springt neben ihn auf den Vordersitz, und dann sind sie wieder unterwegs. Ein Taxi fährt an ihnen vorbei, aber der Fahrer scheint nicht zu merken, dass etwas nicht in Ordnung ist.

Lasse Nyman fährt aus der Stadt, so schnell er kann, ohne die Geschwindigkeitsbegrenzung zu überschreiten. Aber als sie sich der Landstraße nähern, tritt er das Gaspedal durch. »Der verdammte Tank ist voll«, sagt er und lacht schrill. »Das reicht lange. Sieh nach, ob du etwas im Auto findest.«

»Was denn?«

»Was weiß ich. Sieh nach, das ist dein Job!«

Sie sucht im Handschuhfach und auf dem Rücksitz, aber alles, was sie entdeckt, sind eine Wolldecke und ein grauer Hut.

»Setz ihn auf«, sagt er. Und sie tut, was er sagt. Er ist groß und rutscht bis auf die Ohren.

Er lacht, und das Auto schlingert auf dem Weg. »Der passt ja verdammt gut. Verdammt gut …«

Und dann wieder Stille.

Eivor sieht verschiedene Ortsschilder. Axvall, Skara, Götene. Von Skara hat sie natürlich schon gehört, aber die übrigen Namen, die vorbeiblitzen, sind ihr unbekannt.

Sie sitzt da und sieht ihn verstohlen an. Er ist so klein hinter dem Lenkrad, und das Gesicht ist so weiß und starr. Hat er wirklich so ausgesehen, damals, als sie ihn kennenlernte? Ihre Erinnerung an ihn ist ganz anders. War das etwa auch nur ein Traumbild? Sie zündet ihm eine Zigarette an, und als er sie entgegennimmt, weicht er ihrem Blick aus. Wovor hat er Angst? Kriegt man wirklich so einen verzerrten Gesichtsausdruck, wenn man ein Auto stiehlt? Tja, vielleicht muss das so sein. Was weiß sie schon? Auf jeden Fall nichts über ihn … Und sie weiß auch nicht, wohin sie unterwegs sind. Er offensichtlich auch nicht, denn oft bremst er an einer Wegkreuzung, zögert und kurbelt dann am Lenkrad, als ob es eigentlich keine Rolle spiele, wohin er fährt.

Sie muss sich auf ihn verlassen, wer er auch ist, jetzt, wo sie den Absprung gewagt hat. Was auch immer geschieht …

Das Auto rast durch die Nacht. Erst als der Morgen graut, schwenkt Lasse Nyman von der Hauptstraße ab, und das Auto holpert auf einer Art Pfad dahin. Dann stellt er den Motor ab und starrt stumm durch die Windschutzscheibe. »Nimm dir die Decke«, sagt er nach einer Weile. »Wir schlafen ein paar Stunden. Leg dich auf die Rückbank.«

Ohne Einwände tut sie, was ihr befohlen wird, kriecht nach hinten und rollt sich in die Decke. Bevor sie sie über den Kopf zieht, sieht sie, wie er sich über das Lenkrad beugt. Das schwarze Haar ragt im Nacken über die Lederjacke …

Sie wird davon wach, dass sie friert. Wie lange hat sie geschlafen? Draußen ist heller Tag, es ist nicht mehr windig, es ist kalt. Sie sitzt ganz still und schaut hinaus in den Wald. Hohe Tannen, eine unbewegte Landschaft. Auf dem Vordersitz schnauft Lasse Nyman, die Stirn auf dem Lenkrad. Er murmelt im Schlaf, es klingt wie eine Mischung aus Schluchzern und Flüchen. Vorsichtig öffnet sie die Tür und geht hinter eine Tanne, um zu pinkeln. Sie schaudert vor Kälte. Als sie zum Auto zurückkommt und auf den Rücksitz kriecht, erwacht er mit einem Ruck. Er starrt sie an, als ob er nicht wüsste, wer sie ist. Dann schaut er auf seine Armbanduhr. Es ist halb neun.

»Wir müssen etwas essen«, sagt er. »Hast du Geld?«

Sie schüttelt den Kopf. Er gräbt in seinen Taschen und findet den Fünfziger, den er von Anders bekommen hat.

In Moholm hält er vor einem Laden, der schon geöffnet hat. Er gibt ihr den Fünfzigerschein. »Du gehst rein«, sagt er. »Kauf Brot und was zu trinken. Bezahl dafür. Aber das andere steckst du in die Tasche. Wir brauchen Geld für Benzin. Und vergiss die Zigaretten nicht.«

Was denn anderes? Was meint er? Dass sie für ihn stehlen soll, aber was denn? Er zischt, dass sie sich beeilen soll, er will hier nicht länger als nötig stehen.

Der Kaufmann ist freundlich. Er summt, während er das Butterpaket auspackt. Er fragt, was es denn sein darf. Einen Laib Brot, einen Liter Milch … Sie hat keine leere Flasche? Sonst noch was? Nein danke. Sie gibt ihm den Fünfziger und weiß absolut nicht, wie sie sich verhalten soll. Aber sie bekommt unerwartete Hilfe. Er hat noch kein Wechselgeld in die Kassenlade gelegt und verschwindet in einem Hinterzimmer. Mit klopfendem Herzen stopft sie ein Stück Fleischwurst in die Tasche, reckt sich über eine Glasvitrine und schnappt sich zwei Pakete John Silver. Ein Paket Florida fällt runter auf einen Stapel Bonbontüten, aber sie wagt nicht, es zurückzustellen, sondern legt nur eine Tüte darüber, und wenige Sekunden danach ist der Kaufmann zurück.

»Der muss was merken«, denkt sie. »Ich sterbe ... Ich schaff das hier nicht.« Aber der Kaufmann lächelt und gibt ihr vier Zehner, einen Fünfer und einige Münzen zurück.

»Es ist Herbst geworden«, sagt er.

»Ja«, murmelt Eivor und geht. Die Türglocke bimmelt, als die Tür hinter ihr zufällt.

Er freut sich, er grinst zufrieden, als sie die Zigaretten und das Stück Wurst auspackt und ihm das Wechselgeld zurückgibt. »Du siehst«, sagt er. »Es ist nicht schwer.«

Nicht? Sie hat immer noch Herzklopfen, das war das Schlimmste, was sie jemals gemacht hat. Sie möchte ihm das sagen, aber sie wagt es nicht. Sie merkt plötzlich, dass sie Angst vor Lasse Nyman hat, und jetzt ärgert sie sich auch, dass sie ihm überhaupt gefolgt ist. Aber wie soll sie wieder nach Hause kommen?

Sie sitzen im Auto außerhalb von Moholm, verdrücken das Essen und trinken die Milch aus. Sie bricht nur ein kleines Stück Brot für sich ab und trinkt von der Milch, aber Lasse Nyman ist hungrig. Er pellt die Wursthaut ab und stopft sich den Mund voll, als ob er seit vielen Tagen nichts gegessen hätte.

Als alles aufgegessen ist, wirft er die leere Flasche in den Straßengraben, zündet sich eine Zigarette an, und jetzt kommt der Augenblick der Wahrheit. »Wir brauchen Geld«, sagt er und bläst den Rauch durch die Nase aus. »Geld. Ohne das können wir gar nichts machen. Man kann, zum Teufel, noch nicht mal denken, wenn man kein Geld hat. Verstehst du?«

»Ja.«

»Nein, tust du nicht. Aber du wirst es lernen.«

Er trommelt nervös auf das Lenkrad, er denkt an die paar Kronen, die er in der Tasche hat. »Du solltest jemanden becircen können«, sagt er schließlich und sieht sie an.

»Was?«

»Wir suchen uns einen Bauernhof, wo ein einsamer Kerl wohnt. Und dann gehst du einfach rein und sagst, dass er deine Brüste ansehen kann. Und dir an die Möse fassen. Dann komm ich rein, und rückt er nicht mit seinem Geld raus, dann drohen wir ihm, zur Polizei zu gehen. Du kannst anfangen zu schreien und sagst, dass er versucht hat, dich zu vergewaltigen oder so was. Da wirst du schon sehen, dass er das rausrückt, was er hat. Verstehst du?«

Ja, und ob. Sie errötet, ist aber innerlich ganz kalt.

»Das mach ich nicht«, sagt sie mit zitternder Stimme. »Ich will nach Hause.«

Und dann fängt sie an zu weinen.

Er schlägt sie nicht fest, aber der Schlag kommt schnell, eine Ohrfeige aus dem Nichts. Eine Ohrfeige und noch eine. Und dann ist er über ihr, klemmt sie im Vordersitz fest, küsst sie, bricht die Lippen auf, während er gleichzeitig an ihrer Brust zerrt und zieht, er klemmt sie zwischen den Beinen fest. Sie kämpft gegen ihn an, so fest sie es vermag, aber er ist stark, die Angst macht ihn stark. Plötzlich geht die Tür auf, und sie fallen fast aus dem Auto. Schnell hält er sich am Lenkrad fest und zieht sich wieder hoch. »Rein mit dir«, schreit er. »Zum Teufel ... Da kommt einer.«

Und als es nicht schnell genug geht, beugt er sich über sie und reißt sie ins Auto, indem er sie an den Haaren zieht. Das tut so furchtbar weh, sie schreit und weint.

Und jetzt fängt er auch an zu schreien. »Wenn du nicht aufhörst, schlage ich dich tot«, brüllt er. »Hör jetzt auf ...«

»Schlag mich nicht mehr! Ich werde, ich werde ...«

Er startet das Auto und fährt, schnell, schnell. »Halt die Klappe«, zischt er. »Halt die Klappe.«

Sie drückt sich in ihre Ecke. Mama, denkt sie. Hilf mir ...

Lasse Nyman ist verzweifelt. Die lange Flucht, die ständige Unruhe, die an ihm nagt, hat seine Nerven strapaziert. In ihm ist eine überhitzte Einsamkeit, die plötzlich aufzuflammen droht. Immer öfter stellt er sich vor, eins von seinen Autos direkt gegen eine Bergwand zu steuern, um mit allem Schluss zu machen. Aber immer ist da noch etwas, was ihn abhält, etwas, von dem er nicht weiß, was es ist.

Aber wenn einer weint, macht ihn das vollkommen hysterisch. Das hält er nicht aus, das ist, als ob ihn jemand mit einer glühenden Zigarette brennt.

Er fährt weiter. An einer kleinen Gulf-Tankstelle füllt er den Tank voll, und dann biegt er wieder auf Nebenwege ab.

Sie sind irgendwo außerhalb von Mariestad.

»Es wird so gemacht, wie ich es gesagt habe«, sagt er. »Es ist das Beste, du gewöhnst dich daran.«

Sie antwortet nicht, wagt nicht, etwas dagegen zu sagen. Ein einziger Gedanke rührt sich in ihr, wie kann sie von ihm wegkommen? Wie kann sie wieder nach Hause kommen? Weg von diesem Kerl hier, der sie betrogen, ihr den größten Schmerz ihres Lebens bereitet hat?

Ein Hof außerhalb von Mariestad, einsam gelegen, nicht weit von Ullervad. Welche Überlegungen Lasse Nyman den Wagen verlangsamen und forschend das Bauernhaus betrachten lassen, weiß sie nicht. Es ist Nachmittag geworden, der 15. September 1956. Es sind viele Stunden vergangen, seit sie zum letzten Mal ein Wort gewechselt haben, die kleinen Wege zeichnen ein unendliches Labyrinth in ihr. Hier kann sie nicht fliehen, er würde sie sofort wieder einfangen.

Die Außentür des einsam gelegenen Hauses öffnet sich plötzlich, ein älterer Mann kommt raus und geht mit schleppendem Schritt zum Holzschuppen. Lasse Nyman und Eivor folgen seinen Bewegungen mit den Augen.

»Hätte er eine Alte, würde sie das Holz holen«, sagt Lasse Nyman mit leiser Stimme. Jetzt kann er nicht länger warten, jetzt muss etwas geschehen.

Er wendet sich an Eivor. »Du machst es so, wie ich es gesagt habe. Und falls da trotz allem eine Alte drin ist, so fragst du nur nach dem Weg nach Mariestad und gehst dann wieder raus. Hast du verstanden?«

Sie nickt. Ja, sie hat verstanden. Aber er kann doch nicht etwa sehen, was sie denkt? Dass sie da drin in dem dunklen Holzhaus um Hilfe bitten wird. Dass sie sich entschlossen hat zu fliehen.

Dämmriger Nachmittag. Lasse Nyman lenkt den Ford auf den Hof und wendet. Die gestohlenen Autos parkt er nie so, dass er erst zurücksetzen und wenden muss, um wegzukommen, wenn es eilig werden sollte. Er hat viel gelernt. Auch wenn es ihm immer noch nicht gelungen ist, die höchste Kunst des Ausbrechers zu erlernen, nämlich beim Schlafen nur ein Auge zu schließen, so weiß er doch so viel, dass man nie mit dem Rücken zur Tür sitzen darf, nie das Gesicht oder die Autoschnauze in der falschen Richtung haben darf.

Er nickt. Jetzt kann sie aussteigen.

Was soll sie sagen? Was soll sie tun, wenn sie im Haus steht? Die Finger auf die Lippen legen und dem Alten bedeuten, dass er ruhig sein soll?

Ist es nicht das, was sie immer in den Filmen machen? Ein Finger mit einem schön lackierten Nagel auf einem schön gemalten Mund?

Sie hat keinen Nagellack, und den Lippenstift hat Lasse Nymans hungriger Mund weggekratzt. Aber einen Finger hat sie ...

Sie klopft an die Tür und hört jemanden da drinnen undeutlich etwas murmeln. Hinter sich hat sie den schnurrenden Automotor, Lasse Nymans nervösen Fuß auf dem Gaspedal.

In der Küche sitzen zwei alte Männer an einem Esstisch. Das Wachstuch ist braun, und es riecht nach Marmelade und roten Rüben. Die Männer sind alt, weißhaarig, runzlig. Sie erkennt den Geruch.

Woher?

Ja, sie weiß. Es riecht wie in Anders' Küche.

Und hier soll sie also Pullover und Bluse ausziehen, den BH aufknöpfen und die Hose herunterziehen.

Er muss verrückt sein.

»Helft mir«, sagt sie. »Helft mir ...«

Es gibt nicht viel, was Eivor über die Welt weiß. Wie sollen zwei schwerhörige siebzigjährige Brüder verstehen, was sie meint? Und was sollen sie tun?

»Hä?«, sagt einer der beiden und steht auf. Er hat ein Loch in einer Socke, ein steifer großer Zeh schaut heraus.

Sie sieht sich in der Küche um. Gibt es kein Telefon? Aber wo sollte sie überhaupt anrufen?

Der, der aufgestanden ist, steht jetzt dicht vor ihr und blinzelt mit den Lidern. Sie wünschte, es wäre Anders. Aber er ist es nicht. Die einzigen Gemeinsamkeiten sind der bittere Altmännergeruch und die blinzelnden Lider.

»Ist was passiert?«, fragt der, der vor ihr steht. Der andere sitzt am Tisch mit erhobener Gabel.

Herrgott, wie soll sie diesen beiden Alten hier klarmachen, was geschehen wird? Wenn es doch bloß eine Frau hier gäbe, wenn Elna doch plötzlich aus der Wand träte.

Er wird ja bald kommen, viel zu schnell, und dann soll sie ausgezogen sein.

Eine Hintertür, was auch immer, bloß nicht mehr da sein, wenn er in die Küche kommt.

»Eine Hintertür«, sagt sie und beginnt zu weinen.

Hören die nicht, was sie sagt! Hintertür, HINTERTÜR ...

Jetzt steht auch der andere auf, der am Tisch gesessen hat, und im selben Augenblick stürzt Lasse Nyman in die Küche.

In der Hand hält er einen schwarzen Revolver. »Was zum Teufel treibst du?«, brüllt er.

Die zwei Männer stehen vollkommen still, zwei Statuen, die nichts verstehen. Lasse Nyman dreht sich herum zu dem, der an der Ecke des Esstischs steht und an dem braunen Wachstuch knibbelt, und stößt ihm den Revolver gegen die Brust. »Rück's Geld raus«, ruft er. »Schnell, schnell ...«

Der Mann fällt durch den Stoß mit dem Revolver rückwärts. Im Fallen greift er nach dem Wachstuch, und die Teller und Tassen fallen auf den Boden. Mit einem Knurren wendet sich da der andere Mann, vielleicht der Bruder, an Lasse Nyman und hebt die Hände, als Schutz und als Waffe.

Lasse Nyman ahnt die Bewegung in seinem Rücken, und er schießt im gleichen Moment, in dem er sich umdreht, einmal, zweimal. Das Knallen ist entsetzlich, der alte Mann wird zurückgeschleudert und fällt auf den Boden, wobei das Blut aus seiner Wange und seinem Hals spritzt.

Mit einer kraftlosen Hand versucht er, die Wunde am Hals zu bedecken, aber vergebens, das Blut stürzt aus dem alten Körper heraus, die Hand fällt auf den braunen Korkteppich, ein paar keuchende Atemstöße, und dann die große Stille. Aber da beginnt der andere, der, den Lasse Nyman zu Boden gestoßen hat, sich mit dem Oberkörper hin und her zu wiegen und jammernde Altmännerschreie auszustoßen. Mit den Händen vor dem Gesicht klagt er über seinen toten

Bruder. Nicht ein einziges Mal sieht er auf Lasse Nyman oder Eivor, nur der Tote auf dem Boden existiert für ihn. Kein einziger verschreckter oder verwunderter Blick kommt von ihm, da sind nur klagende Kehllaute wie von einem verwunschenen Waldvogel.

Eivor sieht den Mord, hört den Knall, den darauf folgenden Klagegesang. Noch lange danach trägt sie auch das Gefühl in sich, *gehört* zu haben, wie das Blut und das Leben aus dem Hals des alten Mannes rannen. Aber das ist viel später. In einer Art ohnmächtigem Schrecken tut sie das Einzige, was sie kann, sie rast aus der Küche, reißt die Außentür auf und fängt an zu laufen, weg von dem Haus. In ihrem Kopf fällt der alte Mann, eine sich ständig wiederholende Bewegung. Nie denkt sie, dass das nur ein böser Traum sein könnte, etwas, woraus sie früher oder später erwacht. Das, was geschehen ist, ist wirklich, genauso wirklich, wie dass sie den feuchten, lehmigen Weg entlangrennt. Es ist wirklich, aber unfassbar, das, wovor sie davonläuft, wird sie niemals begreifen.

Sie kommt nicht weit, bis er sie mit dem Auto einholt, und als er in dem bröckelnden Lehm bremst, schleudert der Wagen, sie wird von einem Kotflügel gestreift und fällt zu Boden.

»Rein«, schreit er, und sie steht auf, springt auf den Vordersitz, denn sie wagt nichts anderes. Zwischen ihnen liegt der Revolver. Das also war es, was er unter der Lederjacke trug.

Er fährt wie ein Verrückter. Er weiß, was er getan hat, aber nicht, warum. Doch, eigentlich weiß er das schon. Sich den Rücken freihalten. Wie konnte er wissen, dass da zwei Männer in der Küche waren? Und der, der vom Tisch aufstand, hatte doch die Hände zum Angriff erhoben. Alles, was von hinten kommt, muss so schnell und hart wie möglich getroffen werden, das ist eine elementare Überlebensregel. Er oder ich, immer er oder ich.

Sie kommen auf die Hauptstraße, er zwingt sich, mit der Geschwindigkeit herunterzugehen, fährt ruhig, obwohl sein ganzes Inneres nur nach Geschwindigkeit schreit, so schnell und so weit weg wie nur möglich zu fliehen, um sich unsichtbar zu machen.

»So was passiert«, schreit er Eivor verzweifelt an. »Du kapierst wohl, verdammt noch mal, dass so was passiert. Er hat selbst schuld. Er hätte nicht versuchen sollen, sich an mich ranzuschleichen. Kapierst du?«

Eivor antwortet nicht, die Angst macht sie stumm. Sie versucht, sich auf die Landstraße zu konzentrieren, auf die entgegenkommenden Autos, den Wald, die Häuser. An etwas ganz anderes zu denken, sich vorzustellen, dass sie in ihrem Schlafalkoven liegt mit ausgeschalteter Bettlampe und dass sie sich gerade in einen behaglichen Tagtraum über die Zukunft gekuschelt hat, der sie in ihren Schlaf hineinbegleiten wird. Aber das geht nicht, sie kann es nicht lassen, ihn anzusehen, wie er da mit seinem weißen Gesicht sitzt. Sie sieht auf seine Hände, die sich um das Lenkrad krallen, die schmutzigen, zerkratzten Knöchel ... Ja, er ist wirklich, wirklich ...

Plötzlich bremst er scharf und schwenkt an den Straßenrand ein. Mit zitternden Händen kramt er eine Zigarette hervor und zündet sie an. »Verdammt«, sagt er. »Wir müssen zurück.«

Zurück? Dahin? Nein, niemals. Da kann er sie genauso gut hier im Straßengraben erschießen. Niemals wird sie umkehren.

Sie ist den Tränen ganz nahe, aber sie beißt sich auf die Lippen, sie wagt es nicht, wahrscheinlich schlägt er sie dann wieder. Bloß still sein, das ist ihre einzige Chance.

»Der andere«, sagt er. »Er hat uns gesehen.«

Natürlich versteht sie, was er meint. Der Mann, der auf

dem Boden gesessen und gejammert hat, ist ein Zeuge. Und von Zeugen weiß sie, dass sie zum Schweigen gebracht werden müssen, das hat sie schon oft in den Kriminalgeschichten der Wochenzeitschriften gelesen, in den Samstagsfeuilletons im Radio gehört, ein paarmal auch im Kino gesehen. Für Lasse Nyman hat der Gedanke andere Wurzeln, eine verzweifelte Selbstverteidigung. Und außerdem trägt er eine aufsteigende Wut und einen zunehmenden Hass in sich darüber, dass der Mann auf dem Boden saß und jammerte. Wenn jemand einen Grund zum Schreien in dieser Welt hat, so ist er das, Lasse Nyman. Aber er darf nicht schreien, dann geht er unter. Und das wird er nicht, niemals. Die armen Teufel, die zufällig seinen Weg kreuzen, sind selbst daran schuld, so einfach ist das.

Er wendet das Auto.

»Nein«, schreit Eivor.

Er wirft ihr einen schnellen Blick zu.

Er grinst.

Da ist sie still.

Aber als sie zurückkommen, ist der Hof verlassen. Lasse Nyman, der in die Küche gerannt ist, findet sie leer vor. Auf dem Boden liegt nur der Tote mit einer Decke über sich. Er kommt also zu spät. Aber wo ist der Alte? Hat er sich versteckt? Er reißt die Tür zur Kammer auf, tritt eine Schranktür auf, sucht in einer nach Marmelade duftenden Speisekammer, aber das Haus ist leer. Und genauso der Viehstall, ein paar Kühe drehen träge den Kopf, als er mit dem Revolver in der Hand hereingerast kommt.

Draußen auf dem Hofplatz versucht er den Alten zu entdecken, versucht zu verstehen, wohin er gegangen sein könnte. Aber das ist zwecklos, der Wald steht drohend da, das Feld ist leer.

Sieht er in dem Moment ein, dass alles zu spät ist? Nein,

der Gedanke regt sich nur kurz in seinem Kopf wie eine verschreckte Ratte, aber dann ist er wieder bereit. Nichts kann ihn aufhalten.

Er kehrt ins Haus zurück, reißt die Schubladen eines Schreibtischs auf und hat zum ersten Mal seit sehr langer Zeit etwas, was man Glück nennen könnte. Unter Skisocken entdeckt er eine kleine Blechdose, die zweihundert Kronen in Scheinen enthält. Er stopft sich das Geld in die Tasche, wirft die Blechdose auf den Boden, reißt ein Stück Käse und einen halben Laib Brot vom Küchentisch, bevor er das Haus verlässt.

Er wird immer hungrig, wenn er Angst hat. Dann kann er essen wie verrückt, was auch immer, stundenlang.

Als er aus dem Haus kommt, hört er, dass sich ein Auto nähert. Aber ohne Sirenen, ohne Eile.

Eivor ist im Auto geblieben und hat sich die Ohren zugehalten. Aber es ertönt kein Schuss, und als sie hört, wie sich seine Schritte nähern, beginnt sie zu hoffen, dass er seine Meinung geändert hat und nicht mehr schießen wird.

Sie bekommt eine Antwort, als er sich hinters Steuer setzt, mit dem Mund voller Käse:

»Er ist abgehauen«, murmelt er. »Und da ist ein Auto auf der Straße.«

Die Straße endet auf dem Hof, sie haben keine andere Möglichkeit zu entkommen, als auf demselben Weg zurückzufahren. In einer Biegung treffen sie auf ein Auto mit einem Mann hinter dem Steuer. Im Moment der Begegnung bückt sich Lasse Nyman über das Lenkrad, und ohne dass sie weiß, warum, tut Eivor das Gleiche.

Die Flucht. In Lyrestad tankt Lasse Nyman, und dann nimmt er die Fahrt wieder auf. Jetzt gibt es nur noch einen Platz auf der Welt, wohin er zurückkehren kann, und das ist Stockholm.

Aber das sagt er Eivor nicht. Er lässt sie in Ruhe, lässt sie sich in ihre Ecke verkriechen. Er ist froh, dass sie bei ihm ist. Es ist schwer, ein Leben wie das seine zu führen, eigentlich fast immer allein.

Es wird Abend, sie haben Örebro und Arborga passiert, und Eivor kennt sich plötzlich wieder aus, von der Sommerreise her. Kurz vor Köping hat die Polizei eine Straßensperre aufgestellt. Obwohl sie so platziert ist, dass man sie erst nach einer scharfen Kurve erblickt, weiß Lasse Nyman Bescheid. Er hat darauf gewartet, verwundert darüber, dass sie nicht früher aufgetaucht ist. Aber als er jetzt die schwarzen Polizeiwagen sieht, die auf beiden Seiten der Straße stehen und die Fahrbahn blockieren, ist er für wenige Sekunden ratlos. Aber nicht länger; schon schreit er Eivor an, sich festzuhalten, tritt das Gas durch und saust durch die Sperre, dass die Böcke und Schilder nach allen Seiten hin umfallen.

Nagelmatten, denkt er. Wenn sie Nagelmatten ausgelegt haben, ist es aus. Dann muss ich mich freischießen.

Während einiger Sekunden lähmender Angst wartet er darauf, dass die Vorderräder platzen, es unmöglich wird, das Auto zu steuern. Aber nichts geschieht, und im Rückspiegel ist die Straßensperre schon verschwunden.

»Es kommen noch mehr«, sagt er aufgeregt. »Aber wir werden das schon schaffen. Hast du dir wehgetan?«

Nein, sie hat sich nicht wehgetan. Es ist ihr nichts geschehen. Sie hat nur die Augen geschlossen, die Stöße gehört, und dann hat sie die Augen wieder geöffnet. Es ist, als ob sie ruhiger würde, wenn das Auto in Bewegung ist. Dann denkt sie nicht, der Kopf ist ganz leer.

Wieder nimmt Lasse Nyman seine Zuflucht zu kleinen Waldwegen. Er weiß schon, wie er diese Teufel zum Narren halten kann. Sollen sie doch ihre Straßensperren errichten, sollen sie landesweit Alarm schlagen, er ist nicht hinter einer

Tanne geboren. Natürlich glauben sie, dass er auf dem Weg nach Stockholm ist, und damit haben sie ja auch recht. Aber wenn sie sich einbilden, dass er ihnen direkt in die Arme fährt, dann irren sie sich. Er weiß, wie er sich verhalten muss. Sein Namensvetter in der Anstalt von Mariefred, Lasse Bråttom, hat ihm viele Stunden gewidmet, um ihm beizubringen, wie man entkommt. Sperren werden nur auf den Hauptstraßen errichtet, und es gibt keine Stadt in Schweden, die diesen Namen verdient, die nicht auch eine Anzahl kleiner Straßen hat, die in die gleiche Richtung führen. Lasse Nyman hat diese Lektion gelernt, und jetzt kann er sein Wissen anwenden. Der erste Punkt auf seiner Tagesordnung ist der, sich ein neues Auto zu beschaffen. Dieses Fahrzeug hat nun ausgedient, Farbe und Kennzeichen sind der Polizei bekannt.

In Lindesberg hält er und befiehlt Eivor, das Auto zu verlassen. Den Revolver stopft er in den Hosengürtel. Jetzt trachtet er nicht länger danach, sich an Hauswänden entlangzudrücken, jetzt gilt es, sich so natürlich wie möglich auf den Straßen zu bewegen. Dass es noch relativ früh ist, dass die Leute noch nicht zu Hause sind und schlafen, ist nicht zu ändern. Das erstbeste Auto, und dann nichts wie weg.

»Verstehst du?« Er erklärt ihr hastig seine Pläne.

Sie denkt nur daran, wegzurennen, wie verrückt zu schreien, aber es ist, als ob der Revolver in ihrer Nähe sie hindert. Würde er sie wirklich niederschießen, mitten auf der Straße, auf diesem Platz, dessen Namen sie nicht kennt? Aber warum eigentlich nicht? Hat er nicht, ohne zu zögern, abgedrückt, gegen einen alten Mann, der ihm niemals Schaden hätte zufügen können? Sie folgt ihm, in stummem Gehorsam.

Im Volkshaus findet irgendein Treffen statt. Die Fenster zur Straße sind erleuchtet, Männerköpfe erscheinen hinter den Scheiben. Und da stehen mehrere geparkte Autos vor dem Haus, außerdem ein paar auf der Rückseite, im Schatten des Hauses. Lasse Nyman steuert mit festem Schritt auf die Autos dort zu. Er tastet die Autotüren ab, und der dritte Türgriff, den er anfasst, gibt nach. Dass es ein Saab ist, hilft nichts, jetzt muss er nehmen, was er kriegen kann. Als ein Bus draußen auf der Straße vorbeifährt, startet er das Auto mit einem Reserveschlüssel, den der Eigentümer freundlicherweise im Handschuhfach zurückgelassen hat. Eivor kriecht neben ihn auf den Vordersitz, Lasse Nyman zieht eine Grimasse, als er sieht, dass der Benzinstand weniger als eine halbe Tankfüllung anzeigt, fluchend legt er den Gang ein, und sie sind wieder unterwegs. In die Nacht hinein, in die zunehmende Dunkelheit. Ein weiter Umweg, er wird sich der Hauptstadt von Norden nähern. Über Lindesberg, Gisslarbo, Surahammar, kleine Straßen nördlich von Uppsala, Richtung Roslagen raus, und dann runter nach Stockholm. Da dürfen sie lange warten mit ihren verdammten Sperren. Denn sie können sich bestimmt nicht denken, dass ein Autofahrer auf dem Weg von Mariestad aus Richtung Åskerberga nach Stockholm kommt.

Mitternacht, irgendwo bei Fjärdhundra. Er fährt das Auto auf einen Holzweg und schaltet das Licht aus. Jetzt kann er nicht mehr, jetzt muss er sich ausruhen. Die Straßenführung ist ihm immer öfter vor den Augen verschwommen, immer öfter ist er auf die falsche Seite geschlingert. Hier gibt es keinen, der sie entdeckt. Außerdem haben sie es nicht eilig, nach Stockholm zu kommen. Je länger es dauert, desto wahrscheinlicher ist es, dass die Straßensperren wieder eingezogen werden.

Sie sitzen im Dunkeln. Lasse Nyman raucht. »Jetzt wirst du auch gesucht«, sagt er. »Wie fühlt sich das an? Willkommen im Klub.«

Hätte sie es gekonnt und gewagt, so hätte sie ihn geschlagen. Sie will nicht gesucht werden, sie will nichts von dem, was geschehen ist.

Sie wollte ihm nur in die große Welt folgen, um endlich zu wissen, wie die aussieht. Aber er hat sie getäuscht, so kann sie nicht aussehen. Das ist schlimmer als alles, wovor der Pastor im Konfirmationsunterricht sie jemals gewarnt hat, als er von den verschiedenen Pfaden und Gesichtern der Sünde sprach.

Das hier ist so vollständig falsch. So vollständig sinnlos.

»Er hätte mich nicht von hinten anspringen sollen«, sagt Lasse Nyman wieder und wieder.

Eivor traut ihren Ohren nicht. Glaubt er wirklich selbst an das, was er da sagt? Wie sieht es eigentlich da drin in seinem Kopf aus?

Er hat doch einen Mord begangen!

Plötzlich fühlt sie, wie eine seiner Hände an ihrem Bein entlangtastet. Sie zuckt zurück, wird ganz steif. Es ist wie eine kalte Schlange, die angekrochen kommt, über den Schenkel, den Bauch, zwischen die Brüste und hoch zum Hals. Will er sie erwürgen?

Er drückt mit seinen Fingerspitzen seitlich gegen ihren Hals. »Hier«, sagt er. »Hier.«

»Nein«, flüstert sie. »Nein …«

»Ich tue dir nichts«, murmelt er im Dunkeln. »Wovor, zum Teufel, hast du Angst? Sind wir nicht zusammen?«

Zusammen? Sie? Was meint er bloß? Denkt er, dass sie miteinander gehen? Weil sie ihm gefolgt ist?

Ja, das ist genau das, was er empfindet. Und hier in der Nacht bekommt er eine unbändige Lust, es bestätigt zu bekommen, wegzugleiten in eine andere Welt.

Er will, dass sie sich auf die Rückbank legen, und sie wagt nicht, ihm zu widersprechen, jetzt geht es nicht länger darum, ob sie einen eigenen Willen hat. Das, was auf der Rückbank geschieht in dem gestohlenen Saab, wird sie niemals vergessen und auch niemals verzeihen. In diesem Augenblick spürt sie, dass sie vom Leben selbst im Stich gelassen wird. Nicht nur von Lasse Nyman, sondern auch von ihren Träumen. Niemand hat sie darauf vorbereitet, dass dies passieren könnte, niemand hat ihr etwas gesagt, nirgends hat sie etwas darüber gelesen, nie so etwas im Film gesehen.

Sie wehrt sich, aber nicht mit aller Kraft. Die Angst um ihr Leben hält sie zurück. Sie fleht ihn an, sie bettelt, sie doch in Frieden zu lassen, aber seine hilflose Wut macht ihn taub. In einer grotesken verdrehten Bewegung, während die schwarze Lederjacke gegen ihr Gesicht schabt, drängt er sich in sie hinein und hat sofort einen Erguss, eine krampfhafte Zuckung, die mehr von Schmerzen als von Genuss erfüllt ist. Für sie ist es eine brennende Qual, sowohl im Unterleib als auch im Herzen. Zuerst sieht sie, wie er einen hilflosen alten Menschen ermordet, dann vergewaltigt er sie auf dem Rücksitz eines gestohlenen Autos. So sieht ihre Begegnung mit dem Leben aus.

Als alles vorbei ist, merkt sie plötzlich, dass sie nicht allein weint, auch unter der kalten Lederjacke dringen Schluchzer hervor. Aber Lasse Nyman weint unter Protest, er bekämpft seine Tränen, wie er alles bekämpft, was ihn anzugreifen versucht. Er krallt sich in ihren Rücken, und als sie vor Schmerzen schreit, hört auch sein klagendes, wütendes Weinen auf. Er kriecht zurück auf den Vordersitz und zündet sich eine Zigarette an.

Das Auto füllt sich mit Rauch. Sie hört, wie er mit seinen kaputten Zähnen knirscht. Wie viel Zeit vergeht, weiß sie nicht, aber plötzlich merkt sie, dass sie keine Angst mehr vor ihm hat. Es ist, als ob er ihr nicht länger irgendeinen Schaden zufügen könnte. Was sollte noch geschehen, was schlimmer wäre?

»Warum hast du das gemacht?«, fragt sie schließlich, und ihre Stimme zittert nicht, als sie das lange Schweigen bricht.

Es dauert lange, ehe er antwortet.

»Was?«, sagt er.

»Warum hast du ihn erschossen? Warum hast du mich nicht in Ruhe gelassen?«

Was zum Teufel soll er auf Fragen antworten, auf die es keine Antwort gibt? Doch, es gibt eine, eine einzige. Er startet das Auto und setzt die trostlose Flucht fort. Sie bleibt auf dem Rücksitz liegen, wünscht nur, dass sie schlafen könnte, und der rüttelnde Wagen wiegt sie auch bald zur Ruhe.

Sie erwacht davon, dass das Auto steht und dass alles still ist.

Lasse Nyman sitzt auf dem Vordersitz mit dem Revolver in der Hand. Er hat sich die Mündung in den Mund gesteckt. Er sitzt unbeweglich mit geschlossenen Augen, die Zähne schlagen auf den Revolverlauf.

Sie weiß nicht, wie lange es dauert, bevor er den Revolver da wegnimmt und neben sich auf den Sitz legt. Sie weiß nur, dass er nicht abdrücken, sich nicht selbst töten darf.

Ohne sich umzusehen, startet er wieder. Nach einer Weile setzt sie sich auf und tut so, als wäre sie gerade erst wach geworden. Er sieht sie im Rückspiegel mit leeren Augen an. Es dämmert. Die Straße ist grauweiß vom Morgenfrost.

Nordöstlich von Uppsala, auf der Straße nach Östhammar, treffen sie auf die nächste Straßensperre. Auch hier fährt er, ohne zu zögern, gegen die Böcke, aber nur ein paar Hundert Meter weiter sind zwei Nagelmatten auf der Straße ausgebreitet. An einer kommt er vorbei, aber dann platzt der linke Vorderreifen. Verzweifelt versucht er, die Geschwindigkeit zu halten, während er gleichzeitig das Lenkrad herumreißt, um das Auto zurück auf die Straße zu zwingen. Nach ein paar Hundert Metern geht es nicht mehr. Er reißt den Revolver an sich und öffnet die Wagentür, um in die Wälder zu entkommen. Jetzt hat Lasse Nymans Stunde geschlagen. Von drei Seiten rasen Polizeiwagen heran, halten mit quietschenden Bremsen, und bevor er die Pistole auch nur hochreißen kann, wird er von Polizisten zu Boden geschlagen. Ein Schäferhund steht jaulend direkt vor ihm. Am frühen Morgen ist alles vorüber. Das Letzte, was Eivor von ihm sieht, ist, wie er seine Lederjacke über den Kopf zieht und in eins der Polizeiautos gestoßen wird. Er ist stumm, er leistet keinen Widerstand. Das weiße Gesicht abgewendet, gegen die Brust gedrückt.

Und dann ist er fort.

In einem anderen Polizeiwagen wird Eivor weggefahren. Sie sitzt auf dem Rücksitz, rechts und links von ihr sitzen Polizisten. Keiner von ihnen kümmert sich darum, dass sie weint.

In einer Stadt mit einem roten Schloss auf einem Hügel wird sie verhört, und sie antwortet, so gut sie kann, auf die Fragen, die ihr gestellt werden. Sie bekommt Essen und Kaffee, und nur manchmal beginnt sie zu weinen. »Ich will nach Hause«, schluchzt sie, »nach Hause nach Hallsberg.«

»Bald«, bekommt sie zur Antwort. »Bald.«

Und schon am Abend wird sie zu einem wartenden Polizeiwagen geführt, der sie nach Hause fahren soll. Lasse Nyman hat im Verhör beteuert, dass sie nichts mit der ganzen Sache zu tun habe. Er allein ist verantwortlich. Für die Polizisten gibt es keinen Grund, das zu bezweifeln, der überlebende alte Mann hat keine andere Beschreibung des Tathergangs gegeben. Da ist nur eine Frage, auf die sie keine ehrliche Antwort gibt. Als der sie verhörende Polizist wissen will, warum sie allein ins Haus gegangen ist, sagt sie nicht, was Lasse Nyman ihr zu tun aufgetragen hatte, sie zuckt nur die Achseln.

»Damit er überraschender eindringen konnte?«, versucht es der Polizist, und sie nickt. Ja, so war das. Er fährt fort, Aufzeichnungen auf das gelbe linierte Papier zu machen, das vor ihm auf dem Holztisch liegt, und stellt seine nächste Frage. Sie antwortet so ausführlich wie möglich, aber als er sie bittet, den genauen Todesmoment zu schildern, beginnt sie zu weinen.

Schließlich hat sie alles gesagt, was es zu sagen gibt. Es ist, als ob sie über einen ganz anderen Menschen als sich selbst gesprochen hätte. Sie versteht nicht, dass sie es ist, um die es sich handelt.

Im Polizeiwagen schläft sie, und erst hinter Örebro wird sie geweckt, weil sie nun bald da sind. Außer dem Mann hinter dem Steuer ist noch ein Polizist mitgekommen. Er fragt, ob er ihr einen Kamm leihen soll und ob sie sich zurechtmachen möchte, aber sie schüttelt nur den Kopf.

»Ich komme mit dir rein«, sagt er. »Du musst dir keine Sorgen machen. Es ist jetzt vorbei.«

»Wissen sie Bescheid?«, fragt sie.

»Seit gestern wurde nach dir gefahndet«, antwortet er. »Bevor wir wussten, was da draußen vor Mariestad geschehen ist. Ja, sie wissen, dass du heute Abend nach Hause kommst. Hast du Angst?«

»Nein.«

»Es ist jetzt vorbei.«

Erik ist nicht zu Hause. Elna hat ihn gebeten wegzubleiben, und er hat das Auto genommen und fährt durch die Straßen. Sie steht am Fenster und sieht das Polizeiauto kommen.

Als Eivor in der Tür steht, bleich und müde, beginnt Elna zu weinen, zieht ihre Tochter an sich, und der mitfühlende Polizist schiebt sie ins Zimmer und schließt die Tür.

Als die Erleichterung darüber, dass Eivor unverletzt zurückgekommen ist, Elnas Tränen in Freudentränen verwandelt hat, bietet sie dem Polizisten eine Tasse Kaffee an. Er lehnt dankend ab, er muss zurück nach Uppsala, das ist ein langer Weg.

»Kümmern sie sich jetzt um das Mädchen«, sagt er nur freundlich.

Elna missversteht ihn. »Ich habe nie etwas anderes in meinem Leben getan«, sagt sie.

»Das ist gut«, bekommt sie zur Antwort. »Es ist noch kein Schaden entstanden. Adieu.«

Als er gegangen ist und sie hören, wie das Auto auf der Straße verschwindet, setzt sich Elna dicht neben Eivor aufs Sofa und nimmt sie in den Arm. »Möchtest du etwas haben?«, fragt sie. Eivor schüttelt den Kopf. Nein, sie will nichts haben, sie will nur schlafen. »Wo ist Erik«, fragt sie.

»Er kommt bald. Möchtest du bestimmt nichts?«

»Nein, bestimmt nicht. Und frage mich auch nach nichts. Nicht jetzt. Später. Morgen.«

»Ich werde nichts sagen.«

Als es an der Tür schellt, erschrecken beide. Eivor fragt sich einen Augenblick lang, ob der Polizist seine Meinung geändert hat und sie doch wieder abholen will.

Aber es ist nur der alte Anders, der mit blutunterlaufenen Augen in der Tür steht. »Ich konnte es nicht lassen«, sagt er. »Ich wollte bloß hören, ob alles in Ordnung ist.«

Er schwankt, als er da steht, er hat bis zur Besinnungslosigkeit gesoffen, seit Eivor verschwunden ist. Erik, vor Schreck wie gelähmt, hat ihm erzählt, was passiert ist, da ist er zum Tabakgeschäft gestolpert, um eine Zeitung zu kaufen, und seither plagen ihn starke Schuldgefühle. War er es nicht, der diesen Verrückten in sein Haus gelassen hat, statt ihn ins Gefängnis zurückzuschicken? Davon kommt er nicht los, und was noch schlimmer ist, er hat ja die ganze Zeit über geahnt, dass etwas Furchtbares geschehen würde. Er hat an seinem Küchentisch gesessen und sich Vorwürfe gemacht, dass er nicht einmal auf seine alten Tage gelernt hat, eine Situation in der richtigen Weise zu beurteilen. Warum muss er so verdammt nett sein? Die Welt belohnt ja doch Freundlichkeit nur mit Bosheit.

Als er in den TT-Nachrichten hört, dass Lasse Nyman festgenommen wurde, nachdem er eine Straßensperre nördlich von Uppsala durchbrochen hatte, empfindet er dennoch keine Erleichterung. Da ist es, als würden alle seine aufgewühlten Gefühle eine Kehrtwendung machen. Er empfindet eine schwere und verzehrende Traurigkeit, und er bedauert Lasse Nymans verlorenes Leben. Was hat dieser arme Teufel eigentlich für Möglichkeiten gehabt? Überhaupt keine, er hatte den Kopf unter dem Beil, seit er geboren wurde, und diese Zeit, in der alle glauben, es könne nur besser werden, muss für ihn wie ein Hohngelächter gewesen sein.

Als er in der dunklen Küche sitzt und Eivor im Polizeiwagen kommen sieht, kann er es nicht lassen, herüberzutorkeln und zu fragen, wie es ihr geht. Er will ihr Gesicht sehen, darin wird er lesen können, wie dieser Tag ihr zugesetzt hat.

»Es geht ihr gut«, sagt Elna. »Es geht ihr gut.«

Er nickt und will eigentlich zu ihr hineingehen, sieht aber ein, dass Elna allein mit ihr sein will. Natürlich, er versteht und geht. Vielleicht ist es trotz allem doch nicht so schlimm um sie bestellt?

»Das werde ich in jedem Fall noch herausfinden, bevor ich sterbe«, denkt er, während er sich zurück in sein einsames Haus schleppt. Es ist eine klare Nacht, die Sterne scheinen zu leben mit ihrem glitzernden Licht. Er sieht nach oben, aber nach einem kurzen Augenblick wird ihm schwindlig, und jetzt will er diese Extrabürde nicht auch noch tragen. »Du armer Teufel«, sagt er laut zu sich selbst und zu Lasse Nymans unsichtbarem Schatten.

Als Erik nach Hause kommt, ist Eivor eingeschlafen. In der Küche sagt Elna mit leiser Stimme, dass das Mädchen seine Ruhe braucht.

Erik nickt stumm. Gewiss versteht er das. »Wie geht es ihr?«

»Ich weiß nicht. Müde. Und elend.«

»Hat sie was gesagt?«

»Was meinst du?«

»Ja ...«

»Wir lassen sie jetzt in Frieden, hab ich doch gesagt.«

»Ja, ja ...«

»Wo bist du gewesen?«

»Nirgendwo. Bin bloß rumgefahren. Nirgendwo.«

In der Nacht, als Erik schläft, steht Elna auf und geht hinaus in das dunkle Zimmer; sie setzt sich vorsichtig auf Eivors Bettkante. Das Mädchen hat die Decke über den Kopf gezogen, nur das dunkle Haar ist auf dem Kopfkissen zu sehen. Aber ihre Atemzüge sind ruhig.

Elna sitzt da, bis es hell wird.

Zur gleichen Zeit, während es auch in Uppsala dämmert, macht Lasse Nyman einen Satz und rammt seinen Kopf gegen die Zellenwand. Als der Wächter angerannt kommt, liegt er bewusstlos auf dem Boden. Aber es ist ihm nicht vergönnt zu sterben. Seine Uhr ist noch nicht abgelaufen. Der Riss im Schlüsselbein wird rechtzeitig zum Gerichtstermin heilen.

Er wird lange genug leben, um seine Strafe anzutreten.

Eines Morgens Mitte November erwacht Anders auf dem Küchenfußboden, und trotz seiner entzündeten Augen sieht er, dass Schnee auf den Bäumen vor dem Fenster liegt. Der Winter hat ihn überrumpelt. Hat er die Karten so schlecht gemischt, dass er das Warten mit der Vorbereitung verwechselt hat? Ja, so ist es wohl. Der Linoleumboden unter seinem

Rücken ist kalt, die Hose ist steif von der Nachtpisse (es ist jetzt mehr als einen Monat her, dass er seine Plastiktütenwindeln aufgegeben hat), und die Beine sind zwei empfindungslose Holzstöcke. Jeden Morgen, wenn er aufwacht, hat er große Lust, einfach liegen zu bleiben, aber dann nimmt der Branntweindurst überhand, und er kraucht auf seinen Stuhl am Küchentisch.

Die Erde ist weiß. Eine dünne Schneeschicht, hier und da steckt braunes und gelbes Herbstlaub dazwischen.

Sein letzter Winter.

Die Katze kommt aus dem Flur herein, sie setzt sich mitten auf den Küchenfußboden, genau dahin, wo Anders noch vor Kurzem lag, und beginnt sorgfältig, eine Vorderpfote zu putzen.

Alt zu werden, denkt Anders, während er mit zitternden Händen den ersten roten Grog des Tages mischt, alt zu werden ist teuflisch. Aber noch schlimmer ist, dass es unmöglich ist, lange zu leben, ohne alt zu werden. Skål!

Es ist Sonntagmorgen. Oder irgendein Feiertag, er sieht es an den zugezogenen Gardinen im Haus gegenüber. Niemand ist zur Arbeit gegangen, keiner außer dem Mann, der Morgenschicht auf dem Bahnhof hat. Es herrscht eine große Stille.

Ist heute der Tag, an dem ich sterben werde?, denkt er träge. Das tut er jeden Morgen, wenn er erwacht und verwundert merkt, dass er immer noch am Leben ist. Das Herz stöhnt und stolpert in seinem Brustkorb. Er hat es sich oft als einen rot gekleideten Arbeiter vorgestellt, der einen schweren Sack eine endlose Treppe hinaufschleppt. Ein rot gekleideter Mann, der nichts anderes will, als sich auf den Sack zu werfen und zu schlafen. Der das aber seltsamerweise nicht tut, sondern sich Schritt für Schritt vorwärtszwingt.

Was der Sack enthält, weiß er nicht. Ein Herz transportiert Blut, aber der Sack enthält etwas Festes. Feldsteine? Schrott? Knochenreste?

Es zieht von der Außentür her, aber er kümmert sich nicht darum, der Winter darf gerne nach seinen Füßen schnappen.

Er hat Schmerzen im Hals heute Morgen. Hat er sich eine Erkältung zugezogen auf dem kalten Fußboden? Er schluckt und drückt mit den Fingern auf die Mandeln und den Kehlkopf. Er wundert sich, dass es ihn beinahe beunruhigt, Halsschmerzen zu haben. Er, der hier sitzt, um sich zu Tode zu saufen! Aber das ist wohl so, denkt er, der Tod ist einfach viel zu groß, als dass man ihn verstehen könnte. Ein Kratzen im Hals ist etwas anderes, klein genug, um es zu begreifen.

Er ist so schrecklich müde. Die Stunden vergehen, er trinkt und schläft ein am Tisch, wacht wieder auf, füllt sich noch ein Glas, schläft ein. Manchmal ist die Katze da, wenn er aufwacht, manchmal schläft sie, manchmal putzt sie sich, manchmal spielt sie sogar, jagt eine Staubflocke oder zankt mit der toten Fliege auf dem Fensterbrett.

»Deiner wird sich Eivor wohl annehmen«, sagt er zur Katze. »Du kommst schon klar.«

Die Katze antwortet nicht, macht keine Einwände.

Er beginnt wieder zu denken, wieder von vorn. Holt die Bilder aus der dunklen Erinnerung hervor, sieht und hört, wie Menschen und Situationen langsam, beinahe widerwillig anfangen, mit ruckartigen Bewegungen vor ihm abzulaufen. Miriam steht da, sie hat ihren weißen Hut mit dem blauen Seidenband auf. Sie lächelt und hält ihn mit einer Hand fest, damit er nicht weggeweht wird.

Dann schläft er wieder mit dem Kopf auf der Brust, unruhig stöhnend.

Als er erwacht, sitzt Eivor auf dem Küchenstuhl, auf der anderen Seite des Tisches. Sie hat eine rote Zipfelmütze vor sich hingelegt. Im Sommer hatte Erik sie getragen.

Seit sie vor gut einem Monat im Polizeiauto angekommen ist, sind ihre kindlichen, weichen Züge einem ernsten Ausdruck gewichen.

Wie jetzt, als sie ihm forschend ins Gesicht sieht. »Du hast geschlafen«, sagt sie.

»Ich mach nicht so viel anderes.«

»Stör ich?«

Darauf antwortet er nicht, denn beide wissen, dass die Frage unnötig ist. Eivor hat nicht mehr so oft Zeit. Seit zwei Wochen nimmt sie jetzt jeden Morgen den Zug nach Örebro, und wenn sie am Abend heimkommt, ist sie müde. Der Arbeitstag bei der Schneiderin Jenny Andersson beansprucht all ihre Konzentration, und die schreckliche Reise mit Lasse Nyman ist längst noch nicht vergessen, zumal mindestens einmal die Woche jemand von der Polizei kommt, der irgendwelche ergänzenden Aufklärungen haben will, oder es ist eine übereifrige Dame vom Jugendamt, die nach ihr sehen und mit Elna und Erik reden möchte. Es wird lange dauern, bis sie dem Albtraum entkommen kann, aber das, was ihr am meisten Angst gemacht hat, eine Furcht, die sie niemandem anvertrauen konnte, ist von ihr genommen. Als sie am Morgen erwacht ist, war Blut im Bett. Sie ist also nicht schwanger, diese roten Flecken auf dem Laken sind eine so unerhörte Befreiung, dass sie beinahe betäubt ist vor Glück. Ein Glück, das lautlos ist, eine beinahe ekstatische Hitze in ihr.

Jetzt, als sie unten bei Anders sitzt, würde sie so gern erzählen. Aber warum ihm, warum nicht Elna? Sie muss das alleine tragen, es muss ein unfreiwilliges Geheimnis bleiben ...

»Du hast mich vor ihm gewarnt«, sagt sie. »Aber ich wollte nicht hören.«

»Warum solltest du auf mich hören?«

»Weil du recht hattest.«

»Meinst du?«

Sie sieht ihn mit einem Hauch von Verwunderung an, und er versucht, sich etwas zurechtzulegen, was im besten Fall eine Erklärung werden kann. »Ich wollte wohl, dass du ihn sehen solltest, wie er war. Ein unglücklicher kleiner Bursche, der in seinem Leben immer gejagt wurde. Ich wollte wohl, dass du das erst wissen solltest, ehe du dann die netten Seiten an ihm entdeckst.«

»Er hat keine netten Seiten«, unterbricht sie heftig.

Herrgott, denkt er. So jung und schon diese Bitterkeit.

Er versucht es noch einmal. »Alle Menschen haben nette Seiten.«

»Du klingst wie ein Pastor. Er hatte absolut keine.«

»Pastor oder nicht. Selbst ich habe meine guten Seiten.«

Er zieht ein Gesicht, und sie lacht. Ironie ist etwas, was sie inzwischen versteht, denkt er vorsichtig.

Sie hat sich wirklich verändert.

»Er ist ein einziger großer Haufen Dreck«, fährt sie fort. »Pfui Teufel, das solltest du nur wissen. Ich könnte dir was erzählen ...«

»Tu's nicht!«

Er will nicht hören, was er ohnehin weiß. »Wie geht es dir«, fragt er stattdessen.

Wie es ihr geht? Ja, was glaubt er? Beschissen natürlich. All die Blicke, die ihr begegnen, das Getuschel im Treppenhaus. Elnas angestrengtes Lächeln, ihre Freundlichkeit und Umsicht, die nicht natürlich wirken, Eriks ausweichende Blicke und raschen Lass-dir-nichts-anmerken-Spiele. Die Alte vom Jugendamt und die Polizei. Ja, was glaubt er denn? Aber am schlimmsten ist es, dass sie plötzlich ganz ohne Zukunftshoffnung dasteht, ohne Träume und Sehnsüchte. Sie fährt nach Örebro in Jenny Anderssons exklusives Modeatelier, ohne den kleinsten Anflug von Freude. Wie soll sie damit leben können?

Sie steht auf und läuft in der Küche herum. »Hier sieht es völlig versifft aus«, sagt sie.

»Ja«, antwortet er.

»Und du stinkst. Wäscht du dich nie?«

Im nächsten Augenblick bittet sie um Entschuldigung. Sie hat es nicht so gemeint.

»Du sagst doch nur, wie es ist«, murmelt er. »Aber es gibt etwas, was noch schlimmer ist.«

»Was denn?«

»Dass es mir egal ist.«

Das versteht sie.

»Du stirbst nicht, wie du glaubst«, sagt sie.

»Warum nicht?«

»Weil ich es nicht will.«

»Jetzt bist du kindisch.«

»Ich bin ja auch erst fünfzehn.«

»Du bist bald eine gute Schneiderin, wirst schon sehen.«

»Das war nicht das, worüber wir gesprochen haben.«

»Sollen wir uns weiter darüber unterhalten, dass ich schlecht rieche?«

»Ich kann dir helfen, hier sauber zu machen, wenn du willst.«

»Nein, danke. Aber du könntest vielleicht etwas Kaffee kochen?«

Es scheuert und brennt im Hals, als er von dem Kaffee schlürft, den sie zustande gebracht hat. Er versteht nicht, was da mit seinem Hals los ist.

»War er nicht gut?«, fragt sie, als er ein Gesicht zieht.

»Doch. Aber ich habe Halsschmerzen.«

»Das hat Mutter auch. Da geht wohl was um.«

»Aha ...«

»Jeder ist mal erkältet.«

»Ja ...«

»Willst du, dass ich gehe?«

»Wie kommst du darauf?«

»Ich weiß nicht. Du wirkst so ... Nein, ich weiß nicht.«

»Sauer?«

»Ja. Vielleicht. Aber das hast du gesagt!«

»Ich bin aber nicht sauer!«

»Sicher?«

»Verdammt noch mal, Kind ...«

Sie setzt sich wieder und sieht, wie er immer betrunkener wird. Er ist unruhig, ohne dass er die Ursache dafür herauszufinden vermag. Ist es der Winter, der begonnen hat, nach seinen Zehen zu schnappen? Als ob er ihn an seinen Entschluss erinnern wollte? Oder ist es etwas anderes? Er weiß es nicht, aber er trinkt mehr als normalerweise. Er entfacht nicht nur den Alltagsrausch, der daliegt und vor sich hin schwelt, er macht das Feuer größer und die Flammen wilder.

»Ist heute Sonntag?«, fragt er undeutlich.

»Das weißt du doch.«

»Ich weiß nichts.«

»Trink jetzt nichts mehr!«

»Warum nicht?«

»Du bist doch schon voll!«

Das Gespräch frisst sich fest. Sie sieht ihn mit forschenden Augen an und scheint alle Zeit der Welt zu haben. Er entkommt ihren Augen nicht, es ist ein höllischer Sonntag. Gnadenlos.

»Bist du jemals in der Kirche gewesen«, fragt er.

»Ich bin doch letztes Jahr konfirmiert worden. Hast du das vergessen?«

»Ja, das hab ich vergessen.«

»Ich hab Geld für Eis von dir bekommen. Erinnerst du dich nicht?«

»War das nicht, als du die Schule abgeschlossen hattest?«

»Da auch.«

»Ich bin offensichtlich ein netter alter Kerl.«

»Hör auf jetzt!«

»Glaubst du an Gott?«

»Ich weiß nicht ... Doch, vielleicht. Ein bisschen.«

»Wie sieht er denn aus?«

»Das weiß ich nicht. Glaubst du an Gott?«

»Nein. Ich glaube nicht an ihn. Ich habe nur Angst vor ihm.«

»Es ist der Teufel, vor dem man Angst haben muss.«

»Und trotzdem bist du mit einem seiner Kinder losgefahren ...«

»Jetzt bist du so betrunken, dass du nicht mehr weißt, was du sagst. Es gibt doch keinen Teufel.«

»O doch. Ohne Teufel kann es auch keinen Gott geben. Da gibt das alles keinen Sinn. Wer, glaubst du, hat wen erschaffen?«

»Das sind doch nur Märchen, die da in der Bibel stehen. Aber man kann deswegen trotzdem an Gott glauben.«

»Ja, sicher. Man kann glauben, woran man will. Aber es sind die Menschen, die die Götter geschaffen haben. Nicht anders herum.«

»Der Pastor sagt das Gegenteil.«

»Dafür wird er bezahlt.«

»Er glaubt doch wohl selbst auch daran?«

»Weiß der Teufel ... Aber ich habe dich gefragt, woran du glaubst?«

»Darauf hab ich dir doch schon geantwortet!«

Die Welt schwankt, die Kehle brennt, und die Augen eitern. Aber mitten an diesem Sonntag des Verfalls wird er von einer unerklärlichen Energie befallen. Er versucht aufzustehen, doch die Beine knicken ein, und er fällt zurück auf seinen Stuhl. Er muss Eivor um Hilfe bitten, und er sagt ihr, dass sie ins Zimmer hinübergehen und den zerschlissenen Koffer unter dem Bett hervorholen soll.

»Den mit der Schnur drumherum?«

»Genau den.«

Er räumt ein paar Flaschen weg und bittet sie, den Koffer auf den Tisch zu legen.

Da ist etwas, was er ihr zeigen will. Ganz unten im Koffer liegt ein kleines Etui mit Schminkutensilien und einem gesprungenen Schminkspiegel.

Er wird ihr zeigen, wie er einmal aussah, damals, als er noch aufgetreten ist.

»Was willst du sehen?«, fragt er. »Einen lustigen Soldaten, einen Fakir oder Anders aus Hossamåla.«

»Das Letzte.«

Sie ist neugierig geworden, das merkt er, und das gibt ihm die notwendige Kraft. Mit zitternden Händen geht er zum Angriff über und versucht, das aufgelöste Gesicht, das er im Spiegel erblickt, in einen rosigen Narren zu verwandeln, der das Volk zum Lachen bringen kann. Sie sitzt da und schaut ihn an. Die Maske wird nicht gut. Die Farbe klumpt, die Striche werden zittrig, der Schnurrbart will nicht halten, und als er den schmierigen Wattebausch zwischen Unterlippe und Zähne steckt, um einen vorstehenden Unterkiefer vorzutäuschen, wird ihm übel. Aber jetzt ist die Maske fertig, besser wird sie nicht; er zieht die von Motten zerfressene Weste mit dem Blumenmuster an und macht ein paar Schritte auf dem Küchenboden. Er versucht, sich an eins der Lieder zu erinnern, aber ihm fallen nur Bruchstücke ein und nicht mal eine Melodie.

»Ich müsste einen Stock haben«, sagt er entschuldigend. »Dann könnte ich Kalle P. spielen.«

Sie hat das Lied doch sicher mal im Radio gehört?

Nein, sie kennt es nicht.

»Wie findest du mich?«, fragt er und merkt, dass er atemlos geworden ist, weil er so lange ohne Stütze steht.

»Bist du so aufgetreten?«

»Genau so.«

»Das sieht ein bisschen komisch aus …«

»Was meinst du mit komisch?«

»Ja … Irgendwie altmodisch. Eine andere Zeit.«

»Das war es ja auch!«

Die Beine schmerzen so, dass er schreien möchte, statt zu singen, aber er beißt die Zähne zusammen und stolpert zum Stuhl zurück. Die Katze ist zum Herd gekrochen und faucht warnend die eigentümliche Gestalt an.

»Halt's Maul, verdammte Katze«, brüllt er und wirft den Koffer auf den Boden. Die Katze verschwindet wie ein schwarzer Strich durch die Außentür.

»Warum hast du das gemacht?«

»Diese verdammte Katze …«

»Warum bist du so wütend? Ich finde, das war lustig. Du siehst nur so seltsam aus …«

»Du kannst jetzt gehen«, sagt er.

»Warum bist du wütend?«

»Ich bin nicht wütend. Ich will bloß allein sein.«

Sie zuckt mit den Schultern und steht auf. »Bist du sicher, dass ich hier nicht sauber machen soll?«

»Ja.«

Als sie aus der Haustür verschwinden will, hält er sie mit einem Ruf zurück. »Kümmerst du dich um die Katze, wenn ich tot bin?«

»Aber ja.«

Und dann ist sie weg.

Er schminkt sich nur flüchtig ab. Er weiß nicht, was er ihr zeigen wollte. Außerdem schmerzt es im Hals, als ob er sich verbrannt hätte.

Es dämmert, es wird Abend. Jetzt ist all seine Energie wieder fort, er schleppt sich über den Küchenboden mit dem Stuhl als Stütze.

Warum er es sich in den Kopf gesetzt hat hinauszugehen, weiß er nicht. Wann wusste er zuletzt, warum er etwas tat? Hat er es jemals gewusst? Ist nicht sein ganzes Leben eine endlose Kette von Zufälligkeiten gewesen, die sich ineinander festgehakt haben?

Raus. Er will raus. Wenn nichts anderes, so ist der Mond vielleicht so freundlich, ihm wie ein matter Scheinwerfer zu leuchten. Wer weiß, eines Tages kommt vielleicht eine Mücke und stürzt sich auf die Mondscheibe, sodass auch der zerplatzt.

Er muss raus. Atmen, die Katze locken, den Mond anschauen. Vorsichtig steigt er über die Türschwelle und fühlt, wie die Kälte im Hals kratzt. Es schmerzt und nagt, aber er kehrt nicht um, sondern nimmt die zwei Stufen hinunter auf den Boden. Die dünne Schneeschicht macht die Schritte lautlos, und er hebt den Kopf, um nach dem Mond zu sehen.

In der Dunkelheit, beim ersten Schnee des Jahres unter seinen Skisocken stirbt er. Dass er keine Schuhe an den Füßen hat, merkt er nicht mehr. Im Hals, wo die Schleimhäute von all dem Saufen langsam zerfressen werden, befindet sich seine schwächste Stelle. Er fühlt plötzlich, dass er husten muss, und in dem bleichen Mondlicht sieht er verwundert, wie ihm das Blut aus dem Mund spritzt. Während weniger Sekunden, die wie Hammerschläge gegen seinen Kopf donnern, erkennt er, dass er stirbt, und er hat Angst. Er sieht noch, bevor er fällt, wie der Schnee um ihn herum sich dunkel färbt. Die Katze springt zur Seite wie vor einem fallenden Baum.

Er liegt mit dem Gesicht im Schnee.

Als er am Morgen von einem Bahnarbeiter gefunden

wird, ist das Blut zu einem braunen Schorf rund um sein Gesicht erstarrt. Der erschreckte Bahnarbeiter rennt in die untere Etage des Mietshauses und poltert verzweifelt an die nächste Tür.

Die Nachbarn, die ihn tot im Schnee liegen sehen, mit violetten Wangen und schwarzen Strichen rund um die Augen, drehen sich erschrocken weg. Und auch der Landarzt schreckt zurück, als er den Toten erblickt. Schnell stellt er fest, dass kein Verbrechen begangen wurde, dass alles auf einen Blutsturz hindeutet. Und doch ist da etwas Übernatürliches um ihn und seinen Tod.

Als Eivor erwacht, hat man ihn schon fortgebracht, und Erik, der sie verschonen will, hat Schnee über die große Blutlache geschaufelt. Er erzählt Elna, was geschehen ist, und vom Küchenfenster sieht sie, wie der bedeckte Körper auf einer Bahre fortgetragen und in ein Taxi geschoben wird, das auch als Krankenwagen benutzt wird.

»Was soll ich Eivor sagen?«, fragt sie.

»Nur dass er tot ist.«

»Sie erfährt ja doch, was geschehen ist. Wie er aussah ...«

»Ja, das wird sie wohl ... Sag ihr, wie es ist. Das ist wohl am besten.«

Als Eivor am Nachmittag aus Örebro zurückkommt, berichtet Elna, was geschehen ist.

»Ich war die Letzte, die ihn gesehen hat«, sagt Eivor. »Seltsam ... als ich gehen wollte, bat er mich, die Katze zu versorgen, wenn er sterben sollte. Als hätte er gewusst, dass es bald so weit sein würde ...«

Am Abend sucht Erik nach der verschwundenen Katze. Eivor will nicht mitkommen. Jetzt, wo Anders fort ist, wirkt das Haus so unheimlich auf sie.

Niemand sagt etwas dazu, dass sie sich der Katze annimmt.

Am Sonntag vor der Hochmesse wird Anders begraben. Außer dem Pastor und dem Organisten sind nur Elna, Eivor und Erik zur Kirche gekommen. Der Sarg ist grauweiß, und der Pastor spricht vom Wanderer, der den Stab abgelegt hat und in das Reich eingetreten ist, aus dem es keine Wiederkehr gibt.

Die Orgel braust, Eivor denkt an Lasse Nyman, an das Holzhaus, an Anders, den sie sich unmöglich in dem Sarg vorstellen kann, der nur wenige Meter vor ihr steht. Sie denkt, dass sie das, was geschehen ist, niemals vergessen wird, niemals, solange sie lebt …

Als sie die Kirche verlassen, ist der erste Schnee weggeschmolzen. Erik hat es eilig und geht vorweg, er hat sich nur eine Stunde von der Arbeit freigenommen. Eivor und Elna gehen langsam durch den Ort nach Hause.

»Ich vermisse ihn«, sagt Elna.

»Ich auch.«

Aus dem letzten Willen der Schwester ging hervor, dass das Haus und die bewegliche Habe dem Missionsverbund zufallen würden, wenn Anders kein eigenhändiges Testament hinterlassen sollte. Das hat er nicht getan, von ihm bleiben nur ein paar abgetragene Kleidungsstücke, ein kaputter Reisekoffer, ein kaum benutzter neuer Koffer und eine unwahrscheinliche Anzahl leerer Flaschen. Als der Missionsverbund sein Eigentum in Besitz nimmt, wird alles ausgeräumt. Dieses Sündennest, das nach Verfall und verstocktem Antichrist riecht, wird mit Lauge geschrubbt. Anders aus Hossamåla verschwindet im Geruch von Schmierseife so spurlos, als hätte er nie existiert. Irgendwann wird er vielleicht wiederentdeckt, als Fußnote in der Geschichte der Bauernkomiker.

Eivor muss an jedem Wochentag den Zug erwischen, der Hallsberg um 7.03 Uhr verlässt, und fünf Minuten vor acht steigt sie die Treppe zu Jenny Anderssons Schneideratelier hinauf. Es liegt unter einem Dachfirst in Örebro, mit Aussicht über das Schloss und das alte Theater. Da sitzt sie an ihrem Tisch, wenn sie nicht Besorgungen machen muss oder Frau Andersson zu einem Kunden begleitet, um Maß zu nehmen oder wegen einer Anprobe. Sie ist fleißig und hat offensichtlich Talent, Frau Andersson hat selten etwas zu beanstanden, lobt sie aber häufig. Wenn sie fragt, ob es Eivor Spaß mache, so antwortet sie zustimmend. Aber macht es das wirklich?

Der Dachfirst ist so nahe über ihrem Kopf, sie hat ein Bedürfnis nach Stille, nach einer unbeweglichen Welt. Die Ungeduld hat sich in ein verzweifeltes Bedürfnis nach Ruhe verwandelt. Da ist etwas, womit sie fertig werden muss. Dass sie die ist, die sie ist, kann sie im Spiegel sehen oder an dem Blut, das heraustropft, wenn sie sich mit der Nadel sticht. Aber da ist auch noch etwas anderes, wie das Echo eines Gedankens, den sie als Kind einmal gedacht hat.

Was hat sie eigentlich auf der Welt zu verrichten?

Sie schafft es nur kurze Zeit, darüber nachzudenken. Sie näht oder holt Stoff vom Bahnhof oder trägt fertige Kleider und Blusen in die besseren Viertel der Stadt. Mit Anders' Katze ist sie nachsichtig, ansonsten ist sie unduldsam, die Welt soll sie behutsam behandeln, sehen sie nicht, dass sie so gefährdet ist, dass der kleinste Stoß sie zerbrechen kann?

Etwas muss heilen.

Erst später kann sie anfangen, wieder selbständig gehen zu lernen.

Bis dahin näht sie, und sie ist tüchtig. So tüchtig, dass sie rechtzeitig zu Weihnachten eine Lohnerhöhung bekommt.

Sie knickst und dankt, empfindet aber keine Freude, erst als sie nach Hause kommt und sieht, wie glücklich Elna und Erik darüber sind, fühlt sie, wie etwas in ihr leichter wird.

Im Zug zwischen Hallsberg und Örebro denkt sie an Lasse Nyman. Das ist notwendig, wie weh es auch tut. Denn so viel hat sie verstanden, dass sie ihrem eigenen Leben erst auf die Spur kommen kann, wenn sie begriffen hat, was sie an ihm so gewaltig angezogen hat.

Einige Wochen nach Anders' Tod wird Erik zur Tagesschicht versetzt. Er hat lange auf der Warteliste gestanden, und jetzt ist er an der Reihe. Nun kann er sich zur gleichen Zeit wie Elna am Abend schlafen legen. Aber wenn Elna aufsteht, ist er schon gegangen, er fängt Viertel vor sechs an und ist immer pünktlich. Wie er es auch anstellt, immer muss er zuerst raus ...

Tagsüber ist Elna also allein zu Hause. Die Wohnung ist still, und sie merkt, dass sie froh darüber ist, Anders' schäbige Katze zu haben, ein lebendes Herz in der Stille.

Oft steht sie am Schlafzimmerfenster und schaut hinüber auf das dunkle und verlassene Haus, in dem Anders gewohnt hat. Der Missionsverbund hat die Außentür zugenagelt, erst im Frühjahr wird man das Haus nutzen. Sie steht da und schaut auf das Küchenfenster, glaubt manchmal, seinen Schatten da drinnen zu sehen. Aber er ist fort, sie glaubt nicht an Geister.

Manchmal fragt sie sich, ob er es wusste. Dass sie sich im Klaren darüber war, wie er dort saß und sie beobachtete, wenn sie sich auszog. Dass sie es entdeckte, als er erst wenige Wochen dort wohnte.

Es gibt ihr auch ein Gefühl von Schuld, weil sie sich nichts hat anmerken lassen. Aber vielleicht wird es durch das aufgewogen, was sie ihm gegeben hat. Ein Gefühl der Macht, zu sehen, ohne selbst gesehen zu werden.

Sie kann es auch umdrehen. Warum hat sie es getan? Warum zog sie nicht die Gardinen vor? Was bekam sie von ihm? Etwa ein Gefühl von Bedeutung?

Die Katze ist in den Wäscheschrank gesprungen und hat sich zusammengerollt. Die Wohnung ist ruhig, es rauscht nur schwach in den Wasserrohren. Es ist zehn Uhr am Vormittag, sie hat die Betten gemacht und aufgeräumt und das Abendessen vorbereitet. Jetzt kann sie den Tag verbringen, wie sie will.

Es ist nur so, dass sie nichts will. Sie schlägt die Zeit einfach nur tot.

Bis jetzt.

Denn im vergangenen Sommer wurde sie immerhin an etwas erinnert, während der Tage in Malmö, zusammen mit Vivi. Sie weiß, dass sie erst dreiunddreißig Jahre alt ist, dass sie knapp die Mitte ihres Lebens erreicht hat. Sobald Eivor auf eigenen Beinen steht, ist es ihr eigenes Leben, um das es geht. Mit oder ohne Erik.

Erik, ja. Sie versteht so gut, warum sie ihn geheiratet hat. Es war eine Möglichkeit, von zu Hause wegzukommen, zumindest teilweise ihr eigenes Leben zu führen. Aber sie weiß auch, dass sie ihn nie geheiratet hätte, wenn sie Eivor nicht gehabt hätte, und die Frage ist, ob nicht auch Erik das verstanden hat.

Sie mag es, mit ihm zu schlafen. Er ist lieb und treu. Aber so unerträglich zufrieden! Seine ewige Genügsamkeit: alles wird immer besser, sein langsamer Trott tagaus, tagein, keine Herausforderungen, keine Wünsche … Nein, das ist falsch, das ist ungerecht. Sie weiß ja, dass er Kinder will, aber bis jetzt hat sie ihn dazu gebracht zu verhüten, hat es von ihm verlangt, hat immer kontrolliert, ob er ein Gummi benutzt. Aber wie lange wird er sich noch damit begnügen?

Manchmal wird sie immer noch von einer wahnsinnigen

Wut gepackt über das, was vor über fünfzehn Jahren geschehen ist, und sie wünscht Tod und Verbannung über den, der sie geschwängert hat. Sicher liebt sie Eivor, aber manchmal bricht es aus ihr hervor ...

Wenn auch nicht mehr so oft, sie ist behutsamer mit Eivor geworden. Sie erinnert sich, wie sie selbst in dem Alter war, überempfindlich in allem, und es ist natürlich nicht leicht für Eivor, einen unbekannten Vater zu haben, selbst wenn Erik lieb ist und nie der schlimme Stiefvater war.

Hat Eivor mit Lasse Nyman geschlafen? Gott sei Dank wurde sie jedenfalls nicht schwanger. Aber was ist eigentlich geschehen ...

Sie ist genauso einsam, wie ich es war, denkt sie. Und wie gern ich es auch möchte, ich kann die Barrieren zwischen uns nicht durchbrechen. Was macht es so schwer, über das Selbstverständliche zu sprechen, seine Erfahrungen zu teilen, sie an seine eigene Tochter weiterzugeben?

Manchmal hat sie in den Briefen gekramt, die sie vor langer Zeit von Vivi bekommen hat. Sie hat sie in einer Schreibtischschublade, zwei dicke Bündel, zusammengebunden mit rotem Band.

Es sind Vivis Gedanken, aber auch ihre eigenen. Sie liest manchmal darin, aber oft unterbricht sie sich, sie erträgt es nicht, erinnert zu werden. Aber warum zeigt sie sie Eivor nicht?

Bald, denkt sie. Bald wird sie selbst klarkommen. Bis dahin muss ich bei ihr bleiben. Aber nicht länger als nötig.

Erik steht mit einigen Arbeitskameraden zusammen und schaut auf einen der neuen Thermowagen, die in Betrieb genommen wurden. Sie sind voll mit tiefgefrorenem Fleisch, auf dem Weg von Skåne nach Stockholm. Hier in Hallsberg sollen sie an einen Güterzug gehängt werden. Er genießt es, die Wagen anzusehen. Jedes Mal, wenn etwas Neues bei der

Eisenbahn geschieht, hat er das Gefühl, bei etwas Wichtigem dabei zu sein, ein Teil der großen Veränderungen zu sein. Und jedes Mal denkt er, dass er es Elna erzählen muss, wenn er nach Hause kommt, ihr und Eivor, wenn sie Lust haben, es zu hören.

Jetzt, wo er Tagschicht hat, fühlt er sich, als hätte er ungeahnte Kräfte. Jetzt wird es Zeit für ihn, Elna zu sagen, dass er ein eigenes Kind will, gerne auch mehrere. Das ist es doch wohl, was die Bedeutung des Lebens ausmacht, wird er als Argument vorbringen. Und sie kann sich nicht darüber beklagen, wie er Eivor behandelt hat. Sie hat nichts, worüber sie sich beklagen könnte. Nichts ...

Lasse Nyman sitzt in Untersuchungshaft in Stockholm. Wegen des Mordes wurde er nicht nach Mariefred zurückgebracht. Während er auf sein Gerichtsverfahren wartet, ist er vom handfesten Abscheu seiner Wächter eingekreist. Die Mitgefangenen, die er auf den Hofrunden trifft, bedauern ihn schweigend und mitfühlend. Er ist ja noch so jung, ein verdammter Bengel ... Die einzige Person, der er sich anvertrauen kann, ist der Rechtsanwalt, den man ihm zugeteilt hat. Er ist noch nicht alt, er spricht Lasse Nymans Dialekt.

Was hat er ihm eigentlich zu sagen? Natürlich, verdammt noch mal, bereut er es! Sicher, sicher ... Wenn nur jemand so freundlich sein könnte, ihm zu sagen, was Reue eigentlich bedeutet! Er antwortet so gern auf alle Fragen, die man ihm stellt, aber meistens versteht er sie nicht.

Die Fragen kommen aus einer Welt, in der er immer ein ungebetener Gast war. Von der er ein Teil sein will, die ihn aber immer von sich gestoßen hat. Er hat vergebens versucht, sie zu besiegen, aber das ist, als ob er versuchte, das ganze Land mit den bloßen Händen zu zerkratzen.

Die Zellenwände sind grau. Stumme Grüße von früheren Gefangenen stehen eingeritzt im Mauerputz.

Das Gerichtsverfahren soll im neuen Jahr beginnen. Selten denkt er daran oder daran, dass er eine harte Strafe bekommen wird. Wenn er denkt und nicht einfach auf der Pritsche vor sich hin döst, bewegen sich ganz andere Überlegungen in seinem Kopf.

Wie er hier rauskommt, wie er es schaffen kann zu fliehen …

Er ist überzeugt davon, dass seine Flucht nur zufällig unterbrochen wurde. Sobald er die Möglichkeit bekommt, wird er weiterfliehen. Das ist genauso sicher, wie dass der Teufel auf dem Gefängnisdach sitzt und ihm zuwinkt. Er wird sich nie ergeben!

Nie, zur Hölle …

Weit davon entfernt, auf einem Dachfirst in Örebro, sitzt eine Dohle. Eivor ist für eine Weile allein im Atelier, Jenny Andersson hat in der Stadt zu tun. Sie bleibt sitzen und schaut in die unruhigen Augen des Vogels, auf den Kopf, der sich in verschiedene Richtungen dreht, ständig beobachtend, gespannt, wachsam.

Erst als sie hört, wie Jenny Andersson die Tür öffnet, nimmt sie ihre Arbeit zur Hand.

Als sie aufsieht, ist der Vogel weg.

1960

Von Hallsberg nach Borås zu fahren ist nicht schwer. Man muss nur ein Billett lösen und in einen der vielen Züge nach Göteborg steigen, in Herrljunga umsteigen und sich dann – ungefähr bei Frufällan wäre es ratsam – bereit machen, um den Bahnsteig vor dem dunkelroten Ziegelsteingebäude nicht zu verpassen. So kommt auch Eivor eines Tages im Januar 1960, gleich nach Neujahr, nach Borås. Es ist kalt, als sie in der Textilstadt aus dem Zug steigt, aber sie geht rasch den Hang zwischen dem Technischen Gymnasium und dem Parkhotel hinauf, überquert dann die Brücke über den verschmutzten Viskan, und schon öffnet sich die Stora Brogata vor ihr. Sie geht schnell, sie kennt den Weg, es ist ihr zweiter Besuch in der Stadt. Einige Tage vor dem Lucia-Fest, vor einem knappen Monat, war sie zum ersten Mal hier. Da empfand sie die Stadt als so unendlich groß. Herrgott, es ist immerhin die neuntgrößte Stadt des Landes, und verglichen mit Hallsberg, ist es ein verwirrendes Gewimmel von Straßen, Geschäften und vor allem von Menschen. Aber schließlich hat sie zur Fabrik von Konstsilke an einer der Ausfallstraßen der Stadt gefunden. Am Tor wird sie zum Personalbüro verwiesen, wo sie ein etwas erstaunter dicker Mann empfängt. Es ist der Personalassistent, und er heißt sie willkommen in der Stadt, bei Konstsilke und vor allem bei der Arbeit in der Abteilung für Rohgarngewinnung.

Deswegen ist sie ja hier; auf eine Stellenausschreibung der

Fabrik in *Nerikes Allehanda* hat sie mühevoll eine Antwort geschrieben. Man sucht sowohl männliche als auch weibliche Kräfte, verspricht Hilfe bei der Wohnungssuche, und das gibt den Ausschlag. Am liebsten möchte sie zu Algots, der Weberei-Legende, der mythenumsponnenen Textilindustrie, aber Konstsilke muss als Anfang erst einmal reichen.

Der kleine dicke Mann betrachtet sie höflich, er sagt Sie zu ihr, und er gibt ihr eine kurze Einführung in die Geschichte der Fabrik. Er entschuldigt sich, hat viel zu tun, die Fabrik expandiert, die freien Plätze müssen ausgefüllt werden. Doch er versichert, dass sie eine glückliche Wahl getroffen habe. Konstsilke ist ein guter Arbeitsplatz, der Arbeiterstamm ist stabil, und sie wird ohne Probleme in die Routine hineinwachsen. Zu Anfang wird sie keinen Schichtdienst haben, nur normale Tagesarbeit. Wenn sie am 10. Januar um 6.45 Uhr eintrifft, so wird jemand sie abholen und zur Abteilung für Rohgarngewinnung begleiten.

»Sollte ich nicht zuerst eine Ausbildung bekommen?«

So hat es im Antwortbrief geheißen.

»Unnötig. Die Arbeit ist unkompliziert. Das lernt man sofort.«

Kann eine Arbeit so leicht sein? Und trotzdem bedeutungsvoll? Darüber hat sie während der Weihnachtstage gegrübelt. Aber die Spannung und der Eifer vor dem Umzug haben überwogen. Erik hat sie aufgemuntert, gesagt, sie habe einen vernünftigen Entschluss gefasst. Elna meint dagegen, dass sie abwarten solle, bis sie eine Arbeit bei Algots bekäme. Es fällt Elna schwer, sich mit dem Gedanken zu versöhnen, dass die Produkte von Konstsilke in erster Linie der Reifenherstellung dienen.

»Was ist das? Autoreifen, Traktorreifen? Du sollst doch Kleider nähen!«

»Ich werde nicht nähen. Ich werde Garn zwirnen!«

»Spinnen oder zwirnen. Was ist das für ein Unterschied? Ich dachte, du willst Schneiderin werden.«

Viel mehr wurde nicht gesprochen. Elna scheint resigniert zu haben. Sie wird mit Eivor nicht fertig, das Mädchen macht, was es will. Tief im Innern weiß Elna ja auch, dass sie ein bisschen neidisch ist. Eivor genießt eine Freiheit, von der sie einst geträumt hat, die sich aber verflüchtigte, als sie schwanger wurde. Ein schlechter Mensch, der seiner Tochter kein Glück wünscht, ist sie deshalb noch lange nicht.

Aber es gibt noch eine andere Unruhe, die tief in ihr liegt.

Eines Abends zwischen Weihnachten und Neujahr, als Erik zum Bahnhof getrottet ist und Eivor ihre Elvisplatten spielt, macht sie die Tür auf und ruft, die Musik übertönend:

»Was immer du auch tust, werd' nicht schwanger.«

»Was?«

»Und solltest du es brauchen, so pass um Gottes willen auf, dass er verhütet.«

»Was denn brauchen? Welcher Er?«

»Den du triffst.«

Dann geht sie, und Eivor ist wieder allein mit ihrer Musik. Nein, natürlich wird sie nicht schwanger werden. Wer will schon in der gleichen Situation landen wie ihre Mutter? Jetzt, wo sie dabei ist, sich zu lösen, empfindet sie beinahe Zärtlichkeit für sie. Immerhin hat sie sich fast zwanzig Jahre um sie gekümmert. Zwanzig Jahre, statt ihr eigenes Leben zu leben.

Beide, Elna und Erik, stehen am Bahnsteig und winken, als sie sich am 9. Januar auf den Weg macht.

»Ich komm dich besuchen. Wir kommen alle beide.«

»Bloß nicht.«

Und dann ist Hallsberg endlich Vergangenheit.

An der Ecke von EPA und Rathaus schwenkt sie nach rechts zum Södra Torget. Von dort geht der Bus raus zum Vorort Sjöbo, wo Konstsilke ihr eine kleine Wohnung zur

Verfügung gestellt hat. Eine möblierte Einzimmerwohnung, die sie von jemandem übernimmt, dem es geglückt ist, sich eine größere Wohnung zu besorgen. Diese Wohnung ist eine Schleuse, es wird von ihr erwartet, dass sie sich schnell etwas anderes sucht, das hat ihr der dicke Personalassistent freundlich, aber bestimmt erklärt.

Vor Siedbergs Delikatessengeschäft bleibt sie stehen. Obwohl sie nur das Allernotwendigste mitgenommen hat, ist der Koffer schwer. Sie ist außer Atem, und die Kälte sticht im Gesicht. Als sie die Lippen berührt, fühlt es sich an, als ob sie aufplatzten. Es ist natürlich nicht gut, an einem derart kalten Tag so stark geschminkt zu sein, wie sie es ist. Aber sie kann schließlich nicht ohne Gesicht in ihr neues Zuhause kommen! Sie nimmt den Koffer wieder auf und geht weiter, schräg über den Markt zum Bus, an dem Sjöbo steht. Es ist Hauptverkehrszeit, von verschiedenen Seiten kommen frierende Menschen, sie wird gedrängt und gestoßen, weil jeder so schnell wie möglich in den warmen Bus kommen will. Und natürlich sieht man ihr an, dass sie nicht aus der Stadt ist.

Sie macht sich Gedanken über morgen, wenn sie die zwei anderen Koffer holen muss, die noch in der Gepäckaufbewahrung stehen. Hätte sie sich nicht doch ein Taxi leisten können? Aber sie weiß nicht, was das kostet, raus bis Sjöbo. Sie weiß ja gar nichts! Schließlich gelingt es ihr, sich in den Bus zu quetschen und ihre Fahrkarte zu bezahlen. Gott sei Dank muss sie erst an der Endstation raus, Sjöbo Markt, wo der Bus wendet.

Sie klammert sich an einer Haltestange fest. Die Gesichter um sie herum sind bleich und stumm. Niemand scheint sie zu beachten. Zwischen all den Köpfen sieht sie flüchtig das Gesicht eines Mädchens in ihrem Alter. Sie hat die Haare zu einem hohen Dutt aufgesteckt. Die Farah-Diba-Frisur. Daran hat sich Eivor noch nicht gewagt, auch wenn ihr Haar inzwischen lang genug ist. Und wie soll sie bei der Arbeit gekleidet sein? Verdammt, dass sie auch von nichts eine Ahnung hat!

Sjöbo Markt. Eine düstere Zementplatte zwischen Hochhauskästen in Rot und Ocker. Sie verläuft sich, wagt aber nicht, jemanden nach dem Weg zu fragen, sondern sucht auf eigene Faust weiter, während der Koffer immer schwerer wird. Schließlich findet sie den richtigen Weg, ist aber so ausgefroren und müde, dass sie jeden Moment anfangen könnte zu weinen. Sie muss einen Moment ganz still im Eingang stehen bleiben und sich beruhigen, bevor sie auf die Türklingel der Hausmeisterwohnung drückt, wo sie ihre Schlüssel bekommen soll.

Die fünfte Etage, Aussicht über die unendlichen dunklen Västgöta-Wälder. Ein Zimmer mit Kochecke und Flur. Es riecht nach Schimmel in der Wohnung, die natürlich nicht das ist, was sie sich vorgestellt hat. Dass sie es doch nie lernt, keine Erwartungen zu haben.

Im Zimmer stehen ein wackliges Feldbett mit einer schmutzigen Matratze, ein Sofa mit einer Armstütze, die mit breiten Klebebändern zusammengehalten wird, ein Tisch, ein Papierkorb, und über allem leuchtet eine Deckenlampe mit kaputtem Schirm. In der Kochecke liegen ein paar faulige Apfelsinen, der Ausguss ist voller Asche und Zigarettenstummel. Die ganze Wohnung ist schlecht gereinigt, und als sie die Matratze wendet in der Hoffnung, dass sie auf der Unterseite weniger fleckig ist, fällt eine Pornozeitung auf den Fußboden. Statt zu lüften und ihren Koffer auszupacken, sinkt sie auf dem Sofa nieder und beginnt, darin zu blättern. So eine Zeitung hat sie noch nie in der Hand gehabt.

Diese hier heißt *Raff*, und sie zuckt zurück, als sie unter dem Schwarzweißfoto einer Negerin mit großen Brüsten sieht, dass die Zeitung bei Sjuhäradsbygdens in Borås gedruckt worden ist. Dass man solche Zeitungen hier in dieser Stadt herstellt! Sie blättert nervös und schaut auf die Bilder, liest ein paar Worte hier und da. Die Bilder ähneln sich, die Frauen haben immer sehr wenig an, lehnen sich gegen Treppengeländer, liegen halb auf Sofas. Und alle lächeln, als ob sie ihr direkt ins Gesicht sähen.

Zwei Seiten kleben zusammen. Als sie versucht, sie auseinanderzuknibbeln, erkennt sie plötzlich, was da klebt, und sie wirft die Zeitung in den Papierkorb, geht zum Fenster und schaut hinaus. Sie sieht Reihen von erleuchteten Fenstern in den umliegenden Hochhäusern. Ein Thermometer draußen vor dem Fenster zeigt minus siebzehn Grad.

Sie schaudert und erkennt, dass sie zum ersten Mal in ihrem Leben wirklich allein ist.

Sie hat die Wahl, zu weinen oder den Koffer auszupacken. Also zwingt sie sich, vorsichtig das kaputte Schloss des Koffers zu öffnen. Als sie das Bett gemacht und ihre Kleider aufgehängt hat, geht sie ins Badezimmer und betrachtet sich im Spiegel. So sieht sie also aus, nun, da sie achtzehn ist, bald neunzehn, soeben angekommen in der Textilmetropole Borås: schwarzes naturgelocktes Haar, das sie bis auf die Schultern hat wachsen lassen, Seitenscheitel, reichlich Spray, über den Ohren toupiert. Helles Make-up, hart umrandete Augen, gezupfte Augenbrauen. Schockrosa Lippenstift mit betonter Mundlinie.

So sieht sie also aus, und sie fragt sich ängstlich, ob sie in diese Stadt und in diese Welt passt. Sieht sie so aus, wie man es von ihr erwartet? Dass sie nicht schön ist, weiß sie, aber sie glaubt, dass sie durchaus sexy wirkt, wenn sie lächelt und die Zähne zeigt. Und es ist schließlich nicht nur das Gesicht, was zählt. Gott sei Dank hat sie üppige Brüste; wenn sie die in dem richtigen BH unter einem knapp sitzenden Pullover vorreckt, so kann niemand etwas daran aussetzen. Die Taille ist zufriedenstellend, der Ansatz zu einem Birnenpo ist wohl nicht so schlimm. Zur Kontrolle klettert sie auf den Klodeckel, kniet sich hin und dreht sich, sodass sie sich von hinten im Badezimmerspiegel sehen kann. Sie trägt ganz eng sitzende Hosen mit so engem Schritt, dass es fast wehtut. Alles in allem nicht schlecht: Eivor Maria.

Nachdem sie sich hingelegt und die Deckenlampe gelöscht hat, entdeckt sie, wie viele Geräusche die Nacht hat. Es knackt in den Wasserrohren, Schritte hallen im Treppenhaus wider, von der anderen Seite der Wand, an der das Bett steht, hört sie einen Säugling schreien. Sie fragt sich, warum niemand kommt und das Kind aufnimmt, als das Weinen abrupt aufhört. Ehe sie in einen unruhigen Halbschlaf sinkt, denkt sie, dass der Unterschied zwischen ihr und dem schreienden Kind eigentlich nicht so groß ist.

Um vier Uhr steht sie wieder auf, kleidet sich an und trinkt ein Glas Wasser, das als Frühstück ausreichen muss. Dann verbringt sie über eine halbe Stunde in dem engen Badezimmer und schminkt sich für den ersten Arbeitstag. Das braucht seine Zeit, das *soll* seine Zeit brauchen. Ohne Gesicht und Haar ist sie vollständig schutzlos, davor fürchtet sie sich regelrecht. Um Viertel nach fünf geht sie raus, es sind minus einundzwanzig Grad. An der Bushaltestelle ist sie zuerst alleine, dann tauchen knirschende Schatten aus der Dunkelheit auf. Männer und Frauen, junge und alte, fast alle mit einer kleinen Tasche in der Hand. Niemand sagt etwas, jeder stampft und wehrt sich gegen die Kälte. Niemand nimmt Notiz von Eivor. Sie friert schrecklich an den Ohren, aber sie hat keine Mütze, die nicht sofort die mühevoll toupierte Frisur zerstören würde …

Ein kleiner magerer Kerl steht am Fabriktor und erwartet sie. Er ist in einen staubigen Overall gekleidet, und er zittert in der Kälte. »Bist du die Skoglund?«

Ja, das ist sie.

Dann soll sie ihm folgen. Pfui Teufel, so ein Wetter, was?

Tja, recht hat er.

Sie gehen hinein in die Fabrik, unendliche Korridore und Treppenhäuser entlang. Es ist kalt, und hinter schweren Türen hört man ein mächtiges Dröhnen. Eivor wird plötzlich klar, dass sie Fabrikarbeiterin werden soll, sonst nichts. Aber das ist nur der Anfang, denkt sie. Irgendwo muss man ja anfangen ...

»Hier müssen wir rein«, ruft der Mann. »Ich heiße Lundberg. Halt dich jetzt fest!«

Damit reißt er eine Tür auf, und ein ohrenbetäubendes Dröhnen schwillt ihr entgegen. Es ist, als ob ein rasendes Tier sich losgerissen hätte und ihr entgegenspringt. Sie zuckt zurück, aber Lundberg packt sie am Arm, und dann fällt die Tür schwer hinter ihnen zu.

»Hier ist die Zwirnerei«, brüllt er, seinen Mund an ihr Haar gepresst. »Jetzt werden wir Pelle Svanslös begrüßen.«

Pelle Svanslös? Eine Katze?

Nein, es ist der Vorarbeiter Ruben Hansson. Viel später bekommt Eivor während einer Frühstückspause die Erklärung für den Spitznamen. Vorarbeiter Hansson ist einmal mit dem Hosenbein in einer Laufkatze hängen geblieben, mit Rollen von der Spinnerei, und hat sich eine Hinterbacke aufgeschnitten. So kam man darauf, ihn Pelle Svanslös zu nennen. Zumal er ein ausgeprägter Hundefreund ist.

»Zum Teufel, so ist das! Aber sag es bloß nicht laut. Dann mogelt er beim Akkord ...«

Der Vorarbeiter sitzt in einem kleinen Glaskasten, von dem aus er die enorme Maschinenhalle und die Toiletten überblickt. Als Lundberg Eivor in den Kasten hineingeschoben hat und zu seiner eigenen Maschine zurückgeeilt ist, um im Akkord zu arbeiten, ist der Lärm kaum geringer. Ruben

Hansson sitzt in seinem grauweißen Kittel und blättert in einem Berg Musterlappen, die angeben, welche Garnsorten man während des Tages von der Spinnerei erwarten kann.

Er sieht sie an und blinzelt. »Skoglund«, ruft er.

»Ja.«

»Willkommen! Ich habe dir hier eine Stempelkarte ausgeschrieben. Dann werde ich einen Burschen aussuchen, der dich einweist. Eigentlich sollst du mit einer Finnin zusammenarbeiten, aber sie ist heute nicht da. Kater wahrscheinlich. Also gehen wir mal.«

Wieder raus in den Lärm. An der Stempeluhr neben der Außentür kratzt Hansson mit seinem Stift ein, dass Eivor Maria Skoglund am 10. Januar 1960 um 6.45 angefangen hat. Er steckt die Karte in ein Fach unter dem Buchstaben S und ruft ihr zu, dass sie ein- und ausstempeln muss, auch wenn sie Pause macht. Dann geht es darum, einen zu finden, der sie einweist ...

Das wird Axel Lundin. Vorarbeiter Hansson entdeckt ihn an einem Ende der Maschinenhalle. Er hat gerade eine Maschine mit neuen Rollen bestückt, die Garnfäden auf die leeren Spulen geführt, und nun will er den Schalter anstellen, als Hansson angehumpelt kommt, Eivor im Schlepptau. Er zeigt auf sie, und Axel Lundin nickt.

»Dann geht's mal an«, ruft der Vorarbeiter, und schon ist er weg.

Axel Lundin ist dreiundvierzig Jahre alt und arbeitet in der Rohgarnzwirnerei, seit er dreißig ist. Er schafft sieben Maschinen in einer Schicht und liegt damit am höchsten im Akkord; der nach ihm kommt, schafft höchstens fünf Maschinen, und da müssen die Pausen in rasender Eile gemacht werden. Für Eivor sieht er aus wie ein Schullehrer, er hat einen Bart, und seine Hände sind weiß und schlank. Aber sie erkennt schnell, dass er sein Arbeitsvermögen zu einer ausgefeilten technischen Fertigkeit gebracht hat. Eine Zwirnmaschine zu laden und zu bedienen ist eher eine Frage der Technik als der rohen Kraft, auch wenn es schwer ist, die letzten Paletten mit gezwirntem Garn auf die Laufkatze zu werfen, wenn eine Maschine fertig ist.

Er weist sie ein, indem er sie neben sich hergehen und zuschauen lässt. Nach einer guten Stunde befindet er, dass sie die Arbeit alleine schafft. Eine Stunde Anlernen, und dann kann sie ihre Arbeit, solange sie lebt. Dann ist es nur noch die Schnelligkeit, die sie steigern kann, nichts sonst.

Eine Maschine besteht aus über hundert Spulen. Von der Spinnerei kommen verschiedene Garnsorten, die auf Leerspulen an der Oberkante der Maschine gezwirnt werden sollen. Eine Maschine zu bestücken heißt, aus einer, die fertig ist, die Spulen herauszunehmen, eine Laufkatze mit Garn zu holen, neue Spulen hineinzutun, die Fäden zu befestigen, indem man sie durch verschiedene Ösen und Sperren zieht, die Maschine anzustellen und dann die nächste in Angriff zu nehmen, die gerade fertig ist. Aber dann und wann muss man zurückgehen und die Fäden richten, die sich gelöst haben. Die große Arbeitshalle ist voller hungriger Maschinen. Wenn man mit einer fertig ist, gilt es nur, schnell die nächste zu füttern. Es ist ein ewiger Kreislauf.

Um Viertel nach acht zeigt Axel Lundin stumm auf seine Armbanduhr. Es ist Frühstückspause, und sie stempeln sich aus und gehen eine Treppe hinunter in die Kantine. Von verschiedenen Richtungen kommen Arbeiter, Männer und Frauen, um sich schnell an einer der Schlangen anzustellen. Die Pause dauert zwanzig Minuten, da ist es schade um die Zeit, die man in der Schlange verbringt. Eivor kauft eine Tasse Schokolade und ein Käsebrot. Das kostet fast nichts. Aber die meisten, die sich um die Tische drängen, haben Brote und Milch mitgebracht und begnügen sich mit einer

Tasse Kaffee oder Schokolade. Axel Lundin kauft nichts, er hat sich an einen Tisch gesetzt und Essen aus seiner Tasche ausgepackt. Er hält Eivor einen Platz frei.

»Nach der Pause suche ich eine Maschine für dich«, sagt er, während er an einem Brot kaut. »Dann arbeitest du allein. Wenn was ist, kannst du fragen. Aber es dürfte keine Probleme geben. Denk nur daran, dass Inspektoren herumgehen und das gezwirnte Garn prüfen. Wenn da Schmutzflecke auf dem Garn sind, gibt es Abzug. Du schreibst deinen Namen auf jeden Musterzettel, der mit dem Garn rausgeht. Hast du keinen Stift, leihst du dir einen von Moses. Das ist der, der da gerade die Strümpfe wechselt …«

Ja, sie lernt es. Die Strümpfe zu wechseln, das heißt, einen Überzug auf die Holzspulen zu setzen, die benutzten in einen Holzkasten zu werfen, einen sauberen neuen aus einem anderen Kasten zu nehmen. Sie lernt, und als der Arbeitstag zu Ende ist, hat sie es geschafft, eine Maschine zu bedienen, Garn zu holen, eine fertige Maschine zu suchen, umzuladen, sie bereit zu machen und zu starten. Dann und wann taucht Axel Lundin auf, plötzlich steht er einfach an ihrer Seite, nickt stumm und verschwindet wieder.

Um Viertel nach vier stempelt sie aus, man zeigt ihr den Weg zum Umkleideraum der Arbeiterinnen, und da sinkt sie auf eine Holzbank. Es dröhnt in den Ohren, und sie hat Schmerzen im Rücken, weil sie noch nicht gelernt hat, die Paletten auf die richtige Art zu heben.

Der Umkleideraum ist voll mit Frauen, die ihre Kittel und Schürzen ausziehen. Die meisten scheinen Finninnen zu sein, nur wenige schwedische Wörter dringen durch das Gemurmel. Alle haben es eilig, niemand sieht sie dort sitzen.

Erst als der Umkleideraum sich geleert hat, spricht sie die Putzfrau an. »Hast du keinen Schrank?«, fragt sie.

Eivor schüttelt den Kopf.

Die Putzfrau sieht sie fragend an. »Hast du in deinen eigenen Kleidern gearbeitet?«

Und dann, mit Wut in der Stimme: »Dass sie den Neuen nicht sagen können, wo sie Overalls und Schürzen bekommen. Schau her!«

Sie zeigt auf eine kleine Trennwand hinter den rostigen Duschen. »Nimm, was du brauchst, und wirf es in diese Kiste da, wenn es schmutzig ist. Und nimm den Schrank dort in der Ecke. Der ist frei, das weiß ich.«

Als Eivor draußen in der Kälte steht, ist für sie klar, dass sie nie wieder herkommt. Wie, zum Teufel, soll es möglich sein, einen einzigen weiteren Tag in dieser staubigen und lärmenden Maschinenhalle auszuhalten? Dafür ist sie nicht nach Borås gekommen. Sie will doch Schneiderin werden. Zusammen mit anderen Mädchen Kleider nähen, Menschen treffen, eine Wohnung finden, das kaufen, was sie haben will. Leben. Nicht das hier.

Auf dem Weg zum Bus geht sie in ein Geschäft und kauft etwas zu essen.

Und ein Paket Watte. Für die Ohren.

Am Abend scheuert sie aus reiner Wut die ganze Wohnung, und dann ist sie so müde, dass sie in ihren Kleidern einschläft.

Aber am Tag darauf geht sie natürlich wieder zum Bus, stellt sich zwischen die anderen zitternden Schatten und wartet.

Als sie dabei ist, sich im Umkleideraum die Arbeitssachen anzuziehen, kommt Sirkka Liisa Taipiainen zu ihr. »Ich war gestern nicht da«, sagt sie mit singendem Akzent. »Wenn du die Neue bist, die Eivor heißt, ich bin die Liisa. Wir werden zusammenarbeiten. Acht Maschinen am Tag müssen wir schaffen, wenn der Akkord sich lohnen soll. Wie alt bist du eigentlich?«

»Neunzehn.«

»Ich dreiundzwanzig. Sollen wir raufgehen?«

Liisa ist rothaarig und sommersprossig. Sie ist dünn, hat aber kräftige Arme. Sie arbeitet sich mit sturer Verbissenheit durch den Tag. Bekommt sie schlechtes Garn, das schnell reißt, so sieht Eivor, wie ihre Lippen sich in stummen Flüchen bewegen.

Aber sie lächelt auch. Mindestens einmal am Tag ...

Liisa ist natürlich die, die das Sagen hat. Sie weiß, welche Garnsorten man vermeiden sollte und welche Maschinen störanfällig sind. Eivor schleppt Wagen mit neuen Paletten, gibt Spulen weiter und lädt, während Liisas flinke Finger die Fäden richtig einfädeln.

Akkord, das Tempo des Lebens. Auf allen Gebieten, was Eivor auch tut oder denkt, dreht es sich um den Akkord. Alles wird gemessen, die Norm ist die Leistungsfähigkeit. Es ist, als ob auch ihr Herz und Puls mitziehen bei dieser Treibjagd nach einem immer höheren Tempo und einem intensiverem ... Ja, nach was eigentlich? Sie schuftet mit den Wagen, sie schwitzt, sie folgt Liisas Händen, die in verschiedene Richtungen wedeln, mach dies, hol das, nein, nicht das, DAS! Sie stempelt am Morgen ein, wartet darauf, dass Liisa ihr Haar zu einem Pferdeschwanz zusammenbindet, und dann stürmt sie in der großen Maschinenhalle herum wie ein wildes Pferd. Das Herz klopft, der Rücken schmerzt, die Hände zittern, sodass sie kaum ihre Unterschrift auf den Kontrollzettel kritzeln kann. Sie denkt nicht einen einzigen wichtigen Gedanken, ehe die Pause beginnt.

Arbeiten, schlafen, essen. Die erste Woche vergeht, am Samstag um zwei Uhr stempeln sie aus. Liisa steht im Umkleideraum und fragt, was Eivor am Abend vorhat.

Was sie vorhat? Nichts. Sie will schlafen.

»Das kann man im Grab tun«, sagt Liisa. Aber mehr sagt

sie nicht, und Eivor wird nie erfahren, welche Gedanken sie hegt.

Als sie das Essen zubereitet und sich aufs Bett gelegt hat, um kurz auszuruhen, schläft sie ein und erwacht vierzehn Stunden später, in derselben Stellung, vollständig angezogen. Da ist es Sonntagmorgen, kurz nach acht Uhr. Es hat einen Wetterumschlag gegeben, das Thermometer zeigt plus vier Grad.

Sie bekommt Lust, diesen ersten freien Tag zu nutzen, sie fühlt sich plötzlich voller Energie. Jetzt kann sie endlich herausfinden, wie die Stadt aussieht. Sie isst ein Butterbrot und trinkt ein Glas Milch, und nach der obligatorischen halben Stunde im Badezimmer geht sie nach draußen zum Bus ins Zentrum. Sie muss lange warten, weil Sonntagmorgen ist, und nur wenige Leute wollen so zeitig in die Stadt. Ein paar alte Menschen sind vermutlich auf dem Weg in eine der Kirchen der Stadt. Eivor steigt am Busbahnhof aus und geht zum Zeitungskiosk, um Kaugummi zu kaufen, aber der hat noch nicht geöffnet.

Was jetzt? Wo soll sie anfangen? Hier ist Södra Torget, ein guter Ausgangspunkt für eine Entdeckungstour durch die Weberstadt Borås. Hierher kommen die roten Busse am Morgen und laden ihre blassen und müden Passagiere aus, die sich dann in verschiedene Richtungen verteilen, von Geschäften und Fabriken geschluckt werden. Und von hier aus kehren sie am Nachmittag in die Wohngebiete in den Außenbezirken der Stadt zurück, genauso müde, genauso gehetzt. Auf der einen Seite des Marktplatzes fließt der träge Viskan, da drüben erstreckt sich der Stadtpark rund um das weiße Theatergebäude. Auf der anderen Seite des Marktplatzes liegt ein Kino, Saga, und im Haus daneben befindet sich die Konditorei Cecil. Eivor geht hinüber und sieht sich die Kinoplakate an. Bis jetzt hat sie noch keinen Lohn bekommen, erst kommenden Donnerstag kann sie damit rechnen, dass Vorarbeiter Hansson auch ihr eine Plastikhülle aushändigt. Eine Hülle, in der die Scheine schimmern, lockend, ehrlich verdient.

Vorher kann keine Rede von einem Kinobesuch sein, aber was hindert sie daran, zu sehen, was gespielt wird?

Das letzte Ufer. Mit Gregory Peck, Ava Gardner, Fred Astaire und ihrem Liebling Anthony Perkins, der so süß ist mit seinem Lächeln und den bettelnden Augen.

Sie streift durchs Zentrum und zählt sechs Kinos. Herrgott, jeden Abend sechs Filme zur Auswahl! Sie wird richtig aufgekratzt bei dem Gedanken. An Hallsberg zu denken, während sie hier herumgeht, ist fast unmöglich. Wie konnte sie dort so viele Jahre leben, ohne zu ersticken?

Sie geht zum Rathaus und zum Marktplatz und versucht festzustellen, ob sie Heimweh hat. Sie kann Elna und Erik in der Küche sitzen sehen, oder vielleicht machen sie einen Sonntagsspaziergang. Wenn er nicht gerade arbeitet ...

Nein, das ist ja nun lange her, dass er sonntags zum Bahnhof runtergehen musste. Es ist erstaunlich, wie schnell sie vergisst ... Aber Heimweh? Nein, nicht wenn die Stadt und die Straßen so leer sind. Jetzt ist sie richtig angekommen, und jeden neuen Tag fühlt sie sich auch mehr zu Hause in der Zwirnerei. Liisa ist ein feiner Arbeitskamerad, auch wenn sie ein bisschen launisch ist, und sie hat Eivor selbst vor sich gewarnt, am Montagmorgen pflegt sie verkatert zu sein. Aber sie hat versprochen, auf keinen Fall zu Hause zu bleiben. Sie braucht Geld, da ist so vieles, was sie sich kaufen will ...

Nein, alles geht schon nach einer Woche leichter. Und wenn Eivor daran denkt, dass sie jetzt schon Geld gut hat, dass sie jeden Nachmittag, wenn sie nach Hause geht, weiß, dass ein weiterer kleiner Betrag darauf wartet, in ihrem Lohnkuvert zu landen, dann wird der Gedanke zu einem Gefühl von Freiheit. Natürlich will sie das hier schaffen. Wenn sie sich nur erst besser an die Stadt und ihre Menschen gewöhnt hat, dann wird sie sich auch zu Algots hineinschleichen. Sie *kann* ja nähen, Jenny Andersson hat ihr ein Zeugnis ausgestellt, auf das jeder neidisch werden könnte ...

Fleißig, sorgfältig, kann als Schneiderin empfohlen werden!

Viele Gedanken, viele Straßen. Sie versucht, die Namen zu lernen, Allégatan, die ist groß, genauso wie Stora Brogatan und Lilla Brogatan. Da ist der Marktplatz, und da ist das dunkle, bedrohliche Rathaus mit der Polizeistation im Keller. Die Caroli-Kirche, Stengärdsgatan, auf der hügeligen Seite der Stadt.

Da liegt das Stadthaus, ein hohes weißes Steinhaus ... Was ist eigentlich der Unterschied zwischen Rathaus und Stadthaus, denkt sie ... Hoch zur Gustav-Adolf-Kirche, ein gelbroter Ziegelbau, vorbei an der Mädchenschule und der Bibliothek, und da liegt die Höhere Allgemeine Oberschule, und dahinter ... Nein, weiter geht sie nicht, das scheint die Villengegend zu sein, vornehme Villen mit großen Gärten. Da wohnen wohl die Ingenieure und die, denen eine Fabrik wie Konstsilke gehört, denkt sie. Wieder zum Zentrum, aber einen anderen Weg, Södra Kyrkogatan, alte, schäbige Häuser. Was für ein Unterschied! Sie fragt sich, ob sie wohl jemals einen Fuß in so eine Villa setzen wird. Allenfalls als Dienstmädchen, denkt sie. Wie die, von denen Mutter erzählt hat, in Sandviken, die Nazis waren.

Nein, lass sie in ihren Villen wohnen, sie ist zufrieden mit dem hellhörigen Zimmer im Vorort Sjöbo. Vorerst ...

Als sie vor nunmehr vier Jahren den verhängnisvollen Tag gemeinsam mit Lasse Nyman verbracht hatte, war es, als ob eine Lanze direkt in sie hineingestoßen würde. Zuerst wusste sie, was sie nicht wollte, und das war kein schlechter Anfang. Es durfte nicht wie bei ihrer Mama werden. Mit einem Kind am Hals dazusitzen, bevor sie nicht einmal ... Ja, wie alt war sie? Achtzehn oder neunzehn? In einem langweiligen Haus zu leben in dem noch langweiligeren Hallsberg. Hausfrau, ein Leben, ausgefüllt mit Abwasch und einer warmen Bratpfanne. Eine Bratpfanne, die nicht erkalten würde, bevor sie starb ...

Bloß das nicht! Weg vom Stillstand der Landgemeinde, nie werden wie eine Kuh, die ewig an einem einzigen Grashalm kaut. In die Stadt, zu einer gut bezahlten Arbeit, zu ihrem eigenen Leben. Wie dieses eigene Leben aussehen sollte ... Ja, vielleicht wie dieses hier?

Jetzt hat sie einen ersten Schritt getan. Die Straße, auf der sie geht, liegt in Borås, nicht in Hallsberg. Sie hat einen Schritt mit Siebenmeilenstiefeln gemacht. Und niemand hindert sie daran, den nächsten zu tun und dann den nächsten und dann ...

Wieder auf der Allégatan eine weitere Runde durch die Stadt. Mehr Menschen sind in Bewegung, mehr Autos ... Wie jetzt das Rockerauto da, das unverdrossen um den Busbahnhof kreist. Sie geht den Viskan entlang auf dem Weg zur Algots-Fabrik, die hier in der Nähe liegen soll.

Plötzlich bremst das große Rockerauto, beginnt, neben ihr entlangzurollen, eine Scheibe wird heruntergekurbelt.

Was soll sie jetzt tun? Sie kann schließlich nicht weglaufen oder in den Fluss springen ... Ein bleiches Gesicht, dem von Lasse Nyman so ähnlich, dass sie zurückschreckt, ist ihr zugewandt. Sie geht unwillkürlich schneller, aber das Auto bleibt neben ihr. Sie sieht aus dem Augenwinkel, dass fünf Personen darin sitzen, zwei vorne und drei hinten. Was wollen sie eigentlich von ihr ... Und natürlich hält das Auto genau in dem Augenblick, als sie überhaupt nicht mehr weiß, was sie machen soll. Außerdem müsste sie die Straße überqueren, um zu Algots zu kommen. Geht sie geradeaus weiter, landet sie wohl bald in Varberg …

»Du da. Komm mal her.«

Sie schüttelt den Kopf und geht weiter. Schon ist das Auto wieder an ihrer Seite.

»Komm her, dann können wir uns ein bisschen unterhalten.«

»Nein«, murmelt sie und merkt, wie sie rot wird.

»Du kannst wenigstens antworten! Komm her und quatsch ein bisschen!«

Da dreht sie um und geht den Weg zurück, den sie gekommen ist. Und das können die Rocker nicht, denn es ist eine Einbahnstraße.

Das Letzte, was sie hört, bevor der Motor aufheult und das Auto mit kreischenden Reifen davonschleudert, ist, dass sie eine aufgeblasene Tussi sei, eine snobistische Fotze.

Sie rennt fast zurück zum Busbahnhof, und sie hat Glück, da steht ein Bus nach Sjöbo. Als sie bezahlt und sich gesetzt hat, sieht sie das Auto wieder den Viskan entlangfahren.

In diesem Augenblick ist sie sicher, dass sie es niemals wagen wird, in dieser Stadt allein auszugehen. Schon hat sie sich Feinde geschaffen, ist beschimpft worden.

Heim nach Sjöbo. Wenn man das nun ein Heim nennen kann. Vor dem Eingang hat jemand während der Nacht gekotzt, unverdaute Grillwurst mit Mengen von Senf und Ketchup. Im Treppenhaus riecht es nach Hundepisse, hinter den dünnen Türen schreien Kinder, und Küchendunst schlägt ihr entgegen!

Sie muss nachdenken. So darf es nicht weitergehen. Warum ist sie nicht geblieben, zu dem Auto gegangen und hat gefragt, was sie wollten – auch wenn sie die Antwort natürlich weiß? Wie soll sie hier klarkommen, wenn sie so feige ist? Wie soll sie andere Menschen treffen?

Sie hat gesehen, wie ein alter Mann ermordet wurde, sie ist auf dem Rücksitz eines gestohlenen Saab vergewaltigt worden. Und rennt weg, wenn ein paar Rocker sie mitten in einer Stadt ansprechen ... *Snobistische Fotze* ...

Es ist ihr eigener Fehler, nicht der von anderen!

Und das Resultat ist, dass sie drinnen sitzt und schmollt, ohne wenigstens den Algots-Konzern gesehen zu haben.

Nein, sie muss sich zusammennehmen, sonst kann sie gleich die Koffer packen, zurück nach Hallsberg fahren und wieder bei Jenny Andersson arbeiten. Wenn sie es noch nicht einmal schafft, ein paar Rockern in einem Auto zu antworten, dann hat sie auf dieser Welt nichts zu suchen.

Eine blöde Dorfkuh ...

Montagmorgen. Sirkka Liisa Taipiainen ist schrecklich verkatert, genau wie sie es angekündigt hat. Die Augen sind blutunterlaufen, und sie seufzt und stöhnt. Aber sie hat gute Laune, in der Frühstückspause unterhält sie Eivor mit ihren Heldentaten. Zuerst Tanz im Park, dann ein Fest in Rävlanda, wo immer das liegt ... Aber lustig war es!

»Und du?«, fragt sie.

»Ich war zu Hause«, sagt Eivor ausweichend.

Liisa sieht sie ungläubig an. »Ich habe selbst in einem dieser Rattenlöcher gewohnt«, sagt sie. »Pfui Teufel ... Du hast da gesessen, weil du nichts anderes vorhattest. Weil du niemanden hier in Borås kennst. Oder wie?«

Eivor nickt.

»Na, so eine Scheiße! Nächsten Samstag kommst du mit.«

»Wohin?«

»Was weiß ich. Heute ist schließlich erst Montag.«

Und dann, wie eine düstere Bestätigung, dass es wirklich Montag ist: »Ich sollte zurück nach Finnland fahren. Wozu bin ich hier? In Borås ...«

»Warum fährst du denn nicht?«

»Da gibt's keine Arbeit. Und jetzt müssen wir uns ein bisschen ranhalten. *Du* musst dich ranhalten. Ich schaffe heute nichts …«

Die Zeit rast, und das Gespräch wird plötzlich abgebrochen, Gewimmel auf der Treppe, das Dröhnen begrüßt und verschluckt sie. Maschine auf Maschine, Eivor schuftet, flucht, wenn die Fäden sich lösen, wenn eine ungewollte Pause entsteht. Axel Lundin steht da und schreit etwas ins Ohr des Vorarbeiters Svanslös, der den Kopf schüttelt und die Achseln zuckt. In seinem Teil der Maschinenhalle steht Moses und wechselt Strümpfe an den Rollen. Er sieht aus wie ein Tintenfisch mit acht Armen, Strümpfe in verschiedenen Farben wirbeln durch die Luft. Dann und wann schlägt er wütend nach einer unsichtbaren Fliege. Es dauert lange, bevor Eivor versteht, dass er Asthma hat und nach dem Staub schlägt. Gelegentlich kommt ein weiß gekleideter Ingenieur durch die Maschinenhalle, Liisa lässt keinen vorbeigehen, ohne einen kräftigen Fluch hinterherzuschicken. Dann nickt sie vergnügt zu Eivor hin und schuftet weiter an ihren widerspenstigen Rollen.

»Ich zwirne«, denkt Eivor. »Eines Tages werde ich wohl in irgendeine Maschine eingezwirnt, verschwinde zwischen den Fäden …«

Nach zwei Wochen hat Eivor zwei Gedanken im Kopf: jeden Donnerstag gibt es Lohn, und so schnell wie möglich will ich hier weg.

Es wird Samstag. Im Umkleideraum drückt Liisa Eivor einen Finger gegen die Brust. »Um sechs kommst du zu mir!«

»Ich weiß doch gar nicht, wo du wohnst!«

»Stell dich mitten auf den Marktplatz und ruf. Entweder kommt die Polizei, oder es kommt jemand und erklärt dir, wo ich wohne …Also im Ernst: Engelbrektsgatan 19. Auf dem Hof. Weißt du, wo das ist?«

Klar, Eivor erinnert sich an die Straße von ihrem missglückten Sonntagsspaziergang her.

»Tschüss. Und der Teufel hol dich, wenn du nicht kommst. Wir wollen zusammen in den Park ...«

Und dann ist sie weg. Weg mit dem Wind ...

Liisa teilt eine unmoderne Zweizimmerwohnung in einem verfallenen Haus mit einem anderen finnischen Mädchen, Ritva. Während Eivor in dem dunklen Treppenhaus nach dem Lichtschalter tastet, hört sie *Blueberry Hill* von Fats Domino durch die Wände. Liisa und Ritva wohnen im Erdgeschoss, ihre Namen stehen auf einem Zettel gekritzelt, der mit einer Heftzwecke befestigt ist. Die Klingel funktioniert nicht, und als auf Eivors Klopfen niemand kommt, poltert Eivor gegen die Tür.

Liisa steht in der Tür mit einem Glas in der Hand. »Hej«, ruft sie. »Willkommen in diesem Irrenhaus. Komm rein ...«

Liisa und Ritva trinken Branntwein und Limo. Sie sitzen in Ritvas Zimmer, weil sie ein Bett hat, aus dem man tagsüber ein Sofa machen kann. Das Zimmer hat fleckige Tapeten, die Möbel sind einfach, aber Eivor spürt sofort, dass hier Leben herrscht. Sie begrüßt Ritva, die in Liisas Alter ist. Aber damit hören auch schon alle Gemeinsamkeiten auf, Ritva ist rundlich und hat helles halblanges Haar. Sie arbeitet in der Konfektionsfirma Lapidus, und sie ist schon länger in Borås als Liisa.

Ein kleines Grammofon mit Lautsprecher im Deckel steht auf einem Hocker vor dem Sofa, und auf dem fleckigen Holztisch liegt ein Stapel Single und LP-Scheiben. Plattenhüllen kann Eivor nicht entdecken. Die Nadel kratzt, und die Lautstärke ist bis zum Anschlag aufgedreht.

Mitten auf dem Fußboden steht ein elektrischer Heizofen und glüht.

Liisa füllt ein Glas und gibt es ihr. »Skål«, sagt sie.

Eivor schüttelt sich, als sie es getrunken hat. Aber die beiden scheinen nicht zu merken, dass sie es nicht gewohnt ist, denn *Blueberry Hill* ist zu Ende. Die Platte landet auf dem Stapel, und Ritva greift nach einer neuen und legt sie auf den Plattenteller, ohne nachzusehen, welche. Eine gelbe Platte, *Living Doll*, Cliff Richard.

Es wird sieben Uhr. Über den Cognaks beginnen Ritva und Liisa zu beratschlagen, was an diesem heiligen Samstagabend geschehen soll. Keine von ihnen hat einen festen Begleiter, so viel versteht Eivor, obwohl verschiedene Männernamen durch die Unterhaltung schwirren. Sie nippt an ihrem Glas und versucht, dem Voranschreiten des Schlachtplans für den Abend zu folgen. Die einzige Frage scheint zu sein, ob sie erst runter zum Cecil gehen sollen, um zu sehen, ob jemand sie zum Park mitnehmen kann. Sonst bleibt nur der Bus.

Cecil oder nicht. Schließlich gibt die Uhr den Ausschlag. Es ist zu spät geworden, das Cecil muss warten. Kämme und Bürsten, Lippenstift und Taschenspiegel werden über den Tisch hin und zurück geschoben.

»Ist es gut so?«, fragt Liisa und dreht sich zu Eivor.

Sie nickt. Zu ihrer Erleichterung merkt sie, dass sie sich nicht sehr von den beiden unterscheidet. Das Make-up ist ganz ähnlich, die Kleidung auch. Bluse oder Pulli, Faltenrock oder Hose, das macht keinen so großen Unterschied.

Der Park liegt auf dem Weg nach Sjöbo. Eivor hat ihn gesehen, als sie mit dem Bus vorbeigefahren ist. Es sind viele Menschen in der Tanzhalle, sie bezahlt ihren Eintritt und bekommt einen seltsamen Stempel auf die Hand, als sie an dem riesigen Türwärter vorbeigeht, der die Eintrittskarten entgegennimmt. Der Stempel wird nur sichtbar, wenn man ihn unter eine Lampe mit bläulichem Licht hält.

Schaffe ich es, denkt Eivor. Mit wem soll ich tanzen, wen

soll ich abweisen? Wo soll ich stehen, wo soll ich sitzen? Was soll ich sagen, wann soll ich ruhig sein?

Ihr ist ein wenig schwindlig von dem Branntwein, aber nicht so wie Ritva und Liisa, die die Flasche in der Handtasche mitgenommen haben. Sie sind auf dem Weg zur Damentoilette, um sie zu leeren, als Eivor plötzlich aufgefordert wird.

»Wir treffen uns hier«, ruft Liisa, und dann sind sie und Ritva in dem Gedränge verschwunden.

Der Mann, der sie aufgefordert hat, ist mindestens fünfzehn Jahre älter als sie. Er hat kaum noch Haare und riecht nach Bier, wirkt aber nicht auffallend betrunken. Nein, sie kann keinen Grund entdecken, ihn abzuweisen, so folgt sie ihm zu der überfüllten Tanzfläche. Es ist ein langsames Stück, er presst sie an sich, seine Bartstoppeln stechen, und er riecht nach Schweiß, aber sie macht mit und konzentriert sich auf die Tanzschritte.

»Es ist lustig hier«, sagt er während des Tanzens.

»Ja«, antwortet Eivor.

»Obwohl es letzten Samstag besser war.«

»Ja. Viel besser.«

Und dann das nächste Stück. *Twilight Time*.

An der Decke schwebt eine große Silberkugel, die vom Licht unsichtbarer Scheinwerfer leuchtet. Es ist eng, sie wird vor und zurück geschubst von dem Mann, der nicht besonders gut tanzt. Das irritiert sie, aber es macht ihr auch Spaß, es gibt also Menschen, die schlechter tanzen als sie. Tanzen gelernt hat sie zusammen mit ihren Freundinnen in Hallsberg, vor allem mit Åsa. Åsa, die dann zur Realschule in Örebro ging und damit als Freundin verloren war.

Der Tanz ist zu Ende, er fragt, ob sie noch einmal mit ihm tanzen will, doch sie entschuldigt sich mit ihren Freundinnen, und er begleitet sie zur Treppe, die von der Tanzfläche hinaufführt. Aber bevor sie Liisa und Ritva entdeckt hat, wird sie erneut aufgefordert, und so geht es weiter bis zur Pause. Erst da sieht sie Liisa, die bei einem finnischen Jungen am Tisch sitzt. »Hast du Ritva gesehen?«, ruft Liisa.

»Nein.«

»Ich auch nicht. Tanzt du die ganze Zeit?«

»Ja, beinahe …«

»Da siehst du!«

»Was denn?«

»Den Unterschied, mit mir auszugehen oder zu Hause zu sitzen.«

Liisa wendet sich wieder ihrem Freund zu. Sie sprechen finnisch, und Eivor versteht kein Wort. Sie macht sich auf den Weg zur Damentoilette, um ihr Make-up aufzufrischen. Außerdem muss sie dringend pinkeln. Auf der Toilette ist es eng und schmutzig. Ein Mädchen hat gekotzt und hält das Gesicht unter einen Wasserhahn. Sie ist stark betrunken, die Beine knicken unter ihr ein. Auf Eivor wirkt sie unheimlich bleich. Wie kann sie so viel Alkohol in sich hineingeschüttet haben, und wer hat sie hierher mitgebracht? Sie wirft nur einen Blick in den Spiegel, richtet ihre Haare und verschwindet aus der Toilette. Gleichzeitig beginnt das Orchester Sven Eriksson wieder zu spielen, und sie wird sofort aufgefordert. Mit dem, der ihr die Hand auf die Schulter legt, hat sie schon früher am Abend getanzt. Er ist lang und mager, hat einen glänzenden schwarzen Schopf und beinahe unnatürlich weiße Zähne, wenn er lächelt.

So übermäßig gut tanzt er nicht, aber er drückt sie jedenfalls nicht entzwei und behält die Hände dort, wo sie hingehören.

Als der Tanz zu Ende ist, fragt er, ob er sie zu einem Getränk einladen dürfe, und sie willigt dankend ein.

»Ich heiße Tom«, sagt er, als sie zwei leere Stühle entdeckt haben und sich, jeder mit seiner Coca-Cola-Flasche, hinsetzen.

»Eivor.«

»Kommst du oft hierher?«

Sie sagt, wie es ist, irgendwann muss es ja doch heraus. Er fragt, und sie erzählt, von Konstsilke, von Liisa, von Sjöbo. Aber als er wissen will, woher sie kommt, kann sie es nicht lassen, Örebro zu sagen. Hallsberg ist trotz allem zu unbedeutend. Und was macht dieser Tom, der so unwahrscheinlich weiße Zähne hat? Tja, er wohnt in Skene, außerhalb von Borås, da arbeitet er bei seinem Vater in der Autowerkstatt. Er ist zwanzig Jahre alt und fährt jeden Samstag in den Park, manchmal auch am Mittwoch.

»Magst du Sport?«, fragt er.

»Ich weiß nicht. Warum?«

Er will von einem der großen Erlebnisse in seinem Leben erzählen. Vor zwei Jahren, da hatte Brasilien sein Hauptquartier während der Fußballweltmeisterschaft in Hindås, das liegt zwischen Göteborg und Borås. Und er hatte einen Sommerjob in dem Hotel, in dem die brasilianische Mannschaft wohnte. »Ich habe von allen Autogramme«, sagt er. »Pelé, Garrincha, Didi, Vava ... Alle zusammen.«

Natürlich weiß sie, dass die Fußballweltmeisterschaft in Schweden war. Erik saß tagelang vor dem Radio und hörte zu. Ganz blöd ist sie ja nicht. Ingmar Johansson ist auch keine unbekannte Größe. Aber diese brasilianischen Namen sagen ihr gar nichts.

»Das haben wohl nicht viele«, murmelt sie.

»Nein«, antwortet er. »Das haben nicht viele.«

Sie tanzen den ganzen Abend miteinander, zum Schluss immer enger, aber nicht so, dass Eivor es ungemütlich fände. Und vor allem fängt er nicht an sie zu begrapschen. Als der letzte Tanz vorüber ist, kann Eivor Liisa und Ritva nicht entdecken, und nach kurzem Zögern ist sie einverstanden, dass er sie nach Hause fährt. Sie glaubt nicht, dass sie etwas zu befürchten hat, er wirkt ja nicht aufdringlich.

Er hat einen Amazon, in den er offensichtlich viel Arbeit und Liebe gesteckt hat. Der Lack glänzt, die Sitze sind mit rotem Plüsch überzogen, und es riecht nach Rasierwasser.

»Ich kenne mich hier in der Stadt ganz gut aus«, sagt er. »Sag mir einfach die Adresse.«

Er biegt vor dem Haus ein, er hat ohne Umweg hingefunden. »Darf ich mit hochkommen?«, fragt er.

»Nein«, antwortet Eivor.

»Sehen wir uns morgen? Vielleicht zum Kino?«

»Ja …«

»Im Skandia läuft ein Film, der ganz gut sein soll. *Das Totenschiff*. Das ist ein deutscher Film. Mit dem berühmten … Wie heißt er gleich noch …«

»Horst Buchholz?«

»Genau. Der. Ich kann dich hier abholen. Oder wir treffen uns unten in der Stadt.«

»Lieber dort.«

»Sollen wir sagen bei Cecil?«

»Ja.«

»Gehen wir in die erste oder zweite Vorstellung?«

»Das ist mir egal.«

»Dann gehen wir in die zweite. Vorher können wir noch einen Kaffee trinken. Um sieben Uhr?«

»Ja.«

»Soll ich dich nicht abholen?«

»Ich komme lieber in die Stadt.«

Warum sie nicht abgeholt werden will, weiß sie nicht so recht. Um sich nicht allzu interessiert zu zeigen, ihn auf Abstand zu halten? So ist es wohl …

Die Konditorei Cecil befindet sich im Haus vor dem Kino

Saga. Auf der Treppe hinauf ins Lokal stolpert Eivor und schlägt sich fast die Stirn auf. Das ist kein geglückter Start in den Abend. Einen Augenblick bleibt sie auf der Treppe stehen und überlegt, ob sie umkehren soll, aber dann kommen Leute, die hinauswollen, und sie geht weiter. Es ist offensichtlich eine Art Rockercafé. Zumindest ist es ein Ort, an dem sich Eivor sofort zu Hause fühlt. Die Jugendlichen, die dort sitzen, sehen aus wie sie, in Lederjacken und engen langen Hosen, hochgeschlossenen Pullovern über straffen Büstenhaltern, blondiert und geschminkt, schwarz umrandete Augen und rosa Lippen. Eine Jukebox dröhnt, es ist natürlich Elvis – außerdem ein Song, den sie selbst besitzt, *King Creole*, und sie schaut sich im Lokal um nach Tom, dem Automechaniker, aber der ist wohl noch nicht gekommen, und die Uhr an der Wand zeigt auch erst zehn vor sieben. Nachdem sie sich einen Kaffee bestellt hat, setzt sie sich an einen Tisch und kramt ein Päckchen John Silver hervor. Es kommt nicht oft vor, dass sie raucht. Wie sehr sie sich auch bemüht hat, es will nie schmecken. Aber es ist gut, etwas zwischen den Fingern zu halten.

Der Kaffee ist lauwarm, die Zigarette schmeckt schlecht wie immer. Es wird sieben Uhr und etwas darüber, aber kein Tom taucht auf. Ein paar Minuten zu spät zu kommen gehört wohl dazu, ob man nun in Skene wohnt oder im Süden von Stockholm, denkt sie. Nie zu interessiert wirken, wie sehr man es auch ist. Mädchen können warten, und Eivor macht da natürlich keine Ausnahme. Es ist warm und gemütlich genug im Lokal, die Jukebox wechselt ununterbrochen die Platten, und er wird wohl auf jeden Fall rechtzeitig zum Film kommen. Wie lange braucht man zu Fuß zum Skandia? Fünf Minuten, wenn man schnell geht und die Abkürzung am Fluss nimmt, nicht mehr ... Lass dir ruhig Zeit, Tom Skene, ich sitze hier ...

Aber er kommt nicht, es wird halb acht, acht. Eine Stunde. Also abgeblitzt, gewogen und zu leicht befunden! Sie ist nicht beleidigt, nur traurig. War sie zu abweisend gestern Abend, eine Braut, die nicht will, sondern die Tür zuschlägt wie eine Panzertür, eine Schnepfe …

Verdammt! Nach zehn, elf Tänzen im Park kann man wohl nicht jeden Beliebigen mit nach Hause nehmen! Oder kann man das, *sollte* man das können?

Wieder falsch also. Gewogen und zu leicht befunden …

Vielleicht hat sie sich verhört? Wollten sie sich vor dem Kino treffen? Sie war ja schon ziemlich müde gestern Abend. Verdammt! Zehn Minuten bevor der Film beginnt, kommt sie atemlos vor dem Kino an, das an einer der Brückenstraßen liegt. Aber im Foyer ist er nicht. Wenn sie eine Eintrittskarte kauft und hineingeht, sieht er sie vielleicht … Aber da ist niemand, der winkt oder ihr zuruft, als sie sich in dem dunklen Saal vorwärtstastet. Sie setzt sich in eine Reihe ganz an den Rand, es ist genug Platz, und nachdem der Film eine halbe Stunde gelaufen ist, versteht sie auch, warum; ein richtiger Scheißfilm ist das, nicht einmal Horst Buchholz ist gut.

Es ist kalt, als sie zurück zum Busbahnhof geht. Wenn sie nur wüsste, warum er nicht gekommen ist, dann könnte sie sich damit abfinden. Dass sie es nicht weiß, ist schlimmer, als gesagt zu bekommen, sie sei eine verdammt langweilige Schnepfe, die nicht mal als Begleitung für einen miesen deutschen Film taugt.

Der Bus ist weg, es dauert eine halbe Stunde, bis der nächste kommt. Um in der Kälte nicht festzufrieren, läuft sie los, und ohne dass sie es beabsichtigt hat, steht sie plötzlich da und schaut auf das große Algots-Schild vor einem roten Ziegelgebäude. Obwohl Sonntag ist, wird gearbeitet, Eivor sieht Schatten, die sich hinter den Fenstern bewegen.

Hier möchte sie arbeiten, denkt sie. Hier und nirgendwo anders. Hier werden Kleider hergestellt, nicht Fäden für Gummireifen. Hier kann sie ihre Geschicklichkeit an der Nähmaschine beweisen, vielleicht irgendwann in der Zukunft sogar Kleider entwerfen.

Sie beeilt sich, zum Busbahnhof zurückzukommen, um den Bus nicht wieder zu verpassen. Es ist der letzte für heute.

Tom hat sie versetzt, der Film war schlecht, aber sie hat Algots gefunden. Und morgen ist wieder Montag. Sie wird Liisa um Rat fragen. Und warum schuftet Liisa bei Konstsilke? Kann sie nicht nähen? Will sie nichts aus ihrem Leben machen? Schnaps und Limonade am Samstagabend, das kann doch nicht genug sein, nicht einmal für eine Finnin mit großer Klappe ...

Nach einer weiteren Woche sollen Eivor und Liisa zur Schichtarbeit, das hat Vorarbeiter Svanslös ihnen mitteilen lassen. Da werden sie dann besser verdienen, aber sie müssen auch in regelmäßigen Abständen mitten in der Nacht aufstehen.

Auch der Montag nimmt schließlich ein Ende, und heute will Eivor ins Kaufhaus. Ihr erster Einkaufsbummel. Tempo an der Ecke zum Marktplatz, Epa an der einen Längsseite, Domus weiter unten an der Brogata. Sie beginnt bei Tempo, sieht sich die Kleider und Schuhe an, bleibt etwas länger in der Parfümerieabteilung. Es gibt so vieles, was sie gern hätte, die Schuhe da, die Hose, vielleicht auch den Pulli ... Mal sehen, ob Epa konkurrieren kann, eine Krone Erspartes hier oder da ... Bei Epa gibt es auch viel Verlockendes, obwohl das meiste dem gleicht, was sie bei Tempo gesehen hat.

»Kann ich Ihnen vielleicht helfen?«

Die Verkäuferin ist in ihrem Alter, freundlich, aber gelangweilt.

»Ich schaue bloß«, murmelt Eivor.

»Bitte sehr ...«

Zweiundvierzig Kronen für den gelben Pulli mit den eingewebten Silberfäden!

Domus steht noch aus, vorher wird kein Entschluss gefasst! Und natürlich gibt es auch da viel, was sie lockt. Aber der Pulli ... Sie geht zurück zu Epa, die Verkäuferin scheint sich nicht an sie zu erinnern.

»Kann ich Ihnen vielleicht helfen?«

»Haben Sie den in meiner Größe?«

»Ja, sicher. Wollen sie ihn anprobieren?«

Er passt perfekt, sie findet sogar, dass sie darin ein bisschen älter aussieht. Wer weiß, ob sie nicht sogar Alkohol kaufen könnte, wenn sie diesen Pulli hier trägt. Für nur zweiundvierzig Kronen ...

Die Verkäuferin steckt den Kopf herein. »Der passt ja prima.«

»Ja ... Ich nehme ihn.«

Sie bezahlt, bekommt ihn in einer Einkaufstüte, und dann beendet sie diesen überwältigenden Nachmittag damit, essen zu gehen. Im Restaurant von Tempo, um die Konkurrenz zu unterstützen. Beefsteak, Milch und Brot inklusive. Auf dem Weg zum Bus tritt sie kurz in ein Tabakwarengeschäft und kauft Briefpapier, Kuverts, Briefmarken – und eine Zeitschrift. Die Zeitschrift für sich selbst, das Briefpapier für Hallsberg. Die wundern sich gewiss schon, warum sie nichts von sich hören lässt ...

Als sie durchliest, was sie da, auf dem Bett hockend, zusammengeschrieben hat, findet sie den Brief beinahe peinlich. Alles ist so gut, die Arbeit, die Unterkunft, Liisa, die Stadt, die Geschäfte. Ganz so ist es zwar nicht, aber es ist auch nicht gelogen. Jedenfalls werden sie beruhigt sein. Sie kommt zurecht, das ist die Hauptsache. Und warum soll sie über Branntwein und Limonade und einen Tom, der sie versetzt hat, schreiben? So, wie der Brief ist, wird sie ihn abschicken. Grüße an die Katze. Eivor.

Dienstag. Neuer Arbeitstag; an der Stempeluhr steht Vorarbeiter Svanslös und gestikuliert durch den Lärm, dass es ein Versagen in der Spinnerei gegeben hat. Heute wird also Stundenlohn gezahlt, vielleicht morgen auch, die ganze Woche …

Ehe es Proteste hagelt, kehrt er in seinen Glaskasten zurück. Aber Liisa folgt ihm, mit einem Ruck zieht sie Eivor mit sich, und danach kommen mehr, der magere Evald Larsson, Viggo Wiberg, einer nach dem anderen. Aber kein Protest hilft, Vorarbeiter Svanslös hat Order vom leitenden Ingenieur bekommen.

»Jetzt haut ab und arbeitet. Ich kann da auch nichts machen …«

»Ruf den Funktionär an.«

»Ihr könnt doch verdammt noch mal keine Gewerkschaftssitzung während der Arbeitszeit abhalten!«

»Nein, aber er soll zur Frühstückspause in der Kantine sein. Und wenn es etwas länger dauert, so drückst du ein Auge zu.«

»Nein, das kann – «

»Scheißkerl, natürlich kannst du das«, unterbricht Liisa.

Funktionär Nilsson kommt atemlos von der Färberei. Er ist schwarz an den Händen, und das graue dünne Haar steht ab. Er gerät mitten in die aufgeregte Schar, und da wird die verblüffende Tatsache offenkundig, dass er gar nicht informiert wurde, obwohl er der höchste Gewerkschaftsmann in der Fabrik ist.

»Das können wir nicht zulassen«, brüllt jemand direkt in seine Ohren.

»Nein«, antwortet er. »Aber … Wartet mal! Ich werde versuchen, Levin zu erwischen, und hören, was das soll.«

»Und ihm sagen, dass wir den Akkordlohn haben wollen!«

»Ja, verdammt noch mal. Schrei nicht so. Ich höre ...«

Nilsson stürzt fort, und sie können frühstücken.

»Warum sind sie so aufgebracht?«, fragt Eivor.

»Weil die Ingenieure glauben, sie könnten mit uns Heu aufschichten, wie sie wollen.«

»Heu aufschichten?«

»Sie meint, dass sie machen, was sie wollen. Bist du übrigens in der Gewerkschaft, Mädel?«, fragt Evald Larsson.

Der griesgrämige Larsson, der mindestens drei Becher Kakao zu jedem Frühstück trinkt. Seine Frage ist vorsichtig formuliert, aber Eivor ahnt eine gewisse Mahnung hinter den Worten. Nein, sie ist nicht danach gefragt worden. Niemand hat etwas gesagt.

»Du solltest dich der Textil-Gewerkschaft anschließen«, sagt er. »Wir können keine Leute brauchen, die nicht organisiert sind. Denn du willst ja nicht morgen hier aufhören?«

»Nein, nicht direkt.«

»Ich werde mit Nilsson sprechen.«

Bis zur Mittagspause ist es Betriebsrat Nilsson gelungen, Zugang zu den heiligen Räumen der Direktion zu erlangen, wo unter anderem der leitende Ingenieur Levin residiert. Es geht offenbar darum, dass kein Akkordlohn gezahlt wird, bis die Produktion wieder normal läuft.

Das ist alles, was der Funktionär den Arbeitern der Zwirnerei mitteilen kann.

»Dagegen müssen wir uns wehren«, sagt Evald düster.

»Ich glaube nicht, dass ich dazu raten kann«, sagt der Funktionär ebenso düster, »könnt ihr euch nicht bis morgen gedulden? Levin sagte doch ... Wartet wenigstens bis morgen, dann kann ich etwas Zeit gewinnen, um herauszufinden, was eigentlich geschehen ist.«

Aber das bekommt er nicht heraus. Es ist ein Geheimnis, das im stillen Kämmerchen der Ingenieure bleibt, weit weg vom ohrenbetäubenden Dröhnen der Maschinenhalle. Denn es kann nicht ratsam sein, die Arbeiter wissen zu lassen, dass zwei Verträge ohne Ankündigung plötzlich gestrichen wurden.

Der leitende Ingenieur Levin bekommt am Nachmittag Bescheid, dass in der Zwirnerei Unruhe herrscht. Er weist das Lohnbüro an, allen, die sich daran beteiligen, den Lohn zu kürzen. Vorarbeiter Hansson soll herumgehen und aufpassen, dass kein Unschuldiger betroffen ist.

Der leitende Ingenieur Levin ist siebenunddreißig Jahre alt, ein Mann, der der Veränderung in der Industriewelt folgen kann. Er versteht, welche Produkte eine Zukunft haben, welche nicht. In fünf, sechs Jahren wird es Zeit für ihn werden, sich nach einem neuen Job umzusehen, denn danach wird Konstsilke wohl bald geschlossen werden. Das weiß er jetzt schon. Wenn also die ersten Vorzeichen zur Überraschung der Arbeiter auftauchen, haben er und die anderen Ingenieure ihr Haus schon bestellt. Die Welt dreht sich am ruhigsten ohne unnötige Abweichungen von dem Prinzip, dass der, der zuerst an der Mühle ist, auch zuerst mahlen darf …

Sie setzen sich in der letzten Stunde des Arbeitstages zusammen, machen nur noch die Maschinen fertig, mit denen sie gerade beschäftigt sind. In einer Ecke der Maschinenhalle gibt es mehrere große Stoffballen, das ist der einzige Sitzplatz, abgesehen von den Toiletten, deren Türen man selbstverständlich nicht abschließen kann. Auf diesen Stoffballen lassen sie sich nieder, die Maschinen kommen allein zurecht.

Vorarbeiter Hansson geht unruhig herum, schüttelt den Kopf, als wäre er Zeuge einer zutiefst unmoralischen Handlung. Und das ist die Sache in seinen Augen ja auch. Betriebsrat Nilsson kommt angerauscht, hochrot im Gesicht. Das

Ganze gefällt ihm auch nicht, es bedeutet für ihn Tadel von Levin, und der kann tadeln, bis man rot wird …

»Ihr hättet, verdammt noch mal, wohl bis morgen warten können«, zetert er.

Evald Larsson schüttelt den Kopf.

Dann zeigt er auf Eivor. »Hier hast du eine, die mitmachen muss«, ruft er. »Es ist deine Aufgabe, dafür zu sorgen, dass die Neuen Beiträge bezahlen.«

»Ja, ja, verdammt … Hier ist so eine Fluktuation von Leuten, dass man nicht mehr mitkommt!«

Fluktuation? Einige Worte aus ihrem ersten Gespräch mit dem Personalchef klingen ihr plötzlich wieder im Ohr. Stabiler Arbeiterstamm. Kann das wohl wahr sein? Und warum arbeiten sie nicht?

Das alles muss Liisa mir erklären, denkt sie. Das will ich verstehen …

Die einzige Möglichkeit, Liisa zu erwischen, die es immer eilig hat, die Fabrik zu verlassen, ist, sie energisch am Arm zu packen.

»Ich hab keine Zeit«, sagt sie.

»Was hast du denn vor? Ich lad dich zu einem Kaffee ein.«

»Cecil?«

»Da ist so viel Rummel. Gibt's kein Café am Volkshaus?«

»Da bin ich noch nie gewesen.«

»Ich auch nicht. Komm jetzt.«

Kaffee, Zuckergussgebäck und Berliner Ballen.

»Wie geht's weiter?«, fragt Eivor, als der Plätzchenteller leer ist. »Gibt es wieder Akkordarbeit?«

»Das werden wir morgen sehen. Der Teufel soll sie holen …«

»Kannst du mir das alles nicht mal erklären?«

»Nein. Aber ich kann dir von meinem Großvater erzählen.«

Es gibt Augenblicke, in denen sich die Menschen plötzlich verändern. Wie jetzt Liisa, als sie ihren Großvater erwähnt. Da wird sie leise und sieht Eivor an, als erblickte sie eine weit zurückliegende Erinnerung. Und so ist es ja auch. Der Großvater ist ihre knorrige Wurzel, weit weg im fernen Finnland. Von ihm und seinem Leben hat sie ein Erbe, ein Misstrauen gegenüber allem, was von leitenden Ingenieuren und unehrlichen Vorarbeitern kommt. Wie sich die Zeiten auch verändert haben, Olavi Taipiainens Wort besitzt immer noch seine Gültigkeit.

»Was weißt du über Finnland?«, sagt sie.

»Nicht viel«, antwortet Eivor. »Beinahe nichts. Die Farben der Fahne sind Blau-Weiß ...«

Und dann erzählt Liisa. Wie viel Eivor versteht oder nicht, ist unklar. Aber als sie einmal in Fahrt gekommen ist, kann Liisa nichts mehr aufhalten oder unterbrechen.

Sie erzählt von ihrem Großvater, der 1889 geboren wurde, Sozialdemokrat war und im Bürgerkrieg auf der Seite der Roten Garde kämpfte. Später wäre er dafür beinahe hingerichtet worden.

»Er wohnt bei uns zu Hause in Tammerfors, und als ich klein war, erzählte er mir dies«, schloss sie. »Ohne ihn wäre ich ein Idiot. Ohne ihn hätte ich nicht begriffen, dass wir von den Ingenieuren gerupft werden wie die Hühner. Wenn sie uns den Akkord nehmen wollen, so müssen wir ... Es ist ja nicht möglich, vom Stundenlohn zu leben! Na ja, vielleicht, wenn man aufhört zu essen und in einem Zelt wohnt ... Wenn sie den Akkord nicht bezahlen wollen, hören wir auf zu arbeiten. Das ist alles, was wir tun können. Und das haben wir heute getan. Und das machen wir morgen wieder, wenn wir den Akkord nicht bekommen ...«

»Aber wenn sie ... Wenn wir entlassen werden?«

»Na, wer soll dann ihr verdammtes Garn zwirnen? Sie

selbst? Nein, man muss seinen Wert kennen. Kennt man ihn nicht, ist man überhaupt nichts wert. Und dann können sie mit einem machen, was sie wollen. Ich kann es nicht besser erklären ...«

Eivor fragt, und Liisa antwortet. Eivors Fragen sind naiv, aber Liisa rümpft nicht die Nase, sondern versucht, sie zu beantworten, so gut sie kann.

»Du weißt ja gar nichts«, sagt sie und lacht. »Was hast du eigentlich gemacht, bevor du hergekommen bist?«

»In Hallsberg gewohnt.«

»Hast du da alleine gewohnt?«

»Nein ... Aber einmal war ich auf einer Erster-Mai-Kundgebung. Daran erinnere ich mich jetzt. Mit einem alten Mann, der krank war.«

»Ist das alles?«

»Ja ... So ziemlich.«

»Du hast noch viel zu lernen, du.«

»Da hast du wohl recht.«

»Aber das habe ich auch. Verdammt! Manchmal vermisse ich Großvater. Mehr als Papa und Mama und meine Geschwister. Er hat so eine verdammte Kraft ... Aber im Sommer fahre ich nach Hause und besuche ihn.«

Das Café schließt zeitig, schon um sechs Uhr. Sie sind beide verwundert, als sie merken, dass sie fast zwei Stunden dort gesessen haben.

»Morgen müssen wir ausgeruht sein«, sagt Liisa, als sie in der Abendkälte auf dem Bürgersteig stehen. »Man muss bereit sein, wenn sie mit weiterem Unfug daherkommen. Man kann nie wissen. Fahr jetzt nach Hause ...«

Aber am nächsten Tag steht Vorarbeiter Hansson an der Stempeluhr und sagt, dass der Akkord wie gewöhnlich weitergeht, der Bescheid kam vom leitenden Ingenieur.

»Aber was ist mit gestern?«, fragt Evald Larsson.

»Das werdet ihr an euren Lohntüten merken«, antwortet Hansson und kehrt in seinen Glaskasten zurück.

»Zur Hölle«, ruft Liisa ihm hinterher, aber das hört er natürlich nicht.

Betriebsrat Nilsson kommt atemlos herüber, gerade als die erste Pause beginnt, und verspricht, dass er tun wird, was in seiner Macht steht, damit das Lohnbüro ihnen nicht die Stunden abzieht, die sie nicht gearbeitet haben.

»Macht er das wirklich?«, fragt Eivor.

»Nein«, sagt Liisa.

»Na ja«, sagt Evald Larsson.

»Zur Hölle«, sagt Liisa.

»Na ja, so schlecht ist er nun auch wieder nicht«, brummelt Evald.

»Sollen wir wetten?«

»Ich hab kein Geld.«

»Nein, du hast kein Geld zu verlieren. Du weißt genauso gut wie ich, dass er es nicht wagt, sich gegen die da oben aufzulehnen.«

»Na ja«, antwortet Evald. »Wir werden sehen …«

Und diesmal ist er es, der recht behält. Niemand hat einen Abzug bekommen.

»Gut gemacht«, sagt Liisa, aber sie merkt nicht, dass Betriebsrat Nilsson verwundert darüber ist. Kann es ein Irrtum sein?

Klar, das kann es, und am Tag darauf bekommt der Oberbuchhalter im Lohnbüro vom leitenden Ingenieur Levin eine ordentliche Abreibung verpasst. Natürlich kann man jetzt nichts mehr ändern. Aber es ist unerhört, dass die Direktiven hinsichtlich des Abzugs nicht durchgeführt wurden.

Das darf nie wieder geschehen, und der Oberbuchhalter kann gehen.

Es wird kein langer und strenger Winter. Er lockert seinen Griff schon Mitte Februar; Eivor nickt zufrieden, als sie mit schlaftrunkenen Augen den kleinen Quecksilberanzeiger abliest. Es ist leichter, am frühen Morgen aufzustehen, wenn man keinen Kälteschock bekommt, sobald man aus der Tür tritt. Und besonders jetzt, wo sie Schichtarbeit macht und manchmal um drei Uhr aufstehen muss.

Eines Tages erhält sie eine Mitteilung vom Personalbüro. Man fordert sie auf, sich schnellstens eine andere Unterkunft zu suchen. Ihr Apartment wird für andere gebraucht. Sie liest die Annoncen in der *Borås Tidning* und im *Västgöta-Demokraten*, und eines Samstags, im Februar 1960, besichtigt sie eine Wohnung. Sie hat vom Speisesaal der Fabrik aus angerufen und mit einer Frau einen Termin ausgemacht. Als sie durch die Stadt geht, hat sie keine große Hoffnung, die Wohnung zu bekommen, die Frau am Telefon klang abweisend. Aber sie muss es immerhin versuchen.

Es ist ein altes Haus hinter dem Gerichtsgebäude, nicht weit von Liisas und Ritvas Wohnung. Sie bleibt auf dem Bürgersteig stehen und schaut sich das Haus an. Es sieht dunkel und düster aus, verglichen mit den Hochhäusern in Sjöbo. Aber hier so zentral zu wohnen? Zu Fuß zur Arbeit gehen zu können? Das wäre viel wert.

Sie spiegelt sich im Schaufenster eines Lebensmittelgeschäfts, das gleich nebenan liegt, und geht hinauf in den zweiten Stock. Die Tür zur Linken soll es sein. Es gibt kein Namensschild, sie klingelt und hört, wie es in der Wohnung schellt. Aber es ist keine Frau, die die Tür öffnet, es ist ein junger Mann in ihrem Alter; er trägt einen braunen Ulster, ein Halstuch und Wildlederhandschuhe. An den Füßen hat er Überschuhe. »Bist du Eivor Skoglund?«, fragt er und erklärt, dass seine Mama verhindert sei und er ihr darum die Wohnung zeigen solle.

»Anders Fåhreus heiße ich«, sagt er. »Bitte, komm doch rein. Hier ist es kalt, aber es hat ja keinen Zweck zu heizen, wenn niemand hier wohnt. Mama genügt es so, ihr gehört das Haus.«

Er führt sie durch die Wohnung, er scheint es schon oft gemacht zu haben, aber jetzt soll es rasch gehen.

Die Wohnung besteht aus Zimmer und Küche, sie ist heruntergekommen, aber es gibt immerhin ein Badezimmer mit einer gesprungenen Badewanne. Eivor spürt, wie es vom Fenster her zieht, die Korkmatten wellen sich, und die Farbe der Tapeten ist grellgelb. Aber trotzdem, so zentral zu wohnen, und die Miete: *billig* stand in der Annonce der *Borås Tidning*.

»Fünfundvierzig Kronen im Monat«, sagt Anders mit leicht nasaler Stimme, als könnte er ihre Gedanken lesen. Er hat sich eine Pfeife angesteckt und sitzt auf der Fensterbank. Das Licht einer Straßenlaterne scheint über sein blasses Gesicht und enthüllt ein paar Pickel auf seiner Stirn. Natürlich hat er es eilig, denkt Eivor. Es ist ja Samstagabend, er will sicher noch irgendwohin.

»Nun«, sagt er. »Ich hab's ein bisschen eilig. Willst du sie haben? Es gibt viele, die sich dafür interessieren, darum musst du dich schnell entscheiden. Jetzt.«

»Ja«, sagt Eivor. »Ja, danke.«

»Okay. Drei Monate im Voraus, dann jedes Quartal. Wenn du am Montag zu Mama nach Hause gehst, damit sie dich ins Mietbuch einträgt, bekommst du die Schlüssel. Und bring das Geld mit. Sie legt Wert auf Pünktlichkeit.«

Er steht vor ihr mit der Pfeife im Mund. »Sollen wir gehen?«, fragt er. »Du hast es sicher auch eilig?«

»Nicht so sehr.«

Er schließt ab und geht auf die Straße hinaus. »In welche Richtung musst du?«, fragt er höflich, aber uninteressiert.

»Ich nehme den Bus nach Sjöbo.«

»Pfui Deibel!«

»Was?«

»Nein, ich meine, ich verstehe, dass du umziehen willst. Da draußen kann doch kein Mensch wohnen.«

Eivor merkt, dass sie wütend wird. »Es ist nichts Schlechtes an denen, die da wohnen«, sagt sie.

»Ich bin da mal gewesen. Da gibt's ja nur Finnen und hässliche Arbeiter. Wir sind sofort abgehauen.«

»Ich bin auch Arbeiterin.«

»Was?«

»Es sind wohl solche wie ich, die du meinst.«

Da erst versteht er, dass sie wütend ist, und lenkt sofort ein. »Natürlich mein ich nicht dich. Es ist nur so, dass ... Ja, die Leute sind verschieden. Wohin musst du? Södra Torget? Wir können ja bis zur Kirche gemeinsam gehen. Ich muss dann auf einen Sprung da hinauf.«

Sie weiß, dass das Tanz im Foyer der Oberschule bedeutet. Wahrscheinlich mit dieser unbegreiflichen Musik, Jazz genannt.

Aber das sagt sie nicht.

»Ist es lustig da?«

»Ja klar. Willst du mitkommen?«

Vor lauter Verwunderung bleibt sie stehen. Aber er scheint zu meinen, was er sagt, er sieht sogar freundlich aus.

»Nein«, antwortet sie. »Ich glaube nicht.«

»Komm mit!«

»Nein.«

»Warum nicht?«

»Ich hab keine Lust. Ich kenn da niemand.«

»Das tu ich auch nicht. Nicht viele jedenfalls.«

»Nein, nein ... Tschüss.«

»Tschüss.«

Und dann gehen sie in zwei verschiedene Richtungen auseinander.

Eivor summt vor sich hin; sie hat sich eine Wohnung besorgt. Beim ersten Versuch! Wer macht ihr das nach? Und noch dazu mitten in der Stadt. Zwei Minuten Fußweg zur Arbeit. Sie kann eine halbe Stunde länger schlafen, sie spart das Fahrgeld und muss nicht mehr mitten in der Nacht an der Haltestelle stehen und frieren oder sich mit Betrunkenen abgeben, die mit dem letzten Bus nach Hause wollen.

Sie bleibt eine Weile am Busbahnhof stehen und überlegt, ob sie rasch zu Cecils hineinspringen soll und sehen, ob Liisa oder Ritva dort sind. Nein, sie ist müde. Außerdem hat sie kein Geld. Und jetzt heißt es sparen von dem bisschen, was sie hat. So viel hat sie von der Wohnung gesehen, dass sie wohl das eine oder andere brauchen wird. Sie erwischt einen Bus. Auf dem Weg nach Sjöbo beginnt sie, den Umzug zu planen.

Einen Entschluss fasst sie sofort: Jetzt ist es an der Zeit, dass Mutter sie besuchen kommt.

Am Montagnachmittag läuft sie wie gewöhnlich zum Busbahnhof, aber heute will sie nicht nach Sjöbo, sondern in eine ganz andere Richtung, in einen abgelegenen Vorort. Vorbei am gelben Krankenhaus, Ulricehamnvägen, nach Brämhult. Dort soll sie Frau Fåhreus aufsuchen, ihr Mietbuch bekommen und die Miete für drei Monate im Voraus bezahlen; alles, um die Schlüssel zum eigenen Heim in die Handtasche stecken zu können.

Die Villa ist weiß und liegt in vornehmer Abgeschiedenheit. Ein großes Messingschild am Zaun weist darauf hin, dass sie vor der Fåhreusschen Residenz steht. Sie geht den Kiesweg hinauf, fühlt sich kleiner und kleiner bei jedem Schritt und fragt sich, ob der Sohn nach seiner Mutter schlägt …

Aber es ist nicht Frau Fåhreus, die in der Tür steht, sondern wieder Anders, diesmal im blauen Blazer, weißem Hemd mit Kragen und schmalem Schlips mit Schottenkaro.

»Komm rein«, sagt er ähnlich freundlich wie am Samstag.

Sie tritt in eine Diele, die ihr eher wie eine Säulenhalle erscheint. Er hilft ihr aus dem Mantel, fragt, ob es schwer zu finden war.

»Aber nein«, sagt sie und schaut sich nach der Mama um.

»Wir können hier reingehen«, sagt er und zeigt auf einen Raum mit pompösen Sitzgruppen, einem großen offenen Kamin, Bildern und Spiegeln in goldglänzenden Rahmen.

»Setz dich doch, bitte«, sagt er, und sie setzt sich ganz außen auf ein braunes Ledersofa.

»Mama musste leider zu ihrem Arzt«, sagt er. »Aber ich kann mich genauso um die Sache hier kümmern.«

Er zeigt auf ein gelbes Mietbuch, das auf einem Glastisch liegt.

»Möchtest du Kaffee?«, fragt er.

»Nein ... Ja, warum eigentlich nicht?«

Er steht auf, geht zu einer halb geöffneten Tür und ruft nach Kaffee. Das Haus ist also nicht leer. Gibt es Geschwister?

»Der Kaffee kommt sofort«, sagt er und lehnt sich in seinem Sessel zurück. »Schade, dass du Samstag nicht mitgegangen bist«, fährt er fort. »Es war richtig schön.«

»Ach ja«, antwortet sie und sieht sich im Zimmer um.

Er folgt ihrem Blick. »Ganz nett hier«, sagt er beiläufig. Er wedelt mit einer Hand zu einer Statue auf einer schwarzen Säule. »Aus Rom«, sagt er. »Papa hat sie vor ein paar Jahren gekauft. Einer der griechischen Götter. Seltsam genug.«

»Warum?«

»Ja. Einen griechischen Gott in Italien zu entdecken, meine ich. Es ist nur eine Kopie, aber sie ist sehr alt. Er war dort zu einem Kongress, Papa meine ich, nicht der Gott.«

»Was macht er denn?«

»Der Gott oder Papa? Na ja, er ist Chefarzt in der Chirurgie hier. Aber gerade jetzt hat er eine Gastprofessur an der Universität in Kalifornien. Er ist spezialisiert auf inoperable Gehirntumore. Ich werde wohl diesen Sommer hinfahren und ihn besuchen, wenn das Schuljahr um ist.«

Ein Dienstmädchen kommt mit einem Kaffeetablett und stellt es auf den Tisch. Eivor meint, das Gesicht zu kennen. Wo mag sie es gesehen haben? Bei Cecil? Im Park?

»Zucker?«, fragt er, als sie gegangen ist.

»Ja, danke. Zwei Stück.«

»Du arbeitest bei Konstsilke, sagt Mama. Ist es da gut?«

»Ganz ok …«

»Was machst du?«

»Garn zwirnen …«

»Oh, verdammt …«

»Und du?«

»Ich habe noch ein Jahr Schule vor mir. Das ist richtig stressig.«

Er hält ihr ein Zigarettenpäckchen hin; sie nimmt eine Zigarette, und er zündet sie mit einem schweren Tischfeuerzeug an.

»Das wäre mal recht lustig, ein bisschen darüber zu wissen, wie es in einer Fabrik zugeht«, sagt er und stopft seine Pfeife. Sie sieht, dass er Nägel kaut, herunter bis ans Nagelbett.

»Frag nur«, sagt sie.

»Das schaff ich jetzt nicht«, antwortet er. »Ich muss noch lernen heute Nachmittag. Wir schreiben in ein paar Tagen eine Englischarbeit. Ich lieg an der Grenze zum kleinen A, und das will ich nicht verpatsen. Ich bekomme fünfzig Kronen für jedes kleine A von Mutter.«

»Wirst du bezahlt für dein Zeugnis?«

»Nur als Ansporn.«

Fünfzig Kronen. Mehr als eine Monatsmiete. Herrgott ... Wie leben diese Leute eigentlich.

»Wir könnten uns ja treffen«, sagt er und spielt mit dem Mietbuch. »Am Mittwoch, da hab ich die Arbeit geschrieben, und am Donnerstag haben wir Sporttag. Aber den überspringe ich. Ich melde mich krank.«

»Aha«, sagt sie.

»Wir könnten ins Ritz gehen und ein Bier trinken. Du bist doch schon achtzehn?«

»Ja. Aber im Ritz bin ich noch nie gewesen.«

»Dann wird's Zeit. Wie lange wohnst du schon hier in der Stadt? Woher kommst du?«

»Zwei Monate. Hallsberg.«

»Oh, verdammt. Ja, da bin ich wohl schon mal vorbeigefahren ... Also? Ich lade dich ein.«

Eivor zögert. Sie weiß nicht genau, was das Ritz eigentlich ist. Und worüber könnten sie sich unterhalten? Außerdem, ein Mittwochabend. Sie hat nun mal keine Sporttage, an denen sie sich krankmelden kann.

»Ja, ein paar Stunden dann«, sagt sie und ärgert sich sofort. Das wird ein Fiasko, kann gar nichts anderes werden. Aber jetzt ist es nicht mehr zu ändern.

»Fein. Dann sehen wir uns da. Halb acht? An der Garderobe?«

»Ja.«

Sie schreibt noch ihren Namen in das gelbe Buch, bekommt eine Quittung über das Geld, das sie dalässt, und die Schlüssel.

»Das wird ein Spaß«, sagt er draußen in der Diele, als er ihr in den Mantel hilft. Noch nie hat das jemand getan, und sie findet es ziemlich albern. Sie kann sich wohl alleine anziehen ...

»In fünf Minuten fährt ein Bus«, sagt er. »Den erwischst du noch, wenn du dich beeilst.«

Am Mittwoch erzählt sie Liisa, dass sie mit dem Sohn der Hauswirtin ins Ritz gehen wird. Liisa schaut sie lange mit hochgezogenen Augenbrauen an, bevor sie antwortet. »Mach das«, sagt sie. »Mach du das.«

Nichts weiter.

Ist sie sauer? Oder war das ironisch gemeint?

Sie fühlt sich so verloren, wie sie es befürchtet hat. Er trifft sie an der Garderobe, wo sie ihren Mantel abgibt, und führt sie zu einem Fenstertisch. Bevor sie am Tisch angekommen sind, ist er stehen geblieben und hat mit mehreren anderen Gästen geredet, und Eivor sieht an deren forschenden Blicken, dass sie ein fremdes Wesen in diesem Milieu ist, ein junger Kuckuck auf Tour.

»Zwei Starkbier«, sagt er, als die Bedienung kommt. Die sieht Eivor fragend an.

»Sie ist achtzehn«, sagt Anders. »Dafür garantiere ich.«

Eivor errötet vor Ärger. Sie weiß schließlich, dass sie älter als achtzehn aussieht.

»Sie hat dich ja vorher noch nicht hier gesehen«, sagt er und zündet seine Pfeife an. »Sie sind manchmal etwas kleinlich.«

»Wie ging's denn heute?«, sagt sie, um so schnell wie möglich von dem Vorfall abzulenken.

»Ganz gut, glaube ich. Die Note ist gerettet.«

Das Bier wird gebracht, ein junger Mann namens Sten bleibt am Tisch stehen und wiederholt beinahe wörtlich Eivors Frage. Aber die Antwort fällt ganz anders aus. »Ich weiß nicht. Hätte besser sein können. Das hier ist Eivor, übrigens.«

»Gehst du auf die Mädchenschule?«

»Sie hat eine Wohnung von uns gemietet.«

»Ach so. Na ja. Ja, wir sehen uns morgen. Tschüss ...«

Anders nickt ihm nach. »Er wird Arzt werden«, sagt er. »Das hat er beschlossen, als er sieben Jahre war, und er hat den Vorsatz bis heute nicht geändert.«

»Sein Papa ist dann wohl auch Arzt?«

»Die Mama auch.«

»Und du?«

»Ich weiß nicht. Jurist vielleicht. Wenn ich nicht Schriftsteller werde, ich habe mich noch nicht festgelegt. Willst du noch ein Bier?«

»Ich glaube nicht.«

»Klar willst du noch ein Bier. Fräulein ...«

Er bestellt noch zwei Starkbier.

Arzt. Jurist. Schriftsteller. Hat Liisa deswegen so verächtlich gelächelt? Tja, sie hatte sicherlich einen Grund ...

»Woran denkst du?«, fragt er.

»Nichts«, sagt sie.

»Prost dann!«

»Ja. Prost.«

Dann fragt er, ob sie Lust habe, ein bisschen mit zu ihm nach Hause zu kommen. Er hat noch ein paar Leute eingeladen, sie wollen Tee trinken und ein bisschen Musik hören. Nichts Besonderes.

Sie will nicht, aber sie ist es leid, die ganze Zeit Nein zu sagen.

»Fährt da ein Bus?«, fragt sie.

»Wir nehmen natürlich ein Taxi«, sagt er.

»Ich meine, zu mir nach Hause«, sagt sie.

»Das ergibt sich alles«, sagt er. »Aber wir trinken wohl erst noch ein Bier, bevor wir gehen.«

»Danke«, sagt sie.

Er bittet den Garderobier, ein Taxi zu rufen, und als sie auf die Straße kommen, steht es bereits da und wartet. Er ist weiterhin artig, öffnet die Tür für sie und steigt selbst von der anderen Seite ein. Es ist das erste Mal, dass sie Taxi fährt, seit sie nach Borås gekommen ist, aber das sagt sie natürlich nicht.

»Ich habe ein eigenes Auto«, sagt er. »Einen Morris. Aber gerade jetzt ist er in der Werkstatt.«

Als sie angekommen sind, sieht sie, dass die Fahrt elf Kronen gekostet hat. Das ist mehr, als sie an einem halben Tag verdient. Außerdem gibt er zwei Kronen Trinkgeld, und das wäre fast noch einmal eine Stunde Arbeit.

Das Haus ist leer, nicht einmal das Dienstmädchen ist da.

»Wann kommen die anderen?«, fragt sie.

»Bald«, sagt er und hilft ihr aus dem Mantel.

Dann zeigt er ihr das Haus. Sie hat noch nie etwas Ähnliches gesehen. In einem Raum gibt es nur Blumen, in einem anderen nur Bücher. In der oberen Etage liegt sein Zimmer. Er öffnet eine Tür und zeigt, dass er ein eigenes Badezimmer hat. An der Wand hängen Bilder von nackt badenden molligen Frauen.

»Zorn«, sagt er. »Das dort ist Charlie Parker.«

Er zeigt auf eine Fotografie von einem Neger, der Saxofon spielt.

»Er ist der Beste«, sagt er. »Immer noch. Ich habe alles, was er gespielt hat.«

»Ja«, sagt sie.

Sie gehen nach unten in den großen Wohnraum, und er fragt, was sie zu trinken möchte.

»Wann kommen die anderen?«, fragt sie wieder.

»Jeden Moment«, antwortet er und holt Flaschen und Gläser aus einem großen Globus, dessen obere Halbkugel man abnehmen kann.

»Du bekommst, was du möchtest«, sagt er. »Ich trinke Gin und Grapefruit. Es gibt auch Tonic, wenn du das lieber magst.«

»Ja, danke«, sagt sie.

Er stellt den Plattenspieler an, und es klingt, als ob die Musiker im Raum wären.

»Dizzy«, sagt er. »Den magst du doch wohl?«

»Ich ziehe Elvis Presley vor«, sagt sie, und da lacht er. Nicht unfreundlich, nur nachsichtig.

»Den habe ich nicht«, sagt er und setzt sich neben sie aufs Sofa.

»Wann kommen die anderen«, fragt sie zum dritten Mal.

»Wir hören, wenn sie kommen«, sagt er. »Erzähl jetzt.«

»Worüber«, sagt sie.

»Über dich selbst«, sagt er. »Über Leben und Tod. Liest du Hemingway?«

»Nein ...«

»Das solltest du tun«, sagt er.

Der Drink ist stark, und sie schüttelt sich, kreuzt die Beine und kuschelt sich in ihre Sofaecke. Er folgt nicht sofort nach. Aber jetzt weiß sie, dass das Haus leer ist und dass niemand mehr kommen wird.

»Prost«, sagt er und füllt sein Glas nach. »Sei doch nicht so ängstlich«, sagt er dann.

»Ich hab keine Angst«, sagt sie. Und das stimmt, das hat sie nicht. Außerdem ist er ja lieb und kann wohl nichts dafür, dass er sich so dumm benimmt. Er weiß es wohl nicht besser.

Er legt eine andere Platte auf und sagt, dass sie genau zuhören soll, das sei jetzt Charlie Parker. Sie versucht, sich auf die Musik zu konzentrieren, aber sie erkennt keine Melodie und findet es nur laut.

»Achte auf das Solo, das jetzt kommt«, sagt er.

Er setzt sich neben sie und legt den Arm um sie. Sie lässt ihn gewähren, sie hat keine Angst.

Er tut so, als wäre er ganz entrückt von der Musik.

Aber er beginnt, an ihrem Rücken zu fingern, sie fühlt seine Hand durch die Bluse.

Mein Fehler, denkt sie. Ich hätte überhaupt nicht mit ihm ausgehen sollen.

Er kommt jetzt noch näher, und als er sich über sie beugt und sie küssen will, lässt sie ihn gewähren. Aber als er anfängt, ihr die Bluse aufzuknöpfen, schiebt sie seine Hand fort.

»Du kannst bis morgen bleiben«, sagt er.

»Nein«, sagt sie.

»Warum nicht«, fragt er, und sie merkt, dass er leicht beschwipst ist.

»Ich will nicht«, antwortet sie.

Dann küsst er sie wieder.

»Mach keinen Knutschfleck«, sagt sie, als er sie auf den Hals küsst.

Als er wieder anfängt, ihr die Bluse aufzuknöpfen, stößt sie ihn zur Seite.

»Warum machst du das?«, fragt er.

»Weil ich das nicht will«, antwortet sie.

»Denkst du so schlecht von mir?«, fragt er.

»Ich kenne dich nicht«, antwortet sie.

Dann sitzen sie still und hören der Musik zu. Als die Platte kurz darauf zu Ende ist, wirft er sich plötzlich über sie. Sie rutschen auf den Boden, er bleibt auf ihr liegen und presst ihre Beine auseinander. Das geht so schnell, dass sie es nicht schafft, sich zu wehren, aber als sie seine Hand auf ihrem Unterleib spürt, reagiert sie, als ob sie sich verbrannt hätte. Sie befreit einen Arm und schlägt ihm ins Gesicht.

Sie reißt sich los und bringt ihre Kleider in Ordnung. »Wofür hältst du mich eigentlich«, sagt sie wütend, als ob sie geschlagen worden wäre.

Obwohl der Raum im Halbdunkel liegt, kann sie sehen,

dass seine Wange rot ist. Er steht auf und setzt sich aufs Sofa. »Für eine Rockerbraut«, sagt er.

»Mit der man machen kann, was man will?«, antwortet sie, als sie auf dem Boden steht und ihre Kleider richtet.

»Hau ab«, sagt er. »Fahr zur Hölle.«

Die Stimme zittert, voller Verachtung und Unsicherheit.

»Wann kommen die anderen?«, fragt sie höhnisch. Sie hat keine Angst vor ihm, obwohl das Haus groß ist und er ein eigenes Auto und jede Menge Geld hat.

»Hau ab«, sagt er wieder und steht auf. »Raus hier!«

»Ja«, sagt sie.

Sie zieht den Mantel an, und das Letzte, was sie hört, ist, dass er die Platte wieder aufgelegt hat. Ob es dieselbe Seite ist oder ob er sie umgedreht hat, kann sie nicht sagen.

Sie muss fast eine Stunde warten, bis ein Bus kommt. Was für ein Scheiß, denkt sie, was für ein richtiger Prachtscheiß. Sind die alle so? Jeder von ihnen?

Einen kurzen Augenblick wird sie unruhig wegen des Mietvertrags. Aber nein, er berichtet wohl kaum zu Hause, dass er ein Mädchen, das bei Konstsilke arbeitet, zu Besuch hatte.

Was für ein Scheiß, denkt sie wieder. Stell dir vor, mit so einem zu leben …

Liisa klingt nicht so, als ob sie interessiert wäre, aber Eivor berichtet trotzdem, lässt keine Einzelheit aus, erwähnt das Zimmer, in dem nur Blumen waren, und wie er sich auf sie geworfen hat.

»Da siehst du's«, sagt Liisa. »Was hab ich gesagt?«

»Du hast gar nichts gesagt«, antwortet Eivor.

Die Frühstückspause ist zu Ende, sie haben viel zu tun, und heute scheint nur schlechtes Garn aus der Spinnerei zu kommen. Fängt der Tag so an, wird er selten besser.

So einfach ist das.

Als Elna an einem Dienstagabend nach Borås kommt, ist Eivor am Bahnhof, um sie abzuholen. Es wird ein frohes Wiedersehen. Sie machen sich sofort auf den Weg in Eivors neue Wohnung, wechseln sich ab, Elnas Koffer zu tragen.

»Wie lange bleibst du?«, fragt Eivor, als sie über den Marktplatz gehen und Elna einen Blick auf den großen Springbrunnen wirft.

»Die ganze Woche über«, antwortet Elna.

»Ist alles in Ordnung zu Hause?«, fragt Eivor.

»Erik lässt grüßen«, sagt Elna.

Und so gehen sie weiter durch die Stadt, Mutter und Tochter, und Eivor kann nicht anders, als zufrieden zu sein, als sie zufällig mit einem ihrer Arbeitskollegen in der Stengårdsgata zusammentreffen. Sie nicken sich zu.

»Wer war das?«, fragt Elna.

»Einer von der Arbeit«, antwortet Eivor.

»Wie heißt er denn?«

»Weiß nicht«, antwortet Eivor. »Es sind so viele, die da arbeiten.«

»Da weißt du nicht einmal, wie sie heißen?«

»Wir sind jetzt da«, sagt Eivor.

Jetzt, wo sie zusammen mit ihrer Mutter da steht, sieht sie, wie vernachlässigt das Haus ist. Sie kann es nicht lassen, an die weiße Villa in Brämhult zu denken, an die Hauseigentümerin Frau Fåhreus, die sie immer noch nicht gesehen hat.

»Hier?«, fragt Elna und verbirgt nicht, dass sie enttäuscht ist.

»Innen ist es etwas besser«, sagt Eivor.

»Das hoffe ich.«

Elna geht in der kleinen Wohnung herum, ohne ein Wort zu sagen. Die Möbel, die Eivor mit Liisas Hilfe und der ihres finnischen Freundes hergeschafft hat, sehen nicht besonders gut aus. Sie hat auf einer Versteigerung fast nichts dafür bezahlt. Bett, durchgesessenes Sofa, Teakholztisch, Stehlampe, Küchenstühle, ein blau gestrichener Küchentisch, in den jemand einen Teufelskopf geritzt hat. Eivor setzt sich auf das Sofa und lässt Elna herumgehen. Sie denkt an Anders' Katze, als sie zum ersten Mal in ihre Wohnung in Hallsberg kam, wie sie sich vorsichtig vorwärtsschnupperte, Meter für Meter.

»Wie geht es der Katze?«, ruft sie Elna zu, die in der Küche und nicht zu sehen ist.

»Der geht's gut. Wieso?«

»Ich frag bloß.«

Elna kommt aus der Küche, und sie wirkt zufrieden. Der gespannte, misstrauische Zug um den Mund ist verschwunden. Sie setzt sich auf einen der Küchenstühle neben dem Kachelofen.

»Ich bin hier mitten in der Stadt«, sagt Eivor. »Wie ich geschrieben habe. Es dauert nur sieben Minuten zur Arbeit. Wenn ich mich beeile.«

»Was hast du für Nachbarn?«, fragt Elna.

Eivor hat keine Ahnung, sie wohnt ja erst ein paar Tage hier.

»Das sind ganz gewöhnliche Leute, nehme ich an.«

»Alle sind wohl gewöhnlich«, sagt Elna.

»Nicht in so einer großen Stadt wie hier«, antwortet Eivor.

Elna sieht sie an, verwundert, fragt aber nicht nach.

»Womit soll ich dir helfen?«, sagt sie stattdessen.

Eivor zeigt ihr das gelbe Mietbuch. Auf der Seite für *Besondere Vereinbarungen* steht mit schwarzer Tinte geschrieben, dass sie das Recht hat, auf eigene Kosten zu tapezieren oder zu streichen.

»Die Küche«, sagt sie. »Die sieht schrecklich aus. Wenn wir die streichen könnten. Und dann brauche ich Gardinen.«

»Gardinenstoff ist teuer«, sagt Elna.

»Nicht in einer Textilstadt«, antwortet Eivor. »Es gibt ganz billige Stoffgeschäfte.«

Elna findet auch, dass die Küche trist aussieht.

»Weiß«, sagt Eivor.

»Blau«, sagt Elna.

»Küchen müssen weiß sein«, beharrt Eivor.

»Hier wäre blau besser«, sagt Elna. »Meerblau.«

»Mutter, das ist meine Küche. Und ich will sie weiß haben!«

Sie sprechen nicht weiter darüber. Eivor macht das Essen, und am Abend spazieren sie durchs Zentrum, und Eivor führt sie zur Konstsilke-Fabrik, wo Rauch aus den Schornsteinen quillt.

»Gefällt es dir?«, fragt Elna.

»Geht so«, antwortet Eivor. »Aber ich werde es bei Algots versuchen, sobald ich alles in Ordnung gebracht habe. Ich bin ja schließlich Schneiderin.«

»Jenny Andersson fand ja auch, dass du tüchtig bist«, sagt Elna.

Da ist etwas Zweideutiges in ihrer Antwort, ohne dass Eivor richtig versteht, was. Meint sie, dass Jenny Anderssons positive Beurteilung nichts zu bedeuten hat, wenn sie sich Arbeit bei Algots sucht? Gute Näherinnen werden wohl auch dort gesucht ...

Am Abend fragt Eivor wieder danach, wie es in Hallsberg geht, aber Elna hat nicht viel zu erzählen. Alles ist sich gleich geblieben. Es ist fast so, als wäre es ihr peinlich, dass es so wenig Neues gibt, sie bekommt ihren dunklen Zug um die Augen.

»Aber dafür habe ich etwas von Großvater gehört«, sagt sie. »Es geht ihm schlecht mit seinen Beinen. Er kann vielleicht nicht bis zur Pensionierung arbeiten.«

»Was hat er eigentlich an den Beinen?«

»Er hat Gefäßkrämpfe. Und einen Bruch.«

»Kann man da nichts machen?«

»Er ist wohl so ausgelaugt nach all den Jahren im Werk, dass kaum Hoffnung auf Besserung ist. Aber er lässt grüßen. Großmutter natürlich auch.«

»Und mit ihr ist alles in Ordnung? Mit Großmutter?«

»Mit ihr ist nie etwas.«

Elna macht ihr Bett auf dem Sofa zurecht. Sie hat sich ein Laken mitgebracht, das sie Eivor dalassen wird.

Da Eivor am nächsten Morgen zeitig aufstehen muss, gehen sie schon gegen zehn Uhr schlafen. Eine Straßenlaterne scheint durch die gardinenlosen Fenster herein. Eivor schläft, sobald sie sich hingelegt hat, aber Elna bleibt wach und lauscht auf die Atemzüge ihrer Tochter …

Als Eivor am nächsten Tag von der Arbeit zurückkommt, hängen Gardinen an allen Fenstern, und Elna hat auch die Küche gestrichen. Sie ist gerade erst fertig geworden, und die Küche leuchtet in einer meerblauen Farbe, die noch nicht getrocknet ist.

Eivor sieht, dass die meerblaue Farbe zur Küche passt, aber sie kann sich nicht freuen. »Ich habe doch weiß gesagt, verdammt noch mal …«

»Du siehst doch wohl, dass blau gut passt«, antwortet Elna, und Eivor möchte am liebsten weinen, aber dann sieht sie, dass ihre Mutter richtig ängstlich ist, und zum ersten Mal in ihrem Leben tut sie ihr leid. Wie sie da mit dem Malerpinsel steht, wirkt sie wehrlos und klein, grau und entschuldigend, wie eine weibliche Chaplinfigur.

»Wie hast du das nur geschafft«, sagt sie ausweichend und denkt, dass sie sie wohl umarmen sollte. Aber auch das fällt ihr schwer.

»Es hat einfach Spaß gemacht«, antwortet Elna. »Wie gefallen dir die Gardinen? Rate, was sie gekostet haben.«

»Ich mach jetzt Essen«, sagt Eivor, zieht ihren Mantel aus und verschwindet in der Küche, während Elna ins Badezimmer geht und ihre Hände und den Pinsel wäscht.

Braune Bohnen mit Speck. Eivor serviert auf angeschlagenen Tellern, die auch aus der Auktion stammen. Als sie sich gesetzt haben, schellt es an der Tür, und als Eivor öffnet, steht Liisa in der Tür.

»Meine Mama ist da«, sagt Eivor.

»Das hatte ich vergessen«, sagt Liisa, kommt aber herein.

Eivor holt noch einen Teller aus der Küche, und Liisa lehnt nicht ab mitzuessen. Eivors Gefühle sind widersprüchlich. Einerseits will sie Elna ihr neues Leben vorführen, andererseits möchte sie es für sich behalten.

Und natürlich läuft es nicht gut. Elna wird unsicher in Liisas Nähe und fällt in die Unart zurück, die nach Eivors Auffassung die schlimmste von allen ist: Geschwätzigkeit. Eivor erlebt ihre Freundlichkeit gegen Liisa als einschmeichelnd, ihre Art zu antworten als altmodisch. Aber Liisa fühlt sich sofort wohl in Elnas Gegenwart.

»Warum bist du so still, Eivor«, sagt Liisa und gießt sich mehr Milch aus der ersteigerten Kanne ein.

»Das bin ich doch gar nicht«, sagt sie.

»Doch, das bist du«, sagt Elna.

Aber Elna fragt weiter, nach Finnland und Tammerfors, kalten Wintern und tausend Seen. Liisa ist offenbar amüsiert und will im Gegenzug alles über Hallsberg wissen.

Eivor beginnt abzudecken und bleibt möglichst lange in der Küche. Zwischen den blauen Wänden …

»Jetzt trinken wir noch Kaffee«, sagt Elna.

»Ich werde gehen«, sagt Liisa. »Ich hab nur mal vorbeigeschaut.«

»Einen kleinen Kaffee trinken Sie wohl noch mit«, sagt Elna.

»Nein, danke«, sagt Liisa. »Ich muss nach Hause.«

Und dann geht sie.

»Nettes Mädchen«, sagt Elna.

»Du hast eine Scheiße zusammengeredet«, sagt Eivor.

Elna erstarrt auf dem Weg zur Küche. »Was meinst du?«, sagt sie.

Eivor sieht, dass sie verwundert ist. Aber was kann sie schon begreifen? »Du hörst doch, was ich sage! Du warst ja dabei, sie totzuquatschen.«

Elna steht da und schaut ihre Tochter lange an. Dann geht sie hinaus in die Küche, und erst als sie zurückkommt, antwortet sie. »Weißt du«, sagt sie. »Ich glaube keinesfalls, dass ich sie totgequatscht habe. Sie hat es bestimmt nicht so aufgefasst. Aber du bist kaum zu Wort gekommen. Und das erträgst du wohl nicht.«

»Du bist ja nicht gescheit«, sagt Eivor und ballt die Hände.

»So sprichst du nicht mit mir. Dass du es nur weißt.«

»Ich sage genau das, was ich will.«

»Nicht zu mir.«

»Verdammtes Weib!«

Stille ist nicht dasselbe wie Ruhe. Elna steht da und sieht aus, als hätte ihr jemand ins Gesicht geschlagen; eine Ohrfeige von einem Menschen, von dem sie eine Umarmung erwartet hatte.

Und Eivor starrt auf die schmutzige Tapete, bis sie schließlich das Schweigen bricht, mit kaum hörbarer Stimme. »Mutter«, sagt sie. »Ich will hier meine Ruhe haben. Das ist mein Leben, meine Wohnung, meine Freundin ...«

»Du hast mich gebeten herzukommen«, antwortet Elna.

»Ich weiß«, antwortet Eivor. »Aber ... es geht nicht.«

»Was geht nicht?«

»Wir fangen schon wieder an, nur zu streiten. Ich will

meine Ruhe haben. Ich finde, du sagst eine Menge seltsamer Dinge. Es ist, als ob du ...«

»Was?«

»Eifersüchtig wärst auf irgendeine Art.«

»Das bin ich auch«, antwortet Elna. Aufrichtig, ohne zu zögern. »Ich dachte, das hättest du verstanden. Herzugehen und deine Küche zu streichen ist so, als würde ich in meinem eigenen verlorenen Traum herumgehen. Als ich in deinem Alter war. Ich habe sie nicht blau gestrichen, um dir zu zeigen, dass ich es bin, die bestimmt. Ich habe sie blau gestrichen, weil ich damals von einer blauen Küche geträumt habe ... Damals, als ich glaubte, dass mein Leben anders werden würde. Ich dachte, das hättest du verstanden. Aber ich habe mich wohl geirrt.«

Sie setzt sich und fährt fort. »Ich bin erst sechsunddreißig. Da ist es vielleicht verständlich, dass ich dich um das beneide, was du tust. Und trotzdem bekomme ich ein schlechtes Gewissen, obwohl ich weiß, dass ich das nicht brauche. Außerdem werde ich schrecklich ungeduldig, weil in *meinem* Leben nichts passiert. Jetzt, wo ich nicht mehr an dich denken muss. Es ist, als ob ich das Denken verlernt hätte. Ich habe ich mich fast zwanzig Jahre lang nach diesem Tag gesehnt. Zu sehen, dass du alleine klarkommst. Und jetzt ist es, als hätte ich vergessen, wie man sich benimmt. Ich weiß, dass ich das selbst schaffen muss. Aber ... bisher war es nur fürchterlich ...«

»Und Erik?«, fragt Eivor.

»Er ... Ja ... Er versteht wohl nicht so viel davon ...«

»Hast du mit ihm gesprochen?«

Elna schüttelt den Kopf. »Nein, noch nicht. Irgendwie graust es mir auch davor. Mir graust es vor allem. Aber natürlich bin ich froh darüber, dass es dir gut geht. Sonst könnte ich ja auch nicht neidisch sein. Oder?«

»Nein«, sagt Eivor langsam. Jetzt versteht sie. »Kann ich dir helfen?«, fragt sie.

»Nein«, antwortet Elna. »Aber danke auf jeden Fall ... Es ist gut, dass wir das jetzt mal besprochen haben. Obwohl ich wünschte, dass du mich nie verdammtes Weib genannt hättest. Was auch immer, aber nicht das.«

»Das war nicht so gemeint.«

»Doch, das war es schon. Sei gerne wütend, wenn du willst. Aber benutze wenigstens ein anderes Wort ...«

»Ja ... Willst du Kaffee?«

»Ja, danke. Wir reden jetzt nicht mehr darüber.«

Am Morgen, als Eivor erwacht, ist Elna fort. Das Laken liegt zusammengefaltet auf dem Sofa, und auf dem Tisch liegt ein Brief, mit Bleistift auf eine Papiertüte geschrieben.

Eivor.
Ich habe fast die ganze Nacht lang wach gelegen. Und ich dachte, dass ich genauso gut schon heute mit einem Morgenzug fahren könnte. Alles ist in Ordnung. Ich sehe, dass du prima zurechtkommst. Ich bin nicht böse, und ich hoffe, dass du auch nicht ... (unleserlich) bist.
Viele Grüße
Elna.

Das Wort Mama ist durchgestrichen. Aber nur mit einem Strich, das Wort ist weiterhin lesbar ...

Eivor liest und wird traurig. Komm wieder, Mutter, denkt sie. Verdammt, komm wieder ...

Und dann rast sie zur Fabrik. Als sie einstempelt, denkt sie, dass sie jetzt ernst machen muss mit ihrem Plan, eine Anstellung als Schneiderin bei Algots zu suchen. Jetzt gibt es keine Entschuldigung mehr für eine Verzögerung. Ehe der Schnee schmilzt, muss es geschehen sein.

Aber wie stellt man das am besten an?

Richtig, Annika Melander, die ist Schneiderin bei Algots.

Eivor hat sie bei Cecil kennengelernt. Wo sonst …

Es war ein Samstagabend Anfang März, Eivor braucht Feuer für ihre Zigarette, und zufällig hat Annika Melander Streichhölzer. Aber die Zigarette will nicht brennen, das Streichholz geht aus, ein neuer Versuch, Gelächter, und dann beginnen sie, sich zu unterhalten.

Die Mädchen hocken über ihren Coca-Cola-Flaschen, rauchen nervös ihre Zigaretten, spüren ihren Möglichkeiten nach, sind beunruhigt, weil *er* nicht gekommen ist, zeigen ein auffälliges Interesse für jemand anderen oder wirken nur uninteressiert. Aus der Musicbox dringt ein ununterbrochenes Knurren, da hören die *Streaplers* auf, da kommt »The King Himself« mit *Won't you wear my ring …*

Der düstere Cafébesitzer sagt einem jungen Mann, er solle etwas weniger laut sein.

»Er arbeitet im Lager«, sagt Annika Melander. »Er ist schnell durcheinander, wenn er trinkt. Aber er ist nett.«

»Welches Lager?«, fragt Eivor.

»Algots.«

»Arbeitest du da?«

»Ja. Du auch?«

»Nein. Aber ich würde gern da anfangen.«

Annika Melander ist neunzehn, aus Gånghester, und sie näht seit gut einem Jahr bei Algots. Es ist ganz erträglich, das Tempo ist hoch, der Vorarbeiter kleinlich, und oft wird es eintönig, immerzu die gleichen Säume an einer größeren Partie Hosen oder Blusen zu nähen. Aber wenn Eivor ihr eine Zigarette gibt und so unheimlich interessiert daran ist, bei Algots anzufangen, so muss sie ihr natürlich sagen, dass es der beste aller Arbeitsplätze ist …

»Du musst nur zum Personalbüro raufgehen«, sagt sie.

»Die brauchen Leute. Jetzt tauchen schon Jugoslawen und alles mögliche andere Volk auf.«

Eivor versucht herauszuhören, was sie konnte, als sie bei Algots anfing.

Aber da ruft jemand an einem anderen Tisch Annika etwas zu, und sie verschwindet. Kaum ist sie vom Tisch aufgestanden, als sich auch schon jemand auf ihren Stuhl plumpsen lässt. Nicht nur einer, sondern gleich zwei teilen sich den Stuhl.

»Kennst du Annika gut?«, fragt der mit dem langen, zurückgekämmten Haar, das im Nacken absteht.

Eivor kennt alle und kennt sie auch wieder nicht, aber sie ist auf dem besten Weg dazuzugehören, und da sie Single ist, bekommt sie immer ein Angebot, ein Getränk zu probieren oder in einem Auto mitzufahren.

Als Annika wieder an ihrem Tisch auftaucht und fragt, ob sie mitkommen wolle, steht Eivor sofort auf, muss nicht erst wissen, wohin. Jetzt wird es offensichtlich Zeit zum Aufbruch, und da geht alles in rasender Eile, jetzt geht es darum, den Samstagabend ernsthaft in Angriff zu nehmen ...

Sie rutscht mit Annika auf den Rücksitz eines weiß lackierten Schlachtschiffs von einem Ford, gebaut auf einer Werft in Amerika und jetzt in Borås zum Rockerauto avanciert, nachdem es einige Jahre als Direktionswagen eines Schrotthändlers in Hedared zugebracht hatte. Auf dem Vordersitz drängen sich drei Burschen, auf dem Rücksitz kauern Annika und Eivor, umrahmt von zwei anderen. Es ist eng, verräuchert, ein batteriebetriebener Schallplattenspieler hüpft und produziert seltsame Töne auf seinem Platz an der Heckablage. Das Auto schaukelt langsam los, noch jemand will rein, wird aber abgewiesen, jetzt ist es voll.

»Fahr doch endlich, verdammt noch mal«, schreit der, der neben Eivor sitzt. Das Auto ruckt an, und dann kommen sie endlich los. Neun Runden um den Marktplatz, langsam, mit einer gewissen Würde. Das Schlachtschiff fährt dicht auf, nähert sich dem Volkswagen, der da nichts zu suchen hat. Immer rundum, ein Plausch durch das heruntergekurbelte Seitenfenster, über Verkehrskontrollen auf dem Weg nach Göteborg, über jemanden, der aufgehört hat zu *rauchen* ...

»Willst du?«, fragt der, der neben Eivor sitzt, und reicht ihr eine Flasche. Sie nimmt einen Schluck, das ist sicher Wodka mit irgendeiner Apfelsinenmischung, beinahe lauwarm, aber sie trinkt es natürlich.

Während der zehnten Runde fährt man an den Rand und macht am Wurstkiosk fest, der gleich beim Theater liegt. Dort erfährt man, dass in Gislaved eine Mitternachtsgala stattfindet, mit niemand Geringerem als *The Fantoms*, und die sind, verdammt noch mal, nicht schlecht, der Bassgitarrist hat ja vorher bei *The Rockets* gespielt. Gislaved ist nicht weit, ein Scheißkaff auf der anderen Seite der Grenze zu Småland, da fahren wir hin.

Aber zuerst noch mal ein paar Runden um den Marktplatz, wieder rein in die Schlange der betagten Schlachtschiffe. Durch die Autofenster verbreitet sich die Nachricht über Gislaved; diejenigen, die noch keine Mädchen im Auto haben, bremsen und versuchen, welche zu locken, die da am Geländer zum Viskan herumstehen. Hier drin ist alles voll, aber man müsste, verdammt, einen Anhänger haben, denn die zwei da sehen nicht schlecht aus. Vielleicht Schwestern ...

Gegen neun wird es Zeit, sich auf den Weg nach Gislaved zu machen, und als der Tank voll ist, steuert das Schlachtschiff hinaus auf die dunklen Straßen. Eivor fühlt einen Arm um sich und wird geküsst. Er riecht nach Branntwein und Tabak, aber das tut sie ja schließlich auch, so dürfte sich das wohl ausgleichen.

Im Lokal in Gislaved herrscht ein teuflisches Gedränge.

Hier kocht es bald über, der Boden kracht unter der aufgeheizten Volksmenge.

The Fantoms aus Göteborg spielen genau eine Stunde, und sie haben was drauf. Über den Sänger muss man wohl nicht in Ekstase geraten, aber der Drummer ist wild, er versteht es, mit Armen und Beinen zu spielen. Zwei Zugaben bieten sie, *Ghostriders* und ein Presley-Medley. Aber dann ist auf jeden Fall Schluss, wie sehr auch gemurrt wird. Draußen formieren sich die Schlachtschiffe, Gislaved hält den Atem an, und die Ordnungsleute können dreißig zerbrochene Stühle und vier eingeschlagene Fenster verbuchen. Das kann man verkraften.

The Fantoms haben dem Samstagabend Leben verliehen, und es gibt keinen, der einen Gedanken daran verschwendet, jetzt aufzuhören. Es ist warm im Auto, sieben Personen, schade nur, dass nur zwei Bräute im Auto sind.

Jemand vom Vordersitz weiß, dass es in Sexdrega eine Party gibt. Dahin ist es nicht weit, dreißig Minuten Fahrzeit, und es ist ja gerade erst zwei Uhr.

Die Party findet in einem verfallenen Haus statt. Es ist eine richtig wüste Party. Drei Plattenspieler stehen im selben Raum und stoßen eine geistesschwache Kakofonie von Tönen aus. Tische, Stühle und Teppiche sind in eine Ecke gepackt, einige Partygäste tanzen noch, aber die meisten lehnen betrunken an den Wänden oder knutschen in dunklen Ecken.

Der Mann, der neben Eivor im Auto gesessen hat, Nisse Talja, wie sie jetzt weiß, zieht sie mit sich in eine Ecke, hinter ein umgekipptes Sofa.

»Jetzt bumsen wir«, sagt er.

»Das werden wir sicherlich nicht«, sagt sie.

»Warum nicht, verdammt noch mal?«, fragt er.

»Meine Tage«, sagt sie.

Und dabei bleibt es. Sie hat zwar nicht ihre Tage, aber es

ist ein effektives Mittel, eine Situation auszusteuern, aus der man sich sonst nur schwer herauswinden kann. Er hat sie den ganzen Abend über zu Branntwein eingeladen, er ist Mitbesitzer des Autos, in dem sie mitgefahren ist, er hat den Eintritt für sie in Gislaved bezahlt; nein, es wäre schwer geworden, sich ihm zu verweigern, zumal er schon mit einem Gummi gewedelt hat. Aber sie kommt nicht darum herum, ihn im Schritt zu reiben, fest und bestimmt, er steuert ihre Hand, und wenn sie nur nicht hinsehen muss, so macht es ihr nicht allzu viel aus ...

Im Morgengrauen erwacht Eivor davon, dass Annika zitternd vor ihr steht, aschgrau im Gesicht, müde nach der langen Nacht.

»Wir fahren jetzt«, sagt sie. »Beeil dich, wenn du mitwillst ...«

Es wird schon hell, als sie nach Borås kommen. Der Fahrer bringt sie bis vor die Tür.

»Bis später«, grunzen die, die noch im Auto sitzen. Das Letzte, was Eivor sieht, ist Annikas schlafendes Gesicht an einer der hinteren Scheiben.

Nisse Talja trifft sie wieder, aber es wird nichts zwischen ihnen. Mit einem von denen, die auf dem Vordersitz saßen, Jörgen, lässt sie sich einen Monat lang ein. Er ist ziemlich schweigsam, außer wenn er trinkt. Dann brüllt er schlimmer als die anderen. Er ist jedoch nicht streitsüchtig, mit seiner Überheblichkeit vertuscht er, dass er schüchtern und verlegen ist, immer verschwitzte Hände hat. Aber ihn mag sie, und manchmal, wenn er Zeit hat – er arbeitet als Brotausfahrer – holt er sie bei Konstsilke ab.

An einem Samstagabend bleiben sie zu Hause bei Eivor, und obwohl sie nicht will, kommt es doch dazu, dass sie miteinander schlafen, natürlich mit Gummi, und danach sind sie so verlegen, dass er es schließlich vorzieht zu verschwinden. Trotz des Gummis folgen vierzehn Tage der Unruhe, ein ständiges Zweifeln: wenn, falls etwa doch, obwohl ...

Aber schließlich bekommt sie ihre Menstruation wie gewohnt, und das macht sie auch sicherer. Wenn man nur aufpasst, dass sie sich schützen, dann muss nichts passieren. Dass sie nichts empfunden hat, schiebt sie auf ihr eigenes Unvermögen. Gott bewahre sie davor, als ungefällig abgestempelt zu werden, als Langweilerin. Die Angst, schwanger zu werden, ist nicht größer als die Angst, allein gelassen zu werden, nicht mit dabei sein zu dürfen, nicht im Auto mitgenommen, aus der Gemeinschaft ausgeschlossen zu werden.

Eivor findet, dass sie wächst, und nach wenigen Monaten ist sie Teil dieser Stadt, die einmal wie eine uneinnehmbare Festung auf sie gewirkt hat.

April und mildes, windiges Wetter. Die Vorahnung auf den Frühling kommt vom Skagerrak und den Ebenen Västgötas herüber. Der Rauch aus den Fabrikschloten steigt in den blauen Himmel. Es ist schön an dem Tag, als Eivor zum ersten Mal die Arbeit schwänzt. Nun ja, immerhin hat sie Vorarbeiter Svanslös am Freitag gesagt, dass sie zum Zahnarzt müsse, und er hat genickt, sie hat ja bisher noch keine einzige Stunde gefehlt. Liisa und Axel Lundin sollen sich zusammentun und an diesem Tag gemeinsam Akkord machen. Aber sie will nicht zum Zahnarzt gehen, auch wenn sie es wohl nötig hätte. Sie will zu Algots' Personalbüro, um nach Arbeit zu fragen. Manchmal zweifelt sie, denkt, dass sie sich genauso gut alle Pläne aus dem Kopf schlagen kann. Es gefällt ihr ja bei Konstsilke, auch wenn der Lärm betäubend ist und sie nicht viel weiterkommen kann. Aber es hieße, ihren eigenen Traum zu verraten, wenn sie es bleiben ließe.

Sie ist gar nicht nervös, als sie die Treppe zum Personalbüro hinaufgeht. Irgendwie fühlt sie sich sicher.

Die Tür geht auf, und eine Frau mit dunklen Haaren und

dunkler Haut kommt heraus. Eivor erinnert sich an Annika Melanders Worte, dass Algots auch Frauen aus Jugoslawien beschäftigt.

Sie ist an der Reihe. Der Personalassistent ist jung, er heißt Hans Göranson. Er kann nicht älter als fünfundzwanzig sein, aber er hat bereits einen beträchtlichen Kugelbauch, der unter der Weste spannt.

Auf dem Tisch vor sich hat er den Brief, den Eivor geschickt hat. Er liest sich das Zeugnis von Jenny Andersson aus Örebro durch und nickt. »Das sieht ja gut aus«, sagt er und sieht sie an. »Wann könnten Sie anfangen?«

»Jederzeit«, antwortet sie.

»Na na. Sie können doch nicht so einfach von Konstsilke weglaufen«, sagt er. »Aber in einem Monat? 15. Mai?«

Sie nickt.

»Arbeiten Sie im Akkord bei Konstsilke?«, fragt er, und sie nickt wieder.

»Das ist gut«, sagt er und verschränkt die Arme im Nacken. »Denn eine Sache kann ich versprechen, und man kann es auffassen, wie man will, als Versprechen oder als Drohung, aber hier geht es schnell. Wer nicht tüchtig zupackt, hat hier nichts zu suchen. Harte Arbeit, aber gut bezahlt.«

»Das schaffe ich schon«, antwortet sie und fragt sich, was er mit gut bezahlt meint. Die Löhne bei Algots sind nicht höher als bei Konstsilke, das hat Annika erzählt. Der Unterschied liegt in dem, was sie herstellen und dass der Lärm nicht so ohrenbetäubend ist.

»Das ist gut«, wiederholt er. »Aber ich kann jetzt nichts versprechen. Sie bekommen einen Brief. Ist das Ihre Adresse?«

»Ja«, antwortet sie. »Wann bekomme ich Bescheid?«

»Bald«, sagt er.

Er steht nicht auf, als sie geht.

»Bitte schicken Sie die Nächste rein«, sagt er zu ihr.

Eine dunkelhäutige Frau ist die Nächste. Sie sieht ängstlich aus und starrt Eivor verschreckt an. Aber schließlich versteht sie, dass sie an der Reihe ist, und macht ein Kreuzzeichen, bevor sie hineingeht ...

Das war ja nun nicht schwer, denkt Eivor. Sie würde am liebsten den Tag vertrödeln, aber sie denkt an das Geld und geht doch noch zu Konstsilke.

An einem Samstagabend im April ist es, als wäre die Welt stehen geblieben. Nichts geschieht, niemand weiß, wo etwas los ist. Im Park spielt bloß ein langweiliges Orchester.

Nein, was soll man verdammt noch mal unternehmen? Was für ein Scheißsamstag! Was machen wir?

Eivor fährt mit Unni und deren Freund Roger, der einen Borgward hat. Die übliche Schlange ringelt sich um den Marktplatz, aber alles ist so hoffnungslos still. Sie sitzen alle drei vorn. Unni, die Eivor auf irgendeiner Party kennengelernt hat, legt ihren Kopf an Rogers Schulter und kaut hektisch auf ihrem Kaugummi. Eivor trommelt mit den Fingern gegen den Türgriff und denkt an Lasse Nyman. Kann man eine Karte ins Gefängnis schicken? Aber was sollte sie schreiben? Wo ist er?

Roger hält an der Bordsteinkante, und Eivor hört, dass er mit jemandem spricht. Aber sie kann sich nicht aufraffen nachzusehen, wer das ist.

»Ich glaub, ich gehe nach Hause«, sagt sie ungeduldig.

»Warum?«, fragt Unni.

Sie bleibt sitzen, und in der nächsten Runde bleibt Roger an der gleichen Stelle stehen, und jemand steigt ein und setzt sich auf den Rücksitz.

»Kennst du Jacob?«, fragt Roger und sieht Eivor an. Sie dreht sich um und nickt dem zu, der da zugestiegen ist.

»Eivor«, sagt sie.

»Jacob«, antwortet er.

Roger hat Gardinen vor den hinteren Scheiben, darum kann sie sein Gesicht kaum erkennen. Eigentlich sieht sie nur, dass er helle Haare hat.

»Was machen wir«, fragt Roger. »Weißt du was?«

»Nein«, sagt Jacob.

Noch eine Runde, aber nichts geschieht.

Woher der Gedanke kommt, weiß sie nicht, aber plötzlich ist er einfach da, und wie gewöhnlich handelt sie impulsiv, das Denken kommt nicht so schnell mit. »Wir können ja zu mir nach Hause fahren«, sagt sie. »Aber ich hab nur Kaffee, sonst nichts.«

»Ich hab noch was anderes«, sagt Roger und reißt das Auto aus der Schlange, dass die Reifen quietschen. Eivor nennt ihm die Adresse, und er weiß, wo das ist.

Er hat eine fast volle Flasche Branntwein, und Eivor kocht Kaffee, sodass es ein Kaffee mit Schuss werden kann. Sie setzt den batteriebetriebenen Plattenspieler in Gang, den sie sich gekauft hat, und wählt zwischen den von Liisa geliehenen Scheiben.

Dann prosten sie sich zu, hören Cliff Richard und *Living Doll*, und jetzt betrachtet sie Jacob. Helle Haare, Sommersprossen, große blaue Augen und eine Narbe am Mundwinkel. Er ist ein paar Jahre älter als sie, vielleicht vierundzwanzig.

Eivor dreht die Lautstärke hoch, will zeigen, dass sie nicht viel Rücksicht auf ihre Nachbarn nimmt. Über ihr wohnt ein altes Fräulein, das in der Bäckerei arbeitet, und Eivor kann sich kaum vorstellen, dass sie mehr wagen würde, als auf den Boden zu klopfen.

Unni und Roger hocken auf dem Sofa, Eivor sitzt auf einem Kissen vor dem Plattenspieler, und Jacob hängt im Sessel.

»Was für ein Abend«, sagt Roger, als die ersten Kaffees mit Schuss durch die Kehlen gelaufen sind. Unni soll auf dem Nachhauseweg das Steuer übernehmen und sagt nichts. Jacob murmelt irgendetwas Undeutliches, so bleibt es Eivor überlassen zu antworten.

»Ja, verdammt«, sagt sie.

»Man sollte nach Göteborg ziehen«, sagt Roger.

»Ja«, sagt Eivor.

Und so wäre der Abend zu einem Nichts zerronnen, wenn da nicht plötzlich auf der Straße Leben aufgekommen wäre. Zwei Autos hupen dermaßen, dass es sich zwischen den Häuserwänden wie das Heulen von Sirenen anhört, jemand schreit und bekommt bald Gesellschaft von einem grölenden Chor.

Alle sind zum Fenster gerannt. Zwei große Schlachtschiffe stehen da und versperren die Straße.

»Das ist ja, verdammt noch mal, Kalle Fjäder«, sagt Roger. »Wie zum Teufel weiß er, dass ...«

»Sie haben wohl das Auto gesehen«, sagt Unni.

»Ich will sie hier nicht haben«, sagt Eivor.

Aber es ist schon zu spät, aus den Autos quellen die Menschen. Wie die alle darin Platz gefunden haben, ist unbegreiflich.

»Roger«, rufen sie. »Roger ...«

»Ich will sie hier nicht haben«, wiederholt Eivor, und nun bekommt sie Angst. Auf der anderen Straßenseite wird bereits hinter einigen Fenstern Licht gemacht. Aber sie sind schon im Treppenhaus, Flaschen klirren, und sie hat das Gefühl, ihr Herz steht still. »Was sind das für welche?«, fragt sie und packt Rogers Arm.

»Jetzt beruhige dich, verdammt noch mal«, sagt er und geht zur Tür, um zu öffnen.

»Führt euch nicht so höllisch auf«, ruft er. »Kommt rein.«

Es sind sechs Jungen und fünf Mädchen. Sie stürmen herein wie ein Haufen verrückter Stiere, und Eivor kann absolut nichts machen. Sie fühlt, dass sie kurz davor ist, zu weinen, aber als sie sieht, dass Unni sie interessiert anstarrt, als ob sie genau diese Reaktion erwartet hätte, da beißt sie die Zähne zusammen.

»Schönes Mädchen«, sagt jemand und greift nach ihr. »Wohnst du hier?«

Sie antwortet nicht, sondern macht sich einfach los.

Es ist wie ein einziges lang gezogenes Grölen, ein tobender, saufender Heereszug von Menschen mit Alkohol statt Blut in den Adern. Sie kann nichts machen, eine Gardinenstange stürzt herunter, als jemand die Balance verliert, der Plattenarm bricht ab, weil jemand Unfug damit treibt, ihre einzige Blumenvase überlebt nur wenige Minuten. Und die ganze Zeit schaut Unni sie an, kaut an ihrem Kaugummi und wartet auf ihre Reaktion.

In diesem Augenblick beginnt Eivor, sie zu hassen.

Wie lange es dauert, ehe vier Polizisten im Flur stehen, weiß sie nicht. Es kann eine viertel oder eine halbe Stunde gewesen sein. Aber jetzt stehen sie da, und langsam nimmt der Lärm ab.

»Was ist hier los?«, fragt der ältere Polizist.

»Party«, sagt einer, und seinen Worten folgt dröhnendes Beifallsklatschen.

»Wer wohnt hier?«, fragt der Polizist.

»Ich nicht«, antwortet jemand.

Unni kaut und sieht Eivor an.

»Das bin ich«, sagt Eivor.

»Weißt du, wie spät es ist?«, fragt der Polizist.

»Nein«, antwortet sie.

»Ihr seid im ganzen Viertel zu hören«, sagt er und sieht sich um. »Es sind vier Beschwerden gekommen.«

Eivor will erklären, wie es kam, tut es aber nicht. Gegen die Polizei müssen sie zusammenhalten, was immer geschieht. Ansonsten würde sie sofort ausgestoßen.

Ein etwas jüngerer Polizist ist zu einem Mädchen gegangen, das auf dem Boden sitzt und sich vor und zurück wiegt; die Haare hängen ihm übers Gesicht.

»Wie alt bist du denn?«, fragt er.

»Fahr zur Hölle«, antwortet es.

»Sie heißt Kristina Lindén«, sagt einer der Polizisten, der bisher nichts gesagt hat. »Sie ist dreizehn«, fährt er fort.

»Minderjährig also«, sagt der ältere Polizist.

»Ich bin siebzehn«, lallt Kristina Lindén.

»Du kommst mit«, sagt der Polizist und versucht, sie vom Boden hochzuziehen. Ein dumpfes Murren ist von ihren Kameraden zu hören.

»Raus«, sagt der ältere Polizist, als Kristina Lindén zwischen zwei Polizisten fortgeschleppt wird. »Und haltet die Klappe im Treppenhaus.«

Der ältere Polizist wartet, bis alle verschwunden sind. Dann wendet er sich an Eivor, und da beginnt sie zu weinen. Gleichzeitig kommt Jacob zurück und holt sein Feuerzeug, das er vergessen hat. Er nimmt es und verschwindet hastig.

»Du hast wohl auch einen Namen«, sagt der Polizist.

»Eivor Maria Skoglund«, schluchzt sie.

»Und du wohnst hier?«

»Ja.«

»Wir wollen hoffen, dass du nicht hinausgeworfen wirst«, sagt er. »Von wem hast du die Wohnung gemietet?«

»Fåhreus.«

»Aha«, sagt er. »Jaja ... Mach so was bloß nicht wieder. Und hör auf zu heulen. Das bringt deine Gardinen nicht wieder in Ordnung.«

»Ich wollte das nicht«, sagt sie.

»Das glaub ich wohl«, sagt der Polizist. »Ich gehe jetzt. Schließ hinter mir ab. Die kommen nicht zurück. Aber es könnte wütende Nachbarn geben.«

Während ihre Tränen fließen, beginnt sie aufzuräumen. Die ganze Zeit sieht sie Unnis Kaugummi kauenden Mund und aufreizenden Blick vor sich.

Und Frau Fåhreus. Die wird sie jetzt wohl doch noch kennenlernen.

Sie hängt die Gardinen wieder auf. Sie haben einen großen Riss bekommen, und jemand hat seine öligen Finger daran abgewischt. Dann schmiegt sie sich in ihr Bett, rollt sich zusammen, so eng, wie es geht. Das ist die einzige Art zu fliehen, und sie denkt plötzlich daran, wie sie auf der Höllenfahrt mit Lasse Nyman versucht hat, sich auf die gleiche Weise auf dem Rücksitz des Autos zu verstecken. Aber damals konnte sie nach Hause zurückkehren, Schutz suchen hinter Elnas und Eriks Rücken. Jetzt hat sie nur sich selbst.

Eivor wacht davon auf, dass es an der Tür klingelt. Sie zuckt zusammen und setzt sich im Bett auf, ihr erster Gedanke ist wie ein Eiszapfen, der auf ihr Herz zielt; sie hat verschlafen. Aber warum liegt sie angezogen …

Es klingelt wieder, und sie stolpert zur Tür. Das kann doch nicht jetzt schon Frau Fåhreus sein …

Es klingelt wieder, und sie weiß, dass sie als verschwommener Schatten durch die geriffelte Außentür zu sehen ist. Sie muss öffnen, und sie tut es.

Es ist Jacob, Jacob Halvarsson, dessen Nachnamen sie noch nicht kennt. Er streicht sein helles Haar aus der Stirn und sagt nichts, steht nur da und sieht verloren aus.

»Ich habe nichts vergessen«, sagt er schließlich und schüttelt den Kopf über seinen dummen Satz.

Eivor schaudert, es ist kalt im Treppenhaus. Etwas muss er immerhin wollen, wenn er zurückgekommen ist.

»Ich hab geschlafen«, sagt sie und merkt, dass sie zittert. »Willst du hier stehen bleiben, oder willst du reinkommen?«

»Ja, danke«, sagt er, und zu ihrer Verwunderung errötet er. Er setzt sich aufs Sofa, und sie kuschelt sich auf dem Stuhl zusammen und zieht die Füße unter sich. Er blättert unruhig zwischen den Schallplatten, und sie fragt sich, warum er gekommen ist.

Schließlich gibt er sich einen Ruck und schaut sie an. »Das war schade, das da heute Nacht«, murmelt er. »Das ... Ja, das war blöd.«

»Was waren das für Typen?«

»Rogers Kumpel. Nein, er kennt sie gar nicht alle. Verdammte Streithammel. Sie müssen das Auto entdeckt haben. Ein reiner Zufall.«

»Ich kenne keinen von ihnen.«

»Sie kommen aus Fritsla. Außer dem Mädchen. Sie wohnt hier in der Stadt.«

»Die, die erst dreizehn ist?«

»Ja, die.«

Als er einmal in Fahrt gekommen ist, geht es leichter. Er sieht sich im Zimmer um, sieht die Scherben der Vase. »Es ist wohl doch nicht ganz so schlimm geworden.«

»Ach nee?«

»Ja ... Verdammt, sie hätten schließlich Feuer in dem alten Kasten hier legen können. Ich meine ... der steht doch noch.« Er sieht so hilflos aus, dass sie lächeln muss, so müde sie auch ist.

»Worüber lachst du«, fragt er beunruhigt.

»Nichts. Wie spät ist es?«

Er sieht auf seine Armbanduhr. Lange, mit steigender Verwunderung. »Die ist stehen geblieben«, sagt er. »Aber es ist wohl ungefähr neun ...«

Er nimmt das Angebot einer Tasse Kaffee an, und als sie

in der Küche steht und darauf wartet, dass das Wasser kocht, hört sie, wie er die Scherben der zerbrochenen Vase aufsammelt. Bevor sie mit den Tassen und der Kaffeekanne hineingeht, richtet sie im Badezimmer ein wenig ihre Haare und streicht ihre Kleider glatt. Erst als sie auf dem Weg hinaus ist, sieht sie, dass sich während der Nacht dort jemand erbrochen hat, über den Toilettensitz und den Fußboden.

»Magst du gerne Kotze aufwischen?«, fragt sie, als sie den Kaffee eingegossen hat.

»Nein«, sagt er und schaut sie erstaunt an.

»Schade. Sonst hättest du auf der Toilette sauber machen können.«

»Hast du gekotzt?«

»Ich nicht. Einer von Rogers Kumpeln. Fritslakotze.«

»Ich mache das«, sagt er und steht auf.

»Trink erst den Kaffee, solange er warm ist.«

Er starrt auf den Kaffee und wartet, dass er abkühlt. »Ich arbeite in Valles Sportgeschäft«, sagt er und sieht merkwürdig froh aus.

»Aha«, sagt sie. »Wo liegt das?«

»Du weißt nicht, wo Valles Sportgeschäft liegt?« Er ist beinahe bestürzt.

»Doch, jetzt erinnere ich mich«, sagt sie, um ihn zu beruhigen. Aber sie weiß es keineswegs.

»Hab ich mir doch gedacht«, sagt er. »Das weiß jeder.«

Dann trinkt er ein paar Schlucke, geht zur Toilette und macht sauber. Sie hört, dass er sich lange die Hände wäscht, als er fertig ist.

Eivor ist müde und würde sich am liebsten wieder hinlegen, aber da ist etwas mit diesem stillen, rücksichtsvollen Jacob, der sie plötzlich zu interessieren beginnt. Dieses Scheue, das sich schnell in großes Staunen verwandelt. Er ist nicht besonders hübsch mit seinem spitzen Gesicht, und die

Narbe am Mundwinkel ist hässlich. Aber sie fühlt sich sicher bei ihm, und das ist ein seltenes Gefühl, seit sie in Borås wohnt.

»Ich dachte bloß, dass ich hereinschauen sollte und sehen, wie es dir geht«, sagt er. »Ich wohne ja in der Nähe.«

»Wo denn?«

Er nennt eine Straße am anderen Ende der Stadt.

»Ich hoffe, es hat dir nichts gemacht«, sagt er.

»Nein, was denn?«

»Ich weiß nicht.«

Das klingt wie ein Wort vom unschuldigsten aller Kinder. Er ist ganz anders als die anderen, die sie getroffen hat. Von Lasse Nyman bis …

Sie trinken ihren Kaffee, und an diesem stillen Sonntagmorgen nimmt ihr Leben mit Jacob seinen Anfang. Es ist fast elf Uhr, der Klang der Kirchenglocken von Caroli vermischt sich mit dem Läuten der Gustav-Adolf-Kirche. Sie reden nicht viel, und allein schon die Tatsache, mit jemandem still zusammensitzen zu können, sich nicht die ganze Zeit gedrängt zu fühlen, etwas sagen zu müssen, ist wie Watte um die Erinnerung an die letzte Nacht. Zum ersten Mal hat sie das Gefühl, sich auszuruhen. Aber von Verliebtheit ist bei beiden keine Rede.

Er geht gegen zwölf. »Wir sehen uns wohl noch«, sagt er. »Die Stadt ist ja nicht so groß.«

»Als ich hergezogen bin, dachte ich, sie ist viel zu groß«, sagt sie.

Er sieht sie erstaunt an. »Woher kommst du denn?«

»Das rätst du nie.«

»Nein.«

»Aus Hallsberg.«

»Hallsberg?«

»Ja, genau. Tschüss.«

Anfangs ist ihre Verbindung für die Umwelt unsichtbar. Auch sie selbst scheuen vor der Tatsache zurück, es werden keine gewaltigen Gefühle in Bewegung gesetzt, niemand ist Zeuge ihres Sonntagstreffens gewesen. Aber sie fangen an zusammenzuhängen, sitzen nebeneinander bei Cecil, gehen zusammen ins Kino, fahren im selben Auto, tanzen die meisten Tänze miteinander. Eivor empfindet eine gewisse Sicherheit mit Jacob an ihrer Seite, sie freut sich auf den Samstagabend. Er trinkt wenig und wird nie streitsüchtig oder rechthaberisch. Er macht nicht viel von sich her, lacht nicht als Erster, kommt nie zu spät, er befindet sich immer irgendwo in der Mitte. Manchmal kann Eivor ihn nur staunend betrachten. Wer ist er eigentlich? Was meint er? Was denkt er? Abgesehen von dem, was *alle* meinen und denken?

Und natürlich schlafen sie miteinander. Er kommt mit zu ihr in die Wohnung, er steigt ganz selbstverständlich mit aus, wenn Eivor spät am Samstagabend nach Hause gefahren wird. Sie liegt im Dunkeln und lauscht diskret, aber aufmerksam, wenn er auf der Bettkante sitzt und mit dem Gummi hantiert. Sie muss es ihm nie sagen, er scheint es als Selbstverständlichkeit zu empfinden. Mit ihm kann sie auch zum ersten Mal in ihrem Leben so etwas wie Vergnügen und Befriedigung empfinden. Nicht viel, es geht meistens sehr schnell bei ihm, aber immerhin ein wenig. Außerdem ist er nicht grob, er berührt sie ganz vorsichtig. Nein, da ist nichts, wovor sie sich fürchten müsste, auch wenn sie sich nicht direkt danach sehnt. Es gehört eben dazu …

Eines Tages fragt er sie, ob sie Lust habe, zum Essen zu ihm nach Hause zu kommen. Es ist Sonntag, sie haben gefrühstückt, sitzen auf den ersteigerten Möbeln und rauchen. Sie weiß, dass er bei seinen Eltern in einem der westlichen Teile der Stadt wohnt, in Norrby.

»Heute«, sagt er. »Wir essen meistens um fünf Uhr.«

»Wer ist denn da?«, fragt sie.

»Vater und Mutter«, sagt er. »Und wir beide. Mutter möchte gern, dass du kommst.«

»Und dein Vater?«

»Er ...«

»Was?«

»Er denkt wie Mutter.«

Sie wohnen in einer Dreizimmerwohnung vom Mieter-Bausparverein. Es riecht nach Küchendunst und Hund. Ein Rauhaardackel saust direkt auf Eivor zu, als sie hinter Jacob in den Flur kommt. Er scheucht den Hund fort, und da stehen seine Eltern in der Tür und schauen sie an.

»Es ist ein schlimmer Hund«, sagt Jacobs Vater, Artur, und streckt ihr die Hand entgegen.

Eine gewaltige Tatze hat er, Eivors Hand verschwindet beinahe darin. Artur Halvarsson ist auch ein gewaltiger Mann, über eins neunzig groß, mit einem mächtigen Bierbauch, der über einen eng zusammengezogenen Gürtel schwappt. Die Hemdknöpfe stehen über dem Bauch offen, und an den Füßen hat er Schuhe ohne Senkel. Aber es ist ein freundliches Gesicht, das sie anschaut, auch wenn es unrasiert ist, und trotz der Wochenendfahne.

»Willkommen«, sagt die Mama und nickt. »Ich heiße Linnea.«

Sie wirkt klein an der Seite ihres Mannes, das braune Kleid sitzt eng um ihren runden, knubbeligen Körper. Mit einer weißen Schürze könnte man sie für eine Metzgersfrau halten, denkt Eivor.

»Ist das Essen fertig?«, fragt Artur und sieht seine Frau an.

»Gleich«, sagt sie. »Geht rein und setzt euch schon mal.«

Das Wohnzimmer ist lang und schmal. Vor dem Fenster stehen Blumentöpfe. Neben der Küchentür gibt es eine alte

Tretorgel. Die Sitzgruppe ist abgenutzt, in einer Ecke guckt eine Feder durch den Bezug.

»Das ist ein schlimmer Hund«, sagt Artur wieder. »Aber so lieb.«

»Was gibt's heute?«, fragt Jacob.

»Beefsteak«, antwortet Linnea aus der Küche. Es duftet gut vom Herd her, ein Geruch, den Eivor von Hallsberg kennt, den sie aber in ihrer eigenen Wohnung noch nicht zustande gebracht hat.

»Vielleicht magst du keine Hunde?«, fragt Artur.

»Doch«, sagt Eivor. »Obwohl ich selbst eine Katze habe. Oder hatte. Sie ist nicht mit hier.«

»Entweder mag man Hunde oder Katzen«, sagt Artur.

»Man kann auch Hunde und Katzen mögen«, ruft Linnea aus der Küche.

»Das hast du noch nie gesagt«, versucht sich Jacob in das Gespräch einzumischen.

»Meine Katze ist doch in Hallsberg!«

Artur hört aufmerksam zu, er zieht seine gewaltigen Augenbrauen hoch. Eivor weiß nicht so recht, wie sie diese riesige Gestalt einschätzen soll, die beinahe das halbe Sofa einnimmt. Ist er so streng, oder ist es nur seine Größe, die diesen Eindruck macht?

»In Hallsberg muss man umsteigen«, sagt er. »Zu der Zeit, als ich Ringer war, musste man immer in Hallsberg umsteigen.«

Dann erhebt er sich mit unerwarteter Leichtigkeit aus seiner Sofaecke, und die ausgeleierten Sprungfedern kehren in Ruhestellung zurück. Er zeigt auf einen kleinen Schrank mit viereckigen Glasscheiben. »Die Preise«, sagt er. »Komm her und sieh sie dir an!«

»Vielleicht interessiert sie das nicht«, sagt Jacob und verzieht das Gesicht.

Aber Eivor ist schon aufgestanden, und er öffnet die Glasschranktür und zeigt ihr seine Plaketten und Pokale. Da gibt es Auszeichnungen von Stadtmeisterschaften und Kreismeisterschaften, von Distriktwettbewerben und Freundschaftskämpfen. Auf einem kleinen Zinnpokal liest sie, dass dieser Preis dem Schriftsetzer Artur Halvarsson zuerkannt wurde.

»Waren sie Schriftsetzer?«, fragt sie und zeigt auf den Pokal auf seiner kleinen Samtdecke.

»Ich *bin* Schriftsetzer«, antwortet er. »In Sjuhäradsbydens Druckerei, falls du die kennst.«

»Doch«, sagt Eivor. »Von der habe ich gehört.«

Sie erinnert sich an die zusammengeklebte Pornozeitschrift, die aus dem Bett fiel, als sie nach ihrer Ankunft in Borås ihre Matratze umdrehen wollte.

»Was gehört?«, sagt Artur und runzelt seine großen Augenbrauen.

»Schluss jetzt«, sagt Jacob.

»Ich wundere mich nur, was ein neu zugezogenes Mädchen aus Hallsberg von meinem Arbeitsplatz gehört haben kann«, sagt er und reibt sich seinen Stoppelbart. »Das wird doch wohl noch erlaubt sein?«

»Ich weiß nur, dass es eine Druckerei mit diesem Namen gibt«, sagt Eivor und fragt sich, worauf sie sich da eingelassen hat.

»Du weißt natürlich, dass wir Pornozeitschriften drucken«, sagt Artur und sieht sie scharf an.

»Ja«, sagt sie.

»Na, also.«

Artur setzt sich wieder, Linnea steht in der Küchentür, und Jacob trommelt irritiert mit den Fingern.

»Natürlich sollte man am besten kündigen«, fährt Artur fort. »Aber es ist eben so, dass eine Druckerei, so fest sie auch mit einer politischen Partei verknüpft ist, doch von der

Marktlage abhängt. Es ist verdammt noch mal nicht lustig, den einen Tag sozialdemokratische Parteiprogramme zu drucken und am nächsten Tag irgendso einen Scheiß. Aber so ist es nun mal, und da muss man sich reinfinden.«

»Es ist ein grässlicher Schund«, sagt Linnea bestimmt, während sie so in der Küchentür steht und zuhört.

»Die Parteiprogramme oder die Zeitschriften«, sagt Artur verbiestert.

»Jetzt sei nicht albern«, sagt Linnea und kehrt sich wieder zum Herd um.

Hat sie es übel genommen? Eivor sieht Jacob rasch an, aber er schüttelt den Kopf.

»Setzt euch«, sagt Artur, und plötzlich versteht Eivor, dass er ein Mann ist, dass er es als selbstverständlich ansieht zu bestimmen und dass er selbstverständlich erwartet, dass man ihm gehorcht. Einen kurzen Moment bekommt sie Lust, in die Küche hinüberzugehen und Linnea mit dem Essen zu helfen. Aber sich in der Opposition zu befinden, danach hat sie noch nie gestrebt.

»Auch ein alter Sozialdemokrat wie ich, der schon dabei war, als die Zeiten so schlecht waren, dass die Wandläuse demonstriert haben, auch so einer muss einsehen, dass die Zeiten sich ändern«, sagt Artur.

»Aber ihr seid zu jung, um das zu verstehen«, fährt er fort. »Jetzt gibt es Autos und Rockmusik, und die Leute können ›Nein, danke‹ zu einem Job sagen, wenn er ihnen nicht passt. Als ich in eurem Alter war, da putzte ich anstandslos Scheiße hinter wem auch immer weg, wenn ich nur dafür bezahlt wurde.«

»Nicht jetzt«, sagt Linnea. »Wir wollen gleich essen.«

»Ja, ja, verdammt. Ich erzähl doch nur, wie es früher war.«

Schweigen und Warten aufs Essen. Jacob hockt auf seinem Stuhl, und Eivor fragt sich, ob er sich ärgert. Er hätte ja einfach allein nach Hause gehen können und sagen, sie hätte keine Zeit.

Als sie am Esstisch in der Küche sitzen, merkt Eivor, dass es anfängt, ihr zu gefallen. In einer gemütlichen Wohnung zu sein, ein warmes Essen zu bekommen, das auch wirklich nach warmem Essen *schmeckt*, das hat sie vermisst.

Auch wenn es lauter zugeht an diesem Esstisch im Stadtteil Norrby, Borås, als in dem Haus in Hallsberg, so findet sie doch etwas wieder, eine Verbindung zurück, zu Elna und Erik ...

»Schmeckt es nicht?«, fragt Linnea und reicht ihr die Platte hinüber.

»Doch ... Ich denke nur«, sagt sie.

»Das ist nicht gut für die Verdauung«, sagt Artur gebieterisch. »*Nach* dem Essen soll man denken.«

»Da schläfst du doch gleich ein«, sagt Linnea und zwinkert Eivor zu.

»Das ist nur eine höhere Form von Gedankenarbeit«, sagt Artur, der keine Antwort schuldig bleibt. »Wenn Lenin schlief, löste er immer ein Problem. Wenn er aufwachte, wusste er genau, was er tun musste.«

»Lenin ebenso wie du«, sagt Linnea.

»Ja. Genau. Lenin. Gibst du mir die Sauce?«

Jacob bringt sie nach Hause. Sie gehen durch die Stadt. Es ist Frühling. »War es anstrengend?«, fragt er.

»Nein«, sagt sie. »Im Gegenteil. Ich mag sie. Aber was halten sie von mir?«

»Sie finden dich gut.«

»Woher willst du das wissen?«

»So was merkt man.«

»Ja. Es ist wohl nicht das erste Mal, dass du jemanden zum Essen mit nach Hause gebracht hast.«

Darauf antwortet er nicht.

Sie stehen eine Weile auf der Straße und umarmen sich. Als er ihr über den Nacken streicht, weiß sie, dass er gleich vorsichtig mit dem Nagel an ihrem Ohr kratzen wird.

Als er das gemacht hat, geht er.

Aber er kommt zurück, und immer öfter sind sie zusammen.

An einem Mittwochabend Anfang Mai entschließen sie sich, ins Kino zu gehen, und als Jacob in der Tür steht, weiß er bereits, was sie sehen werden. »*Sturmangriff*«, sagt er. »Im Skandia. Der ist bestimmt klasse.«

Plötzlich ist sie wütend, dass er bestimmt, wie so oft, wie eigentlich immer.

»Es gibt einen anderen Film, in der Roten Mühle«, sagt sie. Aber wie hieß der noch mal? Evald Larsson, der sonst nie ins Kino geht, ist von einem seiner Kinder mitgeschleppt worden, erzählte er während einer Pause. Und der Film ist schwer lustig gewesen …

»Was spielen sie denn da?«, fragt Jacob.

»Der Titel fällt mir nicht ein.«

»Wir können doch nicht in einen Film gehen, von dem wir nicht einmal wissen, wie er heißt? *Sturmangriff* ist gut.«

»Kennst du ihn denn schon?«

Er sieht sie erstaunt an. Und das kann sie verstehen, er hat sie vorher wohl noch nie wütend gesehen.

»Bist du sauer?«, fragt er.

Sie antwortet nicht. Wie hieß der Film bloß? Etwas mit Ratten? Eine Ratte … Klar, nun sieht sie Evald vor sich, mit der Pfeife in der Hand, jetzt erinnert sie sich, was er gesagt hat.

»Die Maus, die brüllte«, sagt sie.

»Davon habe ich noch nichts gehört«, sagt er.

»Ich aber«, sagt sie. »Und ich bin diese ganzen Cowboyfilme so leid.«

»Das hier ist ein Kriegsfilm.«

»Die auch.«

»Was ist mit dir los«, fragt er irritiert.

»Sollen wir gehen?«, sagt sie und steht auf. Sie hat im Mantel auf ihn gewartet, damit sie sich sofort auf den Weg machen können.

Als sie neben ihm ins Zentrum hinuntergeht, spürt sie den immer stärker werdenden Willen, allein zu sein, allein ins Kino zu gehen, das zu sehen, wozu sie Lust hat, ohne jemanden um Erlaubnis zu fragen. Sie wirft ihm einen schnellen Blick zu, wie er so mit den Händen in den Seitentaschen der Lederjacke dahergeht, das Kinn gegen die Brust gedrückt. Dass er irritiert ist, merkt sie daran, dass er so schnell geht ...

Zuerst kommt das Skandia. Will man zur Roten Mühle, geht man die Straße weiter, vorbei an Waideles Musikgeschäft, über die Brücke, und dann liegt das Kino auf der linken Seite. Davor dreht sich auf dem Krokshallstorget ein dreieckiger Reklamepfeiler. Sie stehen vor dem Skandia und haben auf dem ganzen Weg kein Wort miteinander gesprochen. Eivor sieht auf dem Plakat, dass Gregory Peck mitspielt ... Ja, es wird wohl dieser hier werden, denkt sie. Wie gewöhnlich ist er es, der den Film aussucht.

»Ich geh in die Rote Mühle«, sagt sie.

Woher kommen diese Worte? Hat sie das wirklich gesagt? Herrgott ... Jetzt stürzt bestimmt die Welt ein. Er sieht sie verwundert an, kaut an seiner Unterlippe, als könnte er sich nicht entscheiden, was er sagen soll, zischt etwas Undeutliches und verschwindet im Kino.

Wird sie ihm jetzt folgen?

Nein, das tut sie nicht, Kruzitürken! Mit festem Schritt geht sie zur Roten Mühle, und die meisten Szenen des Films bekommt sie mit, auch wenn sie natürlich dauernd an Jacob denkt und daran, was jetzt wohl geschehen wird. Macht er

Schluss? Erkennt er, dass sie die Grenze überschritten hat, die festlegt, dass er derjenige ist, der bestimmt? Er *muss* es wohl fast tun, mit so einem Vater wie Artur. Die Frau steht in der Küche und hält die Klappe, es sei denn, sie wird direkt gefragt …

Aber wenn es so einfach ist, dann bedeutet sie ihm nicht mehr als die Wahl des Mittwochsfilms. Nur gut, wenn sie das jetzt schon erfährt. So billig ist sie doch nicht zu haben … Nein, zum Teufel …

Worüber Evald Larsson so schrecklich viel gelacht hat, begreift sie nicht. Das ist nicht ihr Film, es fällt ihr schwer, sich zu konzentrieren … Aber wenn Jacob fragt, so soll er ein begeistertes Gesicht zu sehen bekommen. Dann kann er sehen, wo er bleibt, *Sturmangriff* …

Raus auf die Straße, die Leute fummeln nach ihren Zigaretten, ziehen ihre Mäntel an, Jacob steht nicht da und wartet auf sie. Der Film im Skandia ist schon zu Ende. Als Eivor dort ankommt, kann sie ihn nicht mehr entdecken.

Sie geht heimwärts und bekommt natürlich ein schlechtes Gewissen. Warum konnte sie nicht mitgehen und sich diesen Film ansehen, wenn er es nun mal so gerne wollte? Was hat Evald Larssons Empfehlung schon zu sagen? Er lacht anscheinend über alles, so selten, wie er ins Kino geht …

Warum musste sie sich so störrisch betragen? Film ist Film, und er meint es sicher nicht böse, wenn er einen aussucht. Es ist nun mal so …

Darum geht es auch gar nicht. Es ist sein Ton, das Selbstverständliche dabei, dass er es ist, der bestimmt, steuert, führt. Und nicht nur er. Sie sind alle gleich. Wer hat je bei Cecil ein Mädchen mit einem Vorschlag ankommen hören, der nicht ursprünglich von einem der Jungen stammt? Männer gebären Pläne und Entscheidungen, Mädchen gebären Kinder.

Im Park macht man dann Damenwahl, damit der Junge bestätigt bekommt, dass sie ihn haben will ...

Warum soll sie Schwierigkeiten machen? Sie fühlt sich nicht besser dadurch.

Vor ihrem Haus taucht er aus dem Schatten auf. Sie schreckt zurück, als er plötzlich vor ihr steht. Er ist da, er hat sich also nicht davongemacht ...

»War er gut?«, fragt sie, als sie aufschließt. So freundlich, wie sie kann.

»Ja«, sagt er abweisend. (Das ist ja selbstverständlich ...)

»Der, in dem ich war, war auch ganz gut.«

Darauf antwortet er nicht. Eine Portion Schweigen kann so niederschmetternd sein wie die laute Forderung, dass gewisse Personen die Klappe zu halten haben.

Er pflegt Mittwochnacht bei ihr zu bleiben, aber als er die Lederjacke auszieht und auf einen Stuhl wirft, fragt sie sich, ob er das auch heute will. Aber jetzt hat sie genug von dem schlechten Gewissen. Was geschehen ist, ist geschehen, darüber braucht man nicht mehr zu reden.

Sie schlafen trotzdem miteinander, mögen sich noch.

Als er zu ihr kommt und die Lampe löscht, ist sie bereit. Es wäre falsch, aus dem Kinoabend so ein Problem zu machen, dass sie sich zurückhalten, jeder in seiner Bettecke liegt, hinaus in die Dunkelheit starrt und sich fragen würde, wer als Erster das Schweigen bricht. Nein, so dumm sind sie Gott sei Dank nicht, und sie öffnet sich und hält ihn umfangen.

Erst als alles zu spät ist, erkennt sie, dass er kein Gummi benutzt hat. Sie fühlt ihn in sich und erstarrt, die Schenkelmuskeln hart, als ob sie einen Krampf hätte. Als er von ihr rollt, liegt sie ganz still und hat solche Angst hat, dass ihr Herz hämmert, als wollte es eine Tür einschlagen.

Hat er es vergessen? Nein, so etwas vergisst man nicht. Aber warum ...

Sie denkt einen Gedanken, den sie nicht zulassen will. Aber er ist da, klar und deutlich, unmöglich aufzuhalten.

Will er sich rächen? Ihr etwas heimzahlen?

Das kann nicht möglich sein. Und bestimmt wird sie nicht schwanger. Dieses eine Mal ohne Schutz. Sie wird ja nicht immer nur Pech haben.

Es kann nichts passiert sein, weil nichts passiert sein darf. So einfach ist das.

Am 18. Mai geht sie ins Sprechzimmer des Fabrikarztes, und eine Woche später sitzt sie wieder dort und wartet auf die Bestätigung dessen, was sie bereits weiß. Was sie sich aber dennoch zu glauben weigert.

Als sie zu ihm hereinkommt, sitzt der Arzt da und pult mit einem Zahnstocher in der Nase. Er ist alt und Kettenraucher. Der Aschenbecher ist voller Zigarettenstummel, auf dem Rezeptblock liegen graue Ascheflocken.

»Sie sind schwanger«, sagt er, bevor sie auch nur guten Tag sagen kann oder sich wenigstens gesetzt hat.

»Nein«, sagt sie.

Er sieht sie an. »Doch«, sagt er. »Im Januar 1961 werden Sie ein Kind bekommen. Ich tippe auf Ende des Monats. Vielleicht Anfang Februar.«

»Das kann nicht wahr sein«, sagt sie und merkt, dass sie zittert.

Er wirft einen Blick auf die Patientenkarte. »Eivor Maria«, sagt er. »Wenn Sie nachdenken, so wissen Sie sicher, dass es stimmt. Oder?«

Nachdem sie das Sprechzimmer verlassen hat, geht sie geradewegs zu Tempo und kauft neuen Nagellack, ein Paar Handschuhe und eine Zahnbürste. Sie ist vollkommen ruhig, und sie weiß, dass sie nicht schwanger ist. Sollten sie und Jacob ... Natürlich nicht.

Sie geht nach Hause. Es nieselt. Bald ist es Sommer, bald

ist Urlaub, bald wird alles besser! Vor allem ist es lange hin bis zum nächsten Winter.

Vor der Tür auf der Matte liegt ein Brief. Vermutlich hat Elna geschrieben. Wer sonst? Das kann warten, zuerst braucht sie einen Kaffee.

Wenn man schwanger ist, soll es einem angeblich schlecht gehen. Aber ihr geht es ganz ausgezeichnet.

Sie setzt sich mit der Kaffeetasse und dreht das Kuvert um.

Es ist von Algots.

Sie kann am 10. Juni anfangen, und ihr stehen volle Betriebsferien zu.

Sie hat es also geschafft! Algots! Kann das sein? Wieder einen Schritt weiter …

Wer behauptet, dass sie es nicht auf eigene Faust schafft?

Für wenige Augenblicke ist das Glück vollkommen. Aber als Jacob in der Tür steht und sagt, dass er eine Vespa geliehen hat, beginnt sie zu weinen.

»Es ist nicht dasselbe wie ein Auto«, sagt er verwundert. »Das weiß ich auch. Aber dass das ein Grund ist zum Weinen …«

»Ich bin schwanger«, sagt sie.

»Hör auf«, sagt er. »Natürlich bist du das nicht.«

Aber es gibt keine Abendtour mit der Vespa. Die steht draußen, rot und verlassen, während zwei bestürzte Menschen dasitzen und einander anstarren.

Für Jacob Halvarsson, den tüchtigen Verkäufer in Valles Sportgeschäft, ist die Situation eigentlich ganz einfach. Er begreift absolut nichts. Er hört, was Eivor sagt, er sieht, dass sie weint, aber er kann um nichts in der Welt verstehen, dass sie ein werdendes Kind in sich birgt. Er ist doch immer vorsichtig gewesen, außer ein einziges Mal, als er vergessen hatte, Gummis zu kaufen, aber da war es unbedingt notwendig für ihn, mit ihr zu schlafen. Eine notwendige Revanche für einen Kinoabend, über den er die Kontrolle verloren hatte. Aber dies eine Mal ... Das sagt er auch.

»Einmal ist einmal zu viel«, sagt sie und sieht plötzlich ganz wild aus.

Aber wie hätte er wissen sollen ... Zum Teufel auch! Sie hat es wohl gemerkt, dass er ohne war! Hätte sie doch die Beine zusammengekniffen! Wie sollte er ...

Wild sieht sie aus. So hat sie ihn noch nie angestarrt. Er wendet den Blick ab, er kann dem ihren nicht standhalten.

»Das geht doch nicht«, murmelt er.

»Nein«, sagt sie.

Wenn er doch wenigstens trotzdem froh wäre, denkt sie. Wenn er ihr doch trotzdem ein Lächeln schenken würde, mitten in dem Kummer ... Aber dass sie das denkt, trägt nur zu ihrer Verwirrung bei. Natürlich ist das ein Unglück für sie beide. Vielleicht doch mehr für sie, der Mann schafft es wohl immer, sich damit herauszureden, dass es ein Unfall war, und das ist ein himmelweiter Unterschied. Aber dass er nur dasitzt und von seiner Unruhe loskommen will ... Vermutlich denkt er an die Vespa, die unnütz draußen steht.

Das tut ihr weh.

Immerhin ist sie ja schwanger! Von ihm!

Wenn sie miteinander schlafen, ist wohl immer der Gedanke dabei, dass ein lebendiger Mensch daraus entstehen kann.

So denkt sie jedenfalls. Und selbst jetzt, wo es nicht weniger als eine Katastrophe bedeutet, dass sie schwanger ist, gibt es auch eine kleine kribbelnde Freude in ihr ...

Wenn er doch wenigstens etwas sagen würde! Wenn er sich doch aufrichten und den Mund öffnen würde. Nicht bloß da auf dem Stuhl sitzen und aussehen, als hätte er gerade einen Hirnschlag bekommen.

Aber der Schein trügt, wie so oft. Jacob weiß nicht, was er sagen soll, aber er weiß, was er denkt ...

Wenn Eivor nun schwanger ist, wie sie sagt, so bedeutet das ja auch, dass er sich keine Sorgen machen muss, dass sie ihn verlässt, sich mit jemand anderem einlässt. Mit dieser Angst trägt er sich, seit er sie zum ersten Mal auf dem Rücksitz von Rogers Auto sah. Aber das hat er ihr natürlich nicht gesagt. Das kam ja gar nicht in Frage. Aber sie sollte nur wissen, wie eifersüchtig er oft gewesen ist, nahe daran, sie zu schlagen, wenn sie allzu freundlich zu einem anderen war. Jetzt ist er die Sorge los, jetzt ist sie sein, ohne dass er riskiert, beiseitegestellt zu werden. Vater eines Kindes zu werden wirkt beinahe unwichtig im Verhältnis dazu, nie mehr eifersüchtig zu sein.

Ein Kind, was ist das schon?

Etwas, was schreit und krabbelt, was man herumtragen muss ...

Aber es kann auch etwas werden, was einem selbst ähnelt. Dem man einen Namen geben kann ...

Tommy Halvarsson zum Beispiel. Oder Sonny ...

Sie sagt etwas, und er kommt zurück aus seinen Gedanken. Sie zeigt auf einen Brief, der auf dem Tisch liegt, und sieht nicht länger so wild aus, wirkt nur traurig.

Algots. Die Anstellung. 10. Juni. Ach ja, er hat wohl nie richtig verstanden, warum sie so gerne dort hinwollte. Aber Mädchen sind ja manchmal seltsam, was will man machen ...

»Gratuliere«, sagt er. Etwas anderes wäre vermutlich unpassend in dieser Situation.

Aber er hat sich offensichtlich geirrt, denn sie starrt ihn plötzlich an, als hätte er ihr eine Ohrfeige gegeben.

»Begreifst du denn nichts«, sagt sie. »Wenn ich schwanger bin, kann ich Algots einfach vergessen. Ich kann natürlich dort anfangen, aber für wie lange denn? Wie lange kann ich dort bleiben? Wie soll ich nähen können, wenn ich so dick bin, dass ich nicht einmal mehr meine Schuhe zubinden kann …«

Schwanger. Ein Bauch, der sich aufbläht, eine schwerfällige Mami, die sich nicht rühren kann. Kinderwagen und Kinderbett müssen gekauft werden … Nein, das ist zu viel für ihn. Am liebsten würde er jetzt aufstehen und gehen, sagen, dass die Vespa zurückgebracht werden muss oder dass er erkältet sei …

Aber man erkältet sich nicht so einfach Ende Mai. Zum Teufel! Und er kann sie auch nicht einfach allein lassen, wo sie die ganze Zeit über aussieht, als würde sie gleich zu weinen anfangen oder ihm etwas an den Kopf werfen … Genau das ist es, was es so schwer macht. Dass man nicht mehr einfach verschwinden kann, wie es einem beliebt. Hat man ein Kind, so hat man es, das ist etwas, was einen selbst überleben wird. Genau das ist es, die Verantwortung. Und das belastet jetzt schon, obwohl das Kind bis jetzt nur eine Behauptung von Eivor ist, die ihn mit wilden Augen ansieht …

Er tut sich selbst leid, und er würde sie gerne fragen, was nun geschehen soll. Aber das fällt schwer, er findet nicht die richtigen Worte …

Er sagt nichts. Sie muss das hier in Ordnung bringen. Hätte sie ihm nur Bescheid gesagt, so hätte er besser aufgepasst …

Ich will nicht allein bleiben mit der Sache hier, denkt Eivor. Was auch immer geschehen mag, aber nicht Mutters Hölle. Nicht wie sie …

Sie schaut ihn an und fragt sich, ob er ahnt, was sie denkt. Schlamperei oder nicht, es gehören doch zwei dazu. Sie wird so überwältigt von der Angst, dass sie es geradeheraus sagt, dass er sie jetzt nicht verlassen darf.

»Nein, nein«, murmelt er. »Nein, zum Teufel … Nein …«
»Es gehören zwei dazu«, sagt sie. »Zwei.«
»Ja, ja … Beruhige dich. Zum Teufel …«
»Ich denke gar nicht daran, mich zu beruhigen«, sagt sie. »Ich will wissen, ob wir zu zweit bei dieser Sache sind oder nicht.«
»Das ist klar«, sagt er. »Natürlich, verdammt …«
Aber nichts ist klar, alles wirkt wie ein Gesicht in einem Zerrspiegel. Keiner von ihnen vermag, seinen Gefühlen zu trauen.
Nach einem Moment schmerzhaften Schweigens sagt Jacob das einzig Mögliche. »Wir werden wohl zusammenziehen«, sagt er. »Und heiraten.«
Und sie: »Willst du das?«
»Ja, natürlich.«
»Aber nicht nur wegen dem hier. Das will ich nicht.«
»Nein, nicht nur wegen dem hier.«
»Warum?«
»Ich hab dich doch gern …«
Sie haben ja etwas, wo sie wohnen können.
Er hat eine Arbeit, eine gute Arbeit.
Und sie muss ja nicht für alle Zeiten aufhören. Das Kind wächst ja.
Aber natürlich will er ein Weib zu Hause haben. Wenn Eivor nun das Kind haben wird, so muss sie sich wohl oder übel auch in ein »Weib zu Hause« verwandeln. Da kann man nichts dran machen. Und wer sagt, dass »Weib« schlecht gemeint ist? Hat nicht der Alte daheim, Artur, Linnea immer Weib genannt als höchste aller Zärtlichkeitsbeteuerungen, zu denen er fähig war …
Am schwierigsten wird wohl sein, es zu erzählen. Sowohl in Hallsberg als auch im Stadtteil Norrby. Es reicht nicht, einfach zu kommen und einfach so fallen zu lassen, dass man

ein Kind bekommt beziehungsweise Vater wird. Das reicht absolut nicht.

Da gibt es nur eins, das ausreicht. Zu heiraten.

Sie fahren trotz allem noch ein wenig mit der Vespa raus. Hat er sie nun einmal geliehen, so soll sie auch benutzt werden. Außerdem ist es schön, sich abzukühlen an diesem Maiabend, die große Neuigkeit ist ja nicht ganz leicht zu tragen. Jacob steuert aufs Land hinaus, Alingsåsvägen, und Eivor klammert sich hinter ihm fest, hält ihn fest um die Taille. Es ist schön, die Fahrt zu spüren, auch wenn es nur eine Vespa ist, auf der man sitzt. Und irgendwie ist es auch schöner, als in einem Auto eingesperrt zu sein. Hier ist der Wind selbst die Bestätigung für die Bewegung, die Geschwindigkeit bläst einem ins Gesicht.

Auf einem Hügelkamm bremst Jacob und hält auf der Standspur.

Er zeigt auf einen kleinen Hof in einem Feld, einige Hundert Meter entfernt. »Da habe ich einen Cousin«, sagt er.

»Aha«, sagt sie.

»Wir werden ja wohl heiraten«, sagt er.

»Ja«, sagt sie.

Sogar in der Kirche. Keiner von ihnen ist religiös, Gott ist noch immer der Mann mit dem Vollbart und den wissenden Augen, wohnt im Himmel und duldet kein Lachen oder Pupsen in der Kirche. Und doch glauben sie in aller Stille.

Das ist so selbstverständlich, dass sie kaum darüber sprechen müssen. Aber als sie auf dem Heimweg an einer kleinen Landkirche vorbeifahren, ruft Eivor, er soll anhalten, und ohne von der Vespa abzusteigen, sitzen sie da und schauen auf die weiße Kirche.

Es geht also darum, das Übel nicht schlimmer zu machen. Wenn sie nun ein Kind bekommen wird, so soll es auf jeden Fall in einer Ehe geboren werden. Es soll Mama und Papa haben, und niemand soll etwas anderes sagen können, als dass alles mit rechten Dingen zugegangen ist. Jacob sollte die Vespa jetzt zurückgeben, aber es fällt ihm schwer, sich davon zu trennen. Jetzt gehören sie ja auf eine ganz andere Art zusammen als noch vor ein paar Stunden.

»Sag nichts zu Hause«, sagt sie. »Noch nicht.«

»Nein, nein«, antwortet er.

»Ich werde mich um alles kümmern«, sagt sie.

Und das tut sie. Am nächsten Tag wartet sie vor Valles Sportgeschäft auf ihn. Sie steht auf der Straße und sieht ihn einen Fußball an einen Papa verkaufen, der mit einem kleinen Sohn an der Hand dort steht. Sie sieht Jacob an und denkt, das ist mein Mann …

Sie gehen in den Stadtpark, und sie erzählt von Ehefähigkeit und Aufgebot, Geburtsurkunde und Zeitvereinbarung. Sie beschließen, in der ersten Juliwoche zu heiraten.

Das Aufgebot wollen sie so bald wie möglich bestellen, und wenn Eivor noch heute Abend einen Brief nach Hause schreibt, dann können sie morgen Artur und Linnea alles erzählen.

»Es ist ein komisches Gefühl«, sagt Eivor.

»Fühlst du dich nicht gut«, fragt er besorgt.

»Nicht auf diese Art. Nein, ich weiß nicht …«

Als er am Abend bei ihr bleiben will, sagt sie Nein. Sie muss ja den Brief nach Hause schreiben, sie braucht Ruhe, um zu denken. Das versteht er nicht, es geht doch nur darum, geradeheraus zu schreiben, wie es ist?

Aber sie schiebt ihn hinaus.

Und was soll sie jetzt an Elna schreiben? Wie kann sie ihr klarmachen, dass es in ihrem Fall keine Katastrophe ist, sondern dass sie glücklich mit einem netten Burschen verheiratet sein wird, wenn das Kind geboren wird?

Sie starrt auf das Briefpapier. So hat sie es jedenfalls mit ihren kindlich gerundeten Buchstaben auszudrücken versucht. Woher hat sie das? Sind sie und Jacob glücklich? Sie haben es höchstens gut und haben die Chance, es besser zu haben.

Sie faltet das Papier zusammen, zählt bis fünfzig und faltet es dann wieder auf, liest es, als ob sie den Brief empfangen hätte, als ob sie Elna wäre. Aber es wird nicht besser dadurch, sie sieht Elna vor sich, wie sie auf einen Küchenstuhl sinkt und die Hände vor das Gesicht schlägt.

Also neues Papier, noch einmal. Und sie gelobt sich selbst, dass, wie dieser Versuch auch immer ausfallen mag, dieser Brief auf jeden Fall morgen auf dem Weg zur Arbeit abgeschickt wird. Sie schließt damit, sie zur Hochzeit einzuladen, und als sie es noch einmal durchliest, stellt sie fest, dass sie jedenfalls die wichtigsten Dinge hineingeschrieben hat. Jacob, Algots, Heirat, Kind.

Das Kind. Im Januar 1961.

Sie klebt das Kuvert zu, schreibt die Adresse darauf, und dann liegt sie vor ihr auf dem Tisch, die Botschaft, die große Neuigkeit, eine Bombe nach Hallsberg von Eivor …

Wahrhaftig, der folgende Tag wird ein guter Tag! Jacob holt sie um sieben Uhr am Abend ab, und sie gehen gemeinsam raus nach Norrby. Er hat nichts gesagt, nur gefragt, ob er sie auf eine Tasse Kaffee mit nach Hause bringen könne.

Noch eine Tasse Kaffee, eine dritte, weiter wird nichts gesagt. Eivor sieht Jacob verstohlen an, aber er wendet schnell den Blick ab. Meint er wirklich, dass sie es ist, die darüber sprechen soll?

»Eivor sieht heute Abend nachdenklich aus«, sagt Artur.

Sie zuckt zusammen. Kann man ihr das anmerken?

»Da ist eine Sache«, beginnt Jacob, ohne auf die Bemerkung einzugehen.

»Kriegt ihr ein Kind?«, fragt Artur scharf und sieht sie beide an.

»Artur«, sagt Linnea. »Artur ...«

Eivor merkt, dass sie rot wird. Für ihren Teil dürfte das Antwort genug sein ...

»Ja«, sagt Jacob. »Wir wollen heiraten.«

Linnea sitzt da und weiß nicht, was sie sagen soll. Aber Eivor hat den Eindruck, dass sie froh wirkt.

»Scheiße«, sagt Artur. »Verdammte Scheiße ... Das kommt überraschend. Aber ... Da darf ich wohl gratulieren.«

»Ja. Gratuliere«, sagt Linnea. »Das ... Ja, es ist, wie Artur sagt. Das kommt unerwartet ...«

Artur kramt eine Flasche mit einem Rest Wodka hervor, und Linnea holt Gläser. Dann prosten sie sich zu, und Eivor sieht plötzlich, dass Jacob über das ganze Gesicht strahlt, und sie bekommt fast einen Kloß im Hals.

»Du scheinst ein gutes Mädel zu sein«, sagt Artur und gießt die letzten paar Tropfen in sein eigenes Glas.

»Ich muss dich einfach umarmen«, sagt Linnea. Eivor fühlt eine große Geborgenheit, als sie gegen Linneas schweren Busen gedrückt wird. Hier wird sie Hilfe bekommen, wenn es nötig wird, denkt sie.

»Wo werdet ihr wohnen?«, fragt Artur.

»Ich werde wohl Frau Fåhreus fragen, ob es etwas ausmacht, wenn Jacob zu mir zieht«, sagt Eivor.

»Ja, frag nur«, brummelt Artur. »Vermieter soll man bei Laune halten.«

»Was sagen denn deine Eltern dazu?«, fragt Linnea.

»Sie ... Sie wissen noch nichts davon«, antwortet Eivor. »Aber ich habe geschrieben.«

»Ja.«

Jacob bringt sie durch den Frühlingsabend nach Hause. »Das ging ja gut«, sagt er.

»Ich bin nur so schrecklich rot geworden.«

»Was macht das?«

»Nichts. Aber trotzdem.«

Und dann sprachen sie über alles, was mit der Wohnung gemacht werden müsste. Tapeten, all die alten Korkplatten herausreißen, Porzellan, eine Wiege …

»Noch nicht«, sagt Eivor. »Jetzt noch nicht.«

»Das entscheidest du«, sagt Jacob.

Sie sieht ihn an. Wirklich?

Den Einkauf und die Wahl der Wiege überlässt er also ihr. Aber ist das eine Selbstverständlichkeit oder ein Zugeständnis? Irgendwann einmal wird sie ihn fragen …

»Ich versteh doch nichts von solchen Sachen«, sagt er.

»Ich auch nicht«, antwortet sie.

Vor ihrem Haus sieht sie einen toten Haussperling, der im Rinnstein liegt. Er liegt auf dem Rücken, die Krallen krampfartig gegen den Himmel gestreckt.

»Was ist das?«, fragt er.

»Ein toter Vogel«, antwortet sie.

Drei Tage später steht Elna in der Tür. Eivor ist gerade von der Fabrik gekommen und spürt noch Liisas Gratulationskuss auf der Wange. Erst heute hat sie den Mut gefasst und gesagt, wie es ist. Dass sie ein Kind erwartet. Liisa hat sie erst misstrauisch angesehen. Aber dann hat sie sie umarmt und versucht, ihr ein finnisches Wiegenlied beizubringen.

Und jetzt steht also Elna da in der Tür, in ihrem alten Mantel. »Du hast ja kein Telefon«, sagt sie.

»Wer sagt, dass du ungelegen kommst?«

»Man weiß ja nie.«

»An dem Tag, an dem du störst, werde ich es dir sagen.«

»Ich soll von Erik grüßen«, sagt Elna.

»Danke.«

»Das kam ja nun recht unerwartet.«

»Für mich nicht. Oder für uns.«

Wahr oder nicht, Eivor hat sich entschlossen, ihrer Mutter von vornherein den Wind aus den Segeln zu nehmen. Tief drinnen hat sie auch erwartet, dass sie hier auftaucht, atemlos und entsetzt, als ob sie den ganzen Weg von Hallsberg gelaufen wäre. Sie hat sich vorbereitet, wie wenn sie sich vor Gericht verteidigen müsste.

»Ich weiß nicht, was ich sagen soll.«

»Du brauchst nichts zu sagen.«

»Bist du glücklich? Ich meine, ist alles, wie es sein soll ...«

Schwebende Worte, flüchtig wie eine Feder. Warum nicht? Ihr geht es gut, ihm geht es gut, es ist kein Krieg, sie haben Arbeit, die Welt wird so schnell nicht untergehen.

»Mir geht es gut«, sagt sie.

Aber natürlich klingt das hohl. Sie ist gerade mal fünf Monate von zu Hause weg, sie hat soeben die Zusage bekommen, bei Algots zu arbeiten, und da wird sie schwanger.

Sie hat Elna noch nichts von Jacob erzählt. Natürlich ist in Elnas Verhalten ein wenig Schauspielerei, Eivor hätte mit Sicherheit dasselbe gemacht. Aber wie es jetzt ist, muss sie tatsächlich ratlos sein. Eivor wäre es mit Sicherheit auch gewesen.

»Das kam so unerwartet«, sagt Elna wieder.

»Ich fand, es sollte eine Überraschung sein«, antwortet Eivor.

Aber sie kann sehen, dass Elna ihr nicht glaubt.

Beim Kaffee sagt Eivor, dass Elna Jacob erst am folgenden Abend treffen kann. Heute kommt er nicht, er spielt Betriebsfußball auf dem Platz hinter dem Krankenhaus. Das Sportgeschäft hat eine eigene Mannschaft in der Liga, Jacob ist Verteidiger.

»Ich möchte ihn natürlich gern kennenlernen«, sagt Elna. »Aber nur, wenn es passt.«

»Klar tut es das. Sein Papa ist Schriftsetzer. Seine Mama ist wie du.«

»Was heißt wie ich?«

»Hausfrau. Sie heißt Linnea.«

Elnas Augen sind voller unausgesprochener Fragen.

»Jetzt wirst du Oma«, sagt Eivor entschieden.

»Ja«, sagt Elna.

»Mir geht's gut, Mama. Beunruhige dich nicht. Du weißt, dass ich zurechtkomme.«

»Ich fange fast an, es zu glauben.«

Das tut sie natürlich absolut nicht, das erkennt Eivor so fort. In Elnas Pläne passt es kaum, dass Eivor ein paar Monate nach ihrer Abreise in die große Welt bereits schwanger wird. Aber wenn man eine Tochter hat, so muss man auch damit rechnen, Großmutter zu werden. Und da sie wohl eingesehen hat, dass die Wirklichkeit ihre eigenen Wege geht, schafft sie es vielleicht sogar, sich über das zu freuen, was geschieht.

Am Abend, als sie gegessen haben, machen sie einen Spaziergang durch die Stadt. Der tote Sperling liegt noch immer im Rinnstein, die Klauen gegen den Abendhimmel gereckt.

Sie bleiben vor dem Schaufenster eines Geschäfts für Damenoberbekleidung stehen. »Ich sollte mir vielleicht einen neuen Mantel kaufen«, sagt Elna.

»Ja«, sagt Eivor. »Das wäre wohl nötig.«

Im Gegensatz zu Liisa kann Jacob höflich sein, auch wenn es einen Hauch verkrampft und unsicher wirkt. Er begreift rasch, dass es wohl Eivors Mama ist, die ihm die Tür öffnet, und so dauert es nicht lange, bis er die Kontrolle über die Situation hat. Eivor ist erstaunt darüber, wie natürlich er sich zu geben vermag. Seine Arbeit in Valles Sportgeschäft beschreibt er als abwechslungsreich und verantwortungsvoll. Er scheint zu wissen, worum es geht. Er macht einen guten

Eindruck auf Elna, das kann Eivor sehen. Und warum auch nicht? Das helle Haar glänzt, die Zähne sind weiß, er ist jung und gesund und stark. Und höflich. Was will man mehr?

»Dann also bis zur Hochzeit«, sagt er, als er schließlich aufsteht und sich verabschiedet.

»Er ist nett«, sagt Elna, als er gegangen ist.

»Das finde ich auch«, sagt Eivor.

Elna sieht sie verwundert an. »Anders wäre es ja wohl auch zu schrecklich.«

Am Tag darauf fährt Elna nach Hause. Sie sagt, dass sie sich freut, aber Eivor fragt sich, was sie *wirklich* denkt. Ist sie enttäuscht, unruhig oder nur zweifelnd?

Eivor würde sich wünschen, dass sie so offen und voll spontaner Freude wäre wie Jacobs Mama Linnea. Nicht so schroff und stumm.

Aber man sucht sich seine Eltern ja nicht aus.

Manchmal nicht mal seinen Mann.

Das sollte Elna wissen.

Als Elna im Zug zurück nach Hallsberg sitzt, ist es genau das, was sie denkt.

Und so findet sie also statt, die Hochzeit von Eivor und Jacob, am Sonntag, dem 3. Juli 1960. Die Trauung selbst ist schön und ergreifend, niemand denkt an den Regen, der draußen vor der Gustav-Adolf-Kirche niederströmt und die Stadt in eine Waschküche verwandelt. Pastor Johan Nordlund hebt seine von Psoriasis angegriffenen Hände über die zwei jungen Leute, die beschlossen haben, Schutz im heiligen Stand der Ehe zu suchen, die Angehörigen sind gerührt von der Zeremonie, und das Paar am Altar ist ein schönes Paar. Jacob trägt einen dunkelblauen Anzug, und Eivor hat sich ein weißes Kleid genäht. In der ersten Bank sitzt Artur und hustet. Das ist seine Art, sich gegen den störenden Kloß im

Hals zu wehren, den man auf keinen Fall merken darf. Neben ihm sitzt Linnea, und sie ist wahrlich stattlich in ihrem neuen dunkelroten Kleid.

Auf der anderen Seite des Mittelganges sitzen Elna und Erik, und sogar der alte Vater Rune ist gekommen. Großmutter Dagmar hat sich die Reise nicht zugetraut, ihr kleiner Brief an Eivor muss reichen, und Rune soll von ihr grüßen und es ihr erklären. Es ist ja möglich, sich später einmal zu treffen.

Die Orgel dröhnt, und draußen gießt es. Pastor Nordlund steht in der Kirchenvorhalle, verabschiedet die Hochzeitsgesellschaft und wünscht Glück. Die Hände hält er auf dem Rücken, es gibt ja Leute, die glauben, dass Psoriasis nicht weniger ansteckend sei als Aussatz ... Regenschirme werden aufgespannt, die bestellten Taxis warten, man muss nur die Treppe zur Straße hinuntereilen ...

Das Leben ist seltsam, denkt Eivor, als sie neben Jacob auf dem Rücksitz in einem der Taxis sitzt. Jetzt bin ich verheiratet, und ich empfinde nichts anderes als Unruhe. Es ist so schnell gegangen; als der Pastor sprach, war es, als beträfe es mich nicht. Und nun fahren wir zu Artur und Linnea zum Hochzeitsmahl, und dann werden wir für fünf Tage auf Hochzeitsreise gehen in ein Sommerhaus irgendwo in Småland ...

Wenn sie nun den Taxifahrer bitten würde anzuhalten und im Regen ausstiege und einfach wegginge? Zu Cecil, um Coca-Cola zu trinken, weiß gekleidet und mit hochgestecktem Haar? Was sie beunruhigt, ist, dass sie das nun nicht mehr tun *kann*. Verheiratet zu sein beinhaltet ja so vieles, was nicht länger erlaubt oder auch nur möglich ist.

Der Regen schlägt gegen die Windschutzscheibe, und Jacob wirkt auch verbissen. Vielleicht denkt er dasselbe? Herrgott ...

Er schaut sie plötzlich an. »Hast du etwas gesagt?«

»Nein. Gott, wie das regnet.«

Dann sind sie da, in Norrby, die Taxis bremsen auf dem nassen Asphalt, und der Fahrer ist überrascht über den Schein, den er von Jacob als Trinkgeld bekommt.

Es gab eine gewisse Verwirrung wegen des Hochzeitsessens. Laut der Tradition ist es der Brautvater, der das Gastmahl finanziert, aber was macht man, wenn der Vater nur als Vorname existiert? Elna wollte nicht von Erik verlangen, für die Kosten einzustehen, auch wenn er sagt, dass er dazu bereit wäre. Es ist ihr peinlich, als sie hört, dass Artur und Linnea das Essen bezahlen und arrangieren wollen, aber da ist nichts zu machen; als der alte Vater Rune eines Tages Mitte Juni aus Sandviken anruft und sagt, dass er die ganze Gesellschaft in ein Hotel in Borås einlädt, ist es zu spät, alles ist schon festgelegt. Ein Monat Ankündigungszeit, um seine Tochter zu verheiraten, ist eben nicht ausreichend.

Sieben Personen werden es, Eivor und Jacob wollten die Feier in der engsten Familie abhalten. Eivor hätte sich schon vorstellen können, Liisa einzuladen, aber dann hätte Jacob darauf mit einem seiner besten Freunde reagiert, und so wäre es immer weitergegangen. Nein, die engste Familie, und das sind sieben Personen, das Brautpaar eingeschlossen. Aus Sandviken ist Rune als Abgesandter gekommen. Insgeheim hat er bestimmt darüber gemurrt, dass das Brautpaar kirchlich geheiratet hat, und sein stiller Protest während der Zeremonie bestand darin, dass er seinen schmerzenden Beinen einen Klaps mit dem Gesangbuch gab.

Elna hat alles sehr mitgenommen. Mit dem ersten Gefühl der Sorge, dass Eivor eine Leidensgenossin von ihr geworden ist, war sie nie ganz fertig geworden. Wie sehr Eivor auch beteuerte, alles sei geplant gewesen, so spürt sie doch, dass ein Gegenwind weht. Aber es muss ja nicht falsch sein, nur weil es schnell gegangen ist.

Von Jacobs Seite gibt es nur Linnea und Artur; die Großeltern mütterlicher- und väterlicherseits sind längst gestorben.

Linnea hat Tischtücher und Porzellan von einer Freundin vom kalten Buffet im Stadthausgrill geliehen, Kinder aus der Nachbarschaft haben große Sommerblumensträuße gepflückt, in der Küche stehen die mit Essen beladenen Platten, und während des Kirchgangs hat die alte Sara, die in der Wohnung über ihnen wohnt, das Feuer unter den Töpfen in Gang gehalten.

Aber gerade als man zum ersten Mal anstoßen will, schellt es an der Tür, und es kommt ein Telegramm.

Jacob liest: *Die Zeit ist aus den Fugen geraten, wir grüßen euch aus Trandared. Glückwunsch!*

»Das ist ein verdammt seltsames Telegramm«, sagt Artur und sieht seinen Sohn Jacob streng an, als hätte er es selbst geschrieben.

»Roger«, sagt Jacob. »Er hat einen etwas merkwürdigen Humor ...«

»Trandared?«, fragt Rune.

»Das ist ein Stadtteil hier in Borås«, erklärt Linnea.

Dann dröhnt Arturs Stimme, er bringt einen Toast aus, und endlich können sie anfangen zu essen.

Eivor nippt nur am Glas, sie ist schwanger, und in der Mütterberatungsstelle hat sie erfahren, dass sie keinen Alkohol trinken darf. Außerdem fühlt sie sich inzwischen doch oft schlecht und will nicht riskieren vom Tisch aufspringen zu müssen, um sich zu übergeben. Die Toilette liegt ja gleich nebenan, sodass alle am Tisch sie hören würden ...

Rune gönnt sich einen Nachschlag im Schnapsglas. Klarer muss es sein, nichts anderes duldet sein Magen. Er denkt, dass er der Älteste in der Versammlung ist und dass er eine Rede auf Eivor halten muss, da sie nun mal keinen Papa hat, der das tun kann. Erik wird natürlich nichts sagen, das traut er sich nicht. Er ist wohl nett und hat seine Verantwortung sowohl für Elna als auch für Eivor übernommen, aber unentschlossen ist er, das wird er nicht los.

Der Schnaps wärmt, und der Druck im Bein lässt nach. Elna sitzt neben diesem massigen Schriftsetzer, der ein richtiger Kerl zu sein scheint. Mit dem ist es sicher möglich, ein paar Worte zu wechseln, wenn sich die Gelegenheit ergibt ... Und seine Linnea ist patent. Nein, das sind gute Leute, auch wenn man sie kaum kennt. Und zum Teufel, was ist das Essen gut ... Mutter soll ruhig zu Hause sitzen und die Katze streicheln und sich ärgern ...

Jacob sitzt da und fürchtet weitere seltsame Telegramme von seinen Kameraden. Und, noch schlimmer, dass sie einen Streich ausbrüten und hier zu Hause auftauchen. Wenn nur dieses Essen hier schon vorbei wäre und sie aufbrechen dürften in dieses Sommerhaus ...

Bier und Branntwein, Essen und Zigarren. Ohne dass jemand es richtig merkt, ist ein Gespräch kreuz und quer über den Tisch hinweg in Gang. Nur Eivor ist still, aber sie kann ja auch nicht trinken. »Zweiundzwanzig Öre«, sagt Artur eben zu Rune, der gefragt hat, wie viel die Schriftsetzer bei der letzten Lohnerhöhung bekommen haben. »Das merkt man, wie du dir denken kannst. Die Brieftasche wurde so schwer, dass man einen Kran brauchte, um sie anzuheben.« Rune nickt. Ganz offensichtlich, Artur ist ein richtiger Teufelskerl. Zweiundzwanzig Öre sind Katzenscheiße, das ist nicht dumm formuliert, einen Kran, um die Brieftasche anzuheben ...

»Da habt ihr auf jeden Fall mehr bekommen als wir«, sagt er. »So ein verdammter Narr bei uns auf der Arbeit hat ausgerechnet, dass er nur einhundertzweiundvierzig Jahre sparen müsste, bevor er genug Geld für ein neues Ruderboot hätte!«

Elna sieht Rune an, und er nickt. Ja, er wird eine Rede halten. Ein großer Redner ist er zwar nicht, aber wer ist das schon, abgesehen von diesen Verrückten, den Politikern. Ist der Hosenschlitz zu? Was soll er sagen? Was hat er doch gleich überlegt während der fürchterlichen Zugfahrt?

Er schaut Eivor an, sie begegnet seinem Blick und lächelt. Er bekommt plötzlich einen Kloß im Hals, er hat sie ja so schrecklich gern …

Der Kloß im Hals ist ein Warnsignal, das nicht zu übersehen ist. Er klopft an sein Bierglas, und es wird augenblicklich still. Alle haben offensichtlich gewartet, aber niemand war sicher, von welcher Seite ein paar Worte kommen sollten.

Er steht auf und hört in der Stille, wie der Regen gegen das Fenster im Rücken trommelt. Was zum Teufel soll er bloß sagen? Und wie hieß der Junge noch mal? Jacob war wohl der Name …

»Liebe Eivor«, sagt er, und da schellt es an der Tür, und es kommt wieder ein Telegramm. Es ist aus Sandviken, von Großmutter und Eivors Onkel. Ein normales Standardtelegramm, ohne Seltsamkeiten im Text. Aber als das Telegramm vorgelesen ist, erinnert sich Rune nicht mehr, was er hatte sagen wollen. Nicht an ein einziges Wort …

»Zweiundzwanzig Öre«, sagt er. »Zweiundzwanzig Öre hat dein Schwiegervater als Lohnerhöhung bei den letzten Verhandlungen bekommen. Aber das will ich euch sagen, der Schein trügt. Auch wenn es heißt, dass gerade jetzt goldene Zeiten für Schweden sind, so kann sich das schnell ändern. Und wenn die Lohnerhöhung nicht mehr als zwei Zehnörestücke beträgt, so riecht es doch unbestreitbar nach Katzengold, auch wenn alles glänzt. Ihr beide seid Kinder aus dem Volk. Dich, Eivor, kenne ich als reelles Mädchen, du hast ein Handwerk erlernt. Du bist Schneiderin, und darauf kannst du stolz sein und brauchst es nie zuzulassen, dass man auf dir herumtrampelt. Über dich, Jacob, weiß ich nicht viel mehr, als dass du Verkäufer bist. Aber du besitzt kein Geschäft, daher bist du in derselben Situation wie ... deine Ehefrau Eivor ... Ja ... Aus meinem ganzen alten Herzen heraus wünsche ich euch Glück und bitte euch, nie zu vergessen, wer ihr seid ... Ja ... Prost auf das Brautpaar.«

Er trinkt und setzt sich. Was zum Teufel hat er eigentlich gesagt? Hat er da jetzt etwas angerichtet? Er schaut Elna an, aber sie wirkt zufrieden, lächelt und nickt ihm zu. Und Artur und Linnea ... Nein, er scheint nicht ganz daneben getroffen zu haben. Aber ist es nicht trotzdem zum Verrücktwerden, dass er sich nicht erinnern kann, was er gesagt hat? Zweiundzwanzig Öre. Aber weiter?

Weiter kommt er nicht, da Artur jetzt seinen riesigen Körper vom Stuhl hochwuchtet und sich räuspert. Es wird sofort still. Erst als Artur vom Tisch weggeht, merkt er, dass alle ihn ansehen. »Ich will eigentlich bloß zum Klo«, sagt er. »Eine Rede kann ich danach halten. Wenn wir beim Kaffee sind.«

Und dabei bleibt es. Linneas Essensplatten scheinen für alle Zeiten zu reichen, die Gläser bleiben nie leer, Gespräche springen über den Tisch, weitere Telegramme kommen an, von Jacobs Cousin, Anzugschneider aus Bergkvara, von Tante Tilda vom Alundaväg in Trollhättan ... Und endlich geschieht etwas, was den Gästen erlaubt, sich vom Tisch zu erheben. In der Tür steht ein pickeliger junger Mann mit Tasche und Stativ, unter dem Arm ein paar grauweiße Schirme. Er hat noch nie vorher ein Brautpaar zu Hause fotografiert, er ist nur der Assistent des Fotografen Malm, der ein Atelier an der Ecke Kvarngatan und Allégatan hat. Aber heute wurde Malm von einem Hexenschuss heimgesucht, und nun muss der Assistent auch einmal zeigen, was er taugt.

Sie möchten stehend fotografiert werden, und die einzige

Stelle, die dazu geeignet scheint, genau vor der Balkontür, setzt voraus, dass man den Esstisch wegräumt, ebenso den kleinen Tisch voller Flaschen. Als alle wohlwollend helfen wollen, ist das Stativ im Weg, und als ein alter Mann namens Rune hilfsbereit einen Stecker einsteckt, sind natürlich sowohl Sicherung als auch Lampe hin. Artur muss auf die wacklige Stufenleiter klettern und die Sicherung im Schrank über der Garderobe im Flur austauschen, in der Zwischenzeit verschiebt der Assistent den Kühlschrank, um an den geerdeten Stecker zu kommen. Als endlich alles klar zu sein scheint, zeigt es sich, dass von allen erdenklichen Richtungen Seitenlicht kommt. Die Jalousien werden zugezogen, aber nun sind alle streifig im Gesicht, und der Assistent ist so verschwitzt, dass ihm die Schirme aus den Händen gleiten.

Aber schließlich scheint dennoch alles vorbereitet zu sein, die Hochzeitsgäste bilden den Hintergrund, das Brautpaar versucht, natürlich auszusehen, der Assistent kontrolliert noch einmal die Lichtwerte, ändert die Blende eine Nuance, knipst einmal, zweimal, und dann ist es vorbei. Anschließend steht er im strömenden Regen und wird durch und durch nass, während er seine Taschen und Stative im Volkswagen verstaut.

Als Artur schließlich seine Rede gehalten hat – darüber sind nicht viele Worte zu verlieren, er ist betrunken, behält aber die Selbstkontrolle, er sagt den beiden nur Freundlichkeiten, nichts Unangenehmes, aber auch nichts, was man behalten müsste –, da wird es auch Zeit für die Geschenke.

Von Großvater Rune, Großmutter und den Onkeln bekommt das Paar ein Kaffeeservice, das Rune persönlich in Gävle ausgesucht hat. Es ist weiß mit blauem Rand. Einfach, robust, ein Service, das ein Leben lang halten müsste. Linnea und Artur schenken zwei Bademäntel mit eingenähtem Monogramm. Linnea hat sie genäht, einen blauen für ihn, einen hellroten für sie. Und Elna und Erik steuern einen Geschenkgutschein über zweihundertfünfzig Kronen für Möbel bei.

Jacob und Eivor sind gerührt und bedanken sich. Aber Eivor hat Kopfschmerzen, sie schließt sich in der Toilette ein, um ein paar Minuten allein zu sein. Erik und Jacob unterhalten sich über Autos, Elna und Linnea stehen am Fenster und schauen in den Regen hinaus. Linnea erzählt von ihrer und Arturs Hochzeit, und Elna hört zu und denkt an einen Sommer an der norwegischen Grenze vor vielen Jahren.

Wie es so kommt, sitzen Rune und Artur schließlich nebeneinander, jeder mit seinem Glas in der Hand. Artur atmet schwer und schwitzt. Rune schaut ihn von der Seite an, und er ist so betrunken von dem Klaren, dass er am besten keine Unterhaltung beginnen sollte. Nein, dies ist Eivors Hochzeit, und er wird seine Meinung für sich behalten. »Prost«, sagt er, und Artur hebt die Lider und sieht ihn beinahe verwundert an.

»Ja, ja«, fährt Rune fort. »Da kann man nur hoffen, dass es gut geht für die Kinder.«

»Warum sollte es nicht gut gehen?«, sagt Artur. »In solchen Zeiten, wie wir sie jetzt haben … Wer hätte nicht gern ihre Möglichkeiten gehabt!«

Da sticht es Rune. Artur ist einer dieser Zufriedenen, die nicht einsehen, dass die Wirklichkeit genauso unheilverkündend ist wie immer. Und das muss er natürlich sagen. Alles andere wäre ja Betrug …

»Je höher man glaubt, klettern zu können, desto tiefer wird der Fall«, sagt er und sieht Artur scharf an.

»Wie?«

»Als ich jung war, wusste ich auf jeden Fall, dass ich ausgenutzt und unterbezahlt wurde«, fährt Rune fort und fixiert

Artur mit roten Augen. »Aber heute scheint jeder zu glauben, dass wir in der besten aller Welten leben …«

Artur sieht ihn an, antwortet aber nicht.

»Und wenn man nicht vorbereitet ist, wenn es bergab geht, dann wird der Aufprall wesentlich schlimmer«, fährt Rune fort.

»Das ist doch alles nur Gerede«, sagt Artur und dehnt seinen großen Körper. »Wo, glaubst du, wären wir heute, wenn wir die Sozis nicht gehabt hätten? Was?«

»Ich bin natürlich Sozialdemokrat«, antwortet Rune erstaunt. »Was hast du denn gedacht?«

»Das klang nicht so.«

»Aber man darf doch wohl noch auf der Hut sein?«

»Ja klar, klar darf man das. Komm, wir nehmen noch einen Whisky«, sagt Artur.

Nun ist es Jacob, über den Rune sich ärgert, aber das bekommt niemand außer ihm mit, denn er ist müde geworden, fängt an einzuschlafen, wo er gerade sitzt. Vielleicht ist es trotz allem die beste aller Welten, in der er sich jetzt befindet? Vielleicht ist er es, der das nicht begriffen hat …

Er wacht davon auf, dass Elna ihn an der Schulter packt. »Wir gehen jetzt«, sagt sie. »Es ist zwölf Uhr, und Eivor und Jacob bestellen uns ein Taxi.«

Da hat er also dagesessen und geschlafen! Aber so geht es, wenn Mutter nicht dabei ist und einem den Ellbogen in die Seite stößt …

Das Fest ist beendet. Er und Elna und Erik werden in einer Unterkunft wohnen, die Hagbergs Pensionat heißt, und ein Bett ist das Einzige, was er sich im Moment wünscht …

Sie stehen in dem engen Flur und nehmen Abschied. Rune schüttelt Jacob die Hand und umarmt Eivor. Er findet, dass sie blass aussieht, aber das ist wohl nicht verwunderlich. »Viel Glück, mein Mädchen«, sagt er und drückt sie fest an sich. »Viel Glück, und vergiss uns da oben in Sandviken nicht …«

»Ich komme euch besuchen«, sagt sie. »Grüß Oma …«

Und dann verschwinden sie und Jacob im Taxi.

In einer Hütte am See Hären, einige Meilen von Anderstorp entfernt, verbringen Eivor und Jacob Halvarsson ihre fünf freien Tage bei strömendem Regen und einer Feuchte und Kälte, der weder der zugige Ofen noch ihre Liebe richtig gewachsen ist. Es ist, als ob sie einander suchen müssten, und die Unsicherheit beginnt schon in der Hochzeitsnacht. Eivor ist müde, aber er fühlt sich aufgeräumt von all dem, was er während des Abends getrunken hat, und als sie ihm den Rücken kehrt, ist er nicht einverstanden. Eine Hochzeitsnacht, ohne zu bumsen? Was ist das denn? Aber das sagt er natürlich nicht, sondern versucht stattdessen, sie zu erweichen und umzudrehen. Aber – nein, sie hat gerade wirklich keine Lust, sie ist todmüde, und wie soll das enden, wenn sie sich schon zu Beginn seinen Wünschen unterwirft und nicht auf ihren eigenen Gefühlen besteht? Da soll er lieber sauer sein, und das wird er dann auch. Aber schließlich schläft er, und als sie sein Schnarchen hört, beginnt sie plötzlich zu weinen.

Die Hütte ist schön gelegen, an einem See, die nächsten Nachbarn sind ein Kleinbauernpaar, bei dem sie Milch kaufen können. Jacob steht unten auf den glatten Steinen am Ufer und angelt in dem dichten Regen, der wohl nie aufhören will. Eivor sitzt drinnen am Fenster und sieht ihn da unten stehen, einen Mann in dunklem Regenmantel und Südwester, und sie denkt, dass das ihr Mann ist, sie ist jetzt Frau Halvarsson, geborene Skoglund. Jacob und Eivor … mit Stempel und Siegel, Segen und gemeinsamer Wohnung. Frau Fåhreus hat nur mit den Schultern gezuckt und geantwortet, sie könne gerne heiraten, solange sie nur rechtzeitig ihre Miete bezahle. Allerdings sei zu erwarten, dass diese in nächster Zeit erhöht werde. Die Unkosten ...

Manchmal streift sie auch durch das feuchte Gras, steht dann und wann völlig still, hebt das Gesicht und fühlt, wie die Regentropfen gegen ihre Haut prallen. Sie wundert sich, dass sie da ist, wo sie ist, dass alles sich weiterhin so ungewohnt und fremd anfühlt. Spannend, aber trotzdem ...

Ohne dass einer von ihnen es ausspricht, können beide es kaum erwarten, nach Hause zu fahren. Ihr erstes Vertrauen in das gemeinsame Leben hat sich in Schweigen verwandelt.

Aber natürlich gibt es auch Augenblicke von Zärtlichkeit. Als sie in der engen Küche das Essen vorbereitet, steht er plötzlich in der Türöffnung und kann sich nicht losreißen, er lächelt ... Die Dunkelheit der Nächte macht alles leichter, Berührungen, Gespräche, ein vorsichtiges Herantasten ... Und gerade die Nächte sind ihre Zeit, da fühlen sie, dass die Ehe wirklich etwas bedeutet, abgesehen von allen Zeremonien, Telegrammen und Versprechen. Das Gefühl, zu zweit zu sein, eine Brücke mit zwei Pfeilern.

»Wenn es ein Junge wird«, sagt er plötzlich, als sie nebeneinander in der Sommernacht liegen.

»Wenn es ein Mädchen wird«, sagt sie.

Jan. Stefan. Magnus. Anette. Mia. Louise ... Sie werfen sich die Namen wie Bälle zu, lachen, scheiden den Vorschlag des anderen aus, spielen ...

In diesen kurzen Augenblicken ist Eivor glücklich. Es sind nicht viele, aber es gibt sie! Tag für Tag lernen sie sich besser kennen, kleine, kaum wahrnehmbare Schritte, sich einander zu nähern, die Reaktionen des anderen vorauszuahnen.

Es gibt dieses Glück, sagt sie zu sich selbst. Jacob ist der Beste für mich. Er ist ordentlich, er sieht gut aus, er ist ... Wir zwei gehören jetzt zusammen, und was es Besseres hätte geben können, weiß man nicht. Dagegen viel, was hätte schlechter sein können …

Julitage am See Hären. Am letzten Abend machen sie ein kleines Feuer unten am Ufer und verbrennen ihren Abfall. Sie hocken eng zusammen unter einem Regenmantel, und Eivor erlebt plötzlich, wie gut es sein kann, neben einem anderen Menschen zu sitzen und zu schweigen.

»Morgen fahren wir nach Hause«, sagt er, und sie nickt und denkt an die Zwirnerei, in die sie nicht zurückkehren wird. Und Algots? Wird sie jemals eine von denen werden, die diese berühmten Kleider nähen?

Im Herbst und Winter denkt Eivor zurück an die *glücklichen Zeiten* im Sommer. Auch wenn sie naiv und ahnungslos war und wie mit verbundenen Augen lebte, so *wollte* sie doch glücklich sein, *wollte* für sie beide ein Heim schaffen und sagen können: Hierher gehören wir. Aber mit der Ruhe und Geborgenheit kam auch die Gewöhnung, die Routine. Frühstück auf dem Tisch für Jacob, wenn er morgenmufflig und wortkarg aus dem Badezimmer gestolpert kam. Da war sie selbst schon über eine Stunde auf. Hatte sich angezogen, geschminkt, vielleicht sogar seine Schuhe geputzt … Wenn er gegangen war, hatte sie gelüftet und aufgeräumt, hatte eingekauft und den Tag mit kleinen Alltagsverrichtungen ausgefüllt. Wenn er kurz nach sechs heimkam, stand das Essen auf dem Tisch, und es gab niemals etwas anderes als das, was er bestimmt mochte. An den Abenden sahen sie fern, und wenn er in der Nacht mit ihr schlafen wollte, wollte sie natürlich auch, solange die Schwangerschaft es zuließ.

Es war eine Zeit, in der alles in eine große Stille eingekapselt war; alles, außer dem Kind, das in ihr wuchs. Natürlich fühlte sie sich oft einsam. Manchmal, wenn sie in der leeren Wohnung herumging, bekam sie Angst: vor dem Kind, vor dem Leben außerhalb ihrer vier Wände. Aber das behielt sie für sich. Das war nichts, worüber Jacob nachzudenken brauchte. Er war der Versorger, durch ihn war das Leben, das sie lebten, möglich, und wenn sie manchmal zu wenig Haushaltsgeld bekam, sagte sie nichts und sah lieber zu, wo sie sparen konnte. Wenn er mit einer Mischung aus Stolz und Zufriedenheit erzählte, dass er während des Tages drei Fahrräder verkauft hatte, obwohl es schon langsam Winter wurde, so freute sie sich mit ihm und hörte sich geduldig alle Details an: wer welches Fahrrad gekauft hatte, welche Farbe es gehabt hatte, mit welchem Zubehör er es hatte vervollständigen können.

Sie hatten eine gemeinsame Zeitrechnung geschaffen: *vor* der Geburt des Kindes und *nach* der Geburt des Kindes. Alles, was *vorher* war, war eigentlich nur Warten. Aber alles, was *danach* kommen würde ... Es war die reinste Orgie von Plänen und Träumen. Jacob – meist führte er das Wort – meinte, dass sie sich zuerst eine größere Wohnung suchen sollten, gerne in Sjöbo, wo Eivor während ihrer ersten Zeit in Borås gewohnt hatte. Und dann könnten sie ein eigenes Haus bauen, aber vorher würden sie natürlich ein Auto kaufen, und Jacob saß mit Bleistift und Block da und rechnete, und manchmal verschwand er abends, um sich gebrauchte Autos anzusehen. Lange vor dem Geburtstermin hatten sie den Kinderwagen und die Ausstattung gekauft, und diesmal suchte Eivor aus. Es war ein Dornröschenleben, sie war eine wache, aber trotzdem schlafende Prinzessin, die sich jeden Tag fragte, ob sie glücklich wäre, und sich nie um eine Antwort kümmerte. Sie las selten eine Tageszeitung – sie meinte, dass sie dafür keine Zeit hätte –, und es war Jacob, der als Bote von der Außenwelt kam, natürlich im Verein mit den flimmernden TV-Bildern.

Wenn er bedrückt war, nach schlechten Tagen, an denen er wenig verkauft hatte und schwierige Kunden bedienen musste, tat er ihr leid. Aber meist waren die Tage gut, die Fahrräder fanden Abnehmer, ebenso die Fußbälle, Tischtennisschläger, die Spikes ... Wenn er erzählte, dass er wohl eines Tages Geschäftsführer werden könnte, um dann den großen Sprung zu wagen und ein eigenes Geschäft aufzumachen, war sie stolz auf ihn. Natürlich würde er es schaffen ...

»Die Leute haben immer mehr Freizeit«, sagte er. »Und wir verkaufen ihnen Sachen, damit sie sich nicht langweilen.«

Ende Oktober würde er zu einer Fortbildung nach Hindås fahren. Von Samstag bis Sonntag sollte er den Unterschied zwischen dem *Überzeugen* und dem *Überreden* eines Kunden lernen. Als er ihr vorschlug, an dem Wochenende bei Artur und Linnea zu wohnen, um nicht allein zu sein, antwortete sie, dass sie schon zurechtkäme. Als er abgefahren war, wurde sie jedoch von einer so großen Angst befallen, dass sie das Gefühl hatte, mit jemandem reden zu müssen. Aber statt Linnea anzurufen, wählte sie die Nummer von Liisa, und sie hatte Glück, sie war zu Hause. Gegen fünf Uhr schellte Liisa an Eivors Tür, und dann gingen sie beide auf die Straße und bewunderten Liisas Auto, das sie sich von ihrem eigenen Geld gekauft hatte. Es war ein rostiger Ford, aber es war ihrer, und er war bezahlt.

Beim Kaffee betrachtet Liisa Eivors Bauch. »Man sieht ja kaum etwas«, sagte sie.

»Ich finde schon!«

Eivor fühlt sich unter Liisas prüfenden Blicken plötzlich unsicher.

»Was schaust du so?«, fragt sie.

»Warum siehst du so ängstlich aus?«

»Ich frage mich nur, wonach du schaust?«

»Ich schaue dich an! Ob ich dich wiedererkenne.«

»Tust du das?«

»Ich weiß nicht ... Doch, das tu ich wohl.«

Sie sieht sich in der Wohnung um, vor sich hin brummelnd. »Sieht ganz so aus, als ob hier jetzt ein Kerl wohnt«, sagt sie schließlich.

»Das stimmt ja auch.«

»Ja, ja ... weiß ich doch. Schau nicht so ängstlich!«

Das Gespräch verläuft träge und ist anstrengend. Eivor hat das Gefühl, dass Liisa sie anzugreifen versucht. Jede Frage, jeder Kommentar, wie unschuldig er auch ist, erscheint ihr als versteckter Angriff.

»Ich meine das, was ich sage. Nichts anderes. Hast du völlig vergessen, wie ich bin?«

Und dann, mit plötzlichem Nachdruck, als ob sie begriffen hätte, was los ist: »Wie lange ist es jetzt her, seit du mal raus warst?«

»Wie meinst du das?«

»*Raus!* Weg von hier!«

»Damit habe ich aufgehört. Das geht ja jetzt nicht ...«

Als Liisa vorschlägt, eine Spritztour mit dem Auto zu machen, will Eivor nicht, aber Liisa gibt nicht nach. Sie muss Eivor beinahe mit sich ziehen und knufft sie in ihren rostigen Ford.

»Ich gehe nirgendwo rein«, sagt Eivor.

»Das werden wir auch nicht«, sagt Liisa. »Nicht, bevor wir zum Park kommen.«

Eivor starrt sie an, als ob sie sie mit einer Axt bedroht hätte. Sie meint doch wohl nicht ... dass sie in den Park gehen und tanzen soll? Sie muss doch verstehen, dass das unmöglich ist ...

»Ich verstehe, wie das ist«, sagt Liisa ironisch. »Beruhige dich! Wir werden nirgendwo reingehen. Ich werde dich nur rumfahren, damit du siehst, dass die Welt noch steht ...«

Und dann lacht sie, und Eivor fühlt sich gleichzeitig erleichtert und dumm.

Liisa nimmt sie mit zu einer Rundreise in ihre alte Welt. Eivor fragt, und Liisa erzählt, wie es den ehemaligen Arbeitskameraden geht. Plötzlich spürt Eivor nicht nur das Kind in ihrem Bauch, sondern auch eine Unruhe, einen Verlust, selbst den unerträglichen Lärm in der Maschinenhalle vermisst sie …

Liisa fährt in der Stadt herum. Es ist Samstagabend, er ist noch jung, aber sie reihen sich ein in die Karawane rund um den Södra Torget. Alles ist wie immer, vor dem Kino Saga und vor Cecils Konditorei kriecht die Karawane an Gruppen von jungen Menschen vorbei. Eivor wünscht sich einerseits, erkannt zu werden, andererseits hat sie das Gefühl, sich auf verbotenem Terrain zu bewegen. Aber sie sagt nichts, sondern versucht, sich unsichtbar zu machen … Und was würde passieren, wenn einer von Jacobs Freunden sie sähe? So groß ist die Stadt nicht …

»Du siehst aus, als ob du … Wie heißt das … einen Geist gesehen hättest?«, sagt Liisa.

»Aber nein …«

»Warum kannst du nicht sagen, was los ist? Ich sehe es doch …«

Bald darauf fährt sie sie nach Hause, und dann ist Eivor wieder allein. Sie lässt sich schwer auf einen Stuhl fallen und fragt sich, warum sie nicht gesagt hat, was los war. Dass sie Angst hatte, als sie entdeckte, dass ihr altes Leben verloren war. Sie würde nie mehr zurückkehren können, auch wenn sie es eines Tages wollte. Warum hat sie es abgestritten? Wenn Liisa es doch sowieso gemerkt hat?

Sie weiß es nicht, und die Unruhe bleibt. Hinzu kommt eine Art schlechtes Gewissen Jacob gegenüber, als hätte sie ihn allein dadurch schon betrogen, dass sie in die Karawane rund um den Södra Torget zurückgekehrt ist.

Als Jacob am Sonntag zurückkehrt, vollgestopft mit nützlichem Wissen (in Zukunft wird er *überzeugen*, niemals mehr *überreden*), sagt sie natürlich, dass alles gut gewesen sei – dass alles gut *ist*!

Wenn sie manchmal Angst bekommt, dass mit dem Kind etwas nicht in Ordnung sein könnte, ist Jacob bei ihr und hält ihre Hand auf seine linkische und verlegene Art. Aber er ist da, und das ist das Einzige, was zählt.

Viele Jahre später dachte Eivor daran, dass sie nichts darüber wusste, wie er die Zeit bis zu Staffans Geburt erlebt hatte. Sie konnte sich nicht erinnern, dass er jemals davon gesprochen hätte, was er *fühlte*.

Es war im Dezember, als sie immer häufiger nachts aufwachte. Plötzlich war sie mit einem Schlag hellwach, es waren keine Träume, die sie geweckt hatten, kein Übelsein, nichts. Sie schlug nur im Dunkeln die Augen auf, neben ihr schnarchte Jacob, und alles hätte wie gewöhnlich sein müssen, aber das war es nicht. Nachdem sie eine Weile still im Dunkeln gelegen hatte, stand sie auf, zog ihre Pantoffeln und den Bademantel an und tastete sich hinaus ins Wohnzimmer. Sie knipste die kleine Lampe mit dem roten Schirm an, kuschelte sich auf dem Sofa zurecht und zog die Füße unter sich.

Es war ziemlich genau ein Jahr her, seit sie nach Borås gekommen war, und die Stadt hatte so unendlich groß gewirkt. Ein Jahr, seit sie auf zitternden Beinen zum Personalbüro von Konstsilke gegangen war und so verzweifelte Angst hatte, nicht in diese große und fremde Welt zu passen. Ein Jahr, seit sie davon geträumt hatte, ihr eigenes Leben zu leben, mit einer Anstellung bei Algots als erstem Ziel. Und jetzt war sie schwanger, schon im achten Monat. Schwer, plump und unbeholfen, und im Gesicht bekam sie oft einen Ausschlag. Im Januar sollte sie ein Kind zur Welt bringen, und da wäre sie noch nicht einmal neunzehn Jahre alt …

Sie fühlte eine große Verwunderung darüber, dass alles so gekommen war. Nichts davon hatte sie sich vorgestellt, absolut nichts …

Die Weihnachtstage und Silvester feierten sie zusammen mit Linnea und Artur. Eigentlich war geplant, dass Erik und Elna zwischen Weihnachten und Neujahr kommen sollten, aber dann lag Elna mit einer Grippe im Bett, und da sie fürchtete, Eivor anzustecken, telefonierten sie nur miteinander. Das Jahr 1961 begann, ohne dass es richtig Winter war, die Tage waren grau und nass. Jacob ging wieder zur Arbeit, und für Eivor begann die letzte Wartezeit, die sich unendlich lang hinzog. Immer öfter fand Jacob irgendeinen Grund, am Abend eine Weile zu verschwinden. Aber er war nie sehr lange weg, und er trank selten mehr als ein paar Flaschen Bier. Eivor ging zu den letzten Kontrolluntersuchungen und der Termin sollte der 22. Januar sein. Jeden Morgen, wenn sie auf den Kalender schaute, wurde das Datum unwirklicher.

27. Januar, Samstagabend. Obwohl es über der Zeit war – oder vielleicht gerade deswegen –, ist Jacob nach draußen verschwunden, Eivor hat Radio gehört (der Fernsehapparat ist vor ein paar Tagen kaputtgegangen) und ist auf dem Sofa eingeschlafen. Plötzlich wacht sie auf und merkt, dass die Wehen begonnen haben. Sie ruft nach Jacob: »Jetzt, jetzt …« Aber er antwortet nicht, er ist noch nicht nach Hause gekommen. Sie starrt auf die Tasche, die fertig gepackt im Flur steht, und ist vor Schreck wie gelähmt. Wo ist Jacob? Jetzt *muss* er doch zu Hause sein! Was soll sie tun? Linnea anrufen? Aber was kann die machen? Nichts … Warum kommt er nicht … Ihr Herz rast, und sie hat so schreckliche Angst. Sie ruft wieder nach Jacob, aber er ist nicht da, und auf zitternden Beinen schleppt sie sich zum Telefon, um ein Taxi zu bestellen. Die Nummer hat sie schon vor mehreren Wochen auf einen Zettel geschrieben und mit einer Heft-

zwecke an der Wand befestigt. Eigentlich weiß sie sie auswendig, aber in diesem Moment traut sie sich selbst nicht mehr. Es ist besetzt. Es ist ja Samstag ... Herrgott ...

Sie wählt die Nummer noch einmal, immer noch besetzt, und sie fängt an zu zittern und ein verwirrtes Gebet zu sprechen, während sie gleichzeitig weiß, dass sie sich beruhigen muss. So schnell geht das nicht, sie ist eine Erstgebärende, und es gibt ja Nachbarn, die sie rufen kann ... Jetzt kommt sie durch, aber es gibt keinen freien Wagen, nur lange Warteschlangen, und die Frau in der Zentrale sagt ihr, dass sie sich gedulden muss. Als Eivor stammelt, dass das Fruchtwasser schon abgegangen sei und dass sie ganz alleine sei, zeigt die Frau ein Herz, und Eivor hört, wie sie nach dem ersten freien Wagen ruft ... *Jemand im Zentrum ... Freier Wagen ins Zentrum*, und dann sagt sie, dass ein Auto unterwegs sei. Eivor fängt an, eine Nachricht für Jacob auf den Block neben dem Telefon zu schreiben, aber plötzlich wird sie von einer so gewaltigen Enttäuschung darüber befallen, dass er nicht da ist, dass sie den Bleistift fortwirft, ihren Mantel anzieht, den sie über dem dicken Bauch nicht zuknöpfen kann, ihre Tasche in die Hand nimmt und vorsichtig auf die Straße hinuntergeht. Der Wagen ist schon da, es ist ein älterer Fahrer, der weiß, worum es geht. Er nimmt ihre Tasche, hilft ihr beim Einsteigen und beruhigt sie, alles wird gut gehen, sie braucht nicht zu weinen ... Weinen? Wann hat sie angefangen zu weinen? Aber die Tränen rinnen, und als das Auto abfährt, blickt sie ein letztes Mal über die Schulter zurück, aber Jacob ist nicht da ...

Die Nacht wird lang, sie liegt da und wartet darauf, dass es richtig losgeht. Als sie in ihren Papieren sehen, dass sie verheiratet ist, obwohl sie alleine zur Entbindungsstation gekommen ist, fragen sie, ob sie jemanden benachrichtigen sollen, aber sie schüttelt den Kopf. Jacob war nicht da, als sie ihn brauchte, und jetzt will sie ihn nicht sehen … Nein, sie sollen niemanden benachrichtigen. Alles ist in Ordnung, und dann fragt auch keiner mehr. Sie liegt allein in einem weißen Zimmer, dann und wann kommt jemand und schaut nach ihr und sagt, dass der Muttermund sich immer noch nicht weit genug geöffnet habe, sodass es noch viele Stunden dauern wird. Welche Gedanken sind ihr während all dieser Stunden durch den Kopf gegangen? Sie erinnert sich nur an die weißen Wände, das Geklapper vom Flur her, an Türen, die geöffnet und wieder geschlossen wurden. Das grelle Licht, ihr eigener Herzschlag. Und die rasende Enttäuschung darüber, dass Jacob nicht da war … Ihr hilfloses Ausgesetztsein …

Zwischen zehn Uhr und ein Uhr am 28. Januar 1961 besteht Eivor den größten Kampf ihres bisherigen Lebens. Sie weiß nicht, wie viele Male sie denkt, dass sie es nicht schafft, dass sie es nicht länger aushält. Frauen, die sich über sie beugen, die Hebamme, sehr bestimmt, Worte, die sich in ihr Bewusstsein drängen, darüber, dass *ihr Mann* da draußen wartet, und immer wieder dieses furchtbare Pressen, das niemals etwas bewirkt. Aber wenige Minuten nach eins, an jenem Wintersonntag ohne Schnee, ist alles vorüber, die Nabelschnur wird durchtrennt, und Eivor hat einen Sohn geboren. Als Jacob hereinkommt, zuerst allein, dann mit Linnea und Artur, ist sie so müde, dass sie nicht sprechen kann. Nur schlafen will sie, und dann wird sie sich des Kindes annehmen, das neben ihr liegt, rot, schrumplig und ganz und gar unbegreiflich.

(Irgendwann während dieser ermüdenden Stunden bekommt sie auch mit, dass Jacob Erklärungen murmelt, warum er nicht zu Hause war. Irgendetwas von einem kaputten Auto. Und er konnte doch nicht ahnen, dass es so schnell gehen würde. Eine gemurmelte Entschuldigung, die sie von sich weist, die sie weder annehmen kann noch will. Er war nicht da, als es wichtig war, und damit müssen sie leben, sie genauso wie er.)

Sie war über drei Wochen mit Staffan zu Hause (so sollte er heißen, das hatten sie im Voraus bestimmt), es war schon Ende Februar, als sie eines Morgens, nachdem sie ihrem Jungen die Windeln gewechselt, ihn gestillt und in den Schlaf gewiegt hatte, beschloss, den Teil des Wäschebergs in Angriff zu nehmen, der *nicht* aus Babysachen bestand. Sie schüttete die Schmutzwäsche auf den Küchenboden aus, hockte sich vorsichtig hin (die Naht schmerzte immer noch sehr) und fing an zu sortieren. Sie nahm eins von Jacobs weißen Nylonhemden, fragte sich beiläufig, wann er das getragen hatte, als ein kleines Päckchen aus der Brusttasche fiel. Ein kleines heimliches Päckchen. Aber warum hatte er so etwas jetzt? Er brauchte doch seit zehn Monaten kein Gummi mehr zu verwenden. Sie nimmt das Päckchen in die Hand, öffnet es und sieht, dass von der Viererpackung nur noch eins übrig ist. Sie sieht es an und denkt, dass das etwas ist, was ihr einfach nicht passiert. So etwas gehört in die Welt der Illustrierten und Filme, und dass diese Welt nicht wahr ist, hat sie schon während ihrer Reise mit Lasse Nyman in einer grauen Vorzeit gelernt.

Sie lässt die Schmutzwäsche liegen und läuft in der Wohnung auf und ab. Untreue? In dem Moment, als ... Sie bleibt an einem Fenster stehen und starrt auf die Straße. Sie hat den Mut gefasst, klar zu denken, und was sie da sieht, ist ein unglaublicher Betrug. Seit sie vor drei Wochen von der Entbindungsstation kam, hat er sich jeden Tag beeilt, von der Arbeit nach Hause zu kommen, hat die Jacke von sich geworfen und sich ans Bett des Jungen begeben. Die Möglichkeit fremdzugehen bestand mit anderen Worten nur während der

Tage und Nächte, als sie auf der Entbindungsstation lag. Und an dem Samstagabend, als sie auf dem Sofa saß und das Fruchtwasser abging und sie zu ihrem Entsetzen merkte, dass er nicht nach Hause gekommen war …

Sie starrt aus dem Fenster, und der Betrug ist so groß, dass sie es nicht zu ertragen vermag. Trotzdem steigert sie sich weiter hinein. Niemand kann doch wohl so niederträchtig sein fremdzugehen, während seine Frau das gemeinsame Kind zur Welt bringt? Niemand …

Sie stopft die Schmutzwäsche zurück in die Papiertüten. Das Päckchen mit dem einzelnen Gummi wirft sie auf den Tisch im Wohnzimmer, genau an die Stelle, auf die er immer seine Kaffeetasse stellt, bequem zur Hand, wenn er sich ausstreckt und fernsieht.

Ich sage nichts, denkt sie, und dann wiederholt sie es laut für sich selbst. Aber ich werde ihm direkt ins Gesicht sehen. Ich werde ihn ansehen und den Blick nicht abwenden.

Den Blick abwenden. Das klingt wie ein Stichwort aus irgendeiner Illustrierten. Aber, verdammt noch mal, und wenn es so ist! Sie geht rastlos auf und ab. Angst und Wut streiten in ihr, ein Durcheinander von wirren Argumenten. Sie denkt, dass sie, wenn es wirklich wahr ist, Staffan nehmen und gehen wird. Wohin auch immer. Er verdient auf keinen Fall, auch nur in der Nähe des Kindes zu sein.

Er hat alle seine Rechte verwirkt …

Sie starrt auf ein Brotmesser in der Küche, sie wird es ihm direkt in den Bauch stoßen, genau dorthin, wo sie selbst das Kind trug, während er …

Sie wirft das einsame Gummi in die Abfalltüte. Aber wenige Minuten später nimmt sie es wieder heraus und legt es zurück auf den Wohnzimmertisch.

Als er nach Hause kommt, ist er in einer Konditorei gewesen und hat ein paar Gebäckstücke eingekauft. *Die du so gerne magst.* Sie ist äußerlich ganz ruhig, vollkommen kühl. Sie sieht ihn da stehen und Staffan anschauen, hört ihn sagen, dass er seinem Großvater gleiche (am Tag zuvor glich er *nur* Eivor ...). Sie bereitet das Abendbrot, und als sie essen, fragt er, wie der Tag war, und sie sagt, es sei alles gut gelaufen. Der Ausschlag am Kopf ist weg, die Salbe, die sie von der Entbindungsstation mitbekommen hat, scheint zu helfen ... Ob er schreit? Natürlich schreit er! Alle Kinder schreien! Aber jetzt hat sie keine Angst mehr deswegen. Langsam hat sie angefangen, seine Schreie zu deuten. Dass Linnea in der ersten Woche bei ihr war und ihr geholfen hat, dass sie sie jederzeit anrufen kann, das gibt ihr Sicherheit. Wenn Linnea nicht gewesen wäre ...

Sie wickelt Staffan und stillt, Jacob spült, steht neben ihr und sieht zu, wie sie den Jungen hochnimmt, trägt und hält. Bis heute hat sie es gemocht, wenn er den Jungen gehalten hat, aber als er jetzt seine Hände ausstreckt, dreht sie ihm den Rücken zu und sagt, das mache sie wohl besser selbst. Ein neugeborenes Kind zu haben ist ein Geschenk des Himmels und die Hölle auf Erden ... *Geh jetzt raus, damit er schlafen kann ...*

Staffan liegt auf dem Bauch, zufrieden und duftend, und sie hasst das Päckchen drüben auf dem Tisch. Als sie Jacob mit den Tassen klappern hört, geht sie ins Wohnzimmer und setzt sich auf ihren Platz. Eigentlich hat sie keine Zeit, Windeln und Handtücher liegen in der ganzen Wohnung verstreut. Die Abende sind die Zeit, in der sie dazu kommt, den nächsten Tag vorzubereiten. Aber jetzt setzt sie sich erst mal. Er stellt die Kaffeekanne weg und fragt, was es heute im Fernsehen gibt. (Wann sollte sie Zeit gehabt haben, eine Zeitung zu lesen? *Welche* Zeitung? Sollte sie ins Treppenhaus gehen und die *Borås Tidning* von den Nachbarn klauen? Herrgott ...)

Er erinnert sich an die Gebäckstücke und geht wieder in die Küche hinaus. Als er ins Wohnzimmer zurückkommt, hat er sie auf eine hübsche Platte gelegt, ein Hochzeitsgeschenk. Auf dem Weg zum Sofa schaltet er den Fernseher an, besinnt sich aber und schaltet ihn wieder aus. »Da ist nur das Kinderprogramm«, sagt er. »Schade, dass es nicht Sigges Zirkus gibt. Die Sendung gefällt mir. Aber ich habe in der Zeitung gesehen, dass es da nur um jemand geht, der zeigt, wie man solche ... ja ... solche Handpuppen macht.«

Er hat also selbst in der Zeitung nachgesehen. Warum fragt er denn dann? Warum setzt er sich nicht und schaut sich das Geschenk an, das Eivor für ihn auf den Tisch gelegt hat ...

Genau da entdeckt er es. Mit der Hand auf halbem Wege zur Tasse. Er schreckt zurück, erstarrt, und sie kann sehen, wie er überlegt, schnell versucht, einen Ausweg zu finden. Da, in dem Augenblick, wird sie ganz sicher, und sie knallt die Kaffeetasse auf den Tisch, sodass der Kaffee überschwappt, und rennt ins Schlafzimmer und schließt die Tür hinter sich ab. Sie setzt sich auf die Bettkante, ganz still. Draußen im Wohnzimmer ist es ruhig. Jetzt plant er die Lüge, denkt sie. Und dabei weiß er, dass es genau das ist, was sie nicht duldet! Die Wahrheit mag aussehen, wie sie will, die kann sie ertragen. Wenn er aber versucht, sich mit einer Lüge herauszuwinden ... Dann geht sie. Raus, weg!

Plötzlich steht er an der Tür und drückt die Klinke runter. »Mach auf«, sagt er. »Warum hast du abgeschlossen?«

Ja, warum? Man schließt ab, wenn man Angst hat. Als sie seine Stimme hört, hat sie das Gefühl, dass sie ihn sehen will, genauso, wie sie es sich den ganzen Tag vorgestellt hat, ihm direkt ins Gesicht sehen.

Sie schließt auf und geht an ihm vorbei ins Wohnzimmer. Den Kaffee hat er aufgewischt, ohne dass sie es gehört hat.

Und dann sieht sie, dass er auch sein Kuchenstück aufgegessen hat.

Sie sieht ihn an, als er sich hinsetzt.

»Was ist denn in dich gefahren?«, sagt er. Und, großer Gott; er klingt *irritiert*!

»Hast du mir nichts anderes zu sagen?«

»Was denn?«

»Du weißt genau, was ich meine!«

»Wenn du an das da denkst ... Ja, wo kommt das her?«

Fragt er sie? Ganz ruhig? Glaubt er wirklich, dass sie so ...

»Pfui Teufel, was für ein Scheißkerl du bist. Ich hab dagelegen und Staffan bekommen. Und du ... du hast dich rumgetrieben mit ...«

»Wovon sprichst du?«

»Glaubst du, ich wär blöd?«

»Ich versteh nicht, warum du dieses ... Gummi auf den Tisch gelegt hast.«

»Ich hab es in deinem Hemd entdeckt.«

»Hemd?«

»Eins, das du neulich anhattest. Und das du weggelegt hast, damit ich es wasche ...«

»Das ist wohl noch ein altes, das übrig geblieben ist! Was weiß ich? Was ist los mit dir?«

»Kannst du es mir nicht erzählen?«

»Erzählen?«

»Was du gemacht hast, als ich auf der Entbindungsstation lag und deinen Sohn geboren habe ...«

»Was soll ich denn da gemacht haben?«

»Du hattest bestimmt eine Menge Spaß! Kannst du ihn nicht mit mir teilen ...«

»Ich hab gearbeitet ... Zum Teufel auch! Glaubst du, ich habe es mit einem anderen Mädchen getrieben? Oder was ist mit dir los?«

»Erzähl mir …«

»Was? Ich kann es nicht ändern, dass du ein altes Gummi in einem meiner Hemden entdeckt hast. Hör jetzt auf …«

Sie sieht die Risse, sieht, wie sie aufspringen, und schlägt ihre Keile mit aller Kraft hinein. »Dass du es auch noch wagst zu lügen.«

»Ich lüge nicht …«

»Du lügst und du weißt, dass ich weiß, dass du lügst … Pfui Teufel …«

Sie drängt ihn in eine Ecke, und als er da sitzt, kommt seine Antwort wie aus der Tiefe eines Brunnens. »Halt die Klappe und geh schlafen! Ich will kein Wort mehr davon hören …«

»Nicht …«

»Halt die Klappe, sag ich!«

»Wie sah sie aus?«

»Da gibt es keine … Zur Hölle auch!«

Die Bedrängnis ist vollkommen, der Rauch jagt ihn aus seinem Loch, und mit einem wütenden Sprung ist er über ihr und schlägt sie. Sie schreit auf.

»Ich hab dir gesagt, dass du die Klappe halten sollst! Ich weiß nicht, wovon du quatschst. Jetzt hast du mich so gereizt, dass ich … Höllenweib!«

Sie hat ihn gereizt?

Höllenweib?

Sie starrt ihn an, und im selben Moment wacht Staffan auf. Sie erhebt sich, und als sie ins Schlafzimmer geht, hat sie das Gefühl, dass sie da drinnen im Dunkel sein wird, zusammen mit ihrem Sohn, solange sie lebt.

Als der Junge wieder eingeschlafen ist, sitzt Jacob draußen auf dem Sofa und weint und ruft nach ihr. Sie hält sich die Ohren zu und lässt ihn sitzen … Er hat sie geschlagen – als wäre es ihr Fehler, dass er … Herrgott … Plötzlich sitzt er neben ihr und hat sie so fest an sich gedrückt, dass ihre Brust schmerzt. Er schluchzt und bittet um Verzeihung. Nichts erzählt er, und würde sie ihn nochmal fragen, könnten aus den Tränen sehr schnell neue Ohrfeigen werden.

Als er meint, genügend gesagt zu haben, ohne eigentlich überhaupt etwas gesagt zu haben, schaut er zu ihr auf. »Verzeihst du mir?«

Ist das eine Drohung oder eine Aufforderung? Sie antwortet nicht. Hat er eigentlich gesagt, was sie ihm verzeihen soll? Nein! Seine Antwort war ein Schlag mitten ins Gesicht. Und dann soll sie ihm verzeihen ...

»Ich muss Ordnung machen für morgen«, sagt sie ausweichend und steht auf. Aber er zieht sie wieder neben sich, so fest, dass sie von Neuem Angst bekommt. »Verzeihst du mir ...«

Tut sie das nicht, schlägt er sie wieder. Das habe ich heute Abend gelernt, denkt sie. Aber wenn sie nicht aufräumt für morgen, so ist es das kleine Wesen da im Bett, das darunter leiden muss. Sie muss daran denken, dass sie von jetzt an *immer* an zweiter Stelle kommt.

»Ja«, murmelt sie. »Lass mich jetzt in Ruhe ...«

Als sie wieder aufsteht, macht er keinen neuen Versuch, sie zu hindern. Sie bewegt sich leise, weil sie fürchtet, dass das kleinste Geräusch seine Wut von Neuem wachrufen könnte.

Sie räumt die Windeln weg und denkt, dass er sich sicher schon erleichtert fühlt, sicher schon angefangen hat, alles zu vergessen. Seine Frau, die in wenigen Wochen neunzehn Jahre alt wird, hat ja jetzt dazugelernt ...

Aber allmählich erkennt Eivor, dass sie nicht einfach mit dem Vorfall leben kann, ohne auch selbst zu *vergessen*, was geschehen ist. Manchmal wird sie von dem verwirrenden Gedanken überfallen, sie habe alles nur geträumt. Immerhin hatte sie keine Spuren im Gesicht nach der Ohrfeige, und was sie im Innersten wusste, unterdrückte sie, zwang sich um des Jungen willen, so zu tun, als wäre nichts geschehen; als hätte sie nur gute und glückliche Karten in der Hand.

Es sollte viele Jahre dauern, bis sie vor sich selbst zugeben konnte, dass das, was geschehen war, während sie auf der Entbindungsstation lag, der Todesstoß für ihre ganze Beziehung war. Viele Jahre später konnte sie auch die Konsequenzen daraus ziehen, aber erst dann. Die Zeit bis dahin, der Kreislauf der Sonne, der Kreislauf des Mondes, war ein ständiges Kräftemessen mit den – oft auch glücklichen – Trivialitäten des Alltags. Der Junge war das entscheidendste Ereignis in ihrem Leben. Mutter zu sein hieß vor allem, dass sie *immer* gebraucht wurde. Seine täglichen Fortschritte zu sehen – vom ersten Lächeln, das ausdrückte, dass er ein eigenes, noch unerforschtes Gefühlsleben hatte, bis zu den ersten wackligen Schritten, die mit einem Zusammenstoß mit einem Tisch endeten und einem Schrei, der sowohl Schmerz als auch Wut beinhaltete – wog alle Mühsal auf. Natürlich hatte sie oft Hilfe von Linnea, manchmal auch von Elna, wenn sie zu Besuch kam, aber wenn sie dann durch die Stadt schlenderte oder in einer Konditorei saß (einmal ging sie auch zu dem weißen Theaterschuppen im Park), so konnte sie doch nie *ganz* den Gedanken an Staffan loslassen. Wenn sie überfahren würde? Wenn sie ... Sie dachte oft an den Tod, daran, dass sie nicht sterben *durfte*. Noch nicht ... Oft kehrte sie viel eher zurück als nötig. Sie konnte sich manchmal vorstellen, dass nicht einmal Jacob unersetzlich war. Sie würde es auch ohne ihn schaffen. Schweden war kein Land, in dem man verhungerte. Das hieß sicherlich nicht, dass sie wünschte, er wäre fort; es war nur ihre Art, die Situation zu sehen, wie sie war. Es dauerte lange, bis sie wieder mit ihm schlafen konnte, sie hatte ja ein Bedürfnis, auch sie, und sie war trotz allem mit Jacob verheiratet.

Wenn er an manchen Abenden aus war, kümmerte sie sich

einfach nicht darum. Etwas in ihr war gestorben, ob er es merkte, wusste sie nicht, sie sprachen nicht über ihre Gefühle, und das Licht im Schlafzimmer war immer gelöscht.

Aber natürlich freute sie sich darüber, wenn er eine Lohnerhöhung bekam und immer größere Freiheiten im Sportgeschäft, und er war aufrichtig froh über seinen Sohn. Das Wichtigste von allem war vielleicht, dass er nie etwas gegen ihre Art, den Jungen zu erziehen, einzuwenden hatte. Wenn sie unsicher und voller Zweifel war, gab er ihr immer recht. Einige seltene Male, meistens unter Alkoholeinfluss, konnte er auch sagen, dass er sie tüchtig fand ... überaus tüchtig.

Als Staffan zehn Monate alt war, bemerkte sie zum ersten Mal, dass ihre Unruhe zurückgekommen war. Die Unruhe, wenn sie am Fenster stand und die Menschen draußen auf der Straße vorbeieilen sah, zu unbekannten Zielen, frei ...

Sie verstand nicht sofort, was da mit ihr passierte, zuerst dachte sie, dass es die Müdigkeit wäre – Staffan hatte seit dem frühen Herbst häufig unter Erkältungen gelitten, und selten konnte sie länger als drei Stunden ohne Unterbrechung schlafen. Aber die Tage vergingen, die Unruhe kam wieder, und schließlich begriff sie, dass ihre Jugend ihr Recht verlangte. *Sie war plötzlich wieder neunzehn Jahre alt.* Bald würde sich Staffans eigener Wille geltend machen. Gleichzeitig war ihr auch klar geworden, dass er lernen musste, mit anderen Menschen zusammen zu sein.

In einem Anfall plötzlicher Neugierde fragt sie Jacob eines Abends, was er sagen würde, wenn sie wieder anfinge zu arbeiten. Natürlich nur ein paar Stunden die Woche ...

Er liegt auf dem Sofa und starrt auf das flimmernde Fernsehbild (jemand berichtet über den Herstellungsprozess von Kunstdünger) und hört nicht, was sie sagt. Sie wiederholt ihre Worte, er dreht den Kopf und schaut sie mit halb geschlossenen Augen an. »Warum solltest du das tun?«

»Um etwas Abwechslung zu haben …«

»Ich höre immer, dass du hier zu Hause mehr als genug zu tun hast!«

»Abwechslung, sagte ich. Nicht mehr zu tun!«

»Du hast immerhin einen Sohn!«

»*Wir* haben einen Sohn!«

»Ja, ja, zum Teufel … Wer soll dann auf ihn aufpassen?«

»Linnea hat es ja schon mehrere Male angeboten.«

»Aber warum?«

»Das habe ich doch schon gesagt!«

»Reicht mein Lohn nicht?«

»Für ein paar Kronen extra hätten wir doch wohl Verwendung?«

»Du meinst also, dass ich nicht genug verdiene?«

»Das habe ich nicht gesagt! Kannst du nicht zuhören, was ich sage?«

»Ich sehe eigentlich fern.«

»Wir könnten vielleicht eine Reise machen …«

»Wohin denn?«

»Das weiß ich nicht! Wohin auch immer! Wenn wir drüber sprechen, endet es doch immer damit, dass wir kein Geld haben.«

»Du begreifst doch wohl, dass du das nicht machen kannst!«

»Was denn?«

»Den Jungen allein lassen!«

»Aber das meine ich doch auch gar nicht!«

»Wir scheißen darauf … Dass sie so ein verdammtes Programm zeigen müssen!«

Und mehr wird nicht daraus. Das Gespräch erstirbt, und Eivor resigniert. Aber der Weg von der vagen Unruhe bis zu einem unwiderstehlichen Bedürfnis erreicht seinen Höhepunkt zum Jahreswechsel, und eines Tages im Januar 1962 hat sie Linnea gebeten, ein paar Stunden am Vormittag auf Staffan aufzupassen. Als sie Linnea anrief, sagte sie, dass sie zum Zahnarzt gehen müsse. Sie hat einen Termin bei Algots' Personalbüro, und nun schaut sie auf all die Menschen, die sich im schneidenden Wind ducken, und denkt, dass niemand ein so wichtiges Ziel haben kann wie sie.

Da ist der Fabrikeingang wieder! Und das Schild, das schnörkelige A, das Wort, das Kataloge und Kleideretiketten ziert. Im Eingang begegnet sie ein paar dunkelhaarigen Mädchen, die sich in einer fremden Sprache unterhalten. Sie hört sie lachen und beschleunigt ihren Schritt. Sie darf ja nicht zu spät kommen, bloß noch ein bedauerndes Gesicht antreffen! *Du hättest die Möglichkeit gehabt, aber jetzt sitzt eine andere auf dem Platz, der für dich reserviert war.* Die Welt wartet nicht, und Gnade dem, der es nicht schafft, auf den Zug aufzuspringen. Sie eilt die Steintreppen hoch, hört das Summen der mit Dampf betriebenen Kleiderpressen, biegt in einen Korridor ein, und da ist das Büro! Derselbe Raum. Aber sie begegnet einem anderen Personalassistenten, und der hat noch nicht mal den Brief gelesen, den sie eines Nachts im Dezember geschrieben hat. Er sucht in den Ordnern, die sich auf den Regalen drängen, starrt einen Augenblick aufs Telefon, als ob das Eivors wertvollen Brief verschludert hätte. Aber schließlich zuckt er mit den Schultern, lehnt sich im Stuhl zurück und bittet Eivor, ihr Anliegen mündlich vorzutragen.

Natürlich wird sie nervös. Niemand hat ihr beigebracht, frei zu reden. Einen Brief zu schreiben kann ihr Schwierigkeiten bereiten, aber da kann sie sich Zeit nehmen. Doch ihre Wünsche mit eigenen Worten vorzutragen ... Sie stammelt und verhaspelt sich, versteht kaum selbst, was sie sagt. Einzelne Wörter, die hilflos versuchen, zueinanderzufinden und eine verständliche Aussage zu bilden.

»Halbzeit oder Vollzeit also?«, fragt der Personalassistent, als er meint, sie sei fertig.

»Ich hab ja ein Kind«, sagt sie lahm.

»Das sagten Sie.«

»Aber ich bin verheiratet!«

»Na prima …«

Sie hört, den ironischen Tonfall, aber im Moment kümmert sie nur, wie seine Antwort lauten wird.

»Sie sagten, dass Ihre Zeugnisse und … Ja, dass sie bereits bei uns waren?«

Eivor nickt. *Das* kann sie: nicken und freundlich aussehen. Der Personalangestellte, der einen Blazer und ein gestreiftes Nylonhemd mit Kragen trägt, schlägt den Ordner zu und schaut sie an. Sie denkt plötzlich, dass er sehr jung ist. »Wir werden von uns hören lassen«, sagt er.

»Bekomme ich einen Platz?«

Bekomme ich einen Platz? Sie hört ihre eigenen Worte: das Betteln klingt deutlich heraus. Wenn der, der da auf der anderen Seite des Schreibtischs sitzt, eine Ahnung hätte, wie mies sie sich fühlt, aber wie viel es gleichzeitig für sie bedeuten würde, wenn es eine Stelle für sie gäbe!

»Wie gesagt! Wir lassen von uns hören.«

Nichts weiter.

Aber die Antwort kommt eine Woche später, und als sie den Umschlag aufschlitzt und sich mit zitternden Händen das Papier vor die Augen hält, liest sie, dass ihr eine Teilzeitarbeit (drei Tage die Woche, fünf Stunden am Tag) angeboten wird.

Zum zweiten Mal legt sie Jacob etwas sehr Wichtiges auf den Tisch, wo er seine Kaffeetasse abzustellen pflegt.

Er liest den Brief, den seine ihm rechtmäßig angetraute Ehefrau von dem angesehenen Unternehmen bekommen hat.

Er liest, und dann fragt er, ob sie völlig verrückt geworden sei. Er hat ihr doch gesagt ... Was zur Hölle treibt sie da? Hinter seinem Rücken? Hätte er gewusst, dass sie es ernst meinte, als sie so unausstehlich rumgequengelt hat ... *Immer ist etwas!* Ist es nicht das eine, so ist es das andere ... Nie eine ruhige Minute. Und gerade heute, wo es endlich mal einen guten Film im Fernsehen gibt ... Drei Tage in der Woche ... Welche Tage? Wenn sie wenigstens erklären könnte, warum! Gefällt es ihr nicht zu Hause? *Was hat er falsch gemacht ...*

Sie hört geduldig zu und unterbricht ihn nicht. Die Antwort von Algots gibt ihr Kraft. Aber als sie anfangen will zu erklären, unterbricht er sie sofort. »Das kommt nicht in Frage«, sagt er. »*Das verstehst du doch wohl selbst!*«

Sie will gerade antworten, als sie plötzlich ihre Meinung ändert. Nein, sie wird heute Abend nichts mehr sagen. Aber morgen und übermorgen. Da steht, dass sie anfangen kann, wann sie will, innerhalb von zwei Monaten, und sie wird nicht Hals über Kopf losrennen. Natürlich muss er sich erst an den Gedanken gewöhnen ...

Aber seine Antwort ist immer dieselbe, und es endet immer damit, dass er sich weigert, weiter darüber zu sprechen. Manchmal ist er es, der flucht, manchmal ist sie es, und manchmal sind sie es alle beide. Nach einer guten Woche zähen Buddelns im Schützengraben meint Eivor zu merken, dass er sie mit anderen Augen ansieht; als ob er trotz allem angefangen hätte zu verstehen, dass sie es ernst meint. Da wird er anders, spricht bittend, wie aus der Tiefe schwerer Sorgen. Er mobilisiert Linnea und Artur, und Linnea findet auch, dass es *viel* zu früh ist. Was der gute alte Artur meint, versteht sie nie. Es wirkt meist so, als wäre er neugierig, wie es ausgehen wird.

Der große und schwere Zusammenstoß beginnt überraschend für sie beide. Es ist an einem späten Samstagabend, als sie im Badezimmer stehen und die Zähne putzen. Plötzlich wirft Jacob die Zahnpastatube nach Eivor. Ohne Kommentar, ohne dass er wütend wäre. Er packt heftig nach ihr, zieht sie auf den Fußboden hinunter und fängt an, ihr das Nachthemd herunterzureißen. Er sagt, dass er mit ihr schlafen wolle; *jetzt und hier, sofort!* Ehe sie sich besinnen kann, ist er in sie eingedrungen, und als sie anfängt, Widerstand zu leisten, ist alles schon vorüber. Er hält sie so fest, dass es wehtut, und er sagt, dass er fürchtet, sie wolle ihn verlassen. Für ihn ist es eine große Bedrohung; wenn sie rausgeht und wieder arbeitet, so ist das der erste Schritt in eine Richtung weg von ihm. Eivor fühlt den kalten Fußboden unter ihrem Rücken, und die Demütigung – dass es ihm völlig egal war, ob sie Lust hatte oder nicht – erfüllt sie mit Abscheu. Seine Worte berühren sie nicht, auch wenn sie eine Art Erklärung enthalten. Hätte er das gesagt, als sie im Wohnzimmer saßen, oder im Bett, kurz bevor sie das Licht ausmachten, da hätte sie ihm zugehört. Aber nicht jetzt, nicht hier auf dem Fußboden, nachdem er sie bezwungen hat mit seiner Kraft.

»Entschuldige bitte …«, sagt er, als er aufsteht.

»Ja … Ja klar …«

Sie hebt die Zahnpastatube auf und legt sie ins Regal.

»Woran denkst du?«, fragt er.

»An nichts …«

»Ich sehe, dass du an etwas denkst!«

Sie merkt, dass er anfängt, wütend zu werden, aber statt Angst zu bekommen, stellt sich dicht vor ihn und sieht ihm direkt ins Gesicht. »Ich hatte nicht daran gedacht, dich zu verlassen«, sagt sie. »Aber wenn ich nicht anfange zu arbeiten, kann es passieren, dass ich das tue.«

Sie setzt sich aufs Sofa im Wohnzimmer, und er kommt ihr nach und wütet und weint abwechselnd. Aber sie ist gleichgültig gegenüber seinen Reaktionen, sie sieht sich auf dem Fußboden liegen und denkt, er wird sie niemals hindern können. Was er auch sagt, wie unglücklich er auch zu sein glaubt, sie weiß, dass sie zu Algots gehen wird, sobald sie eine Übereinkunft mit Linnea getroffen hat. Oder wenn es notwendig sein sollte, mit jemand anderem.

Nach vielen Stunden sieht er ein, dass er nichts machen kann. »Ich glaube nicht, dass du mich überhaupt noch gern hast«, sagt er und spielt seine letzte Karte aus.

»Natürlich habe ich das«, sagt sie. »Darum geht es doch gar nicht.«

»Ich will dir nichts Böses.«

»Nein …«

Sie wünscht, dass er sich schlafen legt, und als hätte er ihre Gedanken gelesen, murmelt er Gute Nacht und verschwindet im Schlafzimmer. Obwohl sie so müde ist, dass ihr der Kopf wehtut, bleibt sie noch lange sitzen.

Wenige Tage später nimmt sie Staffan im Wagen mit und besucht Liisa zu Hause. Sie hat sie angerufen, und Liisa hat gesagt, wann es ihr passt, wann sie Spätschicht hat. Ritva ist mit einem Metzger zusammengezogen, draußen im Stadtteil Druvefors, und Liisa wohnt jetzt allein in der Wohnung. Sie trinken Kaffee und führen ein Gespräch, das von Staffans unruhigem Streifzug auf seinen wackligen Beinen ständig unterbrochen wird.

Liisa sieht ihn an und sagt, das hätte sie nie geschafft, nie die Geduld gehabt …

»Das hättest du schon«, antwortet Eivor. »Wenn man ein Kind bekommt, so hat man plötzlich viel mehr Kraft!«

»Ich nicht! Niemals …«

»Du auch!«

Eivor erzählt ihr von ihrem zweiten Besuch bei Algots und von dem Brief, den sie bekommen hat. Sie weiß, dass sie zu

Liisa gegangen ist, um eine Bestätigung zu erhalten. Liisa ist vielleicht nicht die Geeignetste, um ihr das zu geben, was sie sich wünscht, aber Eivor hat niemand anderen, mit dem sie sprechen kann.

Für Liisa ist es auch ganz selbstverständlich. Eigenes Geld zu verdienen, selbstständig zu sein, danach zu streben müssen Frauen lernen.

»Würdest du heute noch einmal heiraten?«, fragt sie. »Wenn du das alles gewusst hättest?«

»Wenn ich Staffan auf keine andere Weise hätte bekommen können, dann ja!«

»Aber man muss doch wohl nicht in die Kirche gehen, um schwanger zu werden.«

Sie brechen beide in Lachen aus. Liisas Worte klingen so komisch, während sie gleichzeitig einen wahren Kern haben. Eine alleinstehende Mutter zu sein wird von Jahr zu Jahr weniger aufsehenerregend. So gesehen leben sie in einer Zeit des Umbruchs. Zwar ist die Forderung nach Jungfräulichkeit genauso stark wie früher, aber eine Frau wird kaum noch als verdorben angesehen, wenn sie ein Kind bekommt, ohne verheiratet zu sein.

Es ist doch klar, dass Eivor wieder anfangen soll zu arbeiten – so schnell wie irgend möglich!

Eivor fühlt sich aufgeräumt, als sie den Kinderwagen den Weg nach Hause schiebt. Genauso will sie sich fühlen: aufgeräumt, voller Energie, mit einer Kraft, die für *alles* reicht.

Es ist der 30. März, und zwei Tage später soll Eivor bei Algots zu arbeiten anfangen. Linnea wird sich um Staffan kümmern, während sie weg ist, und Jacob darf selbst entscheiden, wann er seine unpassende Auffassung ablegen will. Eivor fühlt sich wie ein Kind am Morgen des Heiligabends. Dass es so schnell und problemlos gehen würde, hat sie nie zu träumen gewagt. Aber vielleicht hat sich das Blatt nun endlich gewendet, und der Wind bläst einmal zu *ihren* Gunsten …

Es ist also der 30. März, vormittags, als das Telefon läutet. Eivor hebt den Hörer ab und sagt freundlich Hallo.

Eine Woche vorher war sie bei der ärztlichen Untersuchung, die von dem Unternehmen gefordert wird.

Und nun bekommt sie Bescheid, dass sie vollkommen gesund ist.

Da ist nur eine Sache. Sie ist schwanger.

»Nein«, sagt Eivor.

»Doch«, sagt die weibliche Stimme.

»Nein«, sagt Eivor noch einmal und legt den Hörer auf.

Sie weint nicht, und sie rennt auch nicht mit dem Kopf gegen die Wand. Staffan steht ja da und hält sich an ihrem einen Bein fest, voller Entdeckerfreude. Sie macht gar nichts, reagiert überhaupt nicht, bevor Staffan seinen Mittagsschlaf hält und sie Linnea anrufen und ihr sagen kann, dass sie übermorgen nicht zu kommen braucht. Oder wann auch immer. Es wird nichts daraus … Warum nicht? Nein, das ist einfach so … Sie … Sie hat es sich anders überlegt.

Sie denkt, dass es genau *das* war, worauf er es im Innersten angelegt hat, als er sie auf den Fußboden zog. Als es kein weiteres Argument gab, musste er zu seiner letzten Waffe greifen, und das reichte. Sie wurde schwanger. Natürlich könnte sie eine Abtreibung versuchen, aber sich auf diesen unsicheren und demütigenden Markt zu begeben … Nein, das schafft sie nicht. Sie ist besiegt. Wieder kein Algots. In gut acht Monaten wird sie von vorne anfangen, mit durchwachten Nächten, einer Wohnung, die überschwemmt ist von Windeln und unbesiegbarer Schmutzwäsche. Und schon an einem der nächsten Tage kann sie damit rechnen, den Tag mit Spucken zu beginnen. Warum nicht am 1. April? Das wäre doch am passendsten …

Nachdem sie Linnea angerufen hat, ist Algots an der Reihe. Sie wird ihre Pflicht tun, auch wenn es bitter ist. Aber sie wird niemand anderen daran hindern, den freien Stuhl zu besetzen. Sie ist ja besiegt ... Mit wem sie spricht, weiß sie nicht, aber sie sagt, wie es ist, sie kommt nicht, wie abgesprochen. Warum? Weil sie schwanger ist ...

In der folgenden Zeit trug sie eine stumpfe Angst mit sich herum, und darüber konnte sie mit keinem Menschen sprechen, nicht einmal mit Liisa, die eines Tages mit der Frage vor der Tür stand, wie es denn sei, wieder zu arbeiten. In ihrem Verhalten zu Staffan versuchte sie zu sein wie immer, er sollte nicht dem großen Leid und der Gleichgültigkeit ausgesetzt sein, die sie in sich trug. Als sie einige Tage nach dem Bescheid Jacob berichtete, dass sie schwanger war, tat sie das so nebenbei, gerade als er vom Mittagstisch aufstand. Sie wandte ihr Gesicht ab, um nicht sehen zu müssen, wie *erleichtert* er war, als er sagte, dass er sich freue. Und natürlich ließ er sie in Ruhe, ließ sie ihr Gesicht abwenden. Sie war ja schwanger.

Anfang Mai jenes Jahres rief Elna eines Tages aus Hallsberg an und erzählte, dass Großvater Rune plötzlich bettlägerig geworden sei. Natürlich kam das nicht ganz überraschend. Gefäßkrämpfe und zerstörte Lungen hatte er seit vielen Jahren. Es war ja fast ein Wunder, dass er noch lebte. Aber jetzt schien die Glocke auch für ihn geschlagen zu haben, und Elna sagte, dass er sie und Staffan so gerne sehen würde. Und natürlich auch Jacob ... Elna meinte, Eivor müsse nicht sofort nach Sandviken fahren. *So* eilig war es nicht. Aber vielleicht könnten sie zusammen ...

Damals im Mai wusste Elna schon, dass Eivor wieder ein Kind erwartete. Eivor hatte kein Geheimnis daraus gemacht, genauso wenig, wie sie etwas darüber sagte, ob es geplant war oder nicht. Sie sagte nur, dass sie schwanger sei, und etwas in ihrer Stimme veranlasste die, die sich wunderten, sich mit Fragen zurückzuhalten.

Dass sie verändert war, merkten alle, aber niemand hätte direkt sagen können, *was* anders war. Vielleicht war sie etwas blasser als gewöhnlich ... Vielleicht auch wortkarger, auch wenn sie nie viele Worte gemacht hatte ... Nein, die Zukunft musste zeigen, was eigentlich geschehen war.

Elna rief wieder an und sagte, dass es Rune schlechter gehe, und sie verabredeten, gemeinsam zu reisen. Eivor würde Staffan mitnehmen, und Elna würde in Hallsberg in den Zug steigen. Auf diese Weise hätten sie ein paar Stunden, um miteinander zu reden. Erik konnte sich nicht freinehmen von seiner Arbeit auf dem Güterbahnhof. Aber während der Sommermonate ging es Rune besser, und so schoben sie die Reise bis zu den ersten Augusttagen hinaus. Da war er wieder bettlägerig geworden, und jetzt glaubte niemand mehr, dass er wieder genesen würde.

Jacob kann oder will nicht mitfahren nach Sandviken. Eivor weiß, dass er Angst vor dem Tod hat, so große Angst, dass er jeden Gedanken daran meidet. Aber noch ist ihr Großvater ja nicht tot. Es ist ja keine Beerdigung, zu der sie fahren will, sondern ein Krankenbesuch. Dass es vermutlich der letzte Besuch sein wird, damit muss man sich wohl abfinden. Aber sie diskutiert nicht mit ihm darüber. Wenn er nicht will, dann eben nicht. Sie fühlt sich auch nicht verletzt, er hat Rune ja nur einmal getroffen, als sie geheiratet haben.

»Ich mache hier zu Hause ein bisschen Ordnung«, sagt er.

»Du musst dich nicht entschuldigen. Dass du es nur weißt. Bringst du uns morgen zum Bahnhof?«

Natürlich macht er das. Es ist Sonntag, er hat frei, und das geheiligte Ritual, so lange zu schlafen, wie er will, opfert er selbstverständlich. Um acht Uhr stehen sie am Bahnhof, Jacob hat Staffan von der Bushaltestelle an auf den Schultern getragen. Staffan ist aufgedreht und versteht schon, dass da etwas Besonderes geschieht. Eivor ist müde, der helle Sommermantel spannt über dem Bauch, und die neu gekauften Schuhe drücken. Sie meint, wie eine Ente zu watscheln, als sie neben Jacob und Staffan hergeht. Jeden Morgen, wenn sie sich im Spiegel sieht, bekommt sie Angst, ihr Gesicht ist so blass geworden, und die verflixten Pickel wollen nicht verschwinden. Jeden Tag verwendet sie mehr Schminke, aber die Blässe scheint durch. Und die anhaltende Hitze macht sie reizbar und schlapp und bewirkt, dass sie sich schlecht fühlt. Manchmal empfindet sie eine große Verwunderung darüber, dass Jacob es mit ihr aushält. Aber es ist ja immerhin sein Kind, das sie da mit sich herumträgt.

Wenn er bloß nicht so schweigsam wäre. Oder ist er nur erleichtert, jetzt, wo er verhindert hat, dass sie wieder arbeitet?

Sie stehen auf dem Bahnhof, und aus dem Lautsprecher kommt die Durchsage, dass der Zug nach Herrljunga gleich einläuft. Der Bahnsteig ist beinahe leer, es sind nur wenige Reisende da.

»Ich hoffe, ihr habt eine gute Reise«, sagt er.

»Der Zug ist noch nicht da.«

Sie hört selbst, wie sauer sie klingt. Sauer, verärgert, er kann es sich aussuchen. Bei jeder Gelegenheit versucht sie, ihn zu reizen.

»Verstehst du, was es heißt, ein Kind zu tragen?«, sagt sie plötzlich.

Er sieht sie verständnislos an. Er ist es doch, der Staffan auf seinen Schultern trägt!

»Hier drinnen«, sagt sie und zeigt auf ihren Bauch.

Aber natürlich begreift er nicht, was sie meint.

Er steigt mit in den Zug, es gibt genügend freie Plätze, er tätschelt ihr linkisch die Wange und macht, dass er wieder auf den Bahnsteig kommt. Als der Zug aus dem Bahnhof rollt und sie Staffan ans Fenster hält, damit er winken kann, denkt sie, dass Jacob vermutlich froh darüber ist, ein paar Tage für sich zu haben.

Vielleicht ist er ja deswegen nicht mitgekommen? Damit er auf dem Sofa liegen kann in einer leeren und leisen Wohnung und sich um nichts kümmern muss? Oder ... Nein, daran wagt sie nicht zu denken ...

Wälder, Telegrafenmasten, offenes Feld und Bahnhofsgebäude wirbeln vorbei. Staffan folgt fasziniert allem, was vor dem Fenster geschieht.

Mit einem plötzlichen Anfall von Wehmut erinnert sie sich, wie sie an einem kalten Januartag den entgegengesetzten Weg einschlug, um bei Konstsilke anzufangen. Aber was dachte sie damals? Sie versucht sich zu erinnern, aber der Kopf ist leer. Und vielleicht ist es auch am besten so. Sie kann ja doch nichts mehr daran ändern, das Leben ist, wie es ist.

In Hallsberg geht alles so schnell, dass Eivor es gerade noch schafft, Erik zuzuwinken mit der Frage, wie es ihm geht.

»Frag Elna«, ruft er als Antwort. »Auf Wiedersehen!«

Und da sitzt sie jetzt, ihre Mutter. Genau gegenüber! Sie sieht aus wie immer. Aber dass sie immer noch in ihrem alten Sommermantel herumläuft, kann Eivor nicht verstehen. Sie haben doch wohl etwas Geld? Und sie hätte doch auch ein wenig Lippenstift auftragen können. Aber natürlich sagt sie nichts. Sie sitzt nur in ihrer Ecke und schaut zu, wie Staffan auf seiner Großmutter herumklettert.

Großmutter! Herrgott, so ein Gedanke! Elna ist achtunddreißig Jahre alt und Großmutter. Und wenn es richtig böse ausgeht, so riskiert sie selbst, im gleichen Alter als Großmutter dazusitzen, wenn Staffan zufällig in jungen Jahren Vater wird. Der Gedanke ist entsetzlich. Wann soll dann Zeit sein zu leben?

Aber was hätte das schon zu bedeuten?

Vielleicht war es nur ein hoffnungsloser, vergeblicher Traum.

»Ist alles in Ordnung?«

Sie schreckt aus ihren Gedanken auf und sieht, dass Staffan eingeschlafen ist, wie ein plötzlich ermüdetes Kätzchen, das sich zusammengerollt hat. Er liegt auf der Bank, den Kopf auf Elnas Knien.

Eivor hat nicht zugehört, darum wiederholt Elna ihre Frage.

Na klar, alles ist, wie es sein soll. Mit beiden, Kind und Mann. Da gibt es nichts Neues. Alles wie immer.

Dafür hat Elna Neuigkeiten zu berichten. »Wir werden von Hallsberg wegziehen«, sagt sie.

»Warum das? Wohin?«

»Erinnerst du dich an Vivi?«

»Ja, natürlich.«

Elna erzählt, und Eivor kann an ihrer Stimme hören, dass sie sich auf die große Veränderung freut. Sie werden nach Skåne ziehen, genauer gesagt nach Lomma. Lomma bei Malmö. Vivi ist mit dem Pressechef der Skandinaviska Eternitfabrik verheiratet, und dort hat Erik eine Arbeit bekommen, wo er bedeutend mehr verdienen wird als bisher bei der Bahn. Und ein Darlehen für ein eigenes Haus werden sie mit Hilfe des Unternehmens bekommen.

»Wir ziehen schon im September um«, sagt sie.

Eivor antwortet nicht gleich. Zuerst horcht sie in sich hinein, ob sie neidisch ist.

Doch, ein bisschen neidisch ist sie schon. Alle, die eine Veränderung in ihrem Leben zustande bringen, etwas wagen, erregen ihren Neid. Es ist ein unbehagliches Gefühl, und sie schämt sich dafür, aber es ist eben da. Doch gleichzeitig freut sie sich natürlich. Elna leuchtet ja regelrecht, sie erzählt lebhaft wie ein kleines Kind, das allzu lange ein Geheimnis mit sich herumgetragen hat.

»Und du?«, fragt Eivor zum Schluss.

»Ich kann auch eine Arbeit bekommen, wenn ich will.«

»Ich dachte, es wäre sicherer, einen Job bei der Bahn zu haben.«

»Es sind andere Zeiten jetzt.«

»Das kann sich auch wieder ändern.«

»Findest du, dass es dafür Anzeichen gibt?«

Darauf weiß sie keine Antwort. Arbeit scheint es zur Genüge zu geben. Warum sonst sollten all die Jugoslawen und Griechen über die Grenzen ins Land strömen? Im Schweden von heute arbeitslos zu sein war sicherlich eine Kunst, wenn man nicht faul war. Oder *arbeitsscheu*, wie es so schön hieß.

»Und dann komme ich auch in Vivis Nähe«, sagt Elna.

»Sagte sie nicht, sie würde nie heiraten?«

»Man kann doch seine Meinung ändern. Und er ist ja immerhin Pressechef.«

»Ich dachte, sie wäre so eine Art Kommunistin.«

»Sie hat ihre Meinung wohl geändert.«

Die Unterhaltung klingt hohl. Und Elna muss es ja am besten wissen, es ist ja immerhin ihre Freundin ...

»Was wird Erik dort arbeiten?«

»Eternit kennst du doch? Alle wollen ja jetzt Eternitplatten an ihren Häusern haben.«

Ja, klar, das weiß sie. Aber Skåne? Und wie hieß der Ort? Lomma? Ja ...

»Das ist ja lustig«, sagt sie.

»Ich bin noch nicht fertig.«

Hat sie noch mehr zu berichten? Haben sie im Toto gewonnen?

Nein. Es ist etwas, was Eivor sich nie hätte vorstellen können.

»Du wirst ein Geschwisterchen bekommen«, sagt Elna.

Es dauert lange, bis sie versteht. Sie bekommt so nebenbei mit, dass der Zug in Skövde gehalten hat, aber was hat sie da gehört? Kann es wirklich stimmen, dass Elna schwanger ist, genau wie sie selbst? Dass sie unter diesem hoffnungslos unmodernen Mantel ein Kind in sich trägt? Der Gedanke macht sie schwindeln.

»Du bekommst ein Kind?«, fragt sie schließlich.

»Bist du mir böse?«

»Nein, nur verwundert. Warum böse?«

»Es klang so.«

Elna ist im dritten Monat. Warum sie Eivor nicht früher etwas gesagt hat, weiß sie eigentlich nicht. Es hat sich einfach nicht ergeben. Ein Grund ist natürlich, dass Erik gern ein eigenes Kind haben will, das kann man ja verstehen. Etwas anderes wäre wohl unnatürlich gewesen. Wer weiß, ob er sie nicht eines Tages verlassen hätte wegen einer anderen, einer Jüngeren, gerade deswegen. Und dann hat sie selbst auch angefangen, sich noch ein Kind zu wünschen. Plötzlich war das Gefühl einfach da, und sie muss sich ja beeilen, sonst ist es zu spät. Es mag wohl auch damit zusammenhängen, dass Eivor wieder schwanger ist, es ist schwierig, alle Gefühle auseinanderzuhalten. Natürlich hatte sie auch ihre Zweifel. Wieder ein Kind zu bekommen hieß ja auch, dass sie wieder zu Hause bleiben müsste. Aber … Nein, jetzt freut sie sich einfach darüber, dass es so ist. Ganz zu schweigen von Erik. »Also geht's mir wie dir, obwohl es nicht so aussieht.«

»Ich weiß nicht, was ich sagen soll.«

»Du könntest mir vielleicht gratulieren?«

»Ja, klar. Natürlich. Es ist nur so schwer, sich das vorzustellen. Die eigene Mutter, in der gleichen Situation …«

Langsam wird Eivor klar, dass Elna einfach nur sagt, wie es ist. Und dass sie froh ist. Es ist vor allen Dingen diese unverhohlene Freude, die Eivor irritiert. Wie passt das zusammen mit ihrer Erinnerung an das ständige Missvergnügen der Mutter, ihre ständige Wut auf ihre Tochter? Wie sie von Zeit zu Zeit ausgerastet ist, weil sie sie irgendwann mal bekommen hatte, dass sie ihr ganzes Leben ruiniert hat durch die unglückselige Schwangerschaft während des Krieges. Es gibt einfach keine Logik in dem Ganzen, Schwarz wird Weiß, ohne Vorwarnung, ohne Erklärung. Und das sagt sie auch geradeheraus, irgendwo auf der Höhe von Södertälje, aber dann wacht Staffan auf, und das Windelwechseln verhindert eine Fortsetzung des Gesprächs.

Am Abend kommen sie in Sandviken an. Ein milder Sommerregen nieselt auf den Bahnhof. Elnas Bruder Nils ist da, um sie abzuholen. Er hat ein Auto, einen PV, in dem sie alles verstauen.

»Er kotzt doch wohl nicht im Auto?«, sagt Nils zu Eivor mit einem Kopfnicken zu Staffan.

»Nicht oft.«

»Das möchte ich auch nicht erleben.«

»Wir können laufen, wenn du Angst hast. Du musst dich nicht beunruhigen.«

Elna sitzt auf dem Beifahrersitz und kommentiert freudig alle Veränderungen in der Gemeinde. Eivor ist müde, Staffan drückt auf ihrem Bauch. Als Nils eine Zigarette anzündet, bittet sie ihn, sie auszumachen. Oder wenigstens das Seitenfenster zu öffnen.

Und dann sind sie da.

»Ist das Haus neu gestrichen?«, fragt Elna verwundert.

»Sowohl außen als auch innen«, antwortet Nils.

Rune liegt im Bett in der Kammer, auf seiner gewohnten Seite. Eivor und Elna bekommen einen Schreck, als sie seine Magerkeit sehen und die graue, fahle Farbe seines Gesichts. Dass die Krankheit ihn schließlich bezwingen würde, haben sie lange gewusst, eigentlich ist es erstaunlich, dass er sich so zäh ans Leben geklammert hat.

Er schläft, als sie kommen. Der Zug hatte Verspätung (hinter Hosjö haben sie über eine halbe Stunde auf der Strecke gestanden), und plötzlich wurden die Schmerzen so stark, dass er es nicht mehr ohne Tabletten aushielt. Sie betäuben ihn wie ein Keulenschlag, und Elna und Eivor stehen stumm an seinem Bett und schauen ihn an.

Mutter und Tochter. Zwei schwangere Frauen.

Rune erwacht erst am nächsten Morgen. Er schlägt die Augen auf in dem schwachen Dämmerlicht und weiß nicht, wo er ist. Er hat geträumt, und der Traum folgt ihm ins Dasein mit so beharrlicher Kraft, dass er zunächst das Schlafzimmer nicht erkennt, in dem er seit mehr als vierzig Jahren erwacht. Langsam kehrt er ins Leben zurück.

Ohne dass er den Kopf wenden muss, weiß er, dass seine Frau Dagmar schon aufgestanden ist, und als er lauscht, hört er ihre Stimme aus der Küche. Aber mit wem spricht sie da?

Wie spät mag es sein? Dem Licht nach zu urteilen, das durch die Rollos schimmert, nicht später als sieben, vielleicht nicht mal das. Vielleicht ist es Ester, die mit ihren geschwollenen Beinen mühsam die Treppe von der unteren Etage heraufgestiegen ist, um zu hören, wie es ihm geht.

Dann fällt es ihm ein. Elna und Eivor. Tochter und Enkelin. Sie sollten gestern ankommen. Ja, jetzt erinnert er sich. Der Zug hatte Verspätung, und dann musste er die Tabletten nehmen und ist wohl eingeschlafen davon. Verdammt auch! Das ist vielleicht ein Empfang. Aber sollte nicht Staffan auch mitkommen? Ein Kind müsste man doch wohl hören? Wenn doch Dagmar jetzt bloß hereinkommen und lüften würde, damit er die beiden begrüßen kann.

Er hüstelt, und sie hört ihn und kommt rein. »Bist du jetzt wach?«, fragt sie und lächelt.

»Lüfte«, zischt er.

Sie nickt und öffnet das Fenster. Dann schaut sie ihn wieder an, aber er schüttelt den Kopf: Nein, er hat keine Schmerzen. Noch nicht.

»Ist der Junge da?«, fragt er beunruhigt.

»Ja«, sagt sie. »Aber er schläft.«

»Wie sehe ich aus?«

»Ist schon gut so ...«

Und dann ist er bereit, sie zu sehen. Seine Familie, das Urenkelkind, das ihn mit fragenden Augen anschaut. Der Schmerz kommt schleichend, aber er weigert sich hartnäckig, die Tabletten zu nehmen, um einigermaßen klar im Kopf zu bleiben.

Am Nachmittag, als Staffan draußen auf dem Küchensofa liegt und schläft, setzt sich Eivor zu ihm. Sie fragt, ob er starke Schmerzen habe, und er verzieht das Gesicht als Antwort.

»Wie geht es dir?«, fragt er. »Staffan sieht ja kräftig aus ...«

Ohne dass sie es sich vorgenommen hat, fängt sie an, ihm alles zu erzählen. Am Morgen haben sie und Elna nacheinander berichtet, dass sie ein Kind erwarten. Es hat eine Weile gedauert, bis er es geglaubt hat, aber nachdem sie ihn überzeugt hatten, fragte er freundlich knurrend, ob sie es nicht ein bisschen hätten aufteilen können. Eivor hat dazu nichts gesagt, aber jetzt, als sie allein an seinem Bett sitzt, berichtet sie davon, wie sie wieder arbeiten wollte, dass Jacob aber dagegen war und dass sie stattdessen jetzt ein Kind bekommt. Sie merkt, dass er zuhört, und sie berichtet so detailliert wie möglich. Das Einzige, was sie auslässt, ist der demütigende und folgenschwere Augenblick auf dem Fußboden.

»Das war ja Pech«, sagt er, als sie schweigt, und sie sieht, dass er es wirklich meint.

»Es ist manchmal so schwierig«, fährt sie fort.

»Ja«, sagt er langsam. »Aber man muss es ertragen. Das ist vielleicht das Einzige, wofür man sich loben kann. Dass man es ertragen hat …«

Er unterbricht sich mitten im Satz, als ob er zu viel gesagt hätte.

Er schaut Eivor an, die auf der Bettkante sitzt. So jung war Dagmar auch einmal gewesen. Aber was dachte sie damals? Hatte nicht auch sie Träume, die von seiner polternden Stimme und seiner selbstverständlichen Art, immer derjenige zu sein, der am stärksten auf den Boden stampfte, unbarmherzig unterdrückt wurden? Er verzieht das Gesicht bei dem Gedanken …

»Hast du Schmerzen?«, fragt Eivor.

»Nein, nein«, sagt er. »Ich denke nur …«

»Woran?«

»Nein …«

»Sag es mir!«

»Dass nicht das Radio oder das Fernsehen die größte Veränderung gebracht hat. Sondern Staubsauger und Linoleumböden …«

»Warum das?«

»Das solltest du verstehen. Denn du bist es doch sicher, die zu Hause bei euch Staub saugt und den Boden wischt. Ich weiß doch, wie es früher war. Oder besser gesagt, Dagmar weiß es. Es gab eine Zeit, als so jemand wie deine Großmutter sich niemals hätte vorstellen können, dass es einen Staubsauger geben könnte. Und ich habe mich am längsten dagegen gewehrt, als sie einen Staubsauger kaufen wollte. Fand, das wäre zu teuer … Ich fand! Herrgott …«

Er schweigt, und Eivor sieht ihre Großmutter vor sich bei der Plackerei.

»Ein zweites Kind hättet ihr euch vielleicht bald gewünscht«, sagt er nach einer Weile. »Aber jetzt … Sieh zu, dass das kein drittes Mal passiert, dann kannst du wieder anfangen zu arbeiten. Du bist ja noch jung ...«

Er hört selbst, wie dürftig sein Trost ist. Aber was soll er sagen? Jacob ist sicher nicht besser oder schlechter als andere Kerle. Und Eivor scheint ja einen starken Willen zu haben, so jung sie auch ist. Heutzutage ist es einfacher zu verhindern, dass man aus reiner Unvorsichtigkeit viele Kinder bekommt. Ein alter Kerl auf seine letzten Tage ... redet über so was.

Als sie am nächsten Vormittag einen Spaziergang machen, erzählt Eivor Elna, was Rune gesagt hat. Staffan ist bei Dagmar und Rune geblieben. Rune, der die Nacht über wach gelegen und sich bis zuletzt gegen seine Tabletten gewehrt hat, liegt endlich in tiefem Schlaf.

Sie gehen durch den Ort. Hier und da bleibt Elna stehen und erzählt ... Da am Hügel, wo jetzt ein großes Schulgebäude steht, befand sich in ihrer Jugend ein Milchgeschäft, das von einer alten Frau mit Klumpfuß geführt wurde. Sie war immer freundlich und sagte nie etwas, wenn die Kinder hinter ihr herschlichen und sie nachäfften. Und da liegt jene weiße Villa, in der sie Dienstmädchen war bei Ingenieur Ask und seiner grässlichen Frau, die Hitler über alles auf der Welt verehrte. Der große Garten ist durch einen Weg und eine Konsumhalle zerstückelt, aber das Haus hat immer noch etwas von seinem abweisenden Glanz. Dort, in jenem Haus, wurde Elna klar, dass ...

Eivor geht neben ihrer Mutter und hört zu. Jedes Detail deckt etwas aus ihrem eigenen Leben auf, was sie geprägt hat.

Plötzlich bricht sie ab.

»Was wolltest du sagen?«

»Nichts ...«

Immer dieses Ausweichen, denkt Eivor. Immer dasselbe ...

»Kannst du nicht einmal sagen, was du denkst?«

Elna schaut auf den Boden und geht langsam weiter. Erst als sie das weiße Haus passiert haben, erzählt sie, dass ihr dort klar geworden sei, dass sie schwanger war. Aber dass sie eine widerwärtige und missglückte Abtreibung in Gävle durchgemacht hat ist ein Geheimnis, das sie nie enthüllen wird.

Sie nähern sich dem Stadtrand, und plötzlich bekommt Elna unwiderstehliche Lust, etwas herauszufinden.

»Sollen wir noch ein Stück weitergehen?«, fragt sie, und Eivor, die einen Anflug von Eifer in ihrem Gesicht sieht, geht gerne mit. Gerade jetzt erscheint ihr jeder Augenblick mit Elna wertvoll. Jeder kleine Schimmer aus der Zeit, als Elna so alt war, wie Eivor jetzt ...

Elna erinnert sich genau an ihren einsamen Sonntagsspaziergang. Es ist nur so unfassbar, dass das schon mehr als zwanzig Jahre her ist ... Sie weiß nicht mehr genau, wo sie vom Hauptweg abgebogen ist. Damals war außerdem Winter ...

Eivor fragt sich, wonach sie wohl sucht, sagt aber nichts, folgt ihr nur zu dem geheimen Schloss ...

Da ist der Pfad! Elna ist sich plötzlich ganz sicher, und sie biegen in einen Weg mit duftenden Nadelbäumen ein. Der Boden ist weich unter ihren Füßen.

Und dann öffnet sich der Wald, und der Wachtturm steht noch da – wie eine moosbewachsene Ruine aus vorgeschichtlicher Zeit. Auf dem Boden liegen die verrotteten Reste heruntergefallener Bretter, als ob der Turm sein Haar verloren hätte, Strähne für Strähne.

Elna geht um den Turm herum und sieht, dass die Treppe noch steht. »Sollen wir hochsteigen?«

Eivor schaut auf die morsche Treppe, die an vielen Stellen Lücken aufweist. Wagt Elna sich da hinauf? Dann muss es wohl möglich sein, da oben den Himmel zu streifen ...

Elna steigt vorsichtig hinauf, Eivor hält Abstand.

»Das hier ist sicher verboten«, sagt Elna.

»Wenn wir nicht still sind, stürzt die Treppe noch ein«, antwortet Eivor.

Als sie sich der Plattform nähern, erinnert sich Elna an den Wind, den sie dort vor zwanzig Jahren spürte. Jetzt ist er warm, aber es ist doch, als ob es derselbe wäre. Sie bückt sich und blinzelt gegen die grauen Bohlen. Sie sind voller Inschriften, die eher ein Gewebe von Linien und Kreisen bilden als Wörter mit irgendeiner Bedeutung. Aber schließlich entdeckt sie, was sie sucht, es steht noch da, was sie mit einem Nagel eingeritzt hat, als sie hier stand und beschlossen hatte, sich nicht hinunterzustürzen.

Elna. 16/1/1942.

Eivor hockt sich neben sie und folgt Elnas Finger mit den Augen.

»Das hier habe ich mit einem Nagel eingeritzt«, sagt sie. »Vor zwanzig Jahren.«

Eivor hat das Datum gesehen.

»Zwei Monate bevor ich geboren wurde. Was hast du gedacht, damals?«, fragt Eivor.

»Ich dachte daran, zu springen.«

Damit war es gesagt, ohne Widerruf ...

»War es so schrecklich?«, fragt Eivor nach einer Weile.

»Ja. Das war es wohl.«

»Aber du bist nicht gesprungen.«

»Es ist selten, dass die Leute es tun. Die meisten springen nie.«

»Aber was hast du gedacht?«, fragt Eivor wieder.

Elna dreht sich zu ihr um. »Erinnerst du dich, wie ich dich manchmal angeschrien habe?«, sagt sie.

»Wie sollte ich das jemals vergessen können.«

»Dann verstehst du auch, was ich dachte. Dass ich es nicht wollte ...«

»Ja. Ich verstehe. Ich bin froh, dass du mir das hier gezeigt hast.«

»Ich hatte es nicht vor. Es ist mir unterwegs eingefallen.«

Eivor zieht einen Nagel aus einer morschen Planke und ritzt ihren eigenen Namen ein neben dem Elnas.

Eivor. 6/8/1962.

Sie gehen die Treppe hinunter und kehren zum Hauptweg zurück.

»Standen da Soldaten in diesem Turm während des Krieges?«, fragt Eivor.

»Ich weiß nicht«, antwortet Elna. »Nicht, als ich hier war. Aber das war ja an einem Sonntagmorgen. Man konnte sich wahrscheinlich nicht vorstellen, dass jemand so dreist wäre, an einem Sonntagmorgen anzugreifen ...«

Sie beginnt zu lachen, und Eivor denkt, es ist das erste Mal, dass sie und Elna zusammen albern sind.

Sie kehren in die Stadt zurück, zum kranken Rune. Sie bleiben noch ein paar Tage, und die meiste Zeit sitzen sie in der Küche und warten darauf, dass er aufwacht.

Sie fahren an einem frühen Morgen aus Sandviken ab, als gerade ein Sturm über die Stadt zieht. Eivor steht drinnen an Runes Bett, hält seine Hand, um Lebewohl zu sagen, und hofft, dass sie ihn noch einmal sehen wird. Er kann doch nicht sterben! Obwohl sein Gesicht grau ist und die Hände so mager und kalt ...

Eivor und Staffan kommen nach Borås zurück, und Ende September ziehen sie in ein dreigeschossiges Mietshaus in Sjöbo. Eivor empfindet ein vages Unbehagen, weil sie an den Ort zurückkehrt, an dem sie während ihrer ersten Zeit in der Stadt wohnte. Als sollte sie an etwas erinnert werden, was sie eigentlich vergessen will. Aber eine moderne Wohnung ist trotz allem wichtig.

Plötzlich ist nicht mehr viel Zeit bis zur Geburt des zweiten Kindes. Während dieser letzten Phase der Schwangerschaft fängt sie an, sich auf das Kind zu freuen.

Herrgott, sie hat doch noch das ganze Leben vor sich! Rune hatte natürlich recht. Es ist für nichts zu spät. Niemals! Mit der Ungeduld muss sie eben fertig werden ...

Sie verwendet viel Zeit darauf, Staffan zu erklären, dass er ein Geschwisterchen bekommt. Natürlich versteht er es nicht. Aber sie muss es versuchen, um nicht das Gefühl zu haben, ihn zu täuschen.

Und Jacob?

Er ist, wie er ist. Über seine Gefühle spricht er nie. Wenn er am Abend nach Hause kommt, isst er, spielt mit Staffan und schläft vor dem Fernseher ein. Einmal am Tag fragt er sie, wie es ihr geht. Manchmal kommt er mit Gebäck nach Hause. Wenn sie ihn bittet, etwas zu kaufen, was es in Sjöbo nicht gibt, schreibt er es sich auf, um es nicht zu vergessen.

Eines Nachts Anfang November, ungefähr einen Monat bevor das Kind zur Welt kommen soll, wacht Eivor davon auf, dass es in ihrem Bauch tritt und drückt. Sie liegt ganz still im Dunkeln, die Hand auf dem Bauch, als müsste sie das Kleine vor irgendeiner Gefahr schützen. Jacob schläft mit dem Rücken zu ihr. Er liegt zusammengerollt, und seine Atemzüge sind tief und schwer.

Als das Kind aufgehört hat, sich zu bewegen, ist sie hellwach, und sie weiß, dass sie nicht wieder einschlafen kann. Sie steigt schwerfällig aus dem Bett, lässt die Füße nach den Pantoffeln tappen und geht hinaus in die Küche. Sie öffnet die Kühlschranktür, kann sich aber nicht entscheiden, was sie haben will, also lässt sie die Tür wieder zufallen. Die Uhr an der Küchenwand zeigt Viertel vor drei.

Sie geht ins Wohnzimmer hinüber, zum Fenster, und drückt die Stirn gegen die kalte Scheibe.

Sie schaut hinüber zu dem Haus, in dem sie die erste Zeit wohnte, als sie nach Borås gekommen war, und zu ihrer Verwunderung sieht sie, dass das Fenster ihrer kleinen Einzimmerwohnung erleuchtet ist. Kann das tatsächlich sein?

Das einzige Fenster, das erleuchtet ist, der Rest der Fassade ist dunkel. Sie meint plötzlich einen Schatten zu sehen, der sich im Zimmer auf und ab bewegt. Ein Nachfolger, vielleicht auch ein neu eingezogenes Mädchen, im gleichen Alter wie sie. Mit den gleichen Träumen, der gleichen Unruhe.

Und sie steht jetzt hier und erwartet ihr zweites Kind. In einem Zimmer hinter ihr schläft ihr Sohn, in einem anderen ihr Mann Jacob. Hier im Wohnzimmer haben sie eine Couchgarnitur und ein Bücherregal, das noch ziemlich leer ist, ein Radio, einen Plattenspieler und einen Fernseher. In einer Ecke des Zimmers liegen Staffans Spielsachen, in einer anderen Jacobs neue Scheibenhantel. Auf einem Tisch neben der Tür zum Flur steht ihre Nähmaschine …

Zwei Jahre. So hatte sie sich die Zukunft nicht vorgestellt, als sie selbst hinter jenem Fenster herumlief, auf das sie jetzt schaut. Aber ist es unbedingt schlechter geworden?

Sie ist zwanzig Jahre alt, sie erwartet ihr zweites Kind, sie ist verheiratet mit einem Mann, der nicht säuft und der sich über seinen Sohn und das Baby freut, das sie erwartet. Würde sie das gegen eine hektische Abteilung bei Algots eintauschen wollen? Gegen die unruhige Suche nach etwas anderem, in Autos, die ununterbrochen um einen verlassenen Marktplatz kreisen?

Aber trotzdem. Da ist etwas, was nicht stimmt, was sie ständig erinnert …

Sie kriecht zurück ins Bett und zieht die Decke bis zum Kinn hoch.

1972

Es ist ein Freitagabend, Anfang November 1972. Eivor sitzt an einem kleinen Tisch nahe der Tanzfläche in der Göteborger Filiale der Restaurantkette Baldakinen, als sie plötzlich mit einer Art unheimlicher Faszination erkennt, dass sie eine von all den geschiedenen Hausfrauen geworden ist, die das Tanzlokal besuchen, um es im besten Fall in Gesellschaft eines Mannes zu verlassen. Es ist früh am Abend, gerade mal zehn Uhr, und die große Treibjagd nach nächtlicher Begleitung ist noch nicht über das erste träge Stadium hinausgekommen. Zufällig ist Eivor allein am Tisch, ihre Freundin (sie nennt sie so, Kajsa Granberg, obwohl sie nichts anderes gemeinsam haben, als dass sie beide am Flugplatz Torslanda arbeiten) ist draußen auf der Damentoilette.

Auf dem Tisch steht Eivors Glas mit zerstoßenem Eis, Gin, Peter Heering, Likör und Sodawasser, ein Singapore Sling, aber bis jetzt hat sie ihn noch nicht angerührt. Ehe sie und Kajsa sich in die Straßenbahn gesetzt haben und in die Stadt gefahren sind, haben sie sich eine Flasche Wein geteilt und ein paar Tropfen Kakaolikör. Sie fühlt sich erfreulich angeregt, völlig ausreichend. Kurt-Rolands Orchester klingt gut, auch wenn sie einen der großen Lautsprecher genau hinter ihrem Kopf hat (na ja, auf diese Weise entgeht sie einem ausführlicheren Gespräch mit Kajsa Granberg, und darüber ist sie froh. Von Kajsas unbegreiflicher Bewunderung für Lasse Berghagen zu hören ... Nein, da nimmt sie schon lieber das hämmernde Trommeln tief im Ohr in Kauf. Vielleicht ist Kajsa ja genauso froh, sich nicht mit ihr unterhalten zu müssen?).

Hier sitzt sie also, schaut auf das zunehmende Gedränge auf der Tanzfläche (es ist *Mamie Blue*, unwiderstehlich in seiner einschmeichelnden Eintönigkeit) und fragt sich, was, um alles in der Welt, geschehen ist. Sie hier wie jedermann im Baldakinen? Genauso denkt sie, und ohne nennenswert zu protestieren, gibt sie sich selbst die Antwort. Hierher gehen solche wie sie, die guten Menschen der Nation, mit Jugend und Ehe hinter sich, Dreißigjährige, die nach einem neuen Anfang suchen. Warum sollte sie nicht hier sein? Sie ist dreißig Jahre alt, bald einunddreißig, die Ehe mit Jacob Halvarsson zerbrach endgültig, als er Geschäftsführer wurde und sich besser organisierte Seitensprünge leisten konnte. Sie wusste längst davon – jeder Tag eine schreiende Erinnerung daran, dass sie *jetzt* aufbrechen müsste, wenn es je etwas werden sollte. Sicherlich hätte sie warten können, bis er eines Tages gekommen wäre und gesagt hätte, dass er eine jüngere Frau gefunden habe und sich scheiden lassen wolle. Schweigen und eine zunehmende Abneigung dauerten nun schon seit Jahren an. Nein, wenn sie selbst aufbrechen wollte, musste sie es jetzt tun, schnell, und so geschah es dann auch. Im Januar 1972 ist sie weggegangen, nach Göteborg gezogen, um mit den Kindern allein zu leben. Sicher hatte sie ein schlechtes Gewissen, weil sie Staffan und Linda mitten zwischen dem Herbst- und Frühjahrshalbjahr aus der Schule gerissen hatte, aber sie konnte nicht länger mit Jacob zusammenbleiben. Und jetzt ist es bald ein Jahr her. Sie ist bestimmt zum zehnten Mal hier im Baldakinen ... Aber was ist eigentlich aus dem Jahr geworden? Dem neuen Leben in Göteborg? Mit allen ehrgeizigen Vorsätzen? Eine billige Wohnung in der Altfiolgata in Frölunda, leider um den Preis eines unendlich langen Weges quer durch die Stadt nach Torslanda, jeden Morgen und jeden Nachmittag. Sie hat bewiesen, dass sie es allein mit den Kindern schafft, sie haben ein Dach über dem Kopf, Kleider auf dem Leib und Brot auf dem Tisch. Ja, da kann ihr niemand auf die Finger klopfen. Sie trägt die Verantwortung für die Kinder, die sie geboren hat.

Aber all das andere? Sie selbst? Eivor Maria Skoglund, verheiratete Halvarsson, mit zunehmender Lust, ihren Mädchennamen wieder anzunehmen, wenn es nur nicht so ein Durcheinander wäre mit den Kindern, die Halvarsson heißen. Die ehrgeizigen Vorsätze stieren jeden Morgen mit glasigen Augen auf sie, wenn sie erwacht und den Kindern Frühstück macht und sie auf den Weg zur Schule schickt. Augen, die sie verdrießlich anschauen und sagen: *Nein, nein, heute auch nicht! Aber wann denn dann, kleine Eivor? Die Zeit, weißt du, Eivor. Die Zeit hat eine sagenhafte Eile. Die kannst du nicht mit Stille irreführen und von Neuem beginnen, wenn es dir gefällt ... Das geht absolut nicht, kleine Eivor.* Aber was soll man machen? Zwei Kinder, eins elf, eins zehn, Ganztagsjob, sowohl draußen als auch zu Hause. Es gibt Grenzen dafür, was man leisten kann ... Jeden neuen Abend so müde, dass ihr fast schlecht ist, wenn alle Arbeit geschafft ist und die Kinder schlafen. Wenn sie nur schon etwas größer wären, aufschießende Teenager, dann würde es leichter gehen. Dann *wird* es leichter gehen. Und es *ist* ja jetzt nicht mehr lange hin ...

In dem Moment wird sie zum Tanzen aufgefordert. Baldakinen ist eine Oase, die Kinder sind in Borås bei ihrem Papa bis Sonntagabend, wenn sie sie unten am Bahnhof abholen wird. Sie haben es gut, Jacobs neue Frau ist nett zu ihnen. Zwei freie Tage, zwei Tage für sich selbst. Morgen wird sie ins Zentrum fahren, herumschlendern, wenn das Wetter nicht allzu schlecht wird. Denken, planen ... Nichts ist jemals zu spät. Jung zu sein war verteufelt schwer, dreißig zu sein ist nicht leichter. Sie tanzt mit einem Mann, der behauptet, Beleuchtungschef beim Stora Theater zu sein, aber wahrscheinlich lügt er. Und warum muss er sein Haar von einem Ohr zum anderen kämmen, um die Glatze zu verdecken?

Sie muss an Bogdan denken. Tellerwäscher in Torslanda, der fröhliche Bursche mit seinem unverständlichen Schwedisch. Sie muss beinahe lachen, und der angebliche Beleuchtungschef glaubt, dass es an seinen tänzerischen Fähigkeiten liegt, und drückt sie fester an sich ... Bogdan, der eines Abends im Treppenhaus der Altfiolgata stand und eine Einkaufstasche mit Essen, Kochbuch und Rotwein dabeihatte. Der mit Staffan und Linda spielte, als ob er nie etwas anderes gemacht hätte. Der dann und wann kam und schließlich auch über Nacht blieb und davon erwachte, dass Staffan und Linda am Bett standen und ihn mit fragenden Augen ansahen, früh am Samstagmorgen. Der lachte und es als die natürlichste Sache der Welt ansah. »Ich weiß doch, dass du zwei Kinder hast«, sagte er gern ... Nach sechs Wochen warf er dem Vorsteher der Cafeteria, Enoksson, der Angestellte und Gäste, mit Ausnahme der Piloten, wie Blöde behandelte, den Spüllappen ins Gesicht ... Und weg war er, eine Ansichtskarte kam von irgendwo in Småland, eine Fabrik, die Türleisten herstellte, und dann setzte das große Schweigen ein, das entsteht, wenn ein Mensch in ein anderes Leben verschwindet ... War sie in ihn verliebt? Das hat sie nicht herausgefunden. Nach so vielen Jahren mit Jacob ... Eine Gewohnheit ist nicht so einfach gegen eine andere zu tauschen, und sie ist vorsichtig. Sie fürchtet sich davor, sich wieder zu binden ... Nein, das ist nicht wahr! Wovor sie sich fürchtet, das ist, dass sie sich tief im Innersten doch binden *will* und ihre ehrgeizigen Vorsätze über den Haufen wirft, damit sie aufhören, sie zu stören ...

Michelle, und dann führt sie der skalpierte Mann zurück an ihren Tisch. Sie lächelt kurz und nickt. Es ist am einfachsten, ihm klarzumachen, dass kein weiteres Interesse besteht ...

Kurt-Rolands in silberglänzenden Blusen machen eine Pause, und Kajsa sitzt wieder am Tisch und schaut sie mit ihren unruhig umherirrenden Augen an. Nach dieser Pause beginnt der Abend erst richtig. Nicht ein Tisch ist mehr frei, die Männer wandern herum, beobachtend, vorbereitend. Jetzt gilt es ...

»Ist das da gut?«, fragt Kajsa.

Eivor probiert und nickt.

»Ich habe davon in *Femina* gelesen«, sagt Kajsa. »Es war irgendetwas mit Indonesien, glaub ich.«

Eivor hält es plötzlich nicht mehr mit ihr aus, sie steht auf und bahnt sich den Weg zur Damentoilette, in der es eng und voll ist. Sie schließt sich in einer der Kabinen ein. Es ist eine Gewohnheit von ihr, sich in der Toilette einzuschließen, um Ruhe zu haben. Sie erinnert sich ganz deutlich, dass sie das auch an dem Tag der Hochzeit mit Jacob getan hatte, und das ist mehr als zehn Jahre her.

Wieder die Zeit! Soll sie pinkeln oder über ihr vergeudetes Leben in Tränen ausbrechen? Sie wird beides nicht tun. Sie muss nicht pinkeln, und das Leben ist schließlich noch nicht zu Ende! Zwei prächtige Kinder hat sie, sie ist gesund, und wenn die Kinder erst einmal besser allein zurechtkommen, wird die Welt schon sehen, dass sie noch Energie übrig hat. Die Frage ist nur, wozu sie die verwenden soll. Sie kann sich nicht vorstellen, wieder die Arbeit einer Schneiderin an der Maschine aufzunehmen. Es muss etwas anderes geben, auch wenn sie nur einen Volksschulabschluss hat. Broschüren über Erwachsenenbildung liegen zu Hause in Frölunda auf dem Nachttisch. Es gibt jede Menge Möglichkeiten, man muss sich nur zusammennehmen und darf nicht das Handtuch werfen, bevor der Kampf überhaupt begonnen hat. Wenn man nun das Glück hatte, in diesem wohlsituierten Land geboren zu sein, so muss man doch nur noch nach den Möglichkeiten greifen, die wie Trauben am Baum hängen, denkt sie, während sie versucht, eine Inschrift an der Wand zu entziffern, eingeritzt mit Nagel oder Schere: *Die Hure Hanne lädt zu Fotze und Kaffee aus der Kanne, ruf einfach 23 68 51 an …*

Der erste Schritt war, Jacob Danke und auf Wiedersehen zu sagen. Geschäftsführer, Direktionsaufgaben in Ymer, aber leider auch pausenloses Fremdgehen mit anderen Frauen. Die Demütigung, dass er sich nicht einmal zurückgehalten hatte, als sie schwanger war, nicht einmal, als sie auf der Entbindungsstation lag. Den Sprung wagen und mit zwei Kindern in die Ungewissheit ziehen, den Brotkorb verlassen und sich einen eigenen kaufen … Doch, sie ist auf dem Weg. Aber das reicht nicht, und wenn sie es nicht schafft, weiterzukommen, die Cafeteria in Torslanda zu verlassen, so wird es wieder zum gleichen Ausgangspunkt führen, direkt in eine neue Ehe …

Ins Baldakinen gehen zu können, ohne dass sich Konsequenzen ergeben, einen Kerl treffen zu können, ohne dass er mit seinem Gepäck im Schlepptau ankommt und seine Strümpfe und Unterhosen (mit gelben Elchen darauf!) in ihre Kommodenschubladen legt. Oder sie und die Kinder in irgendein Reihenhaus in Mölndal oder Lerum lockt …

Jemand rüttelt an der Türklinke, und sie erhebt sich vom Toilettensitz, wirft einen Blick in den Spiegel draußen im Vorraum (sie ist sich gleich geblieben: dunkelhaarig, große Augen. Nur die Frisur ist anders, jetzt sind Haarspray und Toupieren verpönt …) und geht wieder hinaus ins Restaurant. Sie kommt noch nicht einmal bis zu ihrem Tisch, als ihr auch schon jemand die Hand auf die Schulter legt. Nach einem hastigen Blick (betrunken? zu alt? Kleidung?) nickt sie zustimmend, und da vorn im Gewimmel auf der Tanzfläche nimmt sie flüchtig den skalpierten Mann mit einer Frau in den Armen wahr …

Ihr neuer Tanzpartner taucht genau nach Kurt-Rolands Elf-Uhr-Pause auf, gerade als sie ihren Singapore Sling ausgetrunken und sich entschlossen hat, nie wieder so etwas anzurühren. Er hat dunkles krauses Haar, trägt einen beigefarbenen Anzug, weißes Hemd und den obligatorischen Schlips. Sie fixiert ihn sekundenschnell und steht auf.

Sie tanzen mehrere Tänze zusammen. Nachdem Kajsa verschwunden ist, setzt er sich zu ihr an den Tisch, und schreiend versuchen sie, eine Unterhaltung zu führen. Aber das ist unmöglich, also tanzen sie wieder. Er sagt, dass er Kalle heißt. Kalle, und er fährt Lastwagen, ASGs. Ziemlich regelmäßiger Linienverkehr nach Kalmar und Växjö, manchmal verschlägt es ihn auch nach Nedre Norrland, Sundsvall, Härnösand. Er erzählt so fröhlich und ungezwungen, dass Eivor keinen Grund sieht, ihm zu misstrauen, und als er sagt, dass er vierunddreißig ist, frisch geschieden, drei Kinder, so glaubt sie ihm das auch. Er hat sicherlich Bilder von seinen Kindern in der Brieftasche, er sieht so aus, erinnert sie an Jacob. Außerdem ist er nüchtern. Er fährt Auto und wohnt ganz am Ende draußen in Alafors, viel zu weit, um ein Taxi zu nehmen. Als Kurt-Rolands ihren letzten Ton haben verklingen lassen (Gott sei Dank: nicht *Twilight Time …*), da gehen sie zusammen hinaus in die Halle, um ihre Mäntel zu holen, und er drängt sie nicht zu einer Antwort, als er fragt, ob er sie nach Hause fahren dürfe. Er steht einfach still an ihrer Seite und wartet, während sie ihren Mantel bekommt.

Man sollte natürlich nicht zu einem fremden Kerl ins Auto steigen. Wie oft endet das draußen im Wald mit einem

Messer an der Kehle und einer Vergewaltigung, die mehr als vollendet ist. Frau zu sein und sich dessen bewusst zu sein beinhaltet, in jedem Mann, den man nicht kennt, eine potenzielle Lebensgefahr zu sehen. Und es ist nicht einmal sicher, dass es weniger gefährlich ist, wenn man den in Frage kommenden Mann kennt ... Aber so kann man doch nicht leben, denkt Eivor. Vor allem und allen Angst zu haben. Ihr gesunder Menschenverstand sagt ihr, dass sie diesem Lastwagenfahrer, der Kalle heißt, trauen kann ...

Wofür hat man denn sein Urteilsvermögen?

Nein, wenn sie nur die Autotür an ihrer Seite nicht verschließt und die Augen offen hält, dann wird es schon gut gehen ...

Herrgott! Der Kerl ist doch nett! Er hat Humor, echten Göteborger Humor, ehrliche Augen.

Sie fragt sich, ob sie ihn sich in ihrer Wohnung vorstellen kann ... Ja, warum nicht! Saubere Fingernägel hat er und keinen Bierbauch, der unter dem Hemd schwabbelt. Aber vor allen Dingen einen gesegneten Humor. Die Hölle hat er ihr als einen Ort beschrieben, wo die Engländer das Essen bereiten, die Franzosen Politiker sind und die Schweden die Fernsehunterhaltung machen ...

»Ja, gerne«, sagt sie, und sie gehen gemeinsam hinaus. Auf der anderen Straßenseite steht das Auto, ein Volvo Kombi. Eivor denkt flüchtig an den PV ihrer Kindheit, Eriks Augenstern, die kleine Reise mit dem alten Anders ... So lange ist das her.

»Jetzt werden wir sehen, ob ich mich noch erinnere«, sagt er, als Eivor ihm ihre Adresse nennt.

»Woran?«

»Ich bin früher mal Taxi gefahren«, sagt er. »Das muss wohl zuerst die Västerleden sein. Und dann die Tonhöjdsgata ...«

Ruhig und sicher findet er ihre Straße, und Eivor erlebt die gleiche schläfrige Ruhe wie im Taxi. Ein Taxi stößt nicht mit anderen Autos zusammen, es ist immun gegen Unfälle. Er schaltet das Autoradio ein, und sie fahren durch das nächtliche Göteborg. Ein feiner, kaum merklicher Nieselregen, der den Winter ankündigt, Wind aus Westen, vereinzelte Menschen, die nach einem freien Taxi winken ... Sie schielt zu ihm hinüber und sieht, dass er die Lippen bewegt, als würde er zu der Musik singen, die aus dem Autoradio krächzt.

»Welche Hausnummer?«, fragt er, als sie in der Tonhöjdsgata sind.

»Jetzt klingst du wie ein Taxichauffeur«, sagt Eivor. »18. 18 B.«

Er fährt an den Bürgersteig und stellt den Motor ab.

»Du kannst eine Tasse Kaffee bei mir trinken«, sagt sie. »Aber erwarte nichts.«

»Nein«, sagt er. »Danke. Gern.«

Er setzt sich aufs Sofa, während sie in die Küche geht.

Er ist nett, denkt sie, während sie darauf wartet, dass der Kaffee durchläuft. Ein Lastwagenfahrer, der sich nicht ziert.

Aber natürlich ist das verrückt. In dieser höllischen Welt ist das einzig Sichere, dass man sich auf nichts verlassen kann, nicht einmal die Sonne ist ohne dunkle Flecken.

Es ist so teuflisch, dass es fast schon wieder komisch ist. Er hat seinen Kaffee aus einer blauen Tasse getrunken und einen Nachschlag bekommen. Sie hat das Radio eingeschaltet, in dem nächtliche Musik rauscht, sie haben über ihre Kinder gesprochen, über den Winter, der vor der Tür steht. Dann entsteht eine kleine Pause, er sitzt in Hemdsärmeln und nimmt einen Schluck Kaffee, und sie denkt, dass er offensichtlich Angst um seine Kleider hat, als sie auf seinen sorgfältig zusammengefalteten Blazer sieht. Es ist halb zwei, und sie spürt eine große Ruhe in sich.

Er stellt die Tasse weg und schaut sie an. »Na«, sagt er.

Sie sieht ihn an. »Was sagst du?«, fragt sie.

»Sollen wir jetzt bumsen?«

Als bekäme man von seinem besten Freund einen Schlag ins Gesicht. Oder als stünde man unter der Dusche und die ganze Wand stürzt zusammen und zehntausend Menschen stehen da und glotzen und gaffen. Wie kann er nur? So ruhig, ohne viel Aufhebens, als ob er nach einem Zahnstocher fragte. Sie starrt ihn an, aber natürlich weiß sie, dass sie sich nicht verhört hat. Im Hintergrund hört sie Nancy Sinatra im Nachtradio. *To know him is to love him.* Von 1962. Das hat sie gehört, als sie Linda erwartete …

»Na«, sagt er wieder.

Aber jetzt ist sie da. Irgendwo in sich trägt sie immer eine Bereitschaft, und als sie antwortet, ist ihre Stimme hart, voller Enttäuschung und Wut. »Ich habe gesagt, dass du dir nichts erwarten sollst. Geh jetzt.«

»Was zum Teufel ist los mit dir?«

»Geh jetzt.«

»Du bist doch wohl genauso geil wie alle anderen?«

»Vielleicht. Aber nicht auf dich.«

»Jetzt komm schon, zum Teufel!«

Er erhebt sich vom Sofa, und sie springt von ihrem Stuhl auf.

Sie empfindet Angst, aber mehr noch das Gefühl der Demütigung. »Wenn du mich anrührst, schreie ich. Und ich habe Nachbarn, die es hören!«

Er bleibt stehen, zögert, scheint Gott sei Dank kein gewaltsamer Typ. Aber stell dir nur mal vor, er wäre betrunken, taub für alle Ablehnung.

Er steht da und sieht sie an, die ganze Zeit über lächelt er, und Eivor ist es unbegreiflich, dass derselbe Gesichtsausdruck zwei so unterschiedliche Menschen verbergen kann. »Ist irgendwas nicht in Ordnung mit mir?«, sagt er.

Da versteht sie. Es ist so einfach. Sie hat ihn hereingebeten, und damit hat er freie Fahrt. Dass sie gesagt hat, er solle sich nichts erwarten, gehört einfach zum Ritual, das bedeutet gar nichts. Freier Eintritt bedeutet freie Beute. Für ihn ist es selbstverständlich, dass sie miteinander schlafen werden. Sie sieht, dass er verwundert ist, betreten.

»Meinst du das wirklich?«, fragt er.

»Geh jetzt«, sagt sie und merkt, dass sie sehr müde ist. »Geh jetzt, bevor ich dich hinauswerfe!«

Er nimmt seinen Blazer und wirkt noch verwunderter, verschwindet ohne ein Wort. Nur ein letzter Blick. Ein bestürzter, unverstandener Mann. Ohne Bierbauch, mit einem freundlichen Lächeln, seines selbstverständlichen Rechts beraubt.

Nachtradio und Demütigung. *I never promised you a rose garden* ... Sicher nicht, niemand hat ihr einen versprochen, und sie ihrerseits hat nie auf den Straßen und Marktplätzen gestanden und falsche Versprechungen gemacht ... Sie sitzt zusammengekauert auf dem Sofa und ist so wütend, dass sie zittert. Verdammte Scheiße ... Wo sind jetzt alle weiblichen Mitbürgerinnen, Schwestern, *Mitschwestern*, wie sie heutzutage genannt werden? Wo sind sie, die darauf beharren, sich in sackförmigen Kleidern zur Schau zu stellen (fantasievolle Schöpfungen, gewiss, aber die Nähte ...), indische Kopftücher in die Stirn gezogen, als hätten die ehemals mit Füßen getretenen Bauernmütter in der besten aller Welten gelebt. Wo sind diese Frauen? Sie, die man, ob man will oder nicht, am Abend auf den Straßen und auf den flimmernden Bildschirmen sieht? Runde Brillen in blassen Gesichtern, diese Frauen, die Gleichheit zwischen den Geschlechtern prophezeien, die Befreiung der Frau, in nicht immer erfreulichen Worten? Jetzt sollten sie hier sein und die eiskalte Blume der Demütigung sehen … Aber das sind Frauen, die in einer anderen Welt leben, nicht in einem gewöhnlichen Mietshaus draußen in Frölunda.

Eivor spürt eine große Verwunderung. Warum sie sich über die ausgelassene und frisch ausgebrütete Emanzipationsbewegung der Frauen so eifrig hermacht, weiß sie nicht. Vermutlich ist es Neid, und da liegt die verlorene Bereitschaft und macht sich lustig … Elna, die Mutter, die mit dem Stiefvater Erik nach Lomma gezogen ist. Sie, die nie ein Wort gesagt hat darüber, was es eigentlich bedeutet, eine Frau zu sein. Und jetzt sitzt Eivor hier, fast einunddreißig, und ist ein herrliches Exemplar für diese gigantische Hilflosigkeit.

Nein, das ist nicht wahr! Den Lastwagenfahrer hat sie vor die Tür gejagt, dass es nur so rauchte! Er muss sich wohl mit einer Pornozeitschrift trösten und sich im Auto einen runterholen. Hier wurde nichts daraus …

In dieser Nacht sieht Eivor wieder die Schrift an der Toilettenwand. Der Schatten ist unbarmherzig. Wenn es etwas damit werden soll, ein selbstständiges Leben zu führen und nicht wieder in eine neue Ehe gezogen zu werden, dann muss das jetzt geschehen. Es darf nicht daran scheitern, dass es unmöglich erscheint, dass sie weder das Zeug noch die Zeit dazu hat, es muss jetzt geschehen. Gleich Montag wird sie zur Arbeitsvermittlung gehen, wird all ihre aufgestaute Energie mitbringen und sagen: »Hier bin ich! Ich habe die Broschüren gelesen, und ich bin bereit. Ratet mir jetzt! Ich nicke, wenn ihr das richtige Wort sagt.«

Sie hat eine vage Ahnung, einen undeutlichen Traum davon, als würdiges Mitglied der weiß gekleideten Belegschaft in das mächtige Milieu des Krankenhauses einzugehen. Aber nicht, um die Scheiße abzuwischen, nicht, um Geschirr zu spülen, nicht, um zu waschen! Sondern um in der Nähe der Kranken zu sein …

Plötzlich scheint es gar nicht mehr so schwierig. Ein Entschluss ist ein Entschluss, jetzt geht es nur noch darum, ihn auszuführen oder zu sterben.

Als Eivor am Samstagmorgen erwacht (zeitig wie immer, auch wenn die Kinder in Borås schlafen, so sind sie doch stets bei ihr), da haben sie die Gedanken der Nacht nicht verlassen. Sie steht auf, macht Frühstück und hat sich entschieden.

Aber, Herrgott, sie hat solche Angst! Auge in Auge dem Unmöglichen gegenüberzustehen, ohne eine andere Waffe als eine Kindheit in Hallsberg, eine zerrüttete Ehe in Borås, eine halbjährige Arbeit in der lärmenden Zwirnerei einer Textilfabrik. Aber man muss die Zähne zusammenbeißen, bis es im Munde knackt, hoffen, dass die Kinder groß genug sind, um zu verstehen, dass die Mutter nicht den Verstand verloren, sondern im Gegenteil den Weg eingeschlagen hat, der alle Aufmunterung und Unterstützung wert ist.

Und die Angst? Angst hat man wohl immer. Ein Kind zu bekommen, eine schlechte Mutter zu sein, das Leben in dem kleinen, zerbrechlichen Schneckenhaus.

Sie fährt nicht ins Zentrum, sondern räumt die Wohnung auf, sieht die Kleider der Kinder durch, flickt, was noch zu flicken ist, wirft unbarmherzig weg, was nicht mehr für den Winter taugt.

Dazusitzen und einen Traum auszuprobieren, der gereift ist zu einem lebendigen Entschluss, ist keine schlechte Samstagsgesellschaft. Als Kajsa Granberg anruft und fragt, ob sie ein wenig vorbeikommen kann, sagt Eivor Nein, sie zieht die blanke Waffe und sagt, dass sie etwas anderes zu tun habe. Und Kajsa versteht, sie versteht so gut. Ein Kerl ist ein Kerl und muss liebevoll und vorsichtig behandelt werden, damit er nicht davonläuft. Herrgott, wie Kajsa bin ich jedenfalls nicht geworden, denkt sie. Leben für die heilige Woche auf Rhodos, das Freitagtanzen und darüber hinaus nichts ...

Um sieben Uhr am Sonntagabend steht sie am Zentralbahnhof und holt Staffan und Linda ab. Sie ist richtig aufgeräumt. Diese eigentümliche, beinahe unfassbare Erfahrung, sich auf den Montag zu freuen ...

Der Zug aus Borås quietscht mit zehnminütiger Verspätung herein, und da sieht sie ihre Kinder, Hand in Hand. Siebzig Kilometer zwischen Mama und Papa, aber jetzt sind sie wieder zu Hause. Und der Abend gehört natürlich ihnen. Sie wird mit gespitzten Ohren all dem zuhören, was sie zu erzählen haben, und sie wird fröhlich nicken, wenn sie von ihrem Vater erzählen ...

Am Montagmorgen kommt Geschäftsführer Enoksson herein wie eine wütende Blaumeise. Das Trabrennen am Sonntag in Åby war eine jammervolle Niederlage. Keinen einzigen Platzzettel hat er in einen Geldgewinn zurückverwandeln können, kein einziger verdammter Bon hat ihn im Nacken gekitzelt ... Nein, ein Scheißsonntag war das, und jetzt wird er ihn kompensieren durch einen Feldzug gegen all das untaugliche Personal, über das er in der Cafeteria die Peitsche schwingen darf.

Zum Beispiel dieses Frauenzimmer Halvarsson! Am meisten irritiert ihn, dass man ihr nie etwas nachweisen kann. Kein Fehler in der Kasse, die Schürze immer sauber. Aber sie trägt den Kopf so hoch, duckt sich nicht, wenn er hereingestürmt kommt und Bescheid darüber haben will, ob die Servietten reichen oder ob eine Extrabestellung notwendig wird. Oder ob der Kaffeeautomat weiterhin Schwierigkeiten macht. Nein, sie nickt nur kurz, beachtet ihn kaum, und obwohl sie schon ein gutes halbes Jahr da ist, gerät er immer noch ganz außer sich, wenn sie ganz unerschrocken – nein, frech – ein höchst natürliches *Hej* von sich gibt und dann unbekümmert fortfährt, Zuckerstückchen in eine dafür bestimmte kleine braune Tasse zu füllen. Die Leute könnten ja denken, dass sie es ist, die den Laden schmeißt …

Enoksson rauscht direkt in sein kleines Büro, das Wand an Wand mit der Herrentoilette liegt und wo es darum immer nach Urin riecht. Aber hier kann er sich wenigstens ungestört mit den Abrechnungen beschäftigen.

An diesem Montagmorgen schafft er es allerdings kaum, die Nase in die unverschämte Rechnung des Skånebäckers zu stecken, als sie auch schon in der Tür steht, und, verdammt noch mal, sie hat nicht einmal angeklopft.

»Ich habe mit Berit gesprochen«, sagt sie. »Berit bleibt eine Stunde länger, damit ich um zwei Uhr gehen kann. Ich habe etwas zu erledigen.«

Jetzt legen diese Frauen offensichtlich schon selbst ihre Arbeitszeiten fest! Dabei ist es wohl immer noch David Enoksson, der die schwere Verantwortung für die Cafeteria trägt. Oder hat er auch dieses Recht bereits verspielt? Aber natürlich vermag er nur zu nicken und etwas zu murmeln … *Ach ja, so, so. Natürlich.* Er wird nicht mit ihr fertig, und verflucht sei diese Welt, die sicher bald von einer Horde Kassiererinnen übernommen werden wird.

Torslanda ist ein Flugplatz am Rande der Welt. Heftige Böen brausen von der Nordsee her über die Landebahn hinweg, und seine einzige Bedeutung liegt eigentlich im schwedischen Inlandsflugbetrieb. Eine Abwechslung bieten die Chartermaschinen, die ihre Lasten auf dem Luftweg in abgelegene Galaxien schleudern, und ab und an eine zwischenlandende KLM. Passagiere, die dann hier am Schalter stehen, werden in wenigen Stunden in irgendeinem Restaurant in Rhodos' altem Stadtteil zu Abend essen, in der Mittelmeernacht. Sie versteht die Reisenden. Sie würde so gern selbst mitfliegen. Aber mit einunddreißig Jahren ist sie immer noch nicht weiter als bis Kopenhagen gekommen, einige armselige Stunden in strömendem Regen. Aber wer sagt, dass es zu spät ist? Jeder Tag ist ein neuer Jüngster Tag, und die Welt beharrt ja trotz allem darauf, weiter zu bestehen ...

Einmal wird sie es sein, die dann hiersteht und eine Tasse Kaffee trinkt, bevor sie Scanairs Adventure betritt und sich aufmacht in eine andere Welt ...

Die Arbeitsvermittlung. Eine Frau in ihrem Alter. Ein Namensschild: Katarina Fransman. Sie wirkt freundlich. Einfach und natürlich, und sie schützt nicht gleich vor, dass sie unwahrscheinlich viel zu tun habe.

Ihr erzählt Eivor an diesem Nachmittag, wie es ist, mit einfachen Worten. Ihre Energie muss sie nicht dadurch beweisen, dass sie vorprescht. Jetzt fühlt sie sich sicher. Jetzt weiß sie ja ...

»Das wird ein langer Weg«, sagt Katarina Fransman und schaut sie an.

»Das weiß ich.«

»Es sieht so aus, als ob du viel darüber nachgedacht hättest?«

»Das ganze Leben.«

»Und jetzt meinst du also, es sei an der Zeit, etwas dafür zu tun?«

»Ja. Genau.«

»Es ist schade, dass du nur den Volksschulabschluss hast.«

»Es gibt so vieles, was schade ist. Eigentlich das meiste ...«

Katarina Fransman schaut sie an und lächelt, aber sie sagt nichts.

»Was denkst du jetzt?«, fragt Eivor und beugt sich über den Tisch.

»Es wird viele Jahre dauern, bis du Krankenschwester bist.«

»Wenn ich nur ein einziges Jahr in diesem Beruf arbeiten kann, ehe ich pensioniert werde, bin ich zufrieden!«

»Das glaube ich kaum ...«

»Aber du verstehst, was ich meine?«

»Doch, das verstehe ich.«

»Aber du zweifelst an meinen Fähigkeiten?«

»Nein, überhaupt nicht! Ich höre dir zu. Deswegen sitze ich ja hier. Um Rat zu geben. Um mit dir über deine Möglichkeiten zu reden.«

»Sag es ehrlich!«

»Was denn?«

»Ob du meinst, ich sollte in Torslanda bleiben und Kaffee verkaufen. Und auf alles andere pfeifen.«

»Das meine ich durchaus nicht. Wirkt das so? Aber Krankenschwester zu werden ... Dafür musst du ganz von vorne anfangen. Dich auf die Schulbank setzen. Vielleicht für eine sehr lange Zeit.«

»Kann ich denn sonst überhaupt irgendetwas werden?«

»Ich sehe ja hier, dass du Schneiderin bist.«

»Nein, danke!«

»Warte doch mal einen Moment! Ich dachte ...«

Ja, Katarina Fransman ist ein kluger Mensch. Eivor glaubt ihr. Als ihr Telefon schellt, nimmt sie nur schnell den Hörer ab und sagt, dass sie jetzt keine Zeit habe. »Wir müssen vielleicht alle beide nachdenken«, sagt sie zu Eivor. »Du denkst darüber nach, was ich gesagt habe, und ich überlege, was wir für dich tun können ... Was denn nun aus dir werden könnte. Dann kommst du wieder.«

Eivor schaut auf den Papierstapel, der vor Katarina liegt. Aus wie viel Holz der wohl besteht?

»In ein paar Wochen«, sagt Katarina Fransman und schaut in ihren Kalender.

»Das hier lese ich heute noch!«

»Dann nächsten Montag. Halb elf. Kannst du da kommen?«

»Ich richte das schon ein.«

Damit sammelt sie die Papiere zusammen, die Eintrittskarten zu einem anderen Leben, und geht. Als sie draußen vor der Arbeitsvermittlung steht, denkt sie, wie viele Menschen vor den Annoncen und vor den Telefonen drängen. Woran liegt das? Sollten die Schlagzeilen der Zeitungen etwas bedeuten? Krisenzeiten? Jetzt? 1972?

Sie eilt zur Straßenbahn. Göteborg, eine Großstadt, eine Welt in sich. Aus den Fundamenten der ehemaligen Handelshäuser stürzt sich eine hochtechnisierte Industriegemeinde in die Zukunft. Und sie wird dazugehören!

Als sie in die Straßenbahn steigt, spürt sie plötzlich ein Gefühl unendlicher Freiheit. Sie hat das halbe Leben noch vor sich, sie kann an die Zukunft denken. Und jetzt weiß sie ja so viel mehr als damals, als sie im Zug zu Jenny Anderssons Atelier in Örebro fuhr, gar nicht zu reden von ihrem Gestammel vor dem Personalchef bei Konstsilke in Borås ...

Für nichts ist es zu spät. Die Zeit als Hausfrau und als Mutter mit zwei Kleinkindern ist vorbei, bald kann sie für sich selbst leben, und genau darauf wird sie sich vorbereiten. Wenn sie nicht Krankenschwester werden kann, dann findet sich ja noch vieles andere. Was meinte Katarina Fransman? Laborgehilfin ...

Ein Sitzplatz wird frei, und sie klemmt sich zwischen zwei üppige ältere Frauen mit großen Einkaufstaschen.

Eigentlich hätte ich noch viel mehr fragen sollen, denkt sie. Was ist erforderlich, um Fremdenführerin zu werden? Oder Reiseleiterin? Oder Rezeptionistin in einem Hotel? Ich muss mich für nächsten Montag besser vorbereiten.

An diesem Abend, wenn die Kinder im Bett sind, wird sie all die Papiere lesen, nachdenken, Für und Wider abwägen, die Fragen aufschreiben, die sie Katarina Fransman stellen wird, wenn sie das nächste Mal hingeht. Sie steigt aus der Straßenbahn, kauft Lebensmittel beim Konsum, und zu Hause stürzen ihr die zwei prächtigen Schlüsselkinder entgegen.

Wie sie sie liebt! Unvernünftig, gierig. Etwas in ihr zieht sich vor Freude zusammen, dass sie ihre Mutter ist, über diesen irrsinnigen Lebenshunger. Das Glück ist grenzenlos. Jetzt sind sie zehn und elf Jahre alt ... Als ob man das Universum in der engen Dreizimmerwohnung hätte. Für sie wird sie leben, bis sie stirbt ... Und nicht als Kaffeetante, sondern ... Nein, jetzt muss erst mal Essen gemacht werden! Dann, wenn sie im Bett sind ...

Es ist neun Uhr. Der Fernseher läuft, aber sie hat den Ton ausgeschaltet. Auf dem Tisch hat sie alle Broschüren und Leitfäden ausgebreitet, und sie liest ein Schriftstück nach dem anderen.

Einiges ist leicht zu verstehen, anderes verlangt nach Katarina Fransmans Erklärung. Klar ist jedenfalls, dass es nicht viele unüberwindliche Hindernisse gibt, wenn sie nur das Durchhaltevermögen hat. Lohn kann sie offensichtlich auch bekommen, und hat Enoksson nicht schon mehrmals eine Vollzeitstelle in zwei Halbzeitstellen geteilt? Oder vielleicht kann sie eine Arbeit hier draußen in Frölunda finden? Trotz allem geht sie ja schließlich jetzt zur Arbeitsvermittlung, und es wäre ein Traum, den langen Fahrten raus nach Torslanda zu entkommen.

Sie zündet sich eine Zigarette an, steht auf und schaut hinaus in den Novemberabend. Da steht ein Mann auf der gegenüberliegenden Straßenseite. Er steht genau am Rand des Lichtkegels der einen Straßenlaterne, die sachte in den Windböen schwankt.

Er steht da und sieht hinauf zu dem Haus, in dem Eivor wohnt.

Als sie ihn entdeckt, tritt sie einen Schritt zurück, um nicht gesehen zu werden. Sie raucht und betrachtet abwesend die dunkel gekleidete Gestalt. Einer, der ausgesperrt ist, verschmäht ...

Was kümmert sie das? Sie wendet sich zurück zum Tisch, wirft einen Blick auf das stumme Fernsehbild und nimmt ihre Papiere wieder auf.

Als sie fertig ist und sich schlafen legen will, ist es nach halb zwölf. Sie gähnt und macht die Lampe über dem Sofa aus. Um den Tabakgeruch zu verscheuchen, kippt sie das Fenster.

Da sieht sie, dass der dunkle Mann immer noch unten auf der Straße steht. An derselben Stelle, ein blasses Gesicht gegen die Schwärze.

Sie runzelt die Brauen und fragt sich, warum er da auf der Straße steht, Stunde um Stunde. Nach wem schaut er? Dann ist sie sicher, dass er ihr Fenster beobachtet. Sie merkt, dass ihre Hand zittert, als sie die kleine Lampe auf der Fensterbank ausknipst. Danach dauert es nur ein paar Sekunden, bis der dunkel gekleidete Mann die Straße hinunter verschwindet.

Sie geht in den Flur hinaus und prüft, ob die Tür verschlossen ist. Dann legt sie die Sicherheitskette vor und bleibt ganz still stehen. Sie hat Angst. Aber wovor? Dass da draußen einer auf der Straße steht? Nein, aber sie ist sich fast sicher, dass er da stand und zu ihrem Fenster hinaufsah, dass er auf irgendeine Weise Kontakt mit ihr suchte.

Da ist noch etwas anderes. Sie versteht es genau in dem Moment, als sie die Sicherheitskette vorlegt. Da war etwas Bekanntes an der Art des Mannes, sich zu bewegen, die Achseln hochzuziehen, als er verschwand. Sie setzt sich aufs Sofa und zündet sich eine Zigarette an. Die Glut leuchtet in der Dunkelheit.

Wer war er?

Sie kommt nicht darauf und will am liebsten glauben, dass alles Einbildung war. Sie hat keine Feinde, wer sollte ihr nachspionieren? Kalle, der Lastwagenfahrer, war es nicht, da ist sie sicher.

Aber wer sonst?

Am nächsten Morgen hat sie ihn vergessen. Sie ist so müde, dass sie schwankt, als sie aufsteht, um das Frühstück für die Kinder zu bereiten. Außerdem ist Lindas einer Turnschuh verschwunden. Ein Morgen mit Geschrei und Streit. Als die Kinder endlich aus der Tür sind, ist sie so spät dran, dass sie nicht einmal mehr eine Tasse Kaffee trinken kann.

Draußen herrschen Regen und Wind, und sie fragt sich unruhig, ob Staffan und Linda nicht viel zu dünn angezogen zur Schule gegangen sind. In der Straßenbahn nickt sie ein, und als sie endlich in Torslanda angekommen ist, bittet sie Berit, sie in einer Viertelstunde zu wecken. Sie schließt sich in der Personaltoilette ein, setzt sich auf den Sitz, lehnt den Kopf gegen die Wand und schläft …

Berit schlägt an die Tür. Es ist Dienstag, Charterflüge nach Lanzarote und Mallorca stehen an, der Kaffeeautomat macht Scherereien, niemand scheint etwas anderes als Hunderter zum Bezahlen zu haben. Durch die Lautsprecher bekommen die Reisenden Bescheid über ihre Verspätung, und Eivor und Berit stöhnen. Aber kein Tag währt ewig. Es wird zwei Uhr, und Anna und Birgit kommen und übernehmen.

Raus in den Matsch. Eivor fährt nach Hause. Heute gibt es nur Würstchen mit Kartoffelbrei zum Abendbrot, das müssen die Kinder respektieren.

»Es sind Blumen für dich gekommen«, sagt Linda, als sie im Flur steht.

»Aha«, sagt sie. »Wo ist Staffan?«

»Er spielt Tischtennis.«

Sie ist wirklich sehr müde. Es ist doch Dienstag, sein Tischtennistag, an dem er bei seinem besten Freund Niklas isst. Also sind die Würstchen und der Kartoffelbrei nur für Linda. Was hat sie gesagt? Blumen?

Eivor hängt den durchnässten Mantel auf, zieht die Stiefel aus (sie müsste sich neue kaufen, denkt sie, und gerne mit etwas höherem Absatz!) und geht ins Wohnzimmer.

Auf dem Tisch liegt ein Blumenkarton. Sie öffnet ihn verwundert, und Linda steht mit neugierigen Augen daneben.

Ein Strauß in Gelb und Rot. Aber keine Karte.

»Von wem sind die?«, fragt Linda.

»Ich weiß nicht«, sagt Eivor. »Wer hat sie abgegeben?«

»Sie hingen an der Tür, als ich nach Hause kam. Warum bekommst du Blumen und weißt nicht, von wem?«

Das ist eine gute Frage, das kluge Kind.

Sie schaut Linda an und schüttelt den Kopf. »Ich habe wohl einen heimlichen Verehrer«, sagt sie. »Aber schön sind sie.«

»Soll ich sie in eine Vase tun?«

»Ja, und stell sie in euer Zimmer. Ich mache gleich Essen.«

»Was gibt es?«, ruft Linda aus der Küche, wo sie auf einen Stuhl geklettert ist, um an die Blumenvase zu kommen.

»Würstchen mit Kartoffelbrei.«

»Toll! Da wird Staffan mächtig sauer sein.«

Eivor schluckt.

Wer hat ihr Blumen geschickt?

Es wird Abend. Die Kinder sind im Bett, und Staffan ist endlich zur Ruhe gekommen, nachdem es ihm gerade an diesem Tag gelungen ist, den Besten seiner Jahrgangsklasse in zwei Sätzen zu schlagen. Das ist ein aufregender Triumph für einen Elfjährigen, ein Triumph, der die gewöhnliche Abendmüdigkeit in die Flucht schlägt. In dem Moment, als sie an Flucht denkt, ahnt Eivor, woher die Blumen gekommen sein könnten. Ein Gedanke, der sie bedrückt. Denn an diesem Abend steht wieder der dunkel gekleidete Mann unten auf der Straße.

Sie denkt, dass sie auf die Straße hinuntergehen und feststellen sollte, wer er ist. Oder vielleicht bei Anderssons klingeln und den Nachbarn bitten, mit hinunterzukommen. Er arbeitet auf Eriksbergs Werft und scheint ziemlich unerschrocken. Aber ... Nein, das geht nicht ...

Die Broschüren und Leitfäden bleiben liegen. Sie versucht fernzusehen, aber das ist unmöglich, solange er da unten auf der Straße steht.

Soll sie die Polizei rufen? Aber was soll sie sagen? Sie würden sie auslachen ...

Sie steht im dunklen Wohnzimmer und betrachtet ihn. Wie kann ein Mensch so unbeweglich sein, denkt sie. Er müsste doch frieren?

Sie versucht, die schwache Ahnung zu deuten, die sie in sich trägt. Da ist etwas Bekanntes an dieser Gestalt.

Sie hat sich gezwungen, sich für wenige Minuten auf die Abendnachrichten im Fernsehen zu konzentrieren. Als sie dann wieder zum Fenster geht, ist er weg. Sie eilt hinaus in den Flur und kontrolliert das Schloss und die Sicherheitskette. Sie hat ihn diesmal nicht verschwinden sehen, er kann sehr gut über die Straße gegangen sein, zu ihrer Haustür, und ... Sie drückt das Ohr gegen die Tür und lauscht. Einen kurzen Augenblick wird sie von dem lähmenden Gefühl heimgesucht, dass er schon vor der Tür steht, auf die gleiche Weise wie sie, das Ohr an die Tür gepresst, nur wenige Zentimeter von ihrer Wange entfernt.

Mein Gott! Warum regt sie sich auf? Wer will ihr Böses? Niemand! Sie zwingt sich, zurück zum Fernseher zu gehen, nachdem sie sich noch einmal überzeugt hat, dass die Straße leer ist.

Diese Nacht bleibt sie angezogen auf dem Bett liegen und schlummert nur für kurze Momente ein.

Einmal wacht sie mit einem Ruck auf und ist sicher, dass da jemand im Kinderzimmer ist. Mit klopfendem Herzen geht sie hin, und auf dem Weg nimmt sie ein Brotmesser mit, aber alles ist still. Sie breitet die Decke über Linda, streicht Staffan über das braune zottelige Haar und wütet über sich selbst, dass sie es nicht fertigbringt, sich zu beruhigen. Kommt er morgen Abend wieder, wird sie hinuntergehen, mit oder ohne Andersson. Sie muss ja nicht zu ihm hingehen, sie kann ja vorbeigehen, als ob sie auf dem Weg zu dem Obstladen wäre, der auch abends geöffnet ist.

Sie hat es nicht nötig, aufgrund einer eingebildeten Bedrohung wach zu liegen. Was würde Katarina Fransman ihr raten, wenn sie sie jetzt sähe? Such dir einen Arzt anstelle eines Jobs ...

Mittwoch, der 7. November. Klarer Himmel über Göteborg. Das Wetter ist schnell umgeschlagen, aber einer der Flugplatzmeteorologen, der seinen Kaffee in der Cafeteria zu trinken pflegt, kann berichten, dass ein kräftiges Unwetter über England liegt und schon in der Nacht nach Südschweden vordringen wird.

»Wann kommt der Winter?«, fragt Eivor.

»Das hängt davon ab, wie man es sieht«, sagt der Meteorologe.

»Der Winter kann doch wohl nur eine Seite haben«, sagt Eivor.

»Alles hat mindestens zwei Seiten. Das gilt auch fürs Wetter.«

»Herrgott! Kannst du nicht antworten?«

Der Meteorologe schaut sie verunsichert an. Er ist ungefähr fünfzig Jahre alt, ein Wahrsager, der es nicht gewohnt ist, dass man ihm widerspricht.

»Bald«, sagt er kurz. »Wir bekommen vielleicht einen frühen Winter.«

»Vielleicht?«

»Ich prophezeie nicht. Ich lese Karten, werte Satellitenbilder aus, stelle Wetterberichte zusammen. Darum wird es *vielleicht* ein früher Winter. Danke für den Kaffee.«

Er verschwindet in seinen Turm, und gleichzeitig kommt David Enoksson aus seinem Büro gestürzt. Er sieht aus, als würde er von einem Bienenschwarm verfolgt, aber es ist sogar noch schlimmer. Jemand hat sich die verblüffende Freiheit genommen, sein Bürotelefon anzurufen, und nach Frau Halvarsson verlangt. Das ist wirklich unerhört ... Er findet keine Worte für seine Empörung ...

»Telefon für Sie«, sagt er zu Eivor.

Sie folgt ihm ins Büro und fühlt die Angst aufsteigen. Es musste etwas mit den Kindern sein. Wer sollte sonst hier anrufen?

Sie nimmt den Telefonhörer, der auf dem Tisch liegt, während David Enoksson sich wie ein Gefängniswärter neben die Tür setzt.

»Hallo«, sagt sie und hält den Atem an.

Sie hört, dass es im Hörer rauscht, jemand atmet.

Noch einmal, Hallo ...

Es klickt im Hörer. Das Gespräch ist unterbrochen.

Sie bleibt mit dem Hörer in der Hand stehen und schaut zu Enoksson, als ob er ihr eine Erklärung geben könnte.

»Da war niemand«, sagt sie.

»Glaubst du, ich habe Zeit zu scherzen?«, sagt Enoksson wütend. »Glaubst du, dass so eine Restauration (er verwendet diesen Ausdruck tatsächlich) sich von allein regelt? Nichts wie Rechnungen und Bestellungen ...«

»Wer war es?«, unterbricht Eivor.

»Ich weiß es nicht. Er hat seinen Namen nicht genannt. Das ist ja heute kaum noch üblich.«

»Aber ...«

»Es war ein Mann. So viel kann ich sagen.«

»Und er wollte mit mir sprechen?«

»*Kann ich wohl mit Eivor sprechen*, sagte er. Das war alles.«

Eivor legt den Hörer auf.

Sie geht zurück zur Cafeteria, bleibt aber vor der Tür stehen. Das wird jetzt zu viel. Ein Mann auf der Straße vor ihrem Haus, Blumen ohne Absender, eine tote Telefonleitung. Wer schleicht da um sie herum?

Sie klopft an Enokssons Tür und geht wieder hinein. Er sitzt an seinem überfüllten Schreibtisch und reinigt sich die Nägel.

»Hat er wirklich nichts gesagt?«, fragt sie.

»Leider nicht. Aber vielleicht können Sie ihn bitten, in Zukunft außerhalb der Arbeitszeit anzurufen.«

Idiot! Als ob sie wüsste, wer das war! Hätte sie keine Kinder, so würde sie sofort kündigen, es wie der Jugoslawe Bogdan machen, ihm einen dreckigen Lappen ins Gesicht schleudern.

»War sonst noch was?«, fragt er.

Sie antwortet nicht, geht einfach raus und knallt die Tür hinter sich zu.

Berit sitzt an der Kasse und schaut amüsiert.

»Ist Onkel David nicht nett zu dir?«, fragt sie.

»Er ist ein verdammter Scheißkerl«, antwortet Eivor.

»So etwas darf man doch wohl nicht über seinen Chef sagen ...«

Berit lacht und wendet sich zu einem Kunden, während Eivor den Geschirrwagen zwischen den Tischen hindurchschiebt und abräumt. Sie und Berit wechseln sich ab, ein Tag an der Kasse, ein Tag zwischen den Tischen. Eivor stapelt die Teller und wischt die Tischplatten sauber. Hinter ihr geben die Lautsprecher schmetternd die verspätete Landung eines Flugzeugs aus Malmö bekannt.

Am Abend, als die Kinder schlafen und sie sich zum Fenster wagt, ist der Mann nicht da. Das Phantom ist offensichtlich verschwunden. Lange steht sie da und schaut ...

Viel zu spät reagiert sie auf den Tabakgeruch. Sie ist so versunken in die nächtliche Straße, dass sie den Geruch von Tabak im Zimmer nicht bemerkt hat. Erst als plötzlich eine dünne Rauchfahne durch das undichte Fenster zieht, begreift sie, dass jemand hinter ihr im Wohnzimmer steht. Jemand, der lautlos durch die Wohnungstür eingedrungen ist.

Die Kinder, denkt sie verzweifelt und dreht sich um, bereit, dem Tod ins Gesicht zu sehen ...

Er lehnt am Türpfosten, das Licht aus dem Flur hat sein Gesicht in Halbschatten gelegt. (Viel später wird sie denken, dass dieser Mann offensichtlich immer das Dunkel und den Schatten als Aufenthaltsort wählt, immer auf dem Sprung.)

»Ich wollte dich nicht erschrecken«, sagt er mit leiser Stimme. Da weiß sie, wer er ist, und ihr ist unverständlich, dass sie es nicht eher begriffen hat.

Lasse Nyman. Nach sechzehn Jahren.

»Ich wollte dich nicht erschrecken«, sagt er wieder. »Aber ich konnte nicht anders.«

Er geht zum Tisch, völlig lautlos, wie eine Katze auf unbekanntem Terrain. Er bückt sich und drückt die Zigarette im Aschenbecher aus, und sie entdeckt eine Tätowierung an seinem Arm, direkt unter dem Uhrenarmband.

Dann sieht er sie an und lächelt. Auch das kennt sie wieder, den Schmerz, der auf seinem Gesicht liegt, die weiße Maske, das gequälte Lächeln.

»Du wunderst dich, wie ich hereingekommen bin?«, sagt

er mit seiner leisen Stimme. »Oder wie ich dich hier entdeckt habe? Das werde ich dir sagen. Du brauchst keine Angst zu haben. Ich bin nicht gefährlich. Kann ich mich setzen?«

Sie nickt und schaut ihn an. Das Haar ist kürzer, nicht mehr fettig, ein hübscher Schopf. Dunkelblaue Jeans, grüne Stiefel, ein dicker Pullover mit Polokragen, eine schwarze Popelinejacke. Er ist kräftiger geworden, aber das Gesicht ist noch genauso mager wie vor sechzehn Jahren. Die scharfen Wangenknochen, die schmalen Lippen, Augen, die einen Punkt irgendwo über ihrem Kopf fixieren. Das ist Lasse Nyman, aus der Vergangenheit zurückgekehrt.

»Es ist lange her«, sagt er. »Kannst du dich nicht setzen? Ich bin nicht gefährlich. Ich wollte dich nicht erschrecken.«

»Die Blumen«, sagt sie, und er nickt.

»Der Anruf?«

»Das auch. Aber ich bekam Angst, dass du mich nicht treffen wolltest, darum habe ich aufgelegt.«

»Warum hast du da unten auf der Straße gestanden?«

Er überlegt, ehe er antwortet. »Wärst du verheiratet gewesen, wäre ich nicht gekommen«, sagt er. »Das musste ich wissen, bevor ich dich aufsuchte. Ich brauchte vielleicht auch etwas Mut. Eine kleine moralische Stärkung dadurch, dass ich da unten stehe und friere. Man hat Gelegenheit, eine Menge zu denken. Und sich zu erinnern ...«

Sie knipst eine Lampe an, setzt sich auf einen Stuhl und versucht, sich klar zu werden, ob er wirklich ist oder nicht. Der Autodieb, der Mörder ... Plötzlich meint sie, einen Friedhof und einen Grabstein vor sich zu sehen. Eine windgepeitschte Dorfkirche und dort, tief unter der Erde, die Leiche eines alten Mannes, der einst in seiner Küche saß und zusammen mit einem anderen Mann zu Mittag aß ...

»Ich weiß überhaupt nicht, was ich sagen soll. Ich wusste nicht ...«

»Dass ich raus bin?«

»Ja … Nein … Ich weiß nicht …«

Er zieht eine Halbliterflasche Whisky aus einer Außentasche der dunklen Jacke.

»Hast du zwei Gläser?«, fragt er.

»Ich will nichts.«

»Dann wenigstens ein Glas?«

Ja, natürlich hat sie ein Glas. Sie steht auf, geht hinaus in die Küche, und als sie zurückkommt, sieht sie, dass er den Verschluss abgedreht und schon einen Schluck genommen hat. Sie stellt das Glas vor ihn auf den Tisch und denkt, dass sie sich während der vergangenen sechzehn Jahre oft an ihn erinnert hat, aber immer als an jemand, den sie nie wiedersehen wird. Sie hat ihn gehasst für das, was er ihr damals angetan hat, und der Hass war so intensiv, weil der Mann ein für alle Mal fort war, nie mehr wiederkommen würde. Aber jetzt sitzt er hier, und sie ist völlig unvorbereitet, empfindet nur eine große Verwunderung …

»Es ist sechzehn Jahre her«, sagt er.

»Wie hast du mich aufgespürt? Hier?«

Er zündet sich eine Zigarette an, und sie sieht, dass er schmutzige Finger hat, genau wie damals …

Er ignoriert ihre Frage. Er will in seinem eigenen Takt erzählen. »Ich bekam zwölf Jahre«, sagt er. »Hätte ich die ganze Zeit abgesessen, wäre ich 1968 herausgekommen. Aber ich kam nach acht Jahren raus. Hätte ich mich gut geführt, wäre ich vielleicht mit sechs Jahren davongekommen. Aber ich bin ein paarmal geflohen … 1964 ließen sie mich frei. Am 10. April. Das letzte Jahr saß ich in Västervik. Davor bin ich durch eine verdammt große Zahl von Anstalten gewandert. Norrköping, Härnösand, Falun, wieder Härnösand. Sie verlegen Ausbrecher, aber sie vergessen, dass alle Gefängnisse gleich aussehen. Aber 1964 war es vorbei. Da konnte ich dankend hinausspazieren. Von Västervik fuhr ich hinunter nach Kalmar ...«

Er schweigt plötzlich, versinkt in seinen Gedanken.

1964. Staffan war drei Jahre alt, Linda zwei. Wenn sie damals an ihn dachte, so sah sie ihn immer in einer grauen Gefängniszelle vor sich. Gitter, eine Pritsche, die Lederjacke im Nacken hochgezogen ...

»Es ist ein seltsames Gefühl«, sagt er. »Gerade jetzt weiß ich nicht mehr, warum ich dich aufgesucht habe. Aber vorher wusste ich es ...«

»Was meinst du?«

»Ja ... Dass ich dich wiedersehen würde. Während all der Jahre bedeutete mir das eine Menge ...«

»Ich glaube nicht, dass ich das verstehe.«

Plötzlich richtet er sich auf, heftig, als ob er gehen wollte. »Ich habe acht Jahre gesessen«, sagt er. »Da kannst du vielleicht eine Viertelstunde zuhören? Nur eine Viertelstunde. Ohne zu unterbrechen. Dann wirst du vielleicht verstehen ...«

Aber aus der Viertelstunde wird eine Stunde, eine späte Stunde. Mit seiner nasalen, etwas heiseren Stimme baut er eine Brücke zwischen dem Augenblick vor sechzehn Jahren, als er mit dem Fluchtauto über eine Nagelmatte fuhr und dann fortgeschleppt wurde, über den Asphalt geschleift, bis zu dieser Novembernacht jetzt, in der Eivor ihm zuhört. (Während all dieser Jahre hat er sich oft gefragt, wie sie das damals erlebt hatte. Was sah sie, als er weggeschleppt wurde? Einen jämmerlichen, besiegten Körper zwischen drei oder vier Polizisten ...)

»Ich bekam zwölf Jahre«, sagte er. »Aber zwölf oder fünfzig, das hätte keinen Unterschied gemacht. Ich hörte kaum, was der Richter sagte. Ich war vollkommen sicher, dass ich fliehen könnte, sobald ich in ein ordentliches Gefängnis käme. Solange ich in Untersuchungshaft saß, habe ich mich praktisch darauf gefreut. Ein richtiges Gefängnis, mit richtigen Gefangenen, mit denen man seine Kräfte und seinen Verstand messen konnte. Verstehst du? Ich begriff nichts. Für einen Teenie sind zwölf Jahre nur eine Ziffer, ohne Inhalt. Ich wurde nach Norrköping gebracht, warum gerade dahin, weiß ich nicht, vielleicht war es schlecht um Plätze bestellt, und das Einzige, woran ich dachte, war die Flucht. Tag für Tag. Die anderen, Bullen und Gefangene, versuchten natürlich, mir begreiflich zu machen, dass zwölf Jahre faktisch auch nur bis zum nächsten Frühstück dauern. Nach einem Jahr machte ich einen völlig undurchdachten Ausbruchsversuch, dabei schlug ich einem Bullen zwei Zähne aus, als der mich von dem Zaun herunterfischte, an dem ich hing.

Ich wurde wohl zehn Jahre älter in einer einzigen Nacht. Sie warfen mich in eine Einzelzelle, und dort verstand ich, dass ich im Knast saß und dass ich fast dreißig wäre, wenn ich entlassen würde. Du kannst dir vielleicht denken, wie das war.

Hätten sie nicht die ganze Zeit auf mich aufgepasst, hätte ich mir damals das Leben genommen ... Ich habe es auch versucht, aber sie kamen mir dazwischen. Ich war so verdammt rastlos; nur dazusitzen, während die Welt draußen vorbeizog ... Ich glaube, das ging sechs Monate so, ohne dass ich etwas sagte.

Versuchte jemand, freundlich zu sein, fuhr ich ihn an, er solle zur Hölle fahren ... Aber da war ein Bursche, recht alt, er ist jetzt tot, ein nervöser Schwindler, der zufällig einen Verwandten totgeschlagen hatte, weil er sich geweigert hatte, ihm mit einem kleinen Darlehen auszuhelfen ... Er hat meine Lage verstanden und unterhielt sich mit mir, ließ mich aber selbst den Takt bestimmen. Von ihm lernte ich, dass man Zeit real messen kann, dass es eine Summe ist, zwölf Jahre sind viertausenddreihundertachtzig Tage und Nächte, und Tag für Tag kann man einen davon abziehen … Die Chinesen geben ihren Jahren Namen. Für mich waren es die Jahre des Hundes und der Hölle. Ich versuchte zu fliehen, kam aber nie über die verdammte Mauer. Wie die Jahre eigentlich vergingen, weiß ich nicht. Ich schlief und versuchte zu fliehen, nähte Postsäcke und schlief. Aber schließlich kam ich raus, ein Nichts von vierundzwanzig Jahren, das mit einer Reisetasche und ein paar Kronen in der Tasche in Västervik stand. Ich ging zum Hafen hinunter, raus nach Slottsholmen, und starrte aufs Wasser. Ich wagte es kaum, einem Menschen ins Gesicht zu sehen. Aber ich hatte einen Kumpel in Kalmar, Nisse Galon, den ich im Knast kennengelernt hatte. Er sagte, dass ich zu ihm kommen könnte, wenn ich entlassen würde. Er wusste, wie es war, die Welt wiederzusehen nach einer Reihe von Jahren hinter Mauern. Einmal hatte er wegen Totschlags gesessen … Ich durfte eine Weile bei ihm und seiner Alten wohnen, lernte, mich auf der Straße zu bewegen, versuchte zu begreifen, was während all dieser Jahre geschehen war … Ja … Ich hatte acht Jahre aufzuholen, auf irgendeine Weise. Es war, als ob ich das zuerst machen müsste, ehe ich mit meinem eigenen Alter leben konnte, wenn du verstehst, was ich meine … Jedenfalls, Nisse Galon hatte so seine Erwartungen, er besorgte mir einen Job bei Kalmar Mekaniska und eine schäbige Bude. Vier Monate lang ging ich dorthin, dann verschwand ich. Obwohl ich acht Jahre gesessen hatte, schreckte mich das nicht ab, wieder anzufangen. Man kommt immer klar, denkt man. Und nach acht Jahren kann es nicht mehr schlimmer werden. Ich hatte in Kalmar einen Burschen getroffen, mit dem ich zusammen im Knast von Falun gesessen hatte, und er wusste von einem Tresor in Emmaboda … Nein, das war später, Orrefors war es. Ich hatte ja bei

Kalmar Mekaniska das Schweißen gelernt, das klappte gut, es war viel Geld diesmal, viertausend für jeden. Es war, als ob eins der acht Jahre bezahlt wäre. Sieben mussten noch bezahlt werden, und ich wäre mit mir selbst im Reinen. Das war ein guter Kumpel, mit dem ich mich da eingelassen hatte. Er dachte vernünftig, während ich selbst allzu starrköpfig war. Wir machten für vier Monate eine feine Tour. Nisse Galon war natürlich wütend, aber darum scherte ich mich nicht. Ja, was geschah dann ... Mein Kumpel hatte ein Mädchen und meinte, er hätte erst einmal genug zusammen. In Kalmar begann ich mich beengt zu fühlen, und ich hatte Geld, um mir ein Auto zu kaufen und nach Stockholm zu fahren. Ich erinnere mich, dass ich in Norrköping anhielt, vor dem Gefängnis parkte und gegen die Mauer pisste. Das war eine schöne Reise. Hinter Nyköping stand ein Mädchen an der Straße und wollte mitgenommen werden, und ihr war das Frauen gefängnis in Hinseberg nicht ganz unbekannt, also verbrachten wir einen angenehmen Abend in Södertälje ... Es war das erste Mädchen seit ... Ja, seit ... Ja, verdammt, du verstehst schon. Wir können später darüber sprechen ... Aber sie hatte einen Kerl in Stockholm, und deshalb musste sie nach Hause fahren ... Ich hab sie dann noch ein paarmal gesehen, sie hurte in Stockholm ... War wohl eine Kollegin von der, die in einem Wohnwagen auf dem Valhallavägen erstochen wurde. Vollgepumpt mit Drogen. Aber als sie da draußen hinter Nyköping auf der Straße stand und mitgenommen werden wollte, war sie flott ... Ich stellte das Auto ab, betrank mich und ging nach Hause zu Vater und Mutter. Mutter bekam Angst und fing an zu heulen. Vater, der natürlich besoffen war, stand da und hielt sich das Ohr, das er noch hatte, und fragte, ob ich gekommen sei, um das auch zu holen. Ich musste so schnell wie möglich wieder weg. Das war das letzte Mal, dass ich zu Hause war. Mutter starb dann, ich erfuhr davon erst lange Zeit nach der Beerdigung. Aber Vater lebt immer noch, er ist wie Unkraut, er vergeht nicht. Nie ... Ich blieb in Stockholm. Wohnte mal hier, mal da. Das war so um 1965, als der große Drogenhandel anfing. Ich weiß nicht, woran es lag, aber ich hatte immer etwas Angst davor, hielt mich lieber an Alkohol und ein bisschen Hasch hier und da. Ich wurde ein ziemlich guter Dieb während dieser Jahre. Wir waren ein paar Burschen, die zusammenhielten, und wir gingen immer direkt ans Geld. Zuerst waren es noch Geldschränke. Aber das hörte dann auf, nachdem sich gezeigt hatte, dass Bankraub lohnender war. Ich begann mit einem Postbüro in Bandhagen. Neunzehntausend nahm ich mit, das war kein Problem, und da fängt man natürlich an zu überlegen, was noch mehr bringen könnte. Einmal, als ich einen kleinen Streifzug um eine Sparkasse in Jakobsberg machte, meinte ich, da einen anderen Burschen zu sehen, der misstrauisch auf mich und die Bank sah. Das war Göte Engström ... Du hast vielleicht schon von ihm gehört ... Nun ja, er war mit der gleichen Absicht dort. Da er zuerst da gewesen war, durfte er den Raub machen, und das tat er mit Bedacht. Ich weiß nicht, wie viel er mitnahm, aber es reichte in jedem Fall für mehr als ein Pils und ein Butterbrot ... Es waren ein paar gute Jahre damals, 1965, 1966, bis Anfang 1967. Ich hatte eine Wohnung in der Skånegata und führte ein Lotterleben. Ich hatte ja viele Jahre nachzuholen ... Aber dann ging es natürlich daneben. Es war eine etwas größere Bank in Enköping. Aber ich brauchte jemanden, der fuhr, und das sollte ich natürlich bereuen. Macht man alles selbst, so kommt man schon klar, nimmt man andere mit ins Boot, so weiß man nie. Ich hatte also einen Burschen, der draußen im Auto sitzen sollte. Alles ging gut, bis sich zeigte, dass er so high war, dass er die Straße doppelt sah, und wir knallten direkt gegen den Pfeiler eines Viadukts. Ihm blieb alles erspart, er ging drauf. Aber ich wachte im Krankenhaus auf mit eingedrücktem Brustkorb, und dann ging es auf direktem Wege nach Hall. Ich bekam ein Jahr und ein paar Monate. Das war zu der Zeit, als sich unter den Dieben etwas zu rühren begann. Es gab nämlich welche, die anfingen von Menschenwürde und anständiger Behandlung zu reden, obwohl man Gefangener war. Ich war nicht so besonders daran interessiert, niemand sollte kommen und mir etwas beibringen. Aber es sprang doch ein Funke über, dass man nicht unbedingt ein Dieb von Geburt an war. Das war natürlich eine verdammte Revolution, der Verdacht, dass man *geworden* ist, was man war. Das war zu der Zeit, als eine Menge Bewährungshelfer in den Gefängnissen herumliefen, und schließlich fasste ich den Mut und bat einen von ihnen, sich meine Geschichte anzuhören. Er war auch der Meinung, dass ich wohl ein Gauner geworden war wegen der Verhältnisse zu Hause, aber er sagte auch, dass man immer eine persönliche Verantwortung hätte. Auch wenn man mit Schlägen aufgewachsen ist, gäbe das einem nicht das Recht, sich an anderen zu vergreifen. So ungefähr ... Natürlich habe ich damals nicht so klar gedacht. Aber ein Dieb war ich auch weiterhin, und irgendwelche Ambitionen, etwas anderes zu werden, hatte ich nicht. Und wenn, verschwanden sie augenblicks, als ich wieder draußen stand. Diesmal ging es gleich den Bach runter. Ich fuhr zum ersten Postamt raus, in Enskede. Da war zufällig eine Polizeipatrouille direkt um die Ecke, und als sie meine Spielzeugpistole sahen, schossen sie mir ins Bein. Ich bekam wieder ein Jahr, zurück nach Hall, und jetzt überlegte ich ernsthaft, ob ich noch eine Möglichkeit hätte, aus der ganzen Scheiße rauszukommen. Ich traf eine Bewährungshelferin ... Sie machte eine Menge Tests mit mir. Als sie fertig war, bekam ich zu hören, ich wäre gefühlsmäßig unsicher, leicht beeinflussbar, aber gleichzeitig stur wie ein Esel ... Das war ja genau genommen keine besondere Neuigkeit. Da ich eine technische Begabung hatte, meinte sie, ich sollte mich zum Techniker ausbilden lassen, und sie besorgte mir Bücher und eine Studienerlaubnis. Das war ... 1969 müsste das gewesen sein, direkt nach Neujahr. Dazu ist zu sagen, dass ich seit einem Jahr ein Mädchen hatte, ein gutes Mädchen, sie gehörte nicht zu den Gesetzlosen, sondern arbeitete in einer Buchhandlung. Sie war bereit, einen Fünfer und ihre Zukunft auf mich zu setzen. Aber nur, wenn ich mit den Banken und Postämtern Schluss machte. Wir hatten es gut, und ich war es ja so verdammt leid, in den Knast rein- und wieder rauszuwandern. Mit Drogen hatte ich auch nichts am Hut. Ich begann also zu studieren, es ging recht gut, und als ich dann wegen guter Führung drei Monate eher entlassen wurde, dachte ich, jetzt kommt das Glück. Aber ich schaffte es nicht viel weiter als bis vor ihre Tür, Britta hieß sie. Dort erfuhr ich, dass sie jetzt nicht mehr wollte, es war ein anderer auf den Plan getreten. Seither habe ich keine Studienbücher mehr angesehen. Das ist jetzt ein paar Jahre her ... Und ... Ja, verdammt ... Die ganze Zeit über habe ich daran gedacht, dich noch einmal zu treffen, um ... Ja, sagen wir es so, um dich für damals um Entschuldigung zu bitten.«

»1956 ...«

»Ja, es war wohl 1956.«

»Das ist so lange her. Das ist nichts, worüber man jetzt sprechen müsste.«

»Nein ... Aber ich darf doch wohl trotzdem um Entschuldigung bitten. Oder ...«

»Er ist ja tot.«

»Das war es nicht, woran ich denke. Sondern dass ich dich da mit reingezogen habe ... Mit meinen verdammten Autogeschäften geblufft habe ... Verdammt! Da kommt so ein hochnäsiger Stockholmer und zieht ein Mädchen aus

Hallsberg mit sich in die reine Hölle ... Ich habe ein schlechtes Gewissen deswegen. Das habe ich immer gehabt.«

Sie sieht ihn an und denkt, wenn es etwas gibt, für das er um Entschuldigung bitten sollte, dann dafür, was er ihr auf dem Rücksitz eines gestohlenen Autos angetan hat. Aber das scheint gar nicht auf seiner Liste zu stehen ...

»Wie hast du mich entdeckt?«, fragt sie.

»Das war nicht so schwierig«, antwortet er. »Man hat ja doch eine Menge Kontakte, wenn man so ein Leben führt. Ich war in Hallsberg und hab mich umgehört. Irgendjemand wusste, dass du nach Borås gezogen warst, und nach ein paar Tagen in Borås traf ich auf einen, der meinte, dass du das sein könntest, die mit dem Jacob aus dem Sportgeschäft verheiratet war, und dann rief ich an und sagte, dass ich vom Finanzamt wäre und deine neue Adresse bräuchte. So einfach war das. Warum ich hier eingedrungen bin? Ich weiß nicht. Doch, ich hatte vielleicht Angst, dass du nicht öffnen würdest. Hättest du es getan?«

»Geöffnet?«

»Ja?«

»Das hätte ich wohl ...«

»Aber du bist nicht sicher?«

»Ich hätte geöffnet. Bist du nun zufrieden?«

»Ja ... Ja, verdammt. Werd nicht gleich wütend! Kannst du nicht stattdessen ein bisschen erzählen, wie es dir ergangen ist? Zwei Kinder. Und Göteborg ...«

»Du scheinst ja bereits alles zu wissen.«

»Ich weiß nichts. Aber du brauchst natürlich nicht, wenn du nicht willst ...«

Nein, sie hat keine Lust. Jedenfalls jetzt nicht. Lasse Nyman ist aus dem Schatten aufgetaucht, und das ist allzu unwirklich, als dass sie von ihrem Leben erzählen könnte. »Was machst du jetzt?«, fragt sie.

Er zuckt die Achseln. »Es ist keiner hinter mir her«, sagt er ausweichend. »Es werden keine Bullen hier hereinstürmen, falls du das meinst.«

»Aber wo wohnst du? Hier in Göteborg?«

Er schüttelt den Kopf und trinkt die letzten Tropfen aus der Whiskyflasche. »Söder ist Söder«, sagt er. »Ich habe ein kleines Quartier da. Zumindest hatte ich das letzte Woche noch. Nein, ich bin bloß hier, um ... Ja ... Um dir guten Tag zu sagen.«

Er wirkt, als wäre er enttäuscht. Aber was hat er denn erwartet? Eine himmelstürmende Freude über das Wiedersehen?

»Ich muss morgen zeitig aufstehen«, sagt sie.

»Ich gehe gleich«, antwortet er und stopft die leere Flasche in die Jackentasche.

(Niemals eine Spur hinterlassen, denkt sie. Immer auf der Hut ...)

»Wohin?«

»Das wird sich finden ...«

»Wenn du nicht weißt, wohin du gehen sollst, leg dich hier aufs Sofa«, sagt sie.

»Aber was ist mit den Kindern?«

»Ich kann es ihnen erklären.«

»Was denn?«

»Dass du ... ein alter Freund bist oder so.«

»Ja ... Doch, dann bleibe ich gern.«

»Dann können wir uns ja morgen Nachmittag noch ein bisschen unterhalten. Aber ich muss jetzt schlafen.«

»Ja, klar.«

»Wie lange hast du vor, hier in Göteborg zu bleiben?«

»Ich habe keine Pläne. Ich fahre ... irgendwann ...«

Sie gibt ihm eine Decke und ein Kissen mit Bezug. »Ich hoffe, du kannst hier schlafen«, sagt sie.

»Ich bin an bedeutend schlechtere Verhältnisse gewöhnt«, antwortet er.

»Dann gute Nacht.«

»Hej … Und danke …«

Sie schließt die Tür hinter sich und setzt sich auf die Bettkante. Es ist kurz vor zwei. Sie stellt den Wecker, legt sich aufs Bett und zieht die Decke hoch. Aus dem Wohnzimmer ist kein Laut zu hören.

Würde mich nicht wundern, wenn ich jetzt wach liege bis zum Morgengrauen, denkt sie. Aber ich wünschte, ich könnte schlafen, und morgen sehen wir weiter. Damals, vor sechzehn Jahren, war er mein Traum, und dann verlor ich alle Illusionen. Wer sagt, dass wir heute etwas gemeinsam haben? Vielleicht ist es jetzt genau anders herum? Vielleicht hat er sich während all dieser Jahre ein Bild von mir gemacht, das überhaupt nicht der Wirklichkeit entspricht?

Aber das gehört zum morgigen Tag, jetzt muss sie schlafen …

Als sie in der grauen Dämmerung vom Wecker aufwacht, ist er fort. Die Decke liegt zusammengefaltet auf dem Sofa, das Kissen sieht nicht so aus, als wäre es benutzt worden. Unter dem leeren Glas liegt ein Zettel, eine aufgerissene Zigarettenpackung. Sie reibt sich den Schlaf aus den Augen, setzt sich und liest die Worte, die er zurückgelassen hat.

Eivor.
Ich verschwinde in aller Stille. Ich glaube, so ist es am besten. Vielleicht sehen wir uns einmal wieder. Danke, dass du mich aufgenommen hast. Gib auf dich acht.
Lasse N.

Vielleicht ist es wirklich am besten, denkt sie. Ich habe genug um die Ohren. Ich brauche ja nicht daran zu denken, dass er hier war. Wir brauchen nicht an das zu rühren, was schon so lange Zeit zurückliegt. Ich lebe mein Leben, er lebt seins.

Sie nimmt das Kissen und die Decke weg und weckt die Kinder. Sie verscheucht den Gedanken, dass sie eines Tages groß sein werden, dass sie nicht mehr jeden Tag wird damit beginnen können, ihre warmen Körper an sich zu drücken, einen intensiven Augenblick absoluter Zufriedenheit zu erleben. Das Wissen, dass es sie gibt. Sie zählen – und niemand sonst.

Katarina Fransman überrascht Eivor damit, dass sie mit einem durchdachten Vorschlag kommt, und sie scheut sich auch nicht, Eivors Träume zu zerstören. Etwa den, Krankenschwester zu werden! Gewiss kann sie Krankenschwester werden. Es gibt eigentlich nichts, was man nicht werden kann. Aber es kann sechs, sieben Jahre dauern, bis sie fertig ist. Und dabei zwei Kinder versorgen? Nein, sie verlangt von Eivor, dass sie es sich noch einmal überlegt. Zumal Katarina ja mit anderen Vorschlägen aufwarten kann. Kürzeren und realistischeren Studienwegen.

»Trotzdem«, sagt sie, »solltest du auch versuchen, ein bisschen zu leben während der Ausbildung. Du wirst noch früh genug merken, wie schwer es ist.«

Schließlich kommen sie überein, dass Eivor noch etwas warten soll mit ihrer endgültigen Berufswahl. Sie muss jedoch damit beginnen, ihre Grundkenntnisse zu erweitern. Sobald sie sieht, wie das klappt, wie viel sie schafft, können sie weitere Beschlüsse fassen. Und Eivor stimmt zu. Die Frau auf der anderen Seite des Tisches weiß, wovon sie spricht.

Die Voraussage des Meteorologen trifft ein: Es wird ein früher Winter in Göteborg dieses Jahr. Schon vor Weihnachten hat sich eine dünne Schneeschicht über die Stadt gelegt. Gerade an jenem Tag, dem 15. Dezember, herrschen Minusgrade, als Eivor am Abend zum Frölunda Torg und dem ersten vorbereitenden Studientreffen geht. Eine Einführungsveranstaltung für die, die ihre Studien im neuen Jahr beginnen werden. Sie eilt die Lergöksgata entlang, wie üblich ist sie spät dran. Mit zwei Kindern pünktlich zu sein ist nicht so leicht ... Und sie ängstigt sich ein wenig vor diesem Treffen hier, obwohl Katarina Fransman versucht hat, sie zu beruhigen. Sie wird Menschen treffen, die in der gleichen Situation sind wie sie selbst.

Da ist die Ekebäcks-Kirche, und es ist schon vier Minuten vor sieben. Auch wenn sie liefe, so würde sie doch zu spät kommen. Und wer wagt es schon zu laufen auf diesem vereisten Bürgersteig. Warum streut man keinen Sand ...

Es ist so viel geschehen im letzten Monat, so vieles, was in ihrem Kopf vorüberflimmert. An Lasse Nymans nächtlichen Besuch denkt sie daher kaum. Aber Katarina Fransman hat kurzfristig Arbeit für sie draußen in Frölunda gefunden, zu Fuß von zu Hause aus zu erreichen. Das ging alles so schnell, sie hatte gar keine Zeit zu zögern, nicht einmal, nervös zu werden.

Und jetzt arbeitet sie schon zwei Wochen in der Systembolag-Filiale, und es gefällt ihr. Die Arbeitskollegen sind nett, und sie muss nicht viel reden. Falls es allzu mühsam werden sollte, das Studium und den Vollzeitjob zu schaffen, kann sie Teilzeit arbeiten. Halbtags oder drei Tage in der Woche ... Das muss eine gute Göttin gewesen sein, die Katarina Fransman zu ihr geschickt hat.

Frölunda Marktplatz. Sie muss auf die andere Seite, zu dem mittleren Haus. Sie versucht, sich von ihrer Nervosität abzulenken, indem sie an den Ärger denkt, den es gab, als sie in der Cafeteria kündigte. Aber Enoksson war selbst schuld gewesen. Er hatte sein mürrisches Gesicht gemacht und erklärt, die Kündigungsfrist müsse eingehalten werden. Dass sie schon so bald aufhören wollte, nahm er als persönliche

Beleidigung und fing an, mit den Händen zu wedeln und von Undankbarkeit zu sprechen …

Hier ist es! Sie nimmt die Wollmütze ab und fährt sich durch die Haare, sie ist sieben Minuten zu spät. Sie steht vor der Tür, wie damals, als sie zur Volksschule ging. Die Stunde hat begonnen, und es ist, als ob man in eine Zirkusarena käme, allen Blicken ausgeliefert.

Sie zieht den Mantel aus und bleibt mit der Hand auf der Türklinke stehen.

»Verdammt noch mal«, denkt sie und öffnet die Tür.

Es ist ganz anders, als sie es sich vorgestellt hat. Keine Pulte in Reihen, kein Katheder. Stattdessen gibt es einen großen runden Tisch mit Kaffeetöpfen und Aschenbechern.

Ein junger Mann, er ist vielleicht fünfundzwanzig, erhebt sich und nickt ihr zu. »Eivor Maria Halvarsson?«, fragt er.

»Ja«, sagt sie. »Eivor. Ich bin wohl etwas zu spät …«

»Das macht nichts«, sagt er, und er scheint es auch so zu meinen.

Sie entdeckt einen freien Stuhl am Tisch und setzt sich.

Sie sind neun am Tisch, mit ihrem Lehrer. Sieben Männer, zwei Frauen.

Als Eivor sie ansieht, ist ihr erster Gedanke, dass sie nicht die Älteste ist. Wenigstens vier der Männer sind der Vierzig näher als der Dreißig. Warum ist das wichtig? Doch, das *ist* wichtig für sie. Sie muss nicht die Jüngste sein, wie sie nicht die Beste sein muss, wenn sie nur nicht die Schlechteste ist …

Eivor gegenüber sitzt die andere Frau und lächelt, als Eivor zu ihr hinsieht. Vor sich auf dem Tisch hat sie eine Namensliste. Sie folgt der Reihe, da steht ihr eigener Name, und dann kommt Margareta Alén, geboren 1945. Sie ist also jünger, aber immerhin gehören sie zur selben Generation.

Alles ist so gemütlich, so anders als ein Schulbetrieb, dass

Eivor ein Lachen unterdrücken muss, als sie daran denkt, was sie sich vorgestellt hat.

Nach einer Stunde ist das Einführungsgespräch vorüber. Am 10. Januar sollen sie anfangen.

Alle machen sich eilig in unterschiedliche Richtungen auf den Weg, früh genug werden sie einander kennenlernen.

10. Januar, noch knapp ein Monat. Aber sie hat trotzdem das Gefühl, dass es zu lange dauert. Wenn sie doch schon morgen anfangen könnte.

Wenigstens noch ein paar Geheimnisse im Leben entdecken. Vielleicht auch später noch auf Fragen der Kinder antworten können.

Denn Staffan und Linda dürfen die Schule nicht abbrechen, das hat sie fest beschlossen.

Es ist gut, durch den Dezemberabend nach Hause zu gehen und sich stark und erwartungsvoll zu fühlen. Noch eine halbe Stunde schlafen zu können, wenn die Kinder sich auf den Weg zur Schule gemacht haben. Früher am Nachmittag nach Hause zu kommen. Sich nicht mehr in Bussen und Straßenbahnen drängeln zu müssen ... Kann man es besser haben?

Sie bleibt stehen und atmet die kalte Dezemberluft ein. Kann es sein, dass sie glücklich ist?

Sie geht weiter. Nur noch neun Tage bis Heiligabend. Jetzt muss sie sich darauf konzentrieren, dass die Kinder ein schönes Weihnachtsfest haben. Sie beschleunigt ihre Schritte. Es ist, als ob sie keine Minute zu verlieren hätte.

Heiligabend werden sie in Borås feiern, wie gewöhnlich zu Hause bei Oma Linnea und Opa Artur. Etwas anderes wäre eine Enttäuschung für die Kinder. Bis zu Neujahr sollen sie bei Jacob bleiben.

Sie biegt in die Altfiolgata ein und denkt, dass sie heute Abend eine Liste schreiben wird für alles, was vor Weihnachten noch erledigt werden muss. Und sie sollte auch endlich mit einem Brief an Elna und Erik unten in Lomma anfangen …

Aber ehe ihr Brief noch im Briefkasten landet, schneit eine Postsendung aus Lomma herein. Elna schreibt, dass sie über Weihnachten nach Sandviken hinauffahren, Erik, Jonas und sie. Und auf dem Weg werden sie in Göteborg vorbeikommen. Vielleicht könnten sie sich dort für ein paar Stunden treffen und Weihnachtsgrüße und Geschenke austauschen …

Am Vormittag des Heiligabends fährt Eivor mit Staffan und Linda, mit Koffern und Paketen zum Zentralbahnhof. Als sie am Tag zuvor den Gepäckberg wachsen sah, hat sie sich beinahe in Panik auf das Telefon gestürzt, und es ist ihr sogar gelungen, ein Taxi vorzubestellen. Auf dem Bahnhof herrscht ein gewaltiges Chaos, sie kämpft sich zwanzig Minuten zur Gepäckaufbewahrung durch und denkt schaudernd daran, wie lange es dauern wird, wenn sie die Koffer wieder abholen und zum Zug nach Borås schleppen muss. Sie nimmt ein Kind an jede Hand und hält nach ein paar freien Plätzen in der Bahnhofs-Cafeteria Ausschau.

Der Zug aus Malmö hat über eine halbe Stunde Verspätung, und als Eivor endlich ihre Mutter, ihren Stiefvater Erik und ihren Halbbruder Jonas, der so alt ist wie Linda, entdeckt, haben sie nur noch eine knappe Stunde zusammen.

Aber jetzt sind sie jedenfalls hier und trinken Kaffee und Limonade. Jedes Mal, wenn Eivor ihre Mutter zusammen mit Jonas sieht, ist sie verblüfft. Obwohl der Junge zehn Jahre alt ist, fällt es ihr immer noch schwer zu begreifen, dass er ihr Bruder ist. Er gleicht Erik und hat nicht Elnas und Eivors dunkle Haut und Haarfarbe, die sie von Großvater Rune geerbt haben.

Jetzt zu Weihnachten ist es drei Jahre her, dass er starb. Nach seinem Tod waren Elna und ihre Familie Weihnachten zu Eivors Großmutter Dagmar gefahren. Eivor hätte eigentlich mitfahren wollen, aber dann wären Linnea und Artur enttäuscht gewesen. Sie musste sich damit begnügen, einen Weihnachtsbrief zu schreiben und durch Elna Geld für Blumen zu schicken. Aber es tut ihr immer noch weh, wenn sie daran denkt, dass sie nicht an Großvater Runes Totenbett war. Mit ihm hatte sie eine heimliche Übereinkunft seit damals, als sie und Elna Sandviken besuchten und sie beide schwanger waren …

Die Zeit ist knapp, und das Gespräch hüpft von einem Thema zum andern. Eivor hat sich darauf gefreut, zu erzählen, dass sie anfangen wird zu lernen, aber jetzt bringt sie nicht mehr heraus, als dass sie den Job gewechselt hat.

Elna schaut sie verwundert, beinahe beunruhigt an. »Systembolag?«, sagt sie. »Warum um alles in der Welt musst du im Spirituosenladen arbeiten?«

»Das wird besser bezahlt und liegt außerdem in Frölunda«, antwortet Eivor, und innerlich flucht sie, dass keine Zeit bleibt, den wahren Grund zu erklären. Sie erinnert sich, wie es vor zehn Jahren war, als Elna sagte, dass sie und Erik nach Lomma ziehen würden. Sie erinnert sich, wie neidisch sie war, und würde gern jetzt erzählen, dass auch sie auf dem Weg ist, ihr Leben zu verändern. Aber das ist unmöglich. Erik hetzt schon fort, um die Abfahrtzeiten zu kontrollieren, alter Eisenbahner, der er ist, und Linda wagt nicht, allein zur Toilette zu gehen, wegen der vielen Leute … Jonas ist natürlich fasziniert von seiner Halbschwester, die zwei eigene Kinder hat, so alt wie er selbst. Das ist eine Gleichung, die er nicht lösen kann. Er sitzt da und sieht Eivor mit großen Augen an, und sie hat große Lust, ihm zu sagen, dass sie das selbst sehr sonderbar findet …

»Wie ist es in Lomma?«, fragt Eivor.

»Gut«, antwortet Elna.

»Erik sieht müde aus, finde ich.«

»Wirklich?«

»Wie ist das eigentlich in der Eternitfabrik? Man liest eine Menge über ... Wie heißt es gleich ...«

»Asbest.«

Es ist Jonas, der antwortet. Er sieht sie ernst an und spricht das Wort vollkommen richtig aus.

»Es wird viel geredet«, sagt Elna.

»Und du selbst?«

»Ich denke daran, nächstes Jahr auch dort anzufangen. Zum Frühjahr. Endlich.«

»Als was?«

»Ich werde wohl zunächst dort putzen.«

»Kann Vivi dir nicht zu etwas Besserem verhelfen?«

»Ihr Mann vielleicht. Aber ... Ich glaube nicht, dass es ihnen im Moment so gut geht ...«

Was nicht so gut läuft zwischen Vivi und ihrem Mann, dem Pressechef, erfährt Eivor nicht, denn im selben Augenblick kommt Erik zurück, und sie haben es eilig, die letzten Weihnachtswünsche auszutauschen, ehe es Zeit wird für Eivor, mit den Kindern zum Zug nach Borås zu gehen. Erik hilft ihr, die Koffer abzuholen. Sie wundert sich darüber, dass er außer Atem gerät, als er die Koffer den kurzen Weg trägt, und auf dem Bahnsteig fängt er so an zu husten, dass ihm Tränen in die Augen treten. Aber es bleibt keine Zeit, darüber zu reden, der Zug fährt an, und sie winken sich zu und wünschen einander ein letztes Mal frohe Weihnachten, wie eine abschließende Versicherung ...

Eivor merkt, dass es ihr schwerfällt, nicht mehr an Erik zu denken. Sein graues Gesicht, der Hustenanfall. Sie hat sich oft gefragt, warum sie eigentlich aus Hallsberg weggezogen sind. Dass Erik besser bezahlt würde und dass Elna in die Nähe ihrer alten Freundin Vivi käme, dass sie Hilfe erhalten könnten, um ein eigenes Haus zu bauen … Ja doch, das waren Gründe, gewiss. Aber da fehlt etwas in dem Bild. War Erik wirklich willens, ohne Weiteres seine Arbeit im Rangierbahnhof gegen einen staubigen und schmutzigen Fabrikplatz zu tauschen? Und eine Putzstelle hätte Elna doch auch in Hallsberg bekommen können …

Nein, da ist etwas, was nicht stimmt, etwas, was Eivor nicht versteht.

Wenn Elna doch nur darüber sprechen würde, denkt Eivor. Ein einziges Mal. Genau sagen, wie es ist. Es ist merkwürdig, dass Menschen wie wir nie über unser Leben sprechen, als ob unsere innersten Gedanken und Gefühle etwas Hässliches oder Geschmackloses wären. Oder als ob es ein Zeichen von Schwäche wäre zuzugeben, dass man manchmal in der Nacht wach liegt und am liebsten auf die Straße hinausrennen und laut schreien würde. Aber das tut man eben nicht. Nicht, wenn man aus einer ehrbaren und genügsamen Arbeiterfamilie aus Sandviken stammt …

Heiligabend verläuft so schön, wie man es sich nur wünschen kann. Als Eivor sich auf das Sofa legt, das Linnea ihr zurechtgemacht hat, und der Tannenbaum mit seinen elektrischen Kerzen leuchtet, spürt sie, wie eine große Zufriedenheit sich in ihr ausbreitet. Die Erwachsenen haben die Jahresprüfung bestanden, die Kinder sind zufrieden in ihre Betten gekrochen. Und jetzt wird sie ihr lang ersehntes Geschenk bekommen. Zehn Tage nur für sich selbst. In wenigen Stunden wird sie aufstehen und den ersten Zug nehmen, der am Weihnachtstag nach Göteborg fährt.

Der alte Hund tappst über den Boden, aus dem Schlafzimmer ist Arturs und Linneas Schnarchen zu hören, und Eivor rollt sich zusammen und zieht die Decke zum Kinn hoch. Es ist nach Mitternacht, und sie schläft und träumt, dass sie in ihrem eigenen Bett in Göteborg liegt …

Als sie nach Hause kommt, geht sie in der Wohnung herum, als wollte sie sich vergewissern, dass wirklich nur sie sich hier aufhält, dass sich niemand versteckt hat und ihr Alleinsein bedroht. Dann setzt sie sich aufs Sofa und tut gar nichts. Zerstreut klopft sie eine Zigarette aus dem Päckchen, aber sie schiebt sie wieder zurück.

Sie sitzt auf dem Sofa und weiß, dass sie kein schlechtes Gewissen haben muss, weil sie es so verzweifelt schön findet, allein zu sein, ohne Kinder, ohne Pflichten. Hat sie das jemals vorher getan? Von den Kindern fort zu sein, ohne ein ständig hackendes und nagendes Gewissen zu spüren? Die vernachlässigende Mutter, der egozentrische Mensch, der die Stirn hat, nur an sich selbst zu denken, auch wenn es nur für wenige armselige Sekunden in diesem Leben ist, das mit unbegreiflicher Schnelligkeit vorbeirast ... Nein, es ist das erste Mal, und hätte sie gekonnt, so hätte sie angefangen zu singen. Wie hatten Elna und Vivi sich damals genannt, als sie in jenem Kriegssommer in Dalarna mit dem Fahrrad herumfuhren? Daisy Sisters? Zwei Mädchen, die fast unanständig glücklich waren darüber, ganz frei und unabhängig zu sein. Und dann wurde sie geboren ...

So ist das wohl, denkt sie. Wenn man als Frau auf die Welt gekommen ist, dann muss man die wenigen Stunden ausnutzen, in denen es einem *erlaubt* ist zu singen. Beim Radfahren im Duett singen, die Gelegenheit nutzen, denn ehe man sich's versieht, ist es zu spät. Dass Mutter und ich verschieden sind, ist für alle offensichtlich. Aber wie viele erkennen, dass wir in mancher Hinsicht auch gleich sind?

Dämmernder Nachmittag. Sie schaltet den Fernseher an und geht in die Küche, um Teewasser aufzusetzen. Eigentlich müsste sie jetzt kochen, aber sie lässt es bleiben. Auch das ist ein Zeichen der Freiheit, sich erlauben zu können, nur ein belegtes Brot zu essen.

Es schellt an der Tür, und sie überlegt hastig, ob sie öffnen soll oder nicht. Es könnte Kajsa Granberg sein, die sich einsam fühlte, und obwohl Weihnachten ist und man nachsichtig mit seinen Mitmenschen sein soll, fühlt Eivor, dass sie es gerade heute nicht mit ihr aushält. Aber wollte sie nicht zu Verwandten nach Arvika reisen ... Es schellt wieder, und an dem Signal erkennt Eivor, dass es jemand ist, der nicht daran denkt, aufzugeben, jemand, der weiß, dass sie zu Hause ist. Sie öffnet, und im Treppenhaus steht Lasse Nyman in gebügeltem Anzug und blauem Schlips, der hinter einem dunkelroten Halstuch hervorschimmert. Sie erkennt ihn kaum wieder nach seinem nächtlichen Besuch vor einem Monat.

»Nur eine Viertelstunde«, sagt er. »Dann kannst du mich rauswerfen.«

»Das hast du beim letzten Mal auch gesagt«, antwortet sie.

»Aber da warst du es, die mich eingeladen hat, auf dem Sofa zu schlafen!«

»Was willst du?«, fragt sie, ihre Stimme klingt abweisend. Sie *muss* doch ihre Ruhe haben, und am allerwenigsten wünscht sie sich Besuch von Schatten aus der Vergangenheit.

»Fünfzehn Minuten«, sagt er. »Nicht mehr.«

Sie lässt ihn herein. Er zieht seinen Mantel aus und hängt ihn auf einen Bügel. Sie steht da und schaut ihn an und fragt sich, wann er sich angewöhnt hat, Bügel zu benutzen.

»Setz dich«, sagt er.

»Was willst du?«, fragt sie wieder.

»Das sollst du hören. Wenn du dich gesetzt hast.«

Diesmal scheint er die Viertelstunde wirklich wörtlich zu meinen. Er spricht schnell und bestimmt, als ob er es eilig hätte. Er nimmt etwas aus seiner Anzugtasche. »Siehst du, was das hier ist?«, fragt er.

»Ein Ball?«

»Ein Golfball. Gekauft bei deinem Exmann in Borås ...

Nein, unterbrich mich nicht! Ich werde es erklären. Ich habe eine Viertelstunde. Richtig?«

Und dann beschreibt er, wie er in das Sportgeschäft in Borås gegangen ist, in dem Jacob inzwischen zum Geschäftsführer avanciert ist. Er ist in dem Geschäft herumgegangen und hat gewartet, bis Jacob sich nach ihm umgesehen hat, und dann hat er diesen Golfball von ihm gekauft. Aber noch wichtiger ist, dass er über Weihnachten geredet hat mit diesem Geschäftsführer, darüber, was für einen elfjährigen Jungen und ein zehnjähriges Mädchen geeignet sein könnte, und der Geschäftsführer hat gelacht und gesagt, dass er zwei Kinder in diesem Alter habe. Da hat Lasse Nyman geseufzt und gesagt: Es sei doch traurig, geschieden zu sein und seine Kinder kaum sehen zu können. Aber der Geschäftsführer meinte, dass er es gut habe, weil er seine Kinder dieses Weihnachten zehn ganze Tage bei sich haben wird. Und Lasse Nyman konnte von dannen gehen mit der Information, die er haben wollte – zum Preis eines Golfballs.

»So bin ich nun mal«, sagt er. »Daran kann keiner was ändern. Ich beschaffe mir Informationen auf meine Weise. Aber bevor du mich rauswirfst, kannst du dir vielleicht noch anhören, warum ich das gemacht habe.«

Eivor muss sich widerwillig eingestehen, dass sie fasziniert ist von seinen seltsamen Irrfahrten am Rande ihres Lebens.

»Ich lade dich ein zu einer Reise in den Süden«, sagt er. »Eine Woche in der Wärme. Ich komme für alle Kosten auf. Du bekommst alles, was du willst. Das beste Hotel ... Und natürlich ein eigenes Zimmer. Es ist nicht so, dass ... Wir reisen morgen früh und sind in einer Woche wieder zurück. Einen Pass hast du doch?«

Sie nickt verwirrt. Ja, doch, einen Pass hat sie.

Er nimmt einen Reisebüro-Umschlag aus der Innentasche des Anzugs und breitet die Flugtickets und verschiedene

Reiseunterlagen auf dem Tisch aus. Kofferaufkleber, Versicherungsbrief ...

»Das Flugzeug geht um sieben Uhr morgen früh von Torslanda. Nach Madeira. Ich bin nie dort gewesen, aber ich fand, das klang etwas netter als die Kanarischen Inseln ... Sieben Uhr morgen früh, und wir sind am 1. Januar um elf Uhr abends zurück. Und sollte es irgendwelche Probleme geben, so werde ich ein normales Flugticket nach Hause für dich bezahlen ...«

»Du bist nicht gescheit«, sagt sie. »Ich soll morgen früh nach Madeira reisen? Wir sollen dahin reisen? Du und ich?«

Er nickt. »Genau das«, sagt er. »Wir reisen zusammen, wohnen aber jeder für sich. Und wenn du mich da unten nicht sehen willst, so verspreche ich, mich zurückzuhalten.«

Ungläubig schaut sie auf die Flugtickets, die auf dem Tisch liegen. Auf einem davon steht ihr Name.

Er sitzt also hier und meint es ernst!

»Du hast wohl den Verstand verloren«, sagt sie.

»Das ist ein Weihnachtsgeschenk«, sagt er geduldig. »Ich meine jedes Wort, das ich gesagt habe ...«

Plötzlich wird sie zornig. Das geht so schnell, dass sie selbst verwirrt ist. Es passiert nicht oft, dass sie die Fassung verliert, aber jetzt wird sie zornig, richtig wütend. Was, zum Teufel, bildet er sich eigentlich ein? Vor sechzehn Jahren hat er sie auf eine wahnsinnige Reise mitgeschleppt, die mit einem Mord und mit einer Vergewaltigung auf dem Rücksitz eines gestohlenen Autos endete. Und jetzt bricht er in ihr ersehntes Alleinsein ein und scheint zu glauben, dass sie seit den Herbsttagen 1956 nur darauf gewartet hat, mit ihm nach Madeira zu reisen ... Er mag es so gut meinen, wie er will, aber es ist trotz allem eine Beleidigung, kann gar nichts anderes sein. Und das sagt sie ihm auch. Was bildet er sich eigentlich ein? Er kann seine Tickets nehmen und nach

Madeira fahren, wenn er Lust hat. Sie will ihn nicht mehr sehen. Das war damals mehr als genug … So viel, dass es für den Rest des Lebens reicht …

Er wirkt vollkommen unberührt von dem, was sie sagt, er scheint sich nicht im Mindesten darum zu kümmern, dass sie aufgebracht ist. Er sieht fast amüsiert aus, wie er da sitzt und mit den Fingerspitzen auf den Tisch trommelt. »Das ist so lange her«, sagt er nur. »Ich habe es abgesessen. Ich habe bezahlt …«

»Aber nicht für das, was du mir angetan hast!«

»Das ist so lange her. Ich erinnere mich nicht mehr.«

»Aber ich tue es! Und woher kommt überhaupt das Geld?«

»Sicherlich bin ich ein Dieb«, antwortet er. »Aber diese Reise hat damit nichts zu tun …«

»Wie kann ich da sicher sein?«

»Glaubst du wirklich, ich würde eine Bank ausrauben, um dich nach Madeira einladen zu können?«

Einen kurzen Moment lang wirkt er beinahe verunsichert. Mein Gott, denkt Eivor. Dies ist die perfekte Verrücktheit. Er meint das tatsächlich … Was ist er eigentlich für ein Mensch?

»Ich hole dich mit dem Taxi um Viertel vor sechs morgen früh ab«, sagt er, und der verunsicherte Ausdruck ist weg, jetzt ist wieder alles, was er sagt, selbstverständlich.

»Hör jetzt auf«, sagt sie. »Du kannst eine Tasse Kaffee trinken. Aber dann musst du gehen. Und nimm diese Flugtickets weg.«

Aber er schüttelt nur den Kopf, und die Fahrkarten bleiben liegen. »Ich werde jetzt gehen«, sagt er. »Du hast genug Zeit zum Packen. Und ruf in Borås an. Ich komme morgen früh. Vergiss bloß den Pass nicht. Aber du musst dich nicht ums Geld kümmern. Das habe ich.«

Er zieht seine Brieftasche heraus und legt drei Tausenderscheine neben die Tickets. »Und nimm einen warmen Pullover mit.«

»Einen warmen Pullover?«

»Das steht in dem Prospekt. Es kann kalt werden an den Abenden. Aber sonst ist es schön. Es gibt viele Blumen auf dieser Insel.«

»Nimm das Geld und geh jetzt«, sagt sie.

»Viertel vor sechs«, sagt er. »Wir müssen spätestens eine Stunde vor Abflug in Torslanda sein. Das ist Vorschrift.«

Dann geht er, und auf dem Tisch liegen Flugtickets und drei Tausenderscheine, Kofferaufkleber und Versicherungsscheine.

Was dann geschieht, wird Eivor immer als »Die große Packnacht« in Erinnerung behalten. Wie sie ihren alten Koffer aus dem Schrank hervorzieht und ihn mit Kleidern füllt, um ihn im nächsten Augenblick umzudrehen und auf dem Bett auszuleeren und wieder in den Schrank zu werfen. Es ist nicht so, dass sie irgendwie zweifelt. Natürlich wird sie nicht mit Lasse Nyman nach Madeira reisen. Aber gleichzeitig kann sie es nicht lassen, sich die Insel vorzustellen, von der sie nicht mehr weiß, als dass sie irgendwo im Atlantik liegt und entweder zu Spanien oder zu Portugal gehört. Sandstrände oder vielleicht Klippen? Ein Balkon, der zum Meer und zum Himmel hinausgeht, gleißende Morgensonne und später ein gewaltiger Feuerball, der sich über den Horizont senkt und Schatten und eine kühle Abendbrise hervorruft, sodass man den warmen Pullover braucht, den man vorsorglich in seinen Koffer gepackt hat ... Träumereien, romantische Zusammenschnitte von Bildern aus Reisekatalogen und Fernsehfilmen. Dummheiten, für die sie sich zu schade sein sollte. In Schweden ist es Winter mit schmutzigem Schnee und eisigem Nordwind.

Aber die Tickets liegen da, und wie sie auch daran herumrätselt, es bleibt verdammt klar, dass er es ernst gemeint hat. Um Viertel vor sechs wird er an ihrer Tür schellen und sagen, dass das Taxi wartet.

Verrückt, denkt sie. Genau das. Dazustehen und zu fühlen, wie es an einem zerrt. Ein Moment des Lebens, in dem man der eigenen Urteilskraft nicht mehr trauen kann, sondern einer dunklen Kraft preisgegeben ist, die einen zwingen will zu hoffen. Offensichtlich hat Lasse Nyman so eine Kraft, sonst hätte sie ihn gar nicht bis zu dem Punkt sprechen lassen ... Vielleicht ist es so, dass er das weiß? Dass er seine Anziehungskraft kennt? Vielleicht vertraut er darauf, dass das Gefühl, das sie vor sechzehn Jahren, ohne zu zögern, nachts durch Hallsberg laufen ließ, um ihn zu treffen und ihm zu folgen, noch ungebrochen ist?

Aber das ist ja Wahnsinn, denkt sie. Er meint es sicher nicht böse. Im Gegenteil, vielleicht ist das seine Art, seine Schuld bei mir zu bezahlen, seine Art, um Entschuldigung zu bitten? Er verfolgt damit bestimmt keine Absichten (auf der Reisebestätigung, die er auf dem Tisch liegen gelassen hat, kann sie lesen, dass er zwei Zimmer im Hotel *Constellation* bestellt hat ...), er wird sie in Ruhe lassen, wenn sie es verlangt. Er will sicher nur freundlich sein und Gesellschaft haben. Ich weiß ja nichts darüber, wie er lebt, bis auf das, was er vor einem Monat erzählt hat, in der Nacht, als er auf dem Sofa saß, und das schien ja ein eher dürftiges Leben zu sein. Einsam, verlassen. Aber trotzdem ist es natürlich eine Verrücktheit ...

Ein Sägewerk in Värmland ist bis auf den Grund niedergebrannt.

Die Bomben fallen direkt in den Weihnachtsfrieden über Vietnam.

Der Papst segnet die Menschheit ...

Sie schaut auf die Nachrichten im Fernsehen. Sie versucht, sich zu konzentrieren, aber das blaue Licht fällt über die Tickets, die auf dem Tisch liegen.

Niemals wird sie den Augenblick exakt benennen können, in dem sich das Ganze wendete und in die andere Richtung zu drehen begann. Aber irgendwann während der Nachrichten und dem blauen Licht war es.

Ob sie auf den verrückten Vorschlag hören sollte? Wenn sie es jetzt wagen würde, das Risiko einzugehen ... Ist es nicht genau das, woran sie im Herbst gedacht hat? Dass sie ganz einfach anfangen muss, etwas für sich selbst zu tun?

Ohne dass sie eigentlich weiß, warum, vielleicht nur, um sich selbst zu prüfen, nimmt sie ihren Koffer aus dem Schrank, legt ihn aufs Bett, schlägt den Deckel auf und denkt, dass ja nichts Schlimmes dabei ist, wenn sie ihn mit Kleidern füllt und dann Jacob anruft und sagt, dass sie beschlossen hat, über Neujahr ins Ausland zu reisen ...

Sie kann sich das Telefongespräch mit Jacob genau vorstellen, und da ist auch schon das Gewissen wieder da. Eine Mutter von zwei Kindern reist nicht so einfach nach Madeira, und schon gar nicht, ohne dass das lange im Voraus geplant ist. Für einen Mann wäre das kein Problem. Aber das ist eben der Unterschied. Eine Mutter von zwei Kindern flattert nicht so einfach los. Sie müsste alt genug sein, um das zu verstehen ...

Und genau der letzte Gedanke macht sie so verdammt wütend, dass sie Unterwäsche und Kleidung aus den Kommodenschubladen und Schränken reißt. Und beide Badeanzüge. In einem eigenartig erregten Zustand packt sie den Koffer, und erst als sie da steht und auf das Resultat sieht, erkennt sie, dass sie begonnen hat zu wanken.

Und so geht es weiter, es wird neun Uhr, und sie hat zum zweiten Mal die Kleider auf dem Bett ausgeleert und den

Koffer in den Schrank geworfen. Sie hat am Tisch gesessen und ein brennendes Streichholz unter die Fahrkarte gehalten, die ihren Namen trägt, gesehen, wie sich ein dunkler Fleck darauf bildete.

Sie sieht ein, dass sie fahren will. Nicht mit Lasse Nyman, aber seine Gesellschaft muss sie in Kauf nehmen für die Möglichkeit, überhaupt wegzukommen. Was sie so wütend macht, ist, dass sie es nicht fertigbringt, die Gedanken, die miteinander in einem heftigen Streit liegen, zu trennen. Warum ist sie immer so durcheinander? Warum fällt es ihr immer so schwer, sich zu entscheiden?

Schließlich reißt sie den Telefonhörer an sich und ruft Jacob an. Als er antwortet, hat sie keine Ahnung, was sie sagen soll.

»Schlafen die Kinder?«, fragt sie.

Er klingt verwundert, als er antwortet.

»Klar tun sie das. Was dachtest du denn? Es ist doch schon nach zehn!«

»Ich hab mich nur gefragt …«

»Warum rufst du an?«

Seine Stimme klingt streng, als müsste er ein schwieriges Kind ermahnen, stillzusitzen und zu essen. Und das versteht sie gut. Nur eine verwirrte Frau, die nicht einen einzigen Nachmittag ohne ihre Kinder zurechtkommt, ruft so spät am Abend an, ohne etwas zu sagen zu haben.

»Ich fahre morgen weg«, sagt sie.

»Wohin?«

»Nach Madeira.«

»Noch einmal …«

»Du hast doch gehört, was ich gesagt habe. Madeira.«

»Du, Eivor …«

»Ja?«

»Die Kinder schlafen. Und ich hatte mich praktisch auch

schon hingelegt. Wir wollen morgen früh raus in den Schnee. Gibt es etwas Besonderes?«

»Ich fahre morgen früh um sieben. Ich wohne im Hotel *Constellation*. Wir … Ich fliege mit Tjaereborg. Falls etwas passieren sollte. Ich lege einen Zettel mit der Adresse hier auf den Tisch. Grüß die Kinder.«

»Du bist nicht gescheit. Du …«

»Ein Mal im Leben bin ich tatsächlich gescheit«, unterbricht sie ihn. Und dann legt sie auf.

Sie hat plötzlich das Gefühl, etwas Schwieriges geschafft zu haben. Eine Prüfung bestanden zu haben. Und zum dritten Mal an diesem Abend packt sie ihren Koffer.

Um fünf Uhr sitzt sie mit einer Kaffeetasse vor sich in der Küche und starrt auf den geschlossenen Koffer am Boden.

Am Handgriff leuchtet ein Namensschild.

»Ich bin wirklich nicht gescheit«, denkt sie. »Überhaupt nicht.«

Siebzehn Minuten vor sechs schellt es an der Tür. »Du hast doch nicht etwa deinen Pass vergessen?«, fragt er.

»Nein«, antwortet sie.

Er nimmt den Koffer, sie schließt die Wohnungstür ab.

Im Taxi sitzen sie schweigend auf dem Rücksitz. Plötzlich fällt ihr ein anderer Rücksitz ein in einer anderen Zeit, aber sie beeilt sich, den Gedanken zu verjagen.

Mein Gott, denkt sie. Bin das hier wirklich ich …

Sie wartet in der geschlossenen Cafeteria, während Lasse Nyman das Einchecken erledigt. Die Smörgåsvitrinen sind leer, die Tür zu Enokssons Büro ist zu und sicher doppelt verschlossen.

Wenn wir nur erst in der Luft wären, denkt sie. Hoch in der Luft, damit ich nicht mehr weglaufen kann.

Punkt sieben hebt die Con-Air DC-9 mit Passagieren zur Algarve und nach Funchal ab. *Die Flugzeit nach Lissabon ist berechnet auf* ... Sie sitzt an einem Fenster, es ist ihr erster Flug, und als das Flugzeug die Wolken durchbricht und eine gleißende Sonne wie auf eine winterliche Schneelandschaft scheint, wird alles so unwirklich, dass sie fast anfängt zu glauben, es sei wahr ...

»Es ist schön, irgendwohin zu kommen, wo einen keiner wiedererkennt«, sagt Lasse Nyman.

»Wo einen keiner kennt, meinst du wohl?«

»Habe ich das nicht gesagt?«

»Nein. Du hast *wiedererkennt* gesagt!«

»Das ist wohl eine alte Gewohnheit. Einmal Dieb, immer Dieb.«

»Woher hast du das Geld, mich zu alldem einzuladen?«

»Ein Pferd lief so, wie es sollte. Schnell also. Und wir waren nicht so viele, die das wussten ... Trabrennen.«

»Ach ja ...«

Das Flugzeug schleudert Eivor und Lasse Nyman mit irrsinniger Geschwindigkeit auf die kleine Insel im Atlantik. Sie reden nicht viel miteinander. Eivor sitzt mit der Stirn an das kleine Fenster gelehnt und schaut auf die Wolken, die manchmal aufreißen und Länder und Meere freigeben. Anscheinend versteht er, dass sie in Ruhe gelassen werden will. Aber etwas von dem, woran sie sich aus der Zeit vor sechzehn Jahren erinnert, tritt wieder hervor. Unter dem dunkelblauen Anzug scheinen die Reste einer Lederjacke zu schimmern ...

Zwischenlandung in Lissabon und dann weiter, hinaus über das dunkelblaue Meer zu dem schmalen Klippenabsatz, zu Madeiras Flugplatz Santa Catarina. Eivor sieht die hohen Klippen weit unter sich auftauchen, ein Keil, der sich aus dem Meer erhebt, eingebettet in Grün. Das Flugzeug senkt sich, ein schwarzer Asphaltstreifen rast ihr entgegen, und die großen Gummireifen prallen auf die Erde.

Als Eivor die Gangway hinuntergeht, wird sie von einem milden Nieselregen empfangen. Hinter dem Flughafengebäude türmen sich steile, bewaldete Lavarücken auf und verschwinden zwischen den Wolken.

In diesem Augenblick weiß sie, dass alles, was geschieht, wahr ist. Dagegen erscheint das, was sie verlassen hat, Göteborg, Weihnachten, der nasskalte Wind vom Kattegatt, wie ein unwirklicher Traum.

»Jetzt brauchst du den Pass«, sagt Lasse Nyman, als sie zum Flughafengebäude gehen.

»Ich hab ihn hier«, sagt sie und klopft auf ihre Handtasche.

Und als der sanfte Grenzpolizist mit seinem schwarz gelockten Haar und sonnengebräunten Gesicht in ihrem Pass blättert und das Foto mit ihrem Gesicht vergleicht, hat sie das Gefühl, als wäre das einer der wichtigsten Augenblicke ihres Lebens. Verglichen und für gut befunden – im Verhältnis zu keinem anderen als ihr selbst. Keine Fragen nach dem Mann oder den Kindern, wer sich jetzt um das Einkaufen und die Mülltüten kümmert, die Wäsche und die Schrammen. Hier geht es nur um sie, und sie bekommt einen Stempel in den Pass: *Entrada, Aeroporto Funchal, Guarda fiscal serv. Fronteiras …*

Es ist der 26. Dezember 1972.

Sie sitzen in einem Bus auf dem kurvigen Weg nach Funchal. Es ist, als würden sie auf einem schmalen Brett über diese Insel balancieren, die nur aus steilen, scharf geschliffenen Bergen zu bestehen scheint. Die Wolkendecke bricht auf, und die Sonne strahlt mit gewaltiger Kraft. In wenigen Minuten entsteht Hochsommerwärme in dem Bus.

Lasse Nyman sitzt still an ihrer Seite. So still, dass sie sich beinahe einbilden kann, auf eigene Faust zu reisen.

Allein auf der Welt, frei und selbständig …

Und dann sind sie in Funchal. Ein ohrenbetäubender Lärm von hupenden Autos auf der Rua Joâo de Deus, der engen Brücke über Ribeira de Santa Luzia und dann nach Westen, zu dem großen Hotelbereich direkt vor der Stadt ... Farben, Menschen, Düfte ... Neben dem Fahrer sitzt jemand, der sagt, dass er Dorte heiße, und in das kratzende Mikrofon spricht, verständlich auch für schwedische Ohren. Ich werde dir später zuhören, Dorte, denkt sie. Jetzt will ich nur gucken. Und diese Düfte ...

Abgase und Magnolien, Gemüse und offenes Feuer.

Mitten im Leben, mitten in der Welt ...

Und es wird Abend und Morgen mit Licht und mit Wärme, und die Tage sind erfüllt von brodelndem Leben.

Eivor erwacht früh in der Dämmerung des dritten Tages. Sie liegt ganz still in ihrem Zimmer und fühlt den milden Wind, der durch die offene Balkontür hereinweht.

Der dritte Tag ... Sie versucht sich zu erinnern, was da in der Schöpfungsgeschichte geschah. Am ersten Tag schwebte der Geist über dem Meer, und bald darauf wurde es Licht, daran erinnert sie sich genau. Aber was kam dann? Nacht und Tag, Jahreszeiten, Himmel und Sterne? Nein, zuerst kam wohl doch das feste Land, kamen Gras und Bäume ... Nein, sie erinnert sich nicht, darum entscheidet sie sich einfach dafür, dass es der Morgen des dritten Tages war, an dem die Menschen ihren fatalen Einzug hielten ...

Sie steht auf, wickelt sich in eine Decke und geht hinaus auf den Balkon. Sie kann nicht aufhören, sich darüber zu wundern, dass die Dämmerung hier so schnell kommt, ebenso wie der Tag ohne Übergang zur Nacht wird. Der Beton ist kalt unter ihren nackten Füßen ... Weit unter ihr ist das Meer. Das Hotel balanciert auf einem steilen Berghang. Eigentümliche Klippen erheben sich aus dem Meer, einige

Hundert Meter vom Land entfernt. Auf dem Weg, der in die Stadt führt, klappert eine Karawane von wackligen Lieferwagen und Eselskarren mit ihren Gemüseladungen daher ... Die kurze Dämmerung ist schon vorüber. Noch ein Tag hier, der dritte ...

Sie verlässt den Balkon und kriecht wieder ins Bett. Sie ist unruhig und will nachdenken.

Am Abend zuvor hatten die Probleme begonnen. Zum ersten Mal seit der Abreise hatte das schlechte Gewissen sie heimgesucht. Da war sie wieder, die alltägliche Eivor Maria.

Fast zwei Tage lang war alles gut gegangen, besser, als sie es jemals zu hoffen gewagt hatte. Der erste Tag, eigentlich ja nur ein Nachmittag, bevor es Nacht wurde, wurde damit verbracht, das Zimmer zu belegen, auszupacken, die Kleider zu wechseln und zu Abend zu essen. Ihre Zimmer liegen auf demselben Korridor, aber nicht Wand an Wand, und Eivor empfindet es als Erleichterung, Lasse Nyman nicht direkt neben sich zu haben. Sie fahren mit dem Aufzug hinauf und gehen auf dem Korridor jeder in eine andere Richtung. Plötzlich meint sie, er zögert. Es gibt da etwas unbestimmbar Unruhiges in seinen Augen, als würde er sich ärgern, dass er sie gebeten hat mitzukommen. Sie denkt, dass sich da offensichtlich auch widersprüchliche Gefühle in ihm regen, hinter dem unbeschwerten und ungezwungenen Äußeren.

Er fragt, ob sie gemeinsam zu Abend essen wollen. Natürlich wollen sie das ... Er sagt, er habe eine Bar in der Etage unter der Rezeption gesehen. Vielleicht könnten sie sich da treffen? In ein paar Stunden ... Um halb sieben? Dann nimmt er seinen Koffer und geht in sein Zimmer ...

Wieso sollten sie sich nicht treffen wollen? Er hat sie zu dieser Reise eingeladen, er will keine Gegenleistung, nicht einmal ihre Gesellschaft. Sie reist mit freiem Geleit, und bisher gibt es nichts, was darauf schließen ließe, dass er nicht meint, was er sagt. Aber warum diese fast ängstliche Frage, ob sie gemeinsam zu Abend essen wollen? Es wäre doch unnatürlich, wenn sie das nicht täten. Wen sollte das auf dieser Insel interessieren ...

Als sie in die Bar kommt und ihn in einer Ecke der Theke entdeckt, hat sie das Gefühl, dass er da schon lange sitzt. Er hat sich noch nicht mal umgezogen. Aber als sie sich neben ihn setzt, merkt sie, er ist trotzdem nicht betrunken. Er zuckt nur zusammen, als hätte sie ihn erschreckt ...

Sie essen in einem kleinen Restaurant, das der Barkeeper ihnen empfohlen hat, direkt neben dem Hotel. Es ist ein Keller mit gewölbten Mauern. Über den schweren Holztischen hängen Eisengestelle, die für Grillspieße vorgesehen sind, und während er Bier bestellt, nimmt sie eine Karaffe Rotwein. Sie sprechen über die Reise, über das Hotel, über das Restaurant, über das Essen. Eine Konversation, die sie auf ausreichendem Abstand zueinander hält. Als sie zum Hotel zurückkommen, geht er wieder in die Bar hinunter, und als Eivor sagt, dass sie jetzt allein sein möchte, nickt er nur.

»Man frühstückt hier unten«, sagt er.

»Ja«, sagt sie. »Danke für das Abendessen.«

Die drei Tausenderscheine, die er auf ihren Tisch in Göteborg gelegt hat, stecken in ihrer Handtasche. Sie weiß nicht, was sie damit machen soll. An eigenem Geld hat sie nur vierhundert Kronen, und sie hat das Gefühl, damit auskommen zu müssen. Ihn immer bezahlen zu sehen wird früher oder später unerträglich. Die ganze Zeit über ihre Schulden zu erhöhen ...

Am ersten Tag streifen sie durch Funchal. Hin und wieder zwingen plötzlich Regenschauer sie, im nächsten Café Schutz zu suchen. Beide fühlen sich verloren in der fremden Stadt, keiner wagt es, irgendeine Initiative zu ergreifen. Schließlich empfindet Eivor sein Schweigen als bedrückend. Sie möchte so gerne über das sprechen, was sie sieht, ihre Entdeckungen teilen, aber da ist etwas Dichtes und Verschlossenes an ihm, das dazu führt, dass sie stumm bleibt. Sein Schweigen ist offenbar nichts anderes als eine Schale, hinter der sich das Motiv verbirgt, warum er sie mit nach Madeira genommen hat.

Aber alles ist so neu und spannend um sie herum, dass es dem Unbehagen nicht gelingt, Wurzeln zu schlagen.

»Wie schön es hier ist«, sagt sie, als sie sich am Nachmittag zum Restaurant *The English Country Club* durchgefragt haben.

»Ja«, sagt er.

»Ich habe dir wohl noch nicht gesagt, wie froh ich darüber bin, dass du mich eingeladen hast.«

»Das geht schon in Ordnung …«

»Willst du noch Kaffee?«

»Ich nehm lieber ein Bier.«

Ungefähr so. Zwei schwedische Touristen, die einander so gut kennen, dass sie auch gemeinsam schweigen können.

Auf dem Weg zurück ins Hotel bleibt Eivor vor einem Kleidergeschäft stehen und schaut sich die Kleider an, die auf einem Ständer hängen.

»Wenn da etwas ist, was du haben möchtest, dann kauf es dir«, sagt er.

»Ich schaue nur«, antwortet sie.

Am Abend nehmen sie ein Taxi zu einem Fischrestaurant und essen Schwertfisch, *espada*. Zu ihrer Verwunderung bestellt er auch Wein, und als er einige Gläser getrunken hat, beginnt er plötzlich zu reden.

»Man sollte öfter reisen«, sagt er.

»Wenn man das Geld hätte.«

»Geld … Geld … Man sollte hier irgendwo wohnen. Dem verdammten Schnee entkommen … Man sollte öfter reisen …«

»Wenn man genug Geld hätte.«

»Geld«, sagt er wieder, ohne seine Verachtung zu unterdrücken. »Geld ... Was zum Teufel ist das?«

Die Bedienung kommt und gießt die letzten Tropfen aus der Weinflasche in ihre Gläser, und Lasse Nyman bestellt mit einer Handbewegung eine neue Flasche. Eivor findet seine Art zu bestellen arrogant, aber natürlich sagt sie nichts.

Mehr Wein fließt, und sie erzählt von einem Ausflug zu einer Schlucht, von dem sie im Hotel gelesen hat. Sie ist noch nicht auf den Punkt gekommen, als er sie schon unterbricht.

»Klar fahren wir dahin«, sagt er. »Wir mieten ein Auto ...«

Aber am nächsten Morgen wartet Eivor im Frühstückssaal vergebens auf ihn. Erst als die Bedienung anfängt, die Tische abzuräumen, geht sie hinauf und klopft an seine Tür. Es dauert eine Weile, bis er öffnet, und als er vor ihr steht, sieht sie gleich, dass er noch ganz verschlafen ist. Außerdem riecht er nach Alkohol.

»Ich glaube, du musst diesen Ausflug allein machen«, sagt er. »Aber du bekommst Geld von mir. Du kannst doch Auto fahren?«

Er geht ins Zimmer und sucht seine Brieftasche. Seine Kleider sind überall im Zimmer verstreut. Sie bleibt vor der Schwelle stehen, sie will nicht hineingehen.

»Ich komme schon klar«, sagt sie. »Wir sehen uns dann später.«

Ohne auf eine Antwort zu warten, geht sie fort. Eigentlich ist sie ganz froh, allein zu sein. Das Abenteuer wird dadurch größer.

Der Portier hilft ihr, einen kleinen Morris zu mieten, und eine halbe Stunde später steuert sie auf den Weg nach Westen hinaus. Nach einigen Kilometern biegt sie ins Landesinnere ab und nimmt die Haarnadelkurven den Lavaberg hinauf. Sie fährt an Bananenplantagen vorüber, der Weg schlängelt sich den Wolken entgegen. Die Vegetation verändert rasch ihren Charakter, jetzt stehen überall die Eukalyptusbäume, und viele kleine Bäche rinnen von den Klippen. Obwohl es nur vierzehn Kilometer von Funchal bis zur Bergspitze Eira do Serrado sind, braucht sie fast eine Stunde. Sie parkt das Auto und steigt aus. Die Luft in dieser Höhe ist frisch und klar, und sie hat eine atemberaubende Aussicht, wohin sie sich auch wendet. Aber ihre Blicke suchen nach dem Tal, das wahrscheinlich tief unter ihr liegt, *Nunnornas dal*, Curral de Freiras. Diesen versteckten Platz will sie sehen, und mit einem Fuß auf dem Bremspedal beginnt sie die Fahrt bergab. Hier hinunter flüchteten die Nonnen, als Unheil über die Insel hereinbrach, denkt sie. Hierher konnten ihnen die unbarmherzigen Soldaten, Mörder und Gewalttäter nicht folgen. Als sie ins Tal kommt und in das kleine Dorf einbiegt, ist die Sonne verschwunden, und ein zerrissener Nebel schwebt über den niedrigen grauen Steinhäusern, den mageren Ziegen und den wenigen Menschen, die an der Dorfstraße zu sehen sind. Sie steigt aus, und als sie zu dem Berg hinaufschaut, auf dessen Spitze sie eben noch gestanden hat, ist es, als ob sie sich tief in der Unterwelt befände. Eine eigentümliche Stille ruht über dem Dorf. Eine Katze streicht um ihre Beine, und sie erinnert sich plötzlich an die Katze des alten Anders ... Sie streift planlos im Dorf umher. Niemand spricht sie an, niemand scheint Notiz von ihr zu nehmen. Sie geht zu der kleinen weißen Kirche und stößt die schwere Holztür auf. In der Kirche ist es düster und feucht, und als die Augen sich an das Dunkel gewöhnt haben, sieht sie, dass es von der undichten Decke tropft. Die Kirchenbänke sind verrottet, vor dem Kruzifix steht eine große Pfütze.

Sie müssen arm sein hier, denkt sie. Sonst würden sie wohl kaum ihre Kirche verfallen lassen.

Sie geht wieder hinaus und setzt sich auf eine niedrige

Mauer, die rund um die Kirche verläuft. Auf dem Weg sieht sie ein paar stille Frauen mit Reisigbündeln auf dem Rücken, von ihren Kleinkindern gefolgt.

Das Tal der Frauen, denkt sie. Frauen, die sich verstecken, Frauen, die Lasten tragen, Frauen, die Kleinkinder hüten. Wo sind die Männer? Sie schaut sich um, aber sie sieht nur einen alten Mann, der sich am Stock vorwärtsschleppt. Wie gern würde sie mit den Frauen reden, die auf dem Weg vorübergehen, von den Hängen herunterkommen, nachdem sie Reisig für ihre Feuerstellen gesammelt haben. Fragen, wie sie leben …

Als sie sich gerade wieder in ihr Auto setzen will, hört sie ein Kind schreien. Sie dreht sich um und sieht ein barfüßiges kleines Mädchen, das hingefallen ist und sich ein Knie aufgeschlagen hat. Ohne zu zögern, holt sie ein Pflaster aus ihrer Handtasche und geht zu dem Kind hinüber. Vorsichtig streicht sie den Schmutz fort und klebt den Pflasterstreifen auf die Wunde. Das Mädchen hat aufgehört zu schreien und sieht sie mit großen Augen an. Als Eivor sich aufrichtet, merkt sie plötzlich, dass sie von den schwarz gekleideten, stillen Frauen umringt ist. Aber sie lächeln und nicken.

Eivor lächelt und nickt ebenfalls, und als sie schließlich davonfährt, winken ihr die schwarz gekleideten Frauen nach.

Sie kehrt nach Funchal zurück und gibt das Auto ab. Als sie bezahlt, hat sie das Gefühl, dass dies ihr eigener Ausflug war.

Es wird Nachmittag, ohne dass Lasse Nyman sich zeigt. Sie hat keine Lust, wieder an seine Tür zu klopfen, und fragt sich plötzlich, warum sie am Hotelschwimmbad sitzt und auf ihn wartet. Sie geht hinunter ins Zentrum von Funchal und probiert ein Kleid an, das sie am Tag zuvor dort gesehen hat. Es ist lila und hat eine weiße Borte am Halsausschnitt. Es gefällt ihr, und sie kauft es.

Um fünf Uhr ist sie zurück im Hotel, setzt sich ins Straßencafé und trinkt etwas. An einem Tisch in der Nähe sitzt ein Mann in ihrem Alter und raucht. Er schaut zu ihr hinüber, lächelt und fragt auf Englisch mit stark portugiesischem Akzent, ob sie aus London komme. Sie schüttelt den Kopf und sagt: »No.« »Scandinavia?«, fragt er darauf, und sie nickt. Er fragt, ob ihr Madeira gefalle, wie lange sie schon hier sei und wie lange sie bleiben werde. Eivor antwortet, so gut sie kann, in ihrem elenden Englisch. Der Mann ist höflich und freundlich und macht keine Anstalten, an ihren Tisch zu kommen. Er raucht nur seine Zigarette zu Ende, steht auf und nickt ihr zu. *Adeus*. Das ist alles.

Als Eivor einige Stunden später aus ihrem Zimmer hinunterkommt, um in irgendeinem nahe gelegenen Restaurant zu Abend zu essen, sitzt Lasse Nyman im Foyer und wartet auf sie. Er sieht frisch gebadet aus und scheint in bedeutend besserer Form zu sein als am Morgen. Aber vor ihm auf dem Tisch stehen zwei leere Whiskygläser.

»Wie war es?«, fragt er.

»Du hättest mitkommen sollen«, antwortet Eivor.

»Ich weiß von einem Fischrestaurant«, sagt er ausweichend.

Es liegt ganz nah am Hafen. Sie müssen lange Treppen hinuntersteigen, um es zu erreichen.

Lasse Nyman ist verändert. Verschwunden ist seine stille und verschlossene Abwesenheit. Eivor erlebt es als eine Befreiung. Vielleicht kann er jetzt endlich anfangen, sich normal zu benehmen.

»Es ist schön hier«, sagt er. »Verdammt schön.«

»Warum hast du mich eigentlich eingeladen?«, fragt sie.

»Das ist dir doch wohl klar.«

»Nein!«

»Ich mag dich. Das war schon immer so.«

»Wir haben uns vor sechzehn Jahren gekannt. Einige Tage. Und du weißt … Ich muss nicht mehr darüber sagen. Aber es ist sechzehn Jahre her. Nichts ist mehr wie damals.«

»Doch, du.«

»Natürlich nicht.«

»Warum muss alles so verdammt anders sein?«

Er trinkt einen Schluck Wein und verzieht das Gesicht. Der Blick irrt umher, und Eivor erkennt eine Irritation in seiner Stimme. Aber sie kümmert sich nicht darum, jetzt will sie es wissen.

»Du hast Banküberfälle gemacht«, sagt sie. »Und viele Jahre im Gefängnis gesessen. Das hast du erzählt. Und du weißt, dass ich verheiratet war und zwei Kinder habe. Du hast sogar meinen Mann getroffen. Da ist nichts mehr genauso wie damals. Verstehst du, was ich meine?«

Er scheint nicht zuzuhören. »Ich mag dich«, sagt er bloß.

»Kannst du nicht antworten?«

»Worauf?«

»Warum du mich eingeladen hast.«

»Das habe ich doch getan …«

Sie kommt nicht an ihn heran. Sie zuckt die Achseln und nimmt eine Garnele zwischen die Finger.

»Weißt du, was ich heute Nacht gemacht habe?«, fragt er plötzlich, und sie merkt, dass er betrunken ist. Er muss viel getrunken haben, während er im Hotelfoyer saß …

»Nein.«

»Es gibt ein Casino hier. Ich war da und habe alles Geld verspielt.«

Sie zuckt zusammen, erinnert sich aber an die drei Tausenderscheine in ihrer Handtasche. »Ich habe ja noch das Geld, das du auf den Tisch gelegt hast«, sagt sie. »Hast du so viel Pech gehabt? Ich bin noch nie in einem Casino gewesen.«

Er schaut sie ernst an, seine Pupillen sind riesig und glänzen. Dann bricht er in ein viel zu breites Lächeln aus und schüttelt den Kopf. »Ich ziehe dich doch nur auf«, sagt er. »Ich habe verloren. Aber nicht so, dass es etwas ausmacht. Das Geld soll rollen. Aber jetzt hast du Angst bekommen, was?«

Sie sieht ihn erstaunt an. Angst? Wovor?

»Wovor sollte ich Angst haben?«, fragt sie. »Und die Tausender kannst du gleich haben.« Sie hebt die Handtasche auf, die auf dem Steinboden neben ihrem Stuhl steht.

»Nein«, brüllt er. »Die sollst du behalten. Verdammt ...«

Da bekommt sie Angst. Sein Gebrüll ist so überraschend, und seine Pupillen sind erschreckend geweitet. Als sie den Blick hebt, sieht sie direkt in seine starren, prüfenden Augen.

»Jetzt fahren wir in die Stadt«, sagt er, als sie die Treppen hinaufgehen.

»Ich bin müde«, sagt sie.

»Dummes Zeug«, sagt er.

Sie antwortet nicht, ist wachsam. Plötzlich bleibt er mitten auf der Treppe stehen und packt ihren Arm. Im bleichen Licht eines Hotels, das weiter oben an dem steilen Hang liegt, sieht sie seine flackernden Augen, und der Dunst von Wein schlägt ihr entgegen, als er sich über sie beugt.

»Du solltest dir klarmachen, dass ich dich nicht eingeladen habe, damit du irgendeinen verdammten Portugiesen aufreißen kannst«, sagt er.

Sie versteht nicht, was er meint. Sollte sie ...

»Ich sehe alles«, fährt er fort. »Ich sehe dich, aber du siehst mich nicht ...«

»Wovon sprichst du?«

»Im Café. Vor dem Hotel. Wo du gesessen und dich vor einem verdammten Portugiesen aufgespielt hast ...«

Das kann er doch unmöglich ernst meinen! Der Mann am

Nachbartisch, mit dem sie ein paar belanglose Worte gewechselt hat …

»Du weißt nicht, wovon du sprichst«, sagt sie. »Jetzt komm …«

Und dann geht es so schnell, und sie ist so unvorbereitet, dass es ihr vorkommt, als käme ein Schmiedehammer durch die Dunkelheit gesaust. Sie stolpert rückwärts und stürzt von dem Schlag, der sie über dem Auge trifft.

»Du sollst nicht versuchen, mich zu täuschen«, sagt er und atmet heftig. Dann stellt er sie wieder auf die Füße und hält sie fest. »Kapierst du?«

Sie ist völlig gelähmt. Der Schlag war hart, und die Tatsache, dass sie so unvorbereitet war, erhöht den Schmerz. Warum hat er sie geschlagen?

»Warum hast du mich geschlagen?«, sagt sie. »Ich habe nichts getan …«

Da schlägt er sie wieder, diesmal mit der offenen Hand, mehrere Ohrfeigen hintereinander. »Ich habe genug gesehen«, ruft er. »Ich habe gesehen, womit du beschäftigt warst. Schöngetan hast du ihm … Du verdammte …«

»Hör auf«, schreit sie. »Hör auf …«

»Dass du es nur weißt«, sagt er und schüttelt sie.

Als er sie loslässt, will sie davonrennen. Aber er packt sie sofort wieder. »Nein«, sagt er. »Nein … Du wirst hier nicht weglaufen. Wir werden zusammen gehen. Und du solltest dir klarmachen, dass es dein Fehler war. Eigentlich müsstest du um Entschuldigung bitten.«

Es brennt auf den Wangen, und das Blut pocht heftig über dem linken Auge nach dem Schlag. Aber mitten im Schock über den unerwarteten Überfall wächst auch ein Zorn empor, eine Wut, die keine Rücksicht darauf nimmt, dass er wieder zuschlagen kann.

»Lass mich los«, zischt sie. »Lass mich los …«

Sie reißt sich los, aber er ist gleich wieder bei ihr.

»Ich schlage dich tot«, sagt er ganz ruhig. »Jetzt gehen wir, und du kannst dir ganz allein die Schuld daran geben.«

Er packt ihren Arm und zieht sie die Stufen hinauf. Sie treffen ein englisch sprechendes Paar, das auf dem Weg zum Meer ist.

Tränen rinnen über ihr Gesicht, Tränen der Wut.

»Wisch sie weg«, sagt er. »Sonst schlage ich dich wieder. Du hast es dir ganz allein zuzuschreiben. Du hast mich gereizt, und davor solltest du dich hüten. Schließlich habe ich deine Reise bezahlt.«

»Du wirst jede verdammte Öre zurückbekommen«, schreit sie, und er hebt wieder die Hand, aber da tritt sie ihm gegen das Schienbein und rennt davon. Sie schafft es fast bis zum Hotel hinauf, ehe er sie gepackt hat.

»Jetzt vergessen wir das hier«, sagt er. »Jetzt hast du deine Lektion gelernt.«

Sie geht geradewegs ins Hotel. Er ist irgendwo hinter ihr. Aber jetzt rührt er sie nicht mehr an. Sie bekommt ihren Schlüssel und geht zur Treppe, ohne sich umzusehen.

Einige Stunden später steht er an ihrer Tür und klopft, aber sie öffnet nicht, antwortet nicht auf seine Frage, ob sie schläft. Sie sitzt nur auf dem weißen Sofa und starrt stumpf vor sich hin ...

Der Morgen des dritten Tages ... Sie liegt also wieder im Bett, nachdem sie auf dem Balkon gestanden und gesehen hat, wie die kurze Dämmerung schnell zum Tag geworden ist. Auf dem Weg zurück ins Bett ist sie am Spiegel stehen geblieben und hat sich den blauen Fleck über dem Auge angesehen. Als sie den Kiefer bewegt, spürt sie, er tut weh ...

Jetzt, nachdem eine Nacht vergangen ist, versucht sie, ruhig nachzudenken und zu verstehen, was geschehen ist. Am Abend zuvor war sie viel zu aufgebracht.

Sie denkt an Jacob. Er schlug sie, wenn er ein schlechtes Gewissen hatte oder wenn ihm die Argumente ausgingen. Wenn Worte nicht reichten, nahm er die Fäuste. Aber das kann doch hier nicht der Fall sein? Sie und Lasse Nyman haben doch kaum miteinander geredet …

Noch einmal durchdenkt sie, was er gesagt hat. Er hat sie also im Café sitzen sehen, als sie sich mit dem Portugiesen am Nachbartisch unterhielt. Und das hat ausgereicht, dass er derartig eifersüchtig wurde? Aber das ist doch unmöglich …

Oder doch nicht? Vielleicht ist er verrückt genug, zu denken, dass er sie gekauft hat – zum Preis einer Charterreise nach Madeira. Völlig unmöglich ist das nicht. Eivor hat ihre Freundinnen erzählen hören … Es scheint keine Grenzen dafür zu geben, was Männer meinen sich kaufen zu können.

Sie liegt da und denkt an den prahlerischen Autoknacker, in den sie so schrecklich verliebt war, an den Mann, der da auf der abendlichen Straße stand und sie beobachtete, um dann ihre Tür aufzubrechen und ihr seine Lebensgeschichte zu erzählen … Da ist etwas so Klägliches an der ganzen Gestalt, so viel Einbildung und Selbstbetrug.

Ein Bankräuber, der niemals aus dem Windelalter herausgewachsen ist …

Sie merkt, wie sie sich wieder erregt, die Wut kommt zurück. Niemand hat das Recht, sie zu schlagen, niemand! Wenn er glaubt, getäuscht worden zu sein in seinen dunklen Erwartungen, wird sie ihm jede einzelne Öre zurückzahlen. Er kann sich zur Hölle scheren mit seiner Eifersucht. Vielleicht sollte sie sich mit einem netten Portugiesen einlassen, nur um es ihm zu zeigen? Niemand hat das Recht, sie zu schlagen, niemals wird sie das wieder zulassen.

Sie steht auf, duscht und zieht sich an, um zum Frühstück zu gehen. Sie hat keine Angst, ihm zu begegnen. Im Gegenteil, sie fühlt sich jetzt stark. Die noch verbleibenden Tage wird sie sich sonnen und es sich schön machen. An dem blauen Fleck über dem Auge kann sie nichts ändern.

Als sie herunterkommt, sitzt Lasse Nyman in einer Ecke des Speisesaals über einer Tasse Kaffee. Er ist grau im Gesicht und scheut ihren Blick. Aber sie geht geradewegs zu seinem Tisch und schaut ihn an.

»Ich muss mich wohl entschuldigen«, murmelt er. »Ich weiß nicht, was in mich gefahren ist ...«

»Niemand schlägt mich«, sagt sie. »Niemand ...«

Dann geht sie zu einem Tisch am anderen Ende des Speisesaals und setzt sich. Sie kehrt ihm den Rücken zu. Aber sie hat ihr Frühstücksei noch nicht aufgeschlagen, da tut er ihr schon leid. Es kann nicht leicht sein, mit dieser Erinnerung aufzuwachen, denkt sie. Mit einem Kater und dem Wissen, eine Frau geschlagen zu haben. Mein Gott ... Sie schaut über die Schulter, und da sitzt er mit gebeugtem Kopf. Ein Kind, denkt sie. Ein verlassenes Kind, das nur seiner Faust vertraut. So ist er immer gewesen ... Sie versucht sich vorzustellen, wie es ist, ein Gefängnis nach dem anderen zu durchlaufen, ständig auf der Flucht zu sein und ganz tief im Innern mit dem Wissen von dem schlimmsten aller Verbrechen zu leben, dem Totschlag an einem unschuldigen Menschen.

Als ihre Kaffeetasse nachgefüllt worden ist, nimmt sie sie in die Hand, geht zu seinem Tisch und setzt sich.

»Warum hast du das gemacht?«, fragt sie.

»Ich weiß nicht.«

»Ich habe mit diesem Portugiesen übers Wetter gesprochen. Falls dich das interessiert.«

»Ich hatte wohl zu viel getrunken ...«

»Du hast kein Recht, mich zu schlagen. Was auch immer ich tue. Und ich werde jede einzelne Öre zurückzahlen, die diese Reise gekostet hat. Sobald wir nach Hause kommen.«

»Das will ich nicht.«

»Warum hast du mich denn eingeladen? Ich denke schon, dass ich das Recht habe, es jetzt zu erfahren.«

Keine Antwort.

»Was hast du dir eigentlich eingebildet?«

»Nichts«, antwortet er, ohne den Blick zu heben.

»Das glaube ich dir nicht.«

»So ist es aber!«

Sie sieht, wie verkatert er ist, voller Reue, zittrig und ängstlich. Ein kleiner Junge, der ertappt worden ist. Wie Staffan, als er sein Sparschwein ohne Erlaubnis geschlachtet hatte.

»Wir reden nicht mehr davon«, sagt sie.

Ein warmer Tag. Eivor döst am Rande des Schwimmbeckens, dreht den Körper zur Sonne. Lasse Nyman sitzt unter einem Sonnenschirm. Dann und wann verschwindet er zur Bar, um ein Bier zu trinken.

Eivor beginnt, an die Heimreise zu denken ...

Während sie im Becken schwimmt, entdeckt sie Lasse Nyman, der an der Bartheke sitzt und mit jemandem spricht. Ein weiß gekleideter Mann, dunkelhaarig, braun gebranntes Gesicht. Aber er wird sich doch wohl nicht zu einem Gespräch mit einem Portugiesen herablassen, einem Einwohner Madeiras?

Sie klettert aus dem Becken und ist trotz allem ein bisschen neugierig. Nach drei Tagen auf der Insel hat sie noch kaum mit einem Menschen gesprochen. Allenfalls ein paar höfliche Worte mit den Leuten aus der Hotelrezeption oder dem fröhlichen Mädchen, das ihr Zimmer reinigt. Sie wickelt sich in ein Badetuch und geht zur Bartheke. Jetzt kann er sie ja wohl kaum beschuldigen, losgezogen zu sein, um einen Mann aufzugabeln, da er selbst es ist, der Gesellschaft gefunden hat.

»Das hier ist Lourenço, und dies ist Eivor«, sagt Lasse Nyman mit großer Geste, und sie sieht, dass er auf bestem Wege ist, wieder betrunken zu werden.

Er stellt mich vor, als ob ich seine Frau wäre, denkt sie und nickt dem Portugiesen zu. Er ist um die dreißig, trägt ein weißes Hemd und weiße Baumwollhosen. An den braunen Füßen baumeln Sandalen, an einem der Finger steckt ein großer Goldring.

»Hej, hej«, sagt Lourenço.

»Er hat in Schweden gewohnt«, erklärt Lasse Nyman. »In Södertälje, prima Platz.«

»Södertälje, ja«, sagt Lourenço. »Scania Vabis. Lastwagen ...«

»Hall«, sagt Lasse Nyman.

»Pall?«

»Nein, Hall. Gefängnis.«

»Nein. Nie Gefängnis. Nie Polizei ...«

Er wehrt ab und wirkt plötzlich verwirrt, aber Lasse Nyman grinst ihn nur an und zwinkert Eivor wissend zu. Hat er den gestrigen Tag schon vergessen? Den Kater vom Morgen im Frühstücksraum schon überwunden?

»Ich war Wärter im Gefängnis«, lügt er. »Bulle.«

»Bulle?«

»Genau. Bulle ...«

Lasse Nyman verlässt seinen Barhocker und steuert auf einen schattigen Tisch zu. Lourenço und Eivor folgen ihm.

»Hast du in Schweden gewohnt?«, fragt sie, als sie sich gesetzt haben.

»Du hörst doch, was ich sage«, antwortet Lasse Nyman. Er wird wieder laut.

»Jetzt bin ich es, die fragt«, sagt Eivor. »Nicht du.«

Lourenço sieht unsicher von einem zum anderen.

»Bier!«, ruft Lasse Nyman einem Kellner zu, der am Beckenrand steht und ins Wasser hinunterschaut. »*Beer* ...«

»Für mich nicht«, sagt Eivor. »Eine Limonade ... Und die werde ich selbst bezahlen.«

»Fünf Jahre in Schweden«, sagt Lourenço, als die Gläser auf dem Tisch stehen und Eivor ihre Frage wiederholt hat. »Fünf Jahre in Södertälje.«

»Aber du bist von hier? Aus Madeira.«

»Ja. Funchal. Ich bin nach Hause zurückgezogen. Habe Schuhgeschäft gekauft von ... Wie heißt das ... Onkel?«

»Ja. Onkel.«

»Die legen Geld auf die hohe Kante in Schweden, und dann fahren sie nach Hause«, sagt Lasse Nyman und macht keine Anstalten, seine Verachtung zu unterdrücken. Er wippt mit dem Stuhl und lächelt Lourenço an.

»Gut bezahlt, aber teuer zu leben in Schweden«, antwortet Lourenço.

»Hier kann es wohl nicht besonders viel kosten. Ihr habt schlechte Häuser auf Madeira, Lourenço. *Very bad* ...«

»Nein. Gute Häuser. Hier ist es warm. Kein Schnee ...«

Eivor fühlt das Unbehagen in sich wachsen. Lasse Nyman sitzt da und provoziert den Portugiesen.

»Hör jetzt auf«, sagt sie, aber er ignoriert sie.

»Viele Mädchen in Södertälje«, sagt er.

Lourenço schüttelt eifrig den Kopf.

»Nein, nein. Verheiratet.«

»In Södertälje?«

»Nein. Hier. Funchal. Drei Kinder.«

»Ja, aber, zum Teufel ... Du hattest doch wohl Mädchen in Södertälje. Massenhaft Mösen? Was?«

Lourenço wird rot und sieht zu Eivor hin. Er stellt das Glas ab. »Ich muss gehen«, sagt er.

»Niemand kauft doch um diese Tageszeit Schuhe. Bleib ruhig hier! Nimm noch ein Bier!«

»Nein.«

»Was bist du denn für ein Kumpel? Erzähl jetzt von den Mädchen in Södertälje!«

»Hör auf«, sagt Eivor wieder.

»Jetzt soll Lourenço erzählen, wie es in Schweden war!«

Eivor merkt, wie der Zorn in Lourenço hochsteigt. Er wirft sein Glas auf den Steinboden, sodass die Glassplitter herumspritzen. »Ich sage ... Schweden verdammtes Scheißland. Nicht alle, nicht die meisten. Aber viele. Verdammte Scheißkerle ... Wie du ... Schweden denken, sie die Besten, alle anderen nur Scheiße, Einwandererteufel ... Aber ich ... Ich sage ... Wie heißt, *narrowminded* ... Träge ... Wie Amerikaner ... Genauso ... Glauben, dass ihnen die ganze Welt gehört ... Hier seid ihr willkommen, wir nehmen euch auf. Nicht wie in Schweden ... Verdammtes Scheißland. Pferdepimmel ... Nicht du, aber er ... Verdammt ...«

Und dann ist er weg. Rund um den Tisch sind die Gespräche verstummt. Zwei Kellner haben sich genähert. Aber Lasse Nyman scheint ungerührt.

»Komisch, dass man nicht einmal in seinem Hotel Ruhe hat«, sagt er laut zu einem der Kellner. Der andere hat Schaufel und Besen geholt und fegt die Glassplitter zusammen.

»Ich werde dieses Hotel verklagen«, fährt er fort. »Wenn dieser Teufel sich hier noch einmal zeigt. Lourenço Castanheiro heißt er. Sagt er jedenfalls.«

»Er kommt nicht mehr her«, sagt der Kellner.

»Das war nicht sein Fehler«, sagt Eivor. »Wenn dieser Lourenço sich hier nicht mehr zeigen darf, werde *ich* klagen!«

»Hör jetzt auf«, sagt Lasse Nyman.

»Du bist es, der aufhören sollte«, schreit sie und steht auf. Nie wird sie verstehen, wie sie das wagen konnte, in aller Öffentlichkeit, mit lauter neugierigen Menschen um sich herum ...

An diesem Abend isst sie allein. Sie geht durchs Foyer, ohne sich umzusehen (er könnte ja dasitzen, unsichtbar, das hat er schon früher bewiesen), steigt auf der Straße in ein zerbeultes Taxi, setzt sich auf den Rücksitz. Der Chauffeur ist jung, er dreht sich um und lächelt. Überall diese Freundlichkeit, denkt sie flüchtig.

Wohin sie gefahren werden will? Sie versucht, den Namen von Funchals Markthalle auszusprechen, *Mercado dos Lavradores*, von der sie in einer der Touristenbroschüren im Hotel gelesen hat. An dieser Markthalle soll es mehrere gute Restaurants geben. Der Fahrer nickt, dreht das Autoradio bis zu beinahe unerträglicher Lautstärke auf, wütende Popmusik, und macht sich dann auf den Weg, ohne sich umzudrehen.

Als sie das Taxi verlassen hat, streift sie eine Weile in der großen Markthalle aus ockerfarbenen Ziegeln umher. Viele Stände werden schon für den Abend dichtgemacht. Der unebene Steinboden ist bedeckt mit zerdrückten Früchten, Fetzen von Gedärmen, und der Geruch von getrocknetem Blut schwebt über allem. Es ist, als ob nur ein kleiner Teil von ihr zugegen sei. Der andere, größere Teil ficht einen unablässigen Kampf aus mit Lasse Nyman, und in ihren Gedanken ist er es, der fällt, mit großen Blutergüssen über den Augen.

Sie wählt aufs Geratewohl ein Restaurant, geht eine steile Treppe hinauf und kommt in einen Raum, der überfüllt ist mit Tischen und Menschen. Sie will kehrtmachen, als ein aufmerksamer Ober sie aufhält und freundlich, aber bestimmt zu dem kurzen Ende eines langen Tisches führt, an dem deutsche Touristen sitzen. Sie bekommt eine fettige Speisekarte in die Hand gedrückt und versucht, die schwer lesbare Schrift zu entziffern. Ein weiterer Ober ist an ihrer Seite aufgetaucht und zeigt hartnäckig auf das teuerste Gericht. Aber sie ist nicht besonders hungrig, darum folgt sie ihm nicht, sondern zeigt auf eine Suppe, *Caldeirada*, und eine Karaffe Rotwein. Die Deutschen am Tisch sind dabei, ihre Mahlzeit mit einer Art Karamellpudding zu beenden, natürlich mit einem weiteren Krug Bier für jeden. Sie schaut sie an und fragt sich, warum Deutsche entweder unmäßig fett und aufgedunsen oder mager wie Krebskranke im letzten Stadium sind. Gott bewahre sie davor, so fett zu werden ...

Die Suppe kommt auf den Tisch, Zwiebeln, Kartoffeln und Olivenöl auf einem braunen Teller. Sie trocknet ihren Löffel mit einer Papierserviette und beginnt zu essen ...

Plötzlich wird sie von einem schrecklichen Heimweh befallen, dem sofort der treueste aller ihrer Lebenstrabanten folgt: das Schuldgefühl. Staffan und Linda, sie hat mehrere Stunden lang nicht an sie gedacht, und sie schämt sich beinahe.

Der Wein hat ihre Stimmung nicht aufgehellt, und so sieht sie davon ab, noch eine Karaffe zu bestellen. Es gelingt ihr, die Aufmerksamkeit des gehetzten und schwitzenden Kellners zu erlangen, und sie bezahlt eine Rechnung, auf der sie nur die Endsumme lesen kann. Sie weiß nicht, wie viel Trinkgeld sie geben soll, legt erschöpft einen Schein, der vermutlich viel zu groß ist, auf den Unterteller und steht auf.

Der Abend ist kühl, und sie fröstelt, als sie hinaus auf die Straße tritt. Am liebsten würde sie zu Fuß zum Hotel gehen, aber sie ist unsicher, ob sie es wagen soll. In der Dunkelheit wird die fremde Welt bedrohlich. Schließlich läuft sie los und schwenkt in die Rua de Alfândega ein. Wer soll sich schon an sie heranmachen, eine Frau mit einem großen blauen Fleck über einem Auge, denkt sie wütend und trabt weiter. Jetzt will sie nach Hause. Dies ist das erste und letzte Mal, dass sie sich zu einer Ferienreise hat einladen lassen. Aber es ist sicher nicht das letzte Mal, dass sie der Kälte abschwört und die Wärme aufsucht! Auch das ist ein Versprechen, und sie bekräftigt es mit einem leisen Fluch, während sie beginnt, die lange Steigung zu dem lang gestreckten Hotelreservat hinaufzugehen.

Sie hat gerade einige Ansichtskarten geschrieben, die sie gestern gekauft hat, als es an der Tür klopft. Das Geräusch ist so schwach, beinahe rücksichtsvoll, dass es eigentlich nicht Lasse Nyman sein kann. Aber natürlich ist er es trotzdem, und er steht in ihrer Tür und weint. Sie ist so verwundert, dass sie gar nicht daran denkt, die Tür zuzuschlagen, sondern zur Seite tritt und ihn hereinlässt. Sie kann nicht ausmachen, ob er angetrunken ist, aber er geht mit sicherem Schritt zu ihrem Sofa. Da sitzt er und reibt sich die Augen. Aber sie hat ja seine Tränen bei einer früheren Gelegenheit erlebt, auf dem Rücksitz jenes Autos vor bald zwanzig Jahren.

»Weißt du, warum ich nach Madeira fahren wollte?«, fragt er plötzlich, und seine Stimme ist rau und schwach.

»Du hast gesagt, dass die Kanaren zu gewöhnlich sind.«

Er schüttelt den Kopf. »Hier kann man Psychopharmaka ohne Rezept kaufen«, sagt er, und um seine Worte zu unterstreichen, beginnt er, viereckige Schachteln aus der Jackentasche hervorzukramen, Valium und Stesolid.

»Das hier sind mindestens tausend Tabletten«, sagt er. »Von zwei Apotheken. In Schweden hätte ich allenfalls fünfundzwanzig Tabletten auf Rezept bekommen.«

In der nächsten halben Stunde hört sie zu, was er alles zu erzählen hat, und glaubt zu verstehen, dass seine Tränen keine Krokodilstränen waren. Die Qual, der er Ausdruck gibt, ist echt. Das, was er sagt, unterscheidet sich nur in Einzelheiten von dem, was er ihr in ihrer Wohnung in Göteborg einige Monate früher gestanden hat. Aber jetzt ist es nicht die Aufzählung der Ereignisse, die ihm das Rückgrat gebrochen haben, sondern eher die Beschreibung eines von Albträumen gejagten Menschen. Der verzweifelte Siebzehnjährige mit seinem mageren Gesicht und den schmutzigen Fingern sitzt auf einmal wieder vor ihr, und sie hat nicht den Eindruck, dass sein Klagelied falsch klingt, es ist weder übertrieben noch pathetisch. Die weißen Schachteln mit den grünen Etiketten, auf denen *Roche* steht, bilden also den Grundstoff, der ihn zusammenhält, den Leim für sein undichtes Leben.

Sie sieht ihn an, seine Hände, die die Pillenschachteln bewegen, als ob sie Figuren in einer Schachpartie wären, die schon vor langer Zeit hätte beendet werden sollen. Der König ist geschlagen, aber die Spieler weigern sich noch aufzugeben …

»Ich bin so verdammt einsam«, sagt er. Und mit einem Zusatz von Ironie: »Es ist mir nicht einmal geglückt, auf die Liste von Schwedens fünfzehn gefährlichsten Verbrechern zu kommen. Was, zum Teufel, hat mein Leben für einen Wert?«

Sein Problem ist zu groß für mich, denkt Eivor. Das ist etwas anderes als die Schürfwunden, an die ich gewöhnt bin. Und was ist meine Hausfrauenangst gegen das, was er durchmacht?

»Sieh her«, sagt er und zeigt seine Handgelenke, wo Eivor die weißen Narben nach dem unvollendeten Angriff auf die Pulsadern erkennen kann. »Und hier«, fährt er fort und beugt seinen Kopf. Mit den Fingern zieht er die Haare zur Seite, und Eivor sieht die Deformation des Schädelknochens, nachdem er mit dem Kopf gegen die Zellenwand geknallt ist. »Ich bin immer auf dem Sprung, mir das Leben zu nehmen«, sagt er. »Früher oder später werde ich es schaffen.«

»Tu das nicht«, antwortet sie hilflos.

»Warum nicht?«

Aber hat sie darauf eine Antwort? Natürlich nicht.

»Ich benehme mich wie ein Schwein«, sagt er. »Immer wieder.« Das ist seine Art, die Demütigung auf seine Stirn zu stempeln. »Ich stürze mich ohne Anlass auf dich, ich mache Leuten das Leben schwer, die nur freundlich sein wollen. Alles, was ich tue, ist ein Versuch zurückzuschlagen. So ist es immer gewesen.«

»Ich glaube, ich verstehe«, sagt sie.

»Das tut keiner.«

Er schaut sie an.

»Wenn ich nur einen Menschen hätte, um den ich mich kümmern könnte«, sagt er.

Sie ist sofort auf der Hut, und er merkt es. Er sammelt seine Pillenschachteln ein, stopft sie in die Taschen und steht auf. »Ich gehe jetzt«, sagt er.

»Das brauchst du nicht, wenn du nicht willst.«

Aber er steht schon an der Tür, mit der Hand auf der Türklinke.

»Trink nicht so viel«, sagt sie.

Er schüttelt den Kopf, und hätte sie es gewagt, so hätte sie ihn in den Arm genommen, den kleinen Schritt gewagt, hinaus aus dem unverbindlichen Mitgefühl.

Am nächsten Tag, als sie ihn im Frühstückssaal trifft, ist er verändert. Er winkt sie zu sich an seinen Tisch, und sie sieht, dass er sorgfältig gekleidet ist.

»Das hat mir geholfen gestern«, sagt er. »Ja, wirklich.«

»Wie schön!« Sie hört ihre lächerliche Antwort. Aber was soll sie sonst sagen?

Die Folge ist dennoch, dass die drei Tage und Abende, die ihnen noch bleiben, anders verlaufen. Sie machen gemeinsame Ausflüge, kaufen Geschenke, baden im Meer. Von *Convento de Santa Clara*, dem Kloster auf dem Berghang oberhalb von Funchal, fahren sie mit dem Ochsenkarren, sie essen zu Abend und hören den Gitarre spielenden alten Männern zu, die sentimentale und scheinbar endlose *fados* vortragen. Eines Abends überredet er sie, ihn zum Casino zu begleiten, und ohne dass sie richtig versteht, wie es zugeht, folgt sie seinen Erklärungen zu Black Jack, Chemin de fer und dem gewöhnlichen Roulette, wo sie in einem erhebenden Augenblick erlebt, wie der Croupier ihr einen Stapel mit schwarzen Spielmarken zuschiebt, nachdem die Kugel auf der Neunzehn angehalten hat. Und die ganze Zeit ist Lasse aufgedreht und aufmerksam. Sie kann hoffen, dass das nicht nur ein vorübergehender Zustand ist, und wagt es, sich zu entspannen. Sie erlebt ihn plötzlich sowohl charmant als auch voller Lebenshunger. Wenn sie nur seinen plötzlichen Umschwüngen folgen könnte! Aber jetzt, nachdem er mit sich selbst ausgesöhnt zu sein scheint (wenn die Reise allein dafür gut war, ist sie schon zufrieden!), ist er ein Begleiter, wie sie ihn sich gewünscht hat.

Der letzte Abend. Sie haben im selben Restaurant wie am Ankunftstag gegessen und viel Wein getrunken.

Eivor merkt, dass sie beschwipst ist, aber es ist eine behagliche Trunkenheit. Lasse Nyman hat sie mit wilden Geschichten aus seinem Gefängnisleben unterhalten, hat Mitgefangene geschildert, die in seinen Erzählungen als völlig unwirkliche Originale erscheinen. Er hat auch auf ihre Frage nach seinen Raubzügen geantwortet, er hat sich nicht entzogen. Als er von zwei Betrügern berichtet, deren höchster Wunsch es war, in den Besitz eines Baggers zu gelangen, kann sie nicht anders, als ihn gern zu haben. Wenn er so ist wie jetzt, ohne Brutalität, ohne Pillenschachteln …

Darum hebt sich auch kein warnender Zeigefinger in ihr, als er vorschlägt, noch einen Drink auf seinem Balkon zu nehmen. Es ist ja der letzte Abend, am Nachmittag des nächsten Tages fahren sie nach Hause, wo die Winterkälte, wie sie von Reisenden aus Schweden hören, rechtzeitig zu Neujahr zugeschlagen hat.

Neujahr! Sie werden ja am Neujahrstag zu Hause ankommen, und Eivor hat beschlossen, nach Borås zu fahren. Jacob soll sagen, was er will, aber wenn sie eine Woche im Ausland war, dann kann er sie kaum daran hindern, ihre Kinder früher als abgemacht zu besuchen.

»Was wirst du im neuen Jahr machen?«, fragt sie, als sie auf seinem Balkon sitzen und auf das schwarze Meer hinausblicken, wo im Licht des Leuchtturms von Funchal hier und da Schaumkronen aufblitzen.

»Ich werde wohl nach Stockholm fliegen«, sagt er. »Ich nehme den erstbesten Flug. Das klappt schon irgendwie.«

Als er den Stuhl an ihre Seite rückt und ihre Hand nimmt, zieht sie sie nicht zurück. Wie lange ist es her, dass ein Mann ihre Hand gehalten hat? Viel zu lange ... Was vor sechzehn Jahre passierte, ist plötzlich so weit weg, hier auf dem Balkon in Madeira, und die Schläge auf der Treppe, der blaue Fleck ... Nein, es ist ihr scheißegal!

Erst als er aufsteht und sie zum Bett führen will, stockt sie. »Ich will nicht schwanger werden«, sagt sie.

»Habe ich dir das nicht gesagt?«, fragt er und sieht verwundert aus.

»Was gesagt?«

»Dass ich keine Kinder zeugen kann. Auch da stimmt etwas nicht. Die Hormone.«

Natürlich wird es keine besonders gelungene Angelegenheit. Viel zu viel Wein, umhertastende Unsicherheit ... Aber als sie still daliegt und er dicht neben ihr eingeschlafen ist, da ist es doch ein ganz angenehmes Gefühl.

Trotzdem will sie nicht in seinem Bett aufwachen, darum steht sie vorsichtig auf, zieht die notwendigsten Kleidungsstücke an, nimmt den Rest in die Hand und geht über den Korridor zu ihrem eigenen Zimmer. Auf dem Weg dorthin hört sie fremde Stimmen, jemand grölt Evert Taube ...

Man weiß so wenig über sich selbst, denkt sie verschwommen, ehe sie einschläft. Auch etwas, was man für unmöglich hält, geschieht ... Aber vielleicht hält man es nur so aus ... Weil das Unerwartete trotz allem eintrifft ... Sie zieht die dünne Decke zum Kinn hoch, schließt die Augen und schläft noch einmal beim Rauschen des Meeres ein.

Das Flugzeug setzt hart auf der Landebahn auf, rechts und links liegt dicker Schnee, und sie sehen, wie der Atem vor den Mündern der Männer steht, die dem Flugzeug entgegenkommen, als es eingeschert ist.

»Pfui Teufel«, sagt Lasse Nyman.

Eivor hat es eilig, zu ihren Kindern zu kommen. Sie und Lasse Nyman haben verabredet, Kontakt zueinander zu halten. Er hat offensichtlich verstanden, dass das, was am Abend zuvor geschehen ist, nur eine Ausnahme war.

»Bitterkalt«, sagt er, als sie in der Schlange an der Passkontrolle stehen.

»Brrr, ja.«

Und das war's.

Viel später kommt ihr manchmal der Gedanke, dass er eine Vorahnung hatte. Sie ist ja nicht der Mensch, der ungewöhnliche Details wahrnimmt, die signalisieren, dass etwas geschehen wird. Aber im Nachhinein fragt sie sich doch, ob er nicht absichtlich einen kaum wahrnehmbaren Abstand zwischen sie und sich selbst gelegt hat. Einen Abstand, der seine Bedeutung erst im Licht dessen bekommt, was geschah, als sie geduldig am Rollband auf ihre Koffer wartete. Sie sieht seinen Rücken, als von drei Seiten drei Männer auf ihn zugehen und sich vor und neben ihn stellen.

Dann geht es so schnell, dass sie niemals sicher sein wird, ob es nicht ein Albtraum war. Die drei Männer, in anonymes Grau gekleidet, werfen sich auf ihn, und ehe er in der Lage ist, sich zu wehren, hat man ihm schon Handschellen angelegt, und er wird abgeführt. Nicht nur Eivor erlebt, dass alles viel zu schnell geht, um Wirklichkeit zu sein. Sie sieht in die aufgerissenen Augen eines Kindes, das verständnislos zusieht, wie Lasse Nyman abgeführt wird.

Sie geht zu der Stelle am Rollband, an der er eben noch stand, um ganz sicher zu sein, dass sie sich nicht getäuscht hat.

Natürlich bin ich ein Dieb. Aber dieses Geld hier hat damit nichts zu tun. Das war seine Antwort, als sie ihn fragte, woher er das Geld für die Reise nehmen würde. Und diese Antwort kam so schnell, dass sie gar keine Möglichkeit haben sollte zu merken, wie ausweichend sie war. Sie hörte nur, was sie hören wollte, aber als sie jetzt ihren Koffer erspäht, ihn vom Rollband herunterhebt und Lasse Nymans Koffer weiter herumfahren sieht, merkt sie, dass sie auf jeden Fall nicht von schlechtem Gewissen geplagt wird. Er hat den Raub verübt, nicht sie.

Sie will auch seinen Koffer vom Band heben, als sie sich in einer plötzlichen Eingebung umdreht und sieht, dass die Koffer aller Passagiere vom Zollpersonal kontrolliert werden. Sie lässt seinen braunen Koffer weiter auf dem schwarzen Band kreisen und geht davon.

Sie ist vollkommen ruhig, als sie ihren Koffer einem wachsamen Zollbediensteten vorzeigt, und sie denkt, dass sie wohl noch mehr Selbstbeherrschung aufbringen muss, wenn ihm das jetzt auf irgendeine Weise helfen soll.

Als sie nach Hause in ihre Wohnung in Frölunda kommt, ist sie erschüttert. Sie sitzt im Wohnzimmer, das vorwurfsvoll und feindlich auf sie wirkt mit seiner muffigen, abgestandenen Luft. Sie denkt daran, dass er ständig in Dunkelheit und Schatten lebt und dass er immer auf die gleiche Art verschwindet oder weggeschleppt wird, die Hände in Handschellen.

Und natürlich macht sie sich irgendwann doch Vorwürfe. Hätte sie etwas für ihn tun können? Sie ist weder Missionarin noch Nonne oder Sozialarbeiterin, und sie ist auch nicht gut im Zuhören, aber gab es etwas, was in ihrer Macht gestanden hätte? Eine unklare Selbstanklage lässt sie nicht los, und es dauert lange, bevor sie aufsteht, um das Fenster zu öffnen und den Mantel auszuziehen.

Sie fährt nicht nach Borås. Sie ruft nicht einmal an, um den anderen ein gutes neues Jahr zu wünschen und mitzuteilen, dass sie wohlbehalten zurück ist. Sie sitzt auf dem Sofa und denkt nach. An diesem ersten Tag im neuen Jahr denkt sie an sich selbst und an ihre Zukunft mit einer Gründlichkeit, die sie bisher nicht an sich kannte. Allein zu sein und die Situation zu beherrschen, das Leben als eine überschaubare Landschaft zu betrachten. Sie stellt sich die Frage, ob das, was sie erlebt hat, der Anfang vom Ende oder das Ende vor einem Neuanfang ist. Im neuen Jahr wird sie den Beweis erbringen, dass sie ihre Zukunft mitgestalten kann, und das stimmt sie versöhnlich.

Januar 1973. Ein Wintermonat, so intensiv, dass alle früheren Winter milde und hell dagegen wirken. Die Kälte und der Nordwestwind nagen sich durch jeden Schutz, beißen sich durch Pelze, Pullover und Schichten von kratzender Unterwäsche. Es ist der Monat der blauen Nasen. So schlimm verfroren, wie die Kinder sind, wenn sie von der Schule nach Hause kommen, kann sie sich nicht erinnern sie jemals vorher gesehen zu haben.

Der Ausflug nach Madeira ist genauso unwirklich, als hätte sie einen Besuch auf irgendeinem der Sterne gemacht, die in den kalten Winternächten funkeln, wenn die Temperatur unter die magische Zwanzig-Grad-Marke rutscht. Nur die schnell verschwindende Sonnenbräune zeigt, dass der Aufenthalt wirklich stattgefunden hat. Wenn sie den Kindern oder den neuen Arbeitskollegen von Madeira erzählt, wird sie manchmal von dem Gefühl heimgesucht, zu lügen. Zumal sie einen wichtigen Bestandteil der Reise auslassen muss, Lasse Nyman. Am Neujahrstag gibt es keine Zeitungen, aber am 2. Januar, im Zug nach Borås auf dem Weg zu den Kindern, liest sie, dass der Bankräuber Lasse Nyman *ohne weiteres Aufsehen* auf dem Flugplatz Torslanda gefasst wurde. Sie liest auch, dass das Geld, das ihren Aufenthalt auf Madeira möglich gemacht hat, vermutlich aus einer der Enskilda Banken in Mittelschweden stammt, genauer gesagt aus Katrineholm, wo Lasse Nyman jetzt in Untersuchungshaft sitzt.

In dem langsam dahinzuckelnden Personenzug hat sie das sichere Gefühl, sie wird ihn wiedersehen. Er wird wieder in ihrer Tür stehen, und diesmal wird es keine sechzehn Jahre dauern. Sie sitzt da und schaut über die Winterlandschaft und die verlassenen Bahnhöfe, auf denen der Zug widerwillig hält in der Hoffnung, dass jemand zusteigt, und sie denkt, sie wird ihn kameradschaftlich empfangen.

Lasse Nyman ist ihr sehr nahe während dieses eisigen Januars, als sie mit nervöser Beharrlichkeit den Kampf um den neuen Lebensweg aufnimmt. Jacob hat sich ebenso unverständig wie abweisend gezeigt, als sie ihm erzählt hat, dass sie anfangen wird zu studieren. (Sie tut das, als sie die Kinder zum neuen Jahr abholt, sie nutzt die Überlegenheit aus, die entsteht, als er verblüfft ihr sonnengebräuntes Gesicht sieht und versteht, dass sie wirklich fort war. Die Ansichtskarte ist sicher noch nicht angekommen, bevor sie zurück war ...)

»Warum?«, fragt er. »Du musst doch ein Ziel haben.«

»Zunächst möchte ich die Möglichkeit haben, mir überhaupt ein Ziel setzen zu können«, antwortet sie.

Er fragt irritiert nach, und sie antwortet. Sie denkt, seine Irritation muss wohl die Reaktion sein, von der Katarina

Fransman berichtet hat: die Angst der Männer, wenn die Frauen ihre Schürzen abnehmen und die Freiheit suchen. Die Reaktion von Elna und Erik ist womöglich noch abweisender, denn das Einzige, was sie zur Antwort bekommt, ist eine rätselhafte Ansichtskarte – von der Eternitfabrik! Darauf *Viel Glück* als einziger Text. Eines Abends ruft Eivor Elna in Lomma an, und es gelingt ihr das Kunststück, ihre Studien überhaupt nicht zu erwähnen! Am schwierigsten ist es jedoch, sich mit den Kindern zu unterhalten. Dass »Mama Schulbücher liest«, ist etwas, was sie nur schwer begreifen. Das hat sie doch schon damals gemacht, als sie klein war, bevor es sie gab. Sie sind gleichzeitig neugierig und ängstlich, und Eivor muss gegen das Gefühl ankämpfen, dass ihre Studien ein lächerlicher Fehltritt sind. Aber gleichzeitig weiß sie auch, sie darf unmöglich jetzt die Waffen strecken.

Sie hat sich eine Ecke im Wohnzimmer zum Studieren eingerichtet. Im Keller hat sie einen alten Mangeltisch entdeckt, den sie eines Abends in ihre Wohnung geschleppt hat. Sie kauft eine Arbeitslampe und näht ein Kissen für den Küchenstuhl, der sonst nur benutzt wird, wenn Jacob zu Besuch ist. Den Tisch stellt sie neben das Fenster, und die Blumentöpfe von der Fensterbank bringt sie in die Küche, damit Platz für Ordner und Kladden entsteht. Die größte Veränderung ist jedoch, dass die Kinder ab sofort keine Spielsachen mehr ins Wohnzimmer bringen dürfen. Jetzt müssen sie sich mit ihrem eigenen Zimmer begnügen, und Eivor sagt das in einem so scharfen Ton, dass sie es sofort verstehen. Aber natürlich liegen nach kurzer Zeit wieder Modellflugzeuge und Malstifte auf dem Mangeltisch, wenn Eivor von der Arbeit nach Hause kommt, und es fällt ihr schwer, die Kinder mit den unschuldigen Gesichtern auf die ungewohnten Grenzen hinzuweisen.

Viel später, als alles schon in Trümmern liegt, wird sie

kaum über die Tatsache hinwegkommen, dass sie nie die Möglichkeit hatte, sich ernsthaft zu erproben. Hätte sie wenigstens ein paar Monate gehabt, wäre es vielleicht erträglicher gewesen. Aber so wie es kam ... Eine große und sorgfältig vorbereitete Expedition, die in den ersten Tagen scheitert.

Die Katastrophe beginnt wie gewöhnlich ohne Vorwarnung. Sie ist nach ihren ersten Abendlektionen auf dem Heimweg vom Marktplatz in Frölunda. Sie trägt an der Bürde, die sie sich so lange gewünscht hat: sie hat Unterricht bekommen. Anspruch darauf, etwas zu lernen, mit den Entdeckungen zu beginnen. Es ist zehn Uhr an einem der seltenen Januarabende, an denen der Wind sich gelegt hat und ihr nicht ins Gesicht beißt. Sie hat es eilig, nach Hause zu kommen, zu Tee und Broten und ein paar Stunden mit den Büchern, die sie in einer Plastiktüte von ICA bei sich trägt. Sie ist erfüllt von einer großen Erwartung, ähnlich der vor vielen Jahren, als sie ihren ersten Wochenlohn von Konstsilke in Borås bekam und loszog, um einzukaufen. Einer der seltsamen Augenblicke, in denen sie vollkommen sicher ist, dass kein Problem existiert, das sie nicht lösen könnte. Aber gleich darauf wird sie auf eine harte Probe gestellt. Als sie an einem Sanitätsgeschäft vorbeikommt und einen abwesenden Blick in das Schaufenster wirft, wie man sich im Dunkeln unwillkürlich einer Lichtquelle zuwendet – wird ihr plötzlich klar, dass ihre Menstruation schon fast eine Woche überfällig ist. Mit leicht gebeugtem Oberkörper geht sie weiter und denkt, dass es ja nicht das erste Mal ist, eine Woche ist keine unnormale Spanne für sie. Dennoch sendet ihre Intuition in diesem Moment das erste Signal aus, zuerst als eine kaum wahrnehmbare Unruhe, dann – und da ist sie schon fast zu Hause – als ein schreckliches Gefühl, als wäre eine große Eisenhand dabei, sie zu umklammern.

»Das kann und darf nicht sein«, sagt sie laut zu sich selbst, während sie nervös nach dem Türschlüssel in ihrer Handtasche sucht. Der Griff der Plastiktüte mit den Büchern rutscht ihr aus der Hand, und das Stifteetui fällt in den schmutzigen, aufgetrampelten Schnee. *Habe ich dir das nicht gesagt? Dass ich keine Kinder zeugen kann? Die Hormone.* Sie stopft das Stifteetui zurück in die Plastiktüte und schließt die Tür auf. *Auch da stimmt etwas nicht.* Flüchtig hingeworfen, ein niedergeschlagener und resignierter Mann nennt den den endgültigen Beweis seines Versagens. Aber das kann genauso gut eine getarnte Lüge gewesen sein. Sicherlich! Lasse Nyman lügt, sein Leben ist ein Kaleidoskop von Lügen, die ständig Charakter und Form verändern.

Sie ist oben an ihrer Tür, starrt auf den Namen, »Halvarsson«, als ob sie ihren Augen nicht traute, und denkt, sicher wäre es möglich, dass er sie hereingelegt hat, aber eigentlich kann kein Mensch einen solchen Betrug verüben, wenn es nur um eine Nacht geht. Dass Liebe sich bisweilen mit grotesken Lügen und heimtückischen Angriffen aus dem Hinterhalt wappnet, darüber ist sie sich im Klaren, aber einen solchen Angriff macht man doch nicht, um eine einzige Nacht im Bett mit einer Frau zu verbringen! Sie schließt auf und versucht sich damit zu beruhigen, dass alles Einbildung ist. Die Reise nach Madeira, Lasse Nyman, der bei der Rückkehr nach Torslanda plötzlich zu Boden geschlagen wird, die Nervosität wegen all des Neuen, das ihr bevorsteht, sind mehr als genug Gründe für das Ausbleiben ihrer Menstruation ...

Aber sie ist tatsächlich schwanger, und als sie einige Wochen später mit dem Bescheid von der Apotheke kommt, bestätigt er nur etwas, dessen sie sich im Grunde schon sicher war. So sicher, dass sie längst an eine Abtreibung gedacht hat. Schlimmer muss es nicht werden.

In dieser aufgeklärten Zeit wird sich einer Abtreibung gewiss niemand mehr in den Weg stellen. Sie muss nur ihre Geschichte ein wenig zurechtbiegen, indem sie unwesentliche Details verändert. Lasse Nyman wird in einen namenlosen Portugiesen aus der Stadt Funchal verwandelt, ein Abend mit zu viel Rotwein und verschwommenen Details vom Rücksitz eines Autos, die sehr gut eine Vergewaltigung gewesen sein *könnten*. Nein, sie hat damit keine Probleme, ihre Gewissheit, dass sie dieses Kind nicht haben will, ist unumstößlich. Schon Anfang Februar wird sie ins Krankenhaus gehen, und das Einzige, was sie daran stört, ist, dass sie sich jetzt absolut nicht auf ihre Bücher konzentrieren kann.

Genau eine Woche ehe die Abtreibung durchgeführt werden soll, liest sie zufällig während der Kaffeepause in der Morgenzeitung, dass Lasse Nyman aus dem Untersuchungsgefängnis in Katrineholm ausgebrochen ist. Es ist die Überschrift der Notiz, die ihr Interesse geweckt hat: *Bankräuber auf freiem Fuß*, und erst als sie versteht, dass es sich um Lasse Nyman handelt, erkennt sie ihn auf dem unscharfen Foto oberhalb der Titelzeile. Sie denkt, dass die Fotografie viele Jahre alt sein muss, weil sie ihn immer noch mit einer Frisur zeigt, die Haarcreme voraussetzt. Aber die Augen sind dieselben, als ob er eher auf eine Pistolenmündung als auf eine Fotolinse starrte. Die Angst, der lauernde, abwartende Zug. Wann kann er entkommen und seine lebenslängliche Flucht fortsetzen?

Sie denkt, dass sie die Polizei anrufen und darauf hinweisen müsste, dass er sie mit aller Sicherheit aufsuchen wird, aber dann würde sie selbst in seine krummen Dinge hineingezogen und vielleicht mit verantwortlich gemacht, und sie verwirft diese Möglichkeit schnell. Dagegen bereitet sie sich auf seinen Auftritt vor, und im Kopf geht sie immer wieder durch, was er zu hören bekommt, draußen vor ihrer Schwelle, die er nie wieder überschreiten darf.

Er kommt schon am nächsten Abend. Es ist kurz nach elf, und Eivor hat gerade ihre Bücher vorgeholt und sich an den Mangeltisch gesetzt, als es klingelt.

Während sie zur Tür geht, fragt sie sich, wie er durch die Haustür gekommen ist. Hat er Schlüssel oder Dietriche für alle Türen dieser Welt? Und wie ist er diesmal ausgebrochen?

Er steht vor der Tür, und sie sieht sofort, dass er gestohlene Kleidung trägt.

Die Wollmütze, die Reklame für irgendein Sportereignis macht, mag ja noch auf ehrliche Weise gekauft sein, aber den braunen Ulster hat er bestimmt nicht in einem Geschäft anprobiert, auch nicht die schwarzen Stiefel mit Reißverschluss an den Seiten.

Natürlich lässt sie ihn herein, die verbotene Schwelle hat nur eine symbolische Bedeutung. Sie können ja nicht gut in der Türöffnung stehen bleiben und miteinander reden und in regelmäßigen Abständen auf den roten Knopf drücken, um das Licht im Treppenhaus anzuschalten.

»Du brauchst keinen Gedanken daran zu verschwenden, den Mantel abzulegen«, sagt sie. »Du wirst schnell wieder gehen. Diesmal bleibst du nicht.«

Sie sieht, wie er erstarrt, und fragt sich, ob er so verzweifelt ist, dass er sie wieder schlagen wird.

»Sprich leise«, sagt sie. »Die Kinder schlafen.«

Sie schiebt die Kinder vor als sichernden Schutzschild.

Später wird sie sich viele Male voller Selbstvorwürfe fragen, wie es geschehen konnte, dass sie sich seine Reaktion auf ihre Schwangerschaft nie vorgestellt hat. Sie ist vollkommen unvorbereitet, und nur mit knapper Not gelingt es ihr, nicht von seiner heftigen Gefühlsbewegung angesteckt zu werden.

»Du hast gelogen«, sagt sie, als sie es ihm erzählt hat. »Du hast gesagt, dass du keine Kinder bekommen kannst. Aber das ist nicht wahr.«

»Ich glaubte, dass es so wäre«, sagt er, und die Lüge ist so durchsichtig, dass sie sich nicht herablässt, sie zu kommentieren.

Und dann, der große Augenblick: Lasse Nyman sagt die Wahrheit, spricht von seinem Glück! »Ein Kind ist das, was ich mir am meisten auf der Welt gewünscht habe«, sagt er. »Das kann alles verändern. Jetzt sitze ich zum letzten Mal.«

»Ich werde dieses Kind nicht bekommen«, antwortet Eivor. »Da musst du dir schon eine andere Frau suchen. Eine, die will.«

»Du darfst keine Abtreibung machen«, sagt er, und obwohl er beinahe flüstert, kann sie die Verzweiflung heraushören, die seine Stimme erfüllt.

»Doch«, sagt sie. »Am Montag. Und jetzt will ich, dass du gehst.«

»Wenn du das tust, nehme ich mir das Leben«, sagt er, und schaudernd erkennt sie, dass ein Flüstern mehr schmerzen kann als ein schriller Schrei.

»Geh jetzt«, sagt sie wieder.

»Ich nehme mir das Leben«, sagt er. »Ich mache das.«

»Das tust du nicht«, sagt sie. »Geh jetzt. Sonst rufe ich die Polizei.«

»Ruf die Polizei«, sagt er. »Oder ich melde mich freiwillig. Aber das Kind will ich haben.«

»Nein«, sagt sie, und da glaubt er ihr und stürzt davon.

Als Eivor viel später im Detail erfährt, was geschehen ist, dank eines einfühlsamen Poilizeibeamten, gibt es keinen Anhaltspunkt dafür, dass er sich nicht vorsätzlich das Leben genommen hat. Er hat, nur wenige Straßen von Eivors Haus entfernt, ein Auto gestohlen und sich auf die Hauptstraße nach Stockholm begeben, er wurde an einer Tankstelle in Lerum beobachtet; all das ist ausführlich im Protokoll dokumentiert. In umständlicher Behördensprache kann sie den letzten Stunden seines Lebens folgen, manchmal sogar mit der genauen Uhrzeit, die ist im Text festgehalten. Aber die Frage, die sie beantwortet haben will, hat er mit sich in den Tod genommen, und sie wird niemals wissen, ob seine letzten Worte, seine Drohung ernst gemeint waren. Als sie am Tisch des freundlichen Beamten sitzt und den Rapport liest (er holt sogar einen Pappbecher mit Kaffee für sie und verlässt dann diskret den Raum), macht sie das in einer seltsam überhöhten Form von Konzentration. Er ist also ein paar Straßen weitergegangen – oder -gerannt – und hat sich dort einen Volkswagen geschnappt, Baujahr 69, der dem Inhaber eines unansehnlichen Möbelgeschäfts in der Västra Hamngata gehörte. Schon das ist ungewöhnlich, denkt sie. Ein Volkswagen. Vor sechzehn Jahren hätte er nur einen Volkswagen genommen, wenn kein amerikanisches Fahrzeug erreichbar gewesen wäre. Bedeutete ihm das nun nichts mehr? Hat er einfach das erstbeste Auto genommen, aufgebracht und verzweifelt, wie er war? *Ich will dieses Kind haben.* Sie denkt, dass sie nun lernen muss, mit diesem erstickten Schrei zu leben, und sie liest weiter. Der nächste Halt, an dem man ihn beobachtet hat, ist die abends geöffnete Tankstelle in Lerum. Dort schnappt er sich Benzin, ohne zu bezahlen. 19,2 Liter hat er in den Tank gefüllt, und Eivor fragt später den Polizisten, ob das nicht ziemlich viel sei. Ja, der Tank musste fast leer gewesen sein, als er in die beleuchtete Tankstelle einbog. An jenem Abend bedient an der Tankstelle ein Angestellter namens G. Lind, 23 Jahre, wohnhaft in Jordås. G., denkt sie, Gustav, Gottfrid oder Gunvor? Nein, weiter unten wird der tüchtige Angestellte mit dem männlichen Pronomen bezeichnet, und sie wird an ihn immer als Gustav Lind denken. Dieser Mann hatte Geistesgegenwart genug, hinauszurennen und die Autonummer zu erkennen. Nach einem Anruf bei der Polizei ist die Jagd eröffnet. Das beruht natürlich nicht auf den neunzehn Litern Benzin, sondern darauf, dass die Personenbeschreibung auf Lasse Nyman hinweist. Direkt nördlich von Alingsås tritt eine Funkstreife in Kontakt mit dem Volkswagen, aber da bekommt der Polizeiwagen fatalerweise einen Platten, eine Funkmitteilung wird missverstanden, und erst zwanzig Minuten später ist eine andere Funkstreife hinter ihm her. *Ich nehme mir das Leben.* Wenn er wirklich vorhatte, das zu tun, dann hätte er doch nicht so lange herumzufahren brauchen, denkt sie. Aber vielleicht musste er Mut fassen, vielleicht wollte er alles noch einmal durchdenken …

Nein, das kann sie nicht glauben, aber sie fragt sich, was geschehen wäre, wenn der unglückselige Polizeiwagen keinen Platten bekommen hätte und wenn die Person, die den Kontakt zwischen den Funkstreifen herstellte, sofort richtig verstanden hätte. Die Verfolgungsjagd endet nördlich von Vårgårda, genauer gesagt drei Kilometer vor der Kirche S. Härene, wo der Volkswagen plötzlich ausbricht und frontal gegen einen Baum kracht. Irgendwelche Bremsspuren kann die Polizeipatrouille, die zu der Stelle kommt, nicht entdecken. Es gibt keine Zeugen für die letzten Sekunden in Lasse Nymans Leben, und so bleibt die Ursache für das Unglück ungeklärt. Vielleicht ist der Fahrer eingeschlafen, aber an diese Möglichkeit glaubt Eivor nicht. Nein, das kann sie sich einfach nicht vorstellen.

Sie legt den Rapport fort, sie ist allein in dem engen Büro des Polizisten. Im Korridor hört sie einen Mann in gebrochenem Schwedisch gegen etwas protestieren, ein Telefon läutet trostlos, ohne dass sich jemand darum kümmert. Sie denkt, dass es in dem, was geschehen ist, trotz allem eine Logik gibt. Für Lasse Nyman war das Auto sein Ein und Alles. Wenn er schon sterben müsste, dann sollte es in einem Auto sein. Und als sie aufgestanden und zu einer Wandkarte gegangen ist, auf der sie Vårgårda findet, dazu das schwarze Kreuz, das die Kirche S. Härene markiert, wird ihr klar, dass sie bekanntes Gebiet betrachtet. Durch diese Landschaft ist sie selbst einmal zusammen mit Lasse Nyman gejagt, hier wurden alle Träume ihres jungen Lebens durchkreuzt, während weniger intensiver und schrecklicher Tage. Lasse Nyman hat sich wenige Kilometer von dem Platz zu Tode gefahren, wo er in der Vergangenheit seinen Revolver gehoben und einen alten Mann erschossen hatte. Der gejagte Hase ist im Kreis gelaufen.

Als sie das Polizeigebäude verlässt, hat es angefangen zu schneien, und die Temperatur ist spürbar gestiegen. Sie denkt, eigentlich sollte sie herausfinden, wo und wann Lasse Nyman beerdigt wird, aber sie weiß, dass sie es nicht tun wird. Ein Kranz oder ihre Anwesenheit in irgendeiner unbekannten Kirche oder einem Krematorium verändern nichts, und es ist eine ganz andere Bürde, die sie jetzt tragen muss.

Da ist nur eine schwere, unwirkliche Stille in ihr. Im Nachhinein hat sie eingesehen, dass fast alles, was sie gemacht hat, falsch war (sie selbst verurteilt sich unbarmherzig als einfältig und starrköpfig) und dass der fatale Fehler darin bestand, keine Hilfe gesucht zu haben, als sie sie am dringendsten gebraucht hätte. Mitten in der absoluten Stille, die auf den großen Schlag folgt, wächst eine seltsame Entschlossenheit in ihr. Am Montagmorgen ruft sie im Krankenhaus an und sagt den Termin ab. Sie gibt keine andere Erklärung als die: Sie kommt nicht. Und ohne dass sie sich eigentlich klar darüber ist, bereitet sie sich auf ein drittes Kind vor. Sie geht weiterhin zu ihren Abendkursen, mit einem kleinen nervösen Lachen, aber die Modellflugzeuge und Farbkreiden dürfen auf dem alten Mangeltisch liegen, und eines Nachmittags, als sie von ihrer Arbeit kommt und Linda dort sitzt und zeichnet, sagt sie nur, dass sie auf die Augen achten und die Lampe anmachen soll. Auf beinahe unmerkliche Weise beginnt sie auch, sich eine Erklärung zurechtzulegen. Natürlich ist es genau die, für die sie sich später die meisten Vorwürfe macht, als es zu spät ist, etwas zu ändern. Hätte sie gesagt, dass Lasse Nyman der Vater ihres Kindes ist, so wäre alles wenn nicht einfacher, so doch in jedem Fall wahr gewesen. Aber sie entwirft stattdessen eine Fantasiefigur portugiesischer Herkunft namens Leon (sie entdeckt den Namen zufällig in einem Boxartikel in einer Zeitung, soweit sie sich erinnert, ist er Kubaner), einen Mann, der unbekannt bleiben soll. Als die Schwangerschaft im Frühling sichtbar wird und sie sie bekannt gibt, per Brief nach Lomma oder im direkten Gespräch, versteht sie natürlich niemand. Dem guten Jacob gelingt es nicht ganz, ein gewisses Maß an Schadenfreude zu verbergen, obwohl er eigentlich höchst aufgebracht darüber ist, dass ihre gemeinsamen Kinder ein *unechtes Geschwisterkind* bekommen sollen. Dieser Frühling und diese Schwangerschaft sind für sie eine Periode, die einmal nicht von Sieg oder Niederlage handelt. Es ist nur das unberechenbare Leben an sich, und sie vermag nichts anderes, als ihre unbegreifliche Pflicht zu tun. In dieser Zeit kommt sie ihren Kindern näher als jemals zuvor, ihre Gemeinschaft bekommt eine neue Dimension. Staffan und Linda verstehen sie natürlich am wenigsten. Sie malt den unbekannten Leon aus als eine Person mit beinahe mystischen Zügen, und sie strengt sich bis zum Äußersten an, ruhig und gefasst zu bleiben, ihre gemeinsame Zufriedenheit nicht zu riskieren. Und sie bildet sich ein, dass ihr das auch geglückt ist. Erst viel später sieht sie ein, dass sie sich geirrt hat. Und da ist es schon zu spät, da gibt es das Mädchen ja schon. Klein Elin.

Als sie Ende März von ihrer letzten Abendlektion kommt, legt sie so etwas wie eine Festungslinie um sich und ihre Kinder. Nur Jacob schlüpft zu seinen festgelegten Zeiten hindurch. Elna, die sofort angefangen hat, sie mit Briefen und Anrufen zu bombardieren, hält sie energisch auf Abstand. Jetzt gibt es, außer den Arbeitsstunden im Getränkehandel, nur noch ihr Zuhause und die Kinder. Sie wirkt nicht resigniert, sie denkt nicht in Begriffen wie Unglück oder Niederlage. Sie hat vor, ihre Weiterbildung so schnell wie möglich wieder aufzunehmen. Es wird seine Zeit dauern, aber doch nicht so lange, dass es keinen Sinn mehr hat.

Niemand versteht ihren Entschluss, das Kind auszutragen, zumal Klein Elin das Resultat eines rotweinduftenden Urlaubsabenteuers ist. Und sie muss wohl auch zugeben, dass sie selbst es nicht versteht. Sie war doch fest entschlossen, keine weiteren Kinder in die Welt zu setzen, zwei Kinder sind genug, das eigene Leben soll auch noch zum Zuge kommen. So gesehen ist es natürlich unbegreiflich, dass sie die Abtreibung nicht hat durchführen lassen. Lasse Nymans Worte: *Dann nehme ich mir das Leben* können unmöglich die Erklärung für diese völlige Kehrtwendung sein. Es ist eher so, dass sie nicht einmal sicher ist, ob sie die Abtreibung sonst wirklich hätte vornehmen lassen. Vielleicht hätte sie, auch wenn Lasse Nyman noch am Leben gewesen wäre, sich vor dem Eingang des Krankenhauses umgedreht und wäre wieder fortgegangen? Sie weiß es nicht, und sie ist viel zu müde, sich um eine Antwort zu bemühen.

Es wird Mai 1974. Die Maientage sind warm, und Eivor schwitzt hinter der Theke des Systembolag. Es ist Donnerstag, aber die Nachfrage nach Alkohol ist groß, und das Personal hat sich schon oft gewundert, dass das schwedische Volk immer mehr Schnaps zu trinken scheint, trotz der enormen Preissteigerungen.

Eivor ist zweiunddreißig Jahre alt, Staffan dreizehn, Linda zwölf, und Elin, die am Morgen des 1. Oktober 1973 geboren wurde, ist schon bald ein dreiviertel Jahr.

Der Uhrzeiger rückt auf die Schließungsstunde vor, Vorsteher Madsén klappert vorwurfsvoll mit seinem Schlüsselbund in Richtung der Kunden, die so spät noch kommen. Eivor verkauft eine Flasche Wodka an einen Kunden, von dem sie eigentlich eine Legitimation verlangen müsste. Seine Augen sind glasig, und eine unmissverständliche Fahne von abgestandenem Bier schlägt ihr entgegen. Aber sie tippt nur die Summe ein und stopft die Flasche in eine Plastiktüte. Sie hat es eilig, Elin bei der Tagesmutter abzuholen, die sie glücklicherweise im Nachbarhaus gefunden hat. Wenn sie morgens mal spät dran ist, und das kommt öfter vor, kann sie Elin einfach in eine Decke wickeln und hinübertragen. Die Tagesmutter, die 1956 aus Ungarn nach Schweden gekommen ist, scheint viel Verständnis zu haben. Aber es ist nicht Elin, an die sie jetzt denkt, sondern Staffan. Der Dreizehnjährige, der im Aussehen so sehr seinem Vater gleicht, dass es schon beinahe komisch wirkt. Staffan, der plötzlich anfängt, mit gebrochener Stimme zu sprechen und abends zu mysteriösen Ausflügen verschwindet, wodurch er die Schularbeiten, die ihm früher so leicht fielen, vernachlässigt. Der kaum antwortet, wenn Eivor ihn etwas fragt, der seine Schwester Linda verprügelt, wenn sie am wenigsten drauf gefasst ist. Eivor hat versucht, sein Benehmen normal zu finden, er ist dabei, sich durch die ersten beschwerlichen Teenagerjahre zu tasten. Aber es wurde immer schwieriger, und Jacob fällt es auch nicht leichter, ihn zu verstehen. Gestern hat Staffans Klassenlehrer angerufen. Ihr Sohn wurde mehrfach in einer Bande

Jugendlicher gesehen, die Bier tranken und an berauschenden Lösungsmitteln schnüffelten. (Genau so hatte er sich ausgedrückt, und Eivor nimmt an, dass das seine Art war, die Wahrheit erträglicher zu machen.) Heute Abend wird sie nun versuchen, mit ihm zu reden, und sie weiß absolut nicht, wie sie sich seiner unbekannten Welt nähern soll. Der Donnerstagabend ist passend dafür, da ist Linda zum Gymnastiktraining und darf bei ihrer besten Freundin übernachten.

Elin schläft, und Staffan ist noch immer nicht nach Hause gekommen. Sie geht in die Küche, bleibt stehen und fragt sich, was sie eigentlich wollte. Erst als sie den Kühlschrank öffnet, fällt ihr wieder ein, dass sie sich mit ein paar Tropfen Rotwein stärken wollte. Aber sie lässt es bleiben, als ihr einfällt, dass sie wohl schlecht mit ihrem Sohn über Rauschmittel sprechen kann, wenn sie selbst Wein getrunken hat.

Hat sie Angst? Macht sie sich ernsthafte Sorgen? Klassenlehrer Engström ist neu in diesem Schuljahr, sie ist ihm noch nicht begegnet, und nach Staffans Beschreibung ist er der Typ, den Charles Bronson in zahllosen Filmvarianten verkörpert, wenn er jemand tötet. Er wirkte gehetzt am Telefon, als würde er seine Abende damit verbringen, Warnsignale an eine unendliche Anzahl ahnungsloser Elternpaare zu versenden. Aber sie kommt nicht davon los, er wirkte nicht wie einer, der übertreibt.

Schließlich steht Staffan in der Tür, verrotzt und dreckig, zerrt am Reißverschluss seines Steppanoraks und streift die kurzen Gummistiefel ab, als wären sie Taschenkrebse, die sich in seinen Zehen festkrallen wollen. Er murmelt etwas Undeutliches und ist schon auf dem Weg in sein Zimmer, als Eivor sagt, dass sie mit ihm sprechen wolle.

»Worüber?«, fragt er und ist sofort auf der Hut, wie ein Grenzsoldat an einem Außenposten.

»Was du an den Abenden so treibst!«

»Nichts.«

»Wir müssen aber doch trotzdem nicht hier im Flur stehen? Wir können uns doch wohl setzen?«

»Ich stehe hier gut.«

»Staffan ...«

»Leg los!«

»Dein Klassenlehrer hat gestern Abend angerufen.«

Plötzlich stürzt er auf sie zu und schreit ihr direkt ins Gesicht: »Was hat er gesagt? Was wollte er? Dieser Teufel! Man sollte ihm die Pfoten abschneiden. Morgen werde ich das tun! In der ersten Stunde! Was wollte er?«

Eivor ist natürlich vollkommen überrumpelt. Auge in Auge mit ihrem dreizehnjährigen Sohn zu stehen, der eben noch ein kleiner Junge war. Aber obwohl sie beinahe Angst vor ihm bekommt, erfasst sie doch Einzelheiten in seinem Gesicht, die sie vorher nicht beachtet hat. Er ist sehr blass, und seine Wangen und sein Kinn sind gesprenkelt von so winzigen Pickeln, dass sie erst sichtbar werden, als sie sein Gesicht direkt vor sich hat. (Wann durfte sie ihn zuletzt umarmen? Vor einem Jahr?) Sie bittet ihn, sich zu beruhigen, und er hält auch plötzlich inne, als ob sie ihn geschlagen hätte.

»Es reicht, wenn du mit Ja oder Nein antwortest«, sagt sie. »Bist du mit bei denen, die Bier trinken und ... schnüffeln?«

»Nein.«

»Nie?« (Zum ersten Mal erlebt sie, dass hier ein fast erwachsener Mensch lügt. Vorher waren es die schwebenden Ausflüchte des Kindes über stibitztes Kleingeld, Streichholzspielereien oder Ähnliches. Aber jetzt begegnet ihr eine andere Art Unwahrheit, ein Widerstand, für den er offensichtlich bereit ist, die Konsequenzen zu ziehen, auch wenn er eher ängstlich als aggressiv wirkt.)

»Nein.«

Die Antwort kommt wie ein Hammerschlag mit der Stimme, die manchmal ins Falsett hinauffliegt.

»Begreifst du nicht, dass das gefährlich ist?«

Sie sieht keine andere Möglichkeit, als seine Antwort zu überhören, besser so, als ihn dazu zu zwingen, seine Lüge einzugestehen.

»Ich mach das ja nicht, sage ich!«

»Willst du einer von den Betrunkenen werden, die unten auf dem Markt herumziehen? Das werde ich niemals zulassen. Papa auch nicht!«

»Gute Nacht.«

Er geht direkt in sein Zimmer, knallt die Tür zu und schließt ab, und als sie dagegenhämmert, dreht er sein Tonbandgerät so laut, dass die Musik wie eine undurchdringliche Schallwand zwischen ihnen steht. Bei späteren Zwischenfällen gelingt es ihr, ruhige und relativ besonnene Gespräche mit ihm zu führen, aber jetzt, angesichts dieser geschlossenen Tür und der dröhnenden Popmusik, ist sie verzweifelt und ahnt zum ersten Mal, dass seine Veränderung und ausweichende Raserei mit der Entstehung von Elin und dem mysteriösen Leon zu tun haben könnten. Es ist ihr also absolut nicht geglückt, die Zufriedenheit der Familie zu bewahren, als sie die Neuigkeit über Elin herausließ. Da musste Staffan einen Betrug erkannt haben, der aller Liebe und Besorgnis spottet, die sie ihm immer erwiesen hat.

Die vielen Gedanken, die Eivor sich in diesem Sommer 1974 machte, alle sorgenvollen nächtlichen Spaziergänge durch Frölundas heimliche Kneipen, Keller, Hinterhöfe, Brückengewölbe, auf der Jagd nach ihm, wenn er abends nicht heimkam, nahmen an diesem Donnerstag ihren Anfang. Während der Perioden, in denen er daheim war und sich so froh und kindlich gab, wie er tief im Innern ja auch war, konnte sie sogar eine verfängliche Hoffnung nähren, dass alles vorüber wäre. Aber diese Perioden waren kurz, und als die beiden Polizisten vor der Tür standen, mit ihm in der Mitte, ein verschmutztes, halb bewusstloses Bündel, eines späten Abends im August, nur wenige Tage vor Schulbeginn, da war sie sich schon im Klaren darüber, dass es nur immer schlimmer und schlimmer werden würde, wenn sie keine Lösung fand, die ihn mit einem einzigen Ruck aus dem Morast reißen würde. Während des Sommers waren er und Linda mit Jacob und dessen neuer Frau auf Urlaub in Båstad. Es war geplant, dass er dort einen ganzen Monat bleiben sollte, aber nach vier Tagen rief Jacob an und sagte, dass es so nicht ginge und dass Staffan im Zug säße, der um zehn vor sechs am selben Abend in Göteborg sein sollte. Damit löste sich auch die Hoffnung auf, dass er vielleicht nach Borås umziehen könnte, und sie stand wieder mit allen Sorgen allein da. Der Zusammenbruch war nah, außerdem wurde Elin von endlosen Erkältungen geplagt, und die Geduld der loyalen und bedachten Linda nahm schließlich auch ein Ende, da auch sie jetzt in die Pubertät kam.

Eines Tages, ungefähr Mitte August, holte Eivor einen Zettel hervor, auf dem sie eine Telefonnummer notiert hatte, und mit einiger Mühe gelang es ihr, Sirkka Liisa Taipiainen in Dalarna aufzuspüren, nämlich unter einer Adresse und einer Telefonnummer in der Smidesgata in Borlänge. Als sie die Nummer gewählt hatte und Liisa, die Eivors Stimme gleich erkannte, mit einem Freudenschrei antwortete, da wusste Eivor, dass sie von ihr Hilfe bekommen würde. Sie haben viele Jahre lang nicht miteinander gesprochen, aber trotzdem ist es, als ob sie das lose Ende ihrer Verbindung entdeckten und es wieder zu fassen bekämen. Liisa scheint nichts von ihrer frenetischen Impulsivität verloren zu haben, und sie sagt, sie müssten sich sofort treffen, *unbedingt*!

»Ich habe Kinder«, sagt Eivor.

»Wer hat das nicht? Auf halbem Weg, ok?«

»Wo ist das? Ich weiß kaum, wo Borlänge liegt.«

»Du hast noch nie etwas gewusst, Eivor. Aber kümmere dich jetzt nicht darum, wo *das* liegt. Auf halbem Weg ... Wie heißt das noch mal ... Da, wo alle Züge halten ...«

Eivor bekommt augenblicklich Herzklopfen, als sie erkennt, dass Liisa nach dem Namen Hallsberg sucht. Hallsberg ... Sie wagt es kaum, das Wort auszusprechen, aber Liisa ruft sofort: »Ja, ja, genau ... Hallsberg! Das ist auf halbem Weg! Wann kannst du kommen?«

Es gelingt Eivor, Jacob zu überreden, am letzten Wochenende im August bei den Kindern in Göteborg zu bleiben, und so wird sie von Liisa am Bahnsteig in Hallsberg erwartet. Sie war eine halbe Stunde vor dem Zug aus Göteborg angekommen, und Eivor entdeckt sie sofort, obwohl viele Leute auf dem Bahnsteig sind. Liisa, die Freunde an passenden Stellen im ganzen Land platziert zu haben scheint, hat es so eingerichtet, dass sie eine Nacht bei der entfernten Freundin einer Freundin ihres Bruders (Eivor hatte keine Ahnung, dass Liisa irgendwelche Brüder hat!) in Hallsberg übernachten können.

Sie treffen sich an einem Samstag um die Mittagszeit, und sie bleiben bis drei Uhr am Sonntagnachmittag in Hallsberg. Während dieser Zeit schlafen sie beinahe überhaupt nicht, keiner von ihnen denkt auch nur daran. Sie laufen herum und erzählen, sitzen und erzählen, liegen und erzählen, und es ist ein Tag, an dem sie kaum Atem holen. Falls jemand sie beobachtet, so stechen sie mit aller Wahrscheinlichkeit als auffallendes Paar hervor. Während Liisa abgenutzte, fransige Jeans trägt, Holzschuhe an den bloßen Füßen und ein weißes Freizeithemd, hat Eivor große Mühe darauf verwandt, ihre Kleidung so zusammenzustellen, wie es sich ihrer Meinung nach für ein Wiedersehen mit Liisa gehört.

Sie hat vor ihrem Kleiderschrank in Frölunda gestanden

und gedacht: »Wie soll Liisa mich sehen?« Aus einem Haufen von Kleidern wählt sie ein Sommerkleid in Rostbraun und ein Paar hochhackige Schuhe, die in der Farbe dazu passen. Beide starren sich verblüfft an, aber erst am Abend nehmen sie die Unterschiede in ihrer Kleidung als Beweis dafür, wie entgegengesetzt sie sich entwickelt haben.

Eivor kennt sich überhaupt nicht mehr aus in Hallsberg, und auch die Gesichter in den Straßen sind ihr unbekannt. Nur einige Geschäfte sind sich gleich geblieben, Teile der Bebauung, der Bahnhof, die hohen Bäume auf dem Bahnhofsplatz. Aber was sie wirklich bedrückt wie eine unheimliche Wahrnehmung von Vergänglichkeit, als sie vor dem gelben Mietshaus stehen, in dem sie während ihrer Kindheit gewohnt hat, das ist, dass Anders' kleines rotes Haus verschwunden ist. Nichts ist zurückgeblieben, kein Garten, keine Birke, keine rote Eberesche. Stattdessen ist da ein Asphaltplatz, ein Parkplatz für die neu gebauten Reihenhäuser. Sie versucht, Liisa zu erzählen, wie es früher aussah, von Anders, von dem Leben, das sie einmal geführt hat, aber sie gibt auf und schweigt. Das ist zu privat, sie findet keine Worte, die lebendig genug wären, um Liisa zu interessieren. Als sie Liisas zunehmende Ungeduld sieht, zuckt sie mit den Achseln, und sie kehren um und gehen den Weg zurück, den sie gekommen sind.

Nur die Zeit bei Konstsilke in Borås haben sie gemeinsam, und sie reden darüber, auf einer blau gestrichenen Bank, die bei der verschmutzten Fontäne mitten vor dem Hotel in Hallsberg steht. Der wiedererweckte Kontakt erinnert sie daran, dass so unerhört viel geschehen ist. Dass zehn Jahre wirklich eine lange Zeit sind.

Liisa beginnt mit dem Bau ihrer Brücke über die zehn Jahre bei einer scheinbar endlosen Serie von Treuebrüchen, die einen ständig steigenden Widerwillen in ihr erregt hat.In

Borås (Eivor rechnet schnell aus, dass es ungefähr zu der Zeit gewesen sein muss, als Staffan geboren wurde) hat sie einen Jugoslawen getroffen, und es wurde eine Hals-über-Kopf-Liebe. Als er eine besser bezahlte Arbeit in Olofström gefunden hatte und sie bat nachzukommen, zögerte sie nur so lange, wie sie brauchte, um ihren letzten Lohn bei Konstsilke abzuholen. In Olofström öffnet sie dann die Tür zu einer Baracke, von der sie glaubt, dass sie zur ewigen Liebe führe, um ihn dort bereits in den Armen einer anderen Frau zu entdecken. Sie bleibt ein Jahr lang bei ihm, ein Jahr ständig gebrochener Versprechungen. Als er ihr in einem Anfall unberechtigter Eifersucht beinahe alle Haare ausreißt, sieht sie ein, dass sie sich nicht länger selbst verleugnen kann, und sie haut ab. Sie fährt nach Stockholm und stürzt in ein Chaos zufälliger Arbeiten, zufälliger Verhältnisse, zufälliger Betten. Eine Zeit lang ist sie so tief unten, dass sie sich sogar betrunken und ungewaschen am Zentralbahnhof herumtreibt. Was sie davor rettete, in einem dreckigen Hauseingang zu sterben, erstickt an ihrem eigenen Erbrochenen, war, dass sie, wie sie sagt, »niemals Geld als Bezahlung nahm«, nur Essen, Alkohol und einen Schlafplatz. Einen letzten Rest von Selbstachtung vermochte sie sich immer zu bewahren.

Eines Abends, als sie aus unerfindlichem Grund etwas Geld hat, schlägt sie in ihrer umnebelten Hilflosigkeit einem ihrer treuesten Saufkumpane einen Stuhl über den Kopf, nimmt ein Taxi nach Värtahamnen und kauft sich eine einfache Fahrkarte nach Helsingfors. Auf der Fähre trifft sie einen finnischen Leichtmatrosen, der ihr, statt sie zu Schnaps einzuladen, eine lange Strafpredigt hält und sie unter die kalte Dusche steckt. Er wohnt außerhalb von Stockholm, genauer gesagt in Gustavsberg, und nach zwei Tagen in Helsingfors, wo sie keinerlei Anschluss findet, folgt sie ihm zurück nach Schweden. Sie heiraten wenige Monate später, da ist sie schon schwanger, und die unbehauste Zeit scheint vorüber. Aber als sie mit dem neugeborenen Jungen aus der Klinik nach Hause kommt, dauert es nur ein paar Wochen, bis Papa Leichtmatrose, ermüdet von dem täglichen Geschrei, drauf und dran ist, das Baby an die Wand zu schleudern. Liisa zieht aus, jetzt weiß sie ja, was zu erwarten steht, und nach einer Serie neuer zufälliger Bleiben, mehr oder weniger zuverlässiger Freunde landet sie für ein Jahr als Aushilfe in einer Imbissbude in Hedemora. Im Jahr darauf bekommt sie in Borlänge eine Arbeit bei Domnarvet, ein Arbeitsplatz, dem sie seither treu ist. »Aber das ist nicht einmal die halbe Geschichte«, sagt sie, während sie abwesend einen kleinen Spatz betrachtet, der da hockt und über den Rand einer tiefen Fußspur im Kies schielt.

Was erinnert heute noch an das finnische Mädchen, das einst nach Schweden fuhr, um in Borås Gold zu spinnen? Das in den Lehren des alten Großvaters Taipiainen den denkbar besten Hintergrund hatte, das wusste, wie die Welt durchschaut, entschlüsselt, verändert werden muss? Das zweifellos auch die Klappe aufmachte, wenn Ungerechtigkeiten überhandnahmen, das aber alles über Bord warf, als ein Jugoslawe sie mit dunklen Augen ansah? Wer war sie damals, und wer ist sie heute? Sie hebt den Blick von ihren Holzschuhen und blinzelt in die Nachmittagssonne.

»Ich habe eine Theorie«, sagt sie. »Und die besagt, dass das gewöhnliche Volk erst jetzt dabei ist, die Zusammenhänge zu entdecken. Die Politik. Das, was Ende der sechziger Jahre geschah, Vietnam und das alles, das, worum wir uns eigentlich gar nicht gekümmert haben, weil es der Wirtschaft hier in Schweden weiterhin gut ging. Aber jetzt, wo es wieder anfängt knapp zu werden, wo nichts länger selbstverständlich ist, da beginnt das Volk, den Zusammenhang, die Politik zu entdecken. Und *dann* wird es ernst!«

Eivor weiß nicht, was sie entgegnen soll, darum fragt sie, ob sie irgendwo einen Kaffee trinken sollen. Einen kurzen Moment schaut Liisa sie nachdenklich an, dann lächelt sie, und sie machen sich auf den Weg.

Sie werden in der ersten Etage eines maroden alten Holzhauses übernachten. Liisas entfernte Freundin arbeitet in einem Altersheim am Rande der Stadt und hat das ganze Wochenende Dienst. Das bedeutet, dass sie über Nacht nicht nach Hause kommt. Aus der unteren Wohnung dröhnt ein viel zu laut gestellter Fernseher. Eivor rollt sich auf einem roten alten Plüschsofa zusammen, während Liisa in einem Sessel sitzt und ihre nackten Füße auf den Tisch legt. Als Eivor von ihren letzten zehn Jahren berichtet, merkt sie, dass sie Liisas Erzählweise zu imitieren versucht. Zum ersten Mal erzählt sie die wahre Geschichte von Madeira, vom falschen Leon und vom wahren Lasse Nyman. Sie endet damit, wie sie Liisas Telefonnummer gefunden und sie angerufen hat. Sie fragt Liisa unumwunden, was sie tun kann, damit Staffan nicht zermalmt wird. Liisa denkt lange nach und schüttelt den Kopf. »Wie das Leben so spielt«, sagt sie leise.

Und dann, ohne Vorwarnung, als ob das Leben trotz allem ein einziger lockender Samstagabend wäre, springt sie aus ihrem Sessel und sagt, dass sie hungrig sei, dass sie Unmengen Essen brauche, um zu überleben. »Aber ich bin nicht dick«, sagt sie. »Ich wiege weniger als in Borås.«

»Ich weiß überhaupt nicht, was ich wiege«, sagt Eivor.

»Du hast nie etwas gewusst.«

Da wird Eivor klar, dass Liisa das wörtlich so meint, hinter dem scherzhaften und freundlich ärgerlichen Ton.

Sie essen beide das Gleiche, zu lange gebratene Steaks mit zusammengeschrumpelten und faden Pommes Frites. Sie trinken Wein, und Eivor versucht von Neuem, Rat von Liisa zu erhalten.

An Liisas Art zu essen sieht Eivor, dass sie fieberhaft nachdenkt, dabei ist, sich vorzubereiten ... Nachdem sie den Teller von sich geschoben hat, antwortet sie. »Zieh nach Borlänge«, sagt sie. »Du kriegst eine Wohnung und einen Job. Bei Domnarvets. Wie ich.«

»Also wieder zurück in eine Fabrik?«

»Da gehören wir hin«, sagt Liisa mit Nachdruck. »Dahin oder irgendwo anders, wo die einfachen Leute arbeiten.«

Und mit allen erdenklichen Argumenten versucht sie, Eivor zu überreden, noch einmal von vorn zu beginnen, zu ihrem eigenen Nutzen, aber nicht weniger für Staffans. Borlänge ist eine kleinere Stadt. Natürlich gibt es da Probleme, viele Probleme, aber alles ist doch überschaubarer. Es ist möglich, die Stadt im Griff zu haben, im Gegensatz zu Stockholm oder Göteborg, wo die Stadt einen beherrscht. Wenn sie noch etwas aus ihrer Situation machen will, muss sie ihre zufällig gepflanzten Wurzeln kappen. So geht dieses Treffen noch einen ganzen Abend und eine ganze Nacht weiter, und als sie sich am nächsten Tag trennen, hat Eivor versprochen, ernsthaft darüber nachzudenken, und Liisa gebeten, sich umzusehen, wo sie in Borlänge wohnen und eine Arbeit finden könnte.

Aber bevor es dahin kommt, dass sie auf dem Bahnsteig stehen, auf ihre verspäteten Züge warten und sich über die Schienen hinweg die letzten Grüße zurufen, hat Eivor auch eine ordentliche Strafarbeit bekommen, die sie mit nach Göteborg nehmen muss. Während der Nacht, als beide mal eine Pause gemacht haben, fiel es Eivor ein zu fragen, was Liisa damit meint, dass sie nie etwas gewusst habe.

»Verstehst du das nicht?«, fragt Liisa und ist aufrichtig verwundert. »Verstehst du das auch nicht? Verdammt, was bist du schwerfällig!«

Und in einem erneuten Versuch zu erklären, einem Versuch, der jedem Pädagogen zur Ehre gereicht hätte, kommt sie noch einmal auf die Grundelemente des Lebens zu sprechen, die sie »Zusammenhang« und »Umwelt« nennt. Darauf, dass Eivor es nie vermocht hat, sich selbst als ein Teil in einem größeren Zusammenhang als den ihrer Familie und ihrer Arbeit zu sehen. Warum steht sie verständnislos vor dem, was ihr geschieht, als sei gerade sie für eine verblüffende Serie unglücklicher Umstände ausersehen? Sie ist doch keine ausgewählte Landebahn für verunglückte Flugzeuge, die Weltgeschichte gerät nicht jedes Mal aus den Fugen, wenn sie sich auf der Straße zeigt oder ihre Gardine hochzieht. Sie ist kein Satellit, der einsam seine Bahn zieht, sie ist Teil eines Zusammenhangs. Und ehe sie das nicht einsieht und anfängt, Erklärungen dafür zu suchen, was um sie herum geschieht, wird sie wie eine Beinamputierte durchs Leben robben, der man die Krücken geklaut hat.

Obwohl alles, was Liisa in diesen Augenblicken sagt, verwirrend und widersprüchlich klingt, sieht Eivor doch ein, dass sie alles in sich speichern muss, für zukünftigen Nutzen und Gebrauch. Und mehr erwartet Liisa auch nicht.

»Ich bin keine verlorene … Wie sagt man? … Verlorene Seele? Aber manchmal ist es gut, wenn man jemanden hat, der einem in den Arsch tritt.«

»Hast du jemanden?«

»Ja doch. Viele … Bei Domnarvets … Und Arvo …«

»Wen?«

»Meinen Sohn! Arvo!«

»Ja. Natürlich …«

Wer aber glaubt, das Treffen in Hallsberg zwischen Sirkka Liisa Taipiainen und Eivor Maria Halvarsson sei von düsterem Ernst geprägt, nur hier und da unterbrochen von Ausbrüchen der Ungeduld, hat das Ganze von Anfang bis Ende missverstanden. Genau das Gegenteil ist der Fall, da sind zwei Frauen, die einander wiedersehen, nachdem jede von der anderen geglaubt hatte, dass sie in einem unbekannten Kaff untergegangen wäre, zwei Frauen, die lachen und ihre Erkenntnisse und ihre Lebenslust großzügig miteinander teilen.

Denn warum sollten sie sonst um vier Uhr morgens anfangen, ihre Kleider zu tauschen, und dann fast vor Lachen ersticken, als sie das Resultat betrachten? Außerdem kann Eivor da noch deutlicher sehen, was Liisa gemeint hat: dass Eivor gekleidet ist wie jemand, der sie nicht ist, aber glaubt sein zu müssen.

Als Eivors Zug nach Göteborg kurz vor drei an diesem Sonntagnachmittag in die Station einfährt und Liisa wie hinter einer Schiebekulisse verschwindet, springt Eivor mit leichterem Herzen und neuem Mut in ihr Abteil. Sie fährt mit einem Gefühl nach Hause, als hätte man sie von einem Schraubstock losgemacht. Jetzt ist sie sich im Klaren darüber, dass sie lange Zeit nichts anderes getan hat, als der Wirklichkeit auszuweichen. Sicher gibt es Ausnahmen (der Versuch zu studieren, die Reise nach Madeira, der Kontakt mit Katarina Fransman, die neue Arbeit), aber es ist doch so, als hätte sie über ihre Nasenspitze nicht hinausgeblickt.

Sie sitzt im Zug, mit wachsender Ungeduld und voller Tatendrang.

Natürlich! Sie hat ja einen wichtigen Entschluss zu fassen.

Um 18.29 Uhr ist sie da.

Auf dem Bahnsteig steht ein betrunkener Mann und winkt mit einem Krebs in der Hand.

1981

Vor langer Zeit hatte sie einen Traum.

Damals, in einer Nacht in den schon so lange zurückliegenden siebziger Jahren. Es ist ein wichtiger Traum, da sie ja ständig zu ihm zurückkehrt, immer hoffend, etwas bisher Unentdecktes darin zu sehen.

Normalerweise hat Eivor ein gleichgültiges Verhältnis zu Träumen, an die sie sich zufällig erinnert. Meistens bleibt es nur ein unförmiges Chaos, als ob Ereignisse und Menschen in eine Schublade geworfen und dann von ihrem Gehirn durcheinandergeschüttelt worden wären. Nie entdeckt sie irgendeine Logik zwischen den zerschnittenen und zusammengeflickten Stückchen Wirklichkeit, selten auch nur halbwegs interessante Symbole. Nein, das wenige, woran sie sich manchmal erinnert, wenn sie zur Arbeit radelt, verbannt sie schnell aus dem Gedächtnis.

Aber mit diesem Traum ist es anders. Sie befindet sich in einem Raum, eine Mischung aus Jenny Anderssons Schneideratelier in Örebro, wo sie vor zwanzig Jahren nähen gelernt hat, und etwas anderem, das sie nur teilweise wiedererkennt. Was sie in dem Raum tut, weiß sie nicht. Aber plötzlich ist auch ihre Mutter Elna da, außerdem ihre beiden Töchter Linda und Elin, Jacobs Mutter Linnea. Es sind also nur Frauen, und sie stehen da und kichern. Plötzlich bemerkt Eivor etwas Eigentümliches. Der Altersunterschied ist weg, sie sind alle ungefähr fünfzehn, sechzehn Jahre alt.

(Das Treffen im Traum scheint sich in den fünfziger Jahren abzuspielen, darauf weisen die Kleider und Frisuren hin, und im Hintergrund singt Barbra Streisand.) Plötzlich hört das Gekicher auf, und sie beginnen miteinander zu reden. Welche Worte zwischen Eivor und den Menschen, die sie im Traum besuchen, gewechselt werden, kann sie nicht sagen, aber sie erinnert sich daran, dass sie im Voraus weiß, was kommt, und dass dieses Wissen die kichernde Idylle in einen Albtraum verwandelt, vor dem sie augenblicklich fliehen möchte.

Als sie aufwacht, hat sie die Decke weggestrampelt und ist völlig durchgeschwitzt. Es dauert lange, bis sie sich in dem dunklen Schlafzimmer orientieren kann (es ist Winter, und die Straßenlaterne, die normalerweise ein schwaches Licht durch das Rollo wirft, ist defekt) und erkennt, dass es ihr eigener Traum ist, der sie geweckt hat.

Erst einige Tage später beginnt sie, an die Frauen zu denken, die sich in dem Raum getroffen haben. Seit diesem Tag lebt der Traum weiter in ihr, und obwohl jetzt fast sechs Jahre vergangen sind, grübelt sie noch immer darüber nach, als ob dieses Rätsel von ihr eine Lösung verlangte.

So auch in jenem Augenblick in der Dämmerung an einem Novembertag 1981. Sie hat nach der Schicht das Domnarvets Eisenwerk in Borlänge verlassen und geht vom Westeingang zu ihrem alten Fahrrad, das angeschlossen in einem Fahrradschuppen steht. Es ist kalt, und sie zieht fröstelnd den Steppanorak dichter um sich. Da kehrt der Traum wieder in ihr Bewusstsein zurück ... Sie verscheucht ihn mit einem Fluch. Gerade jetzt kann sie ihn nicht gebrauchen. Sie kommt ja gerade mal mit sich selbst zurecht! Heute hat sie ihre Menstruation wieder bekommen, und obwohl sie achtunddreißig Jahre alt ist, fast schon jenseits des fruchtbaren Alters, rebelliert sie immer noch dagegen. Sie geht zu ihrem Fahrrad und empfindet das Leben als eine einzige ausgedehnte Plage. Sich jeden Tag mit ihren unmöglichen Entschlüssen herumzuschlagen, jeden Tag in den Korb des Hebekrans zu klettern, auf die Arbeitskollegen hinunterzusehen und zu wissen, dass es überhaupt nicht sicher ist, dass sie in diesen Zeiten des wirtschaftlichen Niedergangs auf ihrem Posten bleiben kann. Die alte Unentschlossenheit, die sie abgeschüttelt hatte, als sie von Göteborg nach Borlänge gezogen war, meldet sich zurück. Was ist das nur für eine verbitterte Unruhe, die sie in sich trägt?

Sie beugt sich über die Kette. Hinter ihr verschwindet ein Saab mit einem Blitzstart, und dem Geräusch nach zu urteilen, ist es ihr Arbeitskollege Åke Nylander, gemeinhin Lazarus genannt, der es eilig hat, nach Hause zu seinen Videofilmen zu kommen, zum größten Teil Pornos. (Dass er Lazarus genannt wird, liegt an seiner Angewohnheit, in der Kaffeepause zu schlafen und dann hochzuschrecken wie ein Wiederauferstandener.) Das Schloss hat sich zwischen den Speichen verklemmt, und plötzlich kann sie nicht mehr und tritt gegen das Fahrrad, sodass es in seinem Ständer umkippt. Sie weiß nicht, ob sie das Rad in Stücke schlagen oder sich auf den nassen Asphalt setzen und weinen soll. Etwas muss geschehen, *vieles* muss geschehen, und wenn sie es jetzt nicht in Angriff nimmt, dann ist es zu spät.

Sie starrt auf ihr Fahrrad, dann gewinnt sie ihre Fassung zurück. Sie stellt es wieder hin, lässt es aber angeschlossen und geht zu Fuß nach Hause. Sie braucht Zeit, um nachzudenken, und die Kälte tut ihr sogar gut.

Einer ihrer Arbeitskollegen geht auf der Straße vorbei und ruft »Hej«, aber das registriert sie nicht, und als sie es am nächsten Tag bei der Arbeit zu hören bekommt, reagiert sie verständnislos.

Leider ist der Heimweg viel zu kurz. Wenn sie erst einmal

zu Hause angekommen ist, wird ihr geliebter Peo sein Essen haben wollen, ebenso die achtjährige Elin, und vielleicht ist auch Linda zu Hause und braucht jemand, mit dem sie reden kann …

Sie geht durch das Zentrum von Borlänge. Ein Stadtkern, der so verwinkelt ist, dass er trotz seiner geringen Größe für einen Fremden wie ein Labyrinth wirken kann.

Abwesend wirft sie hier und da einen Blick auf die großen Schaufenster und fragt sich zerstreut, was sie Elin zu Weihnachten schenken soll. Was wünscht sich eine Achtjährige? Zu Beginn dieses neuen Jahrzehnts? Vor dem Hotel Brage stolpert ein betrunkener Mann und fällt. Sie schreckt zurück, als sie sieht, dass es ein junger Bursche ist.

Sie merkt, dass sie den Faden verloren hat, und fängt noch einmal von vorne an. Sie sucht nach einem Zugang, denkt zurück an damals vor sieben Jahren, als sie sich entschloss, von Västra Frölunda in Göteborg hier herauf nach Dalarna zu ziehen. Hätte sie das gemacht, wenn sie gewusst hätte, wie es werden würde? Doch, sicher. Das ist nicht das Problem. Sie erinnert sich, dass es nur wenige Monate dauerte, da konnte sie sich kaum noch vorstellen, jemals in Göteborg gewohnt zu haben. Und wenn sie dann noch an all das Schöne denkt, was sie trotz allem in diesen sechs Jahren erlebt hat … Gar nicht davon zu reden, was mit Staffan hätte geschehen können … Und jetzt ist er zwanzig und ist von zu Hause ausgezogen.

Die Gedanken verschwimmen, sie verliert den Faden und bekommt ihn wieder zu fassen. Und diesmal klappt es, sie schafft es, ihn aufzuwickeln.

Eivor Maria Skoglunds langer Weg. (Den Nachnamen Halvarsson hat sie endlich gestrichen, die jüngste Tochter Elin heißt ebenfalls Skoglund.)

Ein Abend im November, der die Ankunft des langen kalten Winters ankündigt. Blass ist sie in ihrem dunkelblauen Steppanorak ...

Als der Lastwagen, der den Umzug nach Borlänge besorgen sollte, an einem Tag im Juni 1975 endlich fertig beladen war, direkt nach Staffans und Lindas Schuljahresende, denkt Eivor, dass etwas für sie zu Ende geht. Sie empfindet keine erwartungsvolle Aufbruchsstimmung. Die Ladefläche des Lastwagens vollgestopft mit Möbeln und Kartons, erweckt vage Angstgefühle. Als der Fahrer, ein Freund von Jacob, den sie zuvor nicht kannte, eine schmutzige Plane über die Ladefläche zieht, meint sie, eine Ladung Abfall vor sich zu haben. Eine Fuhre zu einer stinkenden Mülldeponie, nicht zu einer Dreizimmerwohnung im zentralen Borlänge. Aber natürlich beruht das nur darauf, dass sie müde ist, die letzte Woche hat sie kaum ein Auge zugetan, und die Wohnung war ein einziges Chaos, dem sie mit knapper Not entkommen ist. Wie gewöhnlich, wenn sie vor dem Beginn eines neuen Lebensabschnitts steht, erlebt sie das, was sie sieht, als vollkommen unwirklich. Der Lastwagen könnte genauso gut auf dem Weg nach Mexiko sein. Aber sein Ziel ist Borlänge, und jetzt ist der Fahrer fertig damit, die Plane festzuspannen, und schaut ungeduldig zu ihr hinüber. (Als Jacob endlich eingesehen hatte, dass es Eivor ernst damit meinte, von Västra Frölunda wegzuziehen, war er ihr eine größere Hilfe als während ihrer ganzen Ehe. Er zauberte einen Lastwagen zu einem erstaunlich geringen Preis – wenn nur keine umständlichen Quittungen geschrieben werden müssen! Der Fahrer ist ein Freund von ihm, und sie weiß nur, dass er Janne heißt. Als sie fragt, was er arbeitet, antwortet er: »Von jedem etwas.« Es ist Jacob, der den Umzug organisiert hat, und sie hat es dankbar entgegengenommen, froh, wenig damit zu tun zu haben.) Sie geht ein letztes Mal durch die leere Wohnung, denkt mit einer Mischung von Unbehagen und

Erleichterung, dass sie nie zurückkehren wird, schließt dann die Wohnungstür ab und steckt den Schlüssel in den Briefkasten. Einer plötzlichen Eingebung folgend, knibbelt sie danach die Plastikfolie über dem Namensschild ab, entfernt die Buchstaben, die den Namen »E Halvarsson« bilden, und wirft sie wie Reiskörner ins Treppenhaus. Die letzte Nacht waren die Kinder bei Jacob in Borås, und es ist geplant, dass sie erst am nächsten Tag nach Borlänge kommen sollen, wenn Eivor schon ein wenig ausgepackt hat und die Möbel an ihrem Platz stehen. Liisa hat versprochen, sie in Borlänge mit ein paar tüchtigen Kameraden zu erwarten.

Es ist zehn Uhr am Samstagvormittag, als sie in den Lastwagen klettert und sich neben den Fahrer Janne setzt, der an den Lippen kaut und französische Musik von der Kassette hört (*Musik für Verliebte!*).

»Alles klar?«, fragt er und schaut sie an.

Sie nickt.

Als der Lastwagen Göteborgs ausgedehnte dichte Bebauung hinter sich gelassen und die Fahrt nach Dalarna aufgenommen hat, kauert sich Eivor in ihrer Ecke zusammen und schließt die Augen. Sie schlummert ein, und die Gedanken bilden eigentümliche Muster in ihrem Kopf.

Es waren nur wenige Wochen vergangen, seit Eivor und Liisa sich in Hallsberg getroffen hatten – die große Wiedervereinigung, wie sie ihr Treffen später nannten –, als ein wahrer Strom von Briefen und Ansichtskarten mit eigentümlichen Motiven von Borlänge einzutreffen begann. Eine Wohnung in Borlänge zu bekommen sollte nicht so schwer sein. Schon Anfang der siebziger Jahre zeigten sich allmählich die Folgen des hochmütigen Booms, und es wurde immer schwieriger, genügend Mieter für die neuen Wohnungen zu finden. Borlänge war keine Ausnahme, und von verschiedenen Wohnungsbaugesellschaften, mit denen Liisa in Kontakt getreten war, kamen verlockende Prospekte. Zu dieser Zeit fing Eivor auch vorsichtig an, mit Staffan und Linda über den Umzug zu sprechen. Staffan, der zumindest vorübergehend vom Tiefpunkt seiner Talfahrt eingeschüchtert worden zu sein schien, als er wie ein verschmutztes Knäuel von zwei erschöpften Polizisten nach Hause gebracht worden war, begegnete ihren Worten mit Gleichgültigkeit oder Desinteresse.

Aber zu dieser Zeit hatte Eivor angefangen, in seinen Augen zu lesen, noch bevor sie von ihm eine Antwort bekam, und sie hatte darin einen Anflug von Neugier bemerkt. Lindas Reaktion war ein entschiedenes Nein. Sie wollte natürlich nicht die Schule wechseln, sich von ihren Freundinnen, ihren Teenagerschwärmereien, ihrem Sport trennen. Aber trotzdem fiel es Eivor leichter, Lindas Reaktionen zu begegnen, auch wenn sie von Weinen und zugeknallten Türen begleitet wurden. In gewisser Hinsicht war Lindas Reaktion ihren eigenen Gefühlen verwandt. Was würde sie eigentlich in Borlänge machen? Welche Garantien gab es, dass keine anderen Probleme, vielleicht sogar schlimmere als die in Frölunda, hinter der Idylle in Dalarna lauerten? War sie vielleicht wieder einmal auf der Flucht vor einem Problem, statt sich ihm zu stellen? In diesem Sinne schrieb sie auch an Liisa und bekam eine rasende Depesche als Antwort, die reinste Kriegserklärung. Aber solange Liisa nicht berichten konnte, dass sie eine Arbeit für Eivor in Borlänge hatte, besaß sie die wichtigste Trumpfkarte von allen: Sie musste sich nicht beeilen. Und solange Staffan sich wieder um seine Schularbeiten zu kümmern schien und die Kreise mied, in denen er sich vorher herumgetrieben hatte, gab es keinen Grund, sich auf eine unorganisierte Flucht zu begeben.

In Borås saßen Jacob und Großvater und Großmutter und sahen auf ihre ungewissen Pläne mit einer Mischung aus Unruhe und Nachsicht. Erst Neujahr 1975, als Liisa eines

Abends ins Telefon schrie, dass es Arbeit gebe, als Staffan seine Schulbücher wieder in die dunkelste aller Ecken schmiss, bekam das Ganze etwas mit der Wirklichkeit zu tun. Als dann nicht einmal mehr Linda viel Widerstand leistete, vor allem wegen einer unglücklichen Liebe zu einem viel zu alten Popmusiker, nahm Eivor die Sache tatsächlich in Angriff. Während weniger kurzer Tage, in denen sie kaum Zeit hatte, sich um Elin zu kümmern, die sich mitten im unruhigsten Krabbelalter befand, fasste sie eine Reihe von Beschlüssen. Es war, als ob der Kamm des Berges erreicht wäre und das Rad nun aus eigenem Antrieb mit immer höherer Geschwindigkeit hinabrollen könnte. Die Arbeit, die Liisa ihr in Aussicht stellen konnte, bestand eigentlich aus zwei Teilen. Es handelte sich um eine vorübergehende Beschäftigung und ein Versprechen auf eine zukünftige Anstellung bei Domnarvets Järnverk, am gleichen Platz wie Liisa, als Kranführerin. Wie Liisa es eigentlich fertiggebracht hatte, all diese Zusagen zu erwirken, darüber bekam Eivor nie Klarheit. Für Liisa schien diese Art Hilfe selbstverständlich zu sein. Eivor konnte zunächst eine Arbeit in einem Altersheim bekommen (*mitten in der Stadt*, wie Liisa betonte), Beginn *jederzeit*. Und dann hatte Liisa über ihre unsichtbaren Kanäle erfahren, dass es in nicht allzu langer Zeit möglich wäre, ins stolze Metier der Kranführer überzuwechseln. Als sich später zeigte, dass das drei Jahre dauern sollte, dachte Eivor oft darüber nach, ob Liisa sie unter falschen Voraussetzungen aus Göteborg weggelockt hatte. Aber warum hätte sie das tun sollen? Alles in allem hatte Eivor, als sie sich endlich in den Umzugswagen setzen konnte, das Gefühl, sich auf eine Reise zu begeben, für die es eigentlich keinen rechten Grund gab. Als sie an diesem Samstagvormittag durch Göteborg fuhren, schloss sie die Augen. Ein vergeblicher Versuch, dem auszuweichen, was geschah …

Die ersten Tage in Borlänge vergingen ganz im Zeichen des Umtriebs. Liisa und ihre Muskelmänner waren zwar zur Stelle (Liisa hatte sogar einen Strauß Sommerblumen gepflückt, den sie ihr zusteckte, als sie aus dem Lastwagen kletterte), das Ausladen ging schnell, und Janne konnte seinen Laster schon wenige Stunden später wieder nach Südwesten wenden. Aber die Wohnung? Sie hatte keine Gelegenheit gehabt, sie sich vorher anzusehen, hatte nur Pläne bekommen und im Übrigen Liisa vertraut. Ein trostloses Hochhaus (es dauerte lange, ehe sie es über sich brachte, die Anzahl der Stockwerke zu zählen), eine Wohnung, die, obwohl oberflächlich renoviert, vor innerem Verfall leuchtete. Und als sie zum ersten Mal die Treppe in den zweiten Stock hochging, mit einem Blumentopf als Schutzheiligem in den Händen, begegnete sie ihrem zukünftigen Nachbarn, der vor seiner Tür stand. Später erfuhr sie, dass er Arvid Andersson hieß, aber was sie jetzt sah, war nur ein torkelndes Mannsbild mit fleckigen Hosen unter einem hervorquellenden Bauch, mit einem schmutzigen Hemd, das aus dem offenen Hosenschlitz herausguckte; kurz gesagt, ein Mann, der so betrunken war, dass er kaum stehen konnte, der sie aber willkommen heißen wollte, und zwar mit einem schmatzenden Kuss auf die Wange. Beinahe hätte sein stinkender Mund sie besiegt, doch sie wehrte sich mit dem Blumentopf und machte, dass sie in ihre Wohnung kam. Der gute Nachbar, gereizt durch ihre Unfreundlichkeit, folgte ihr, und wäre Liisa nicht im selben Augenblick hinzugekommen, um zu fragen, was sie von der Wohnung hielte, dann wäre Eivor vor Verzweiflung in die Toilette gestürzt und hätte sich eingeschlossen. Liisa wurde ganz weiß im Gesicht, packte Arvid Andersson am Kragen und warf ihn aus der Wohnung, schubste ihn in sein eigenes Zimmer und schmiss die Tür zu. Eivor stand da mit ihrem Blumentopf und spürte, wie ihr Herz in der Brust klopfte.

»Solche gibt es überall«, sagte Liisa und versuchte, dem Vorfall gemäßigte Proportionen zu geben.

»Wohnt er da?«, fragte Eivor.

»Die meisten sind gute Leute hier im Haus. Ein paar saufen eben, aber es sind trotzdem gute Leute. Du hast doch schließlich selbst Schnaps verkauft.«

Liisas Muskelmänner waren Finnen, und sie schleppten und schoben auf Liisas Kommando. Eivor hatte nach den Zeichnungen einen Plan für die Möbel gemacht, und als alles allmählich an seinen Platz kam, ließ der Druck nach, den sie im Magen spürte, auf jeden Fall ein wenig. Und als dann die Nachbarin zur Linken, Frau Solstad, hereinkam und sie begrüßte und freundlich von Nachbar Andersson sprach, da fühlte sie sich nicht mehr so einsam wie vorher. Die Muskelmänner verschwanden mit scheuem Lächeln und ein paar gemurmelten Ratschlägen auf Finnisch, und Eivor kochte Kaffee für Liisa und sich selbst.

»Dass sie wirklich keine Bezahlung wollen?«, sagt Eivor, während sie versucht, sich in der Küche zu orientieren.

»Wir helfen uns gegenseitig«, antwortet Liisa. »Beim nächsten Mal sind wir an der Reihe.«

»Ich schaff es doch nicht, so schwere Sachen zu tragen!«

»Es gibt immer Blumentöpfe. Und Hilfe wird nicht nach Kilo berechnet. Jedenfalls nicht unter meinen Freunden.«

Die Balkontür steht offen. Es ist ein warmer und schöner Tag in Borlänge.

»Willkommen«, sagt Liisa und salutiert mit ihrer Tasse.

»Danke.«

»Wie fühlst du dich?«

»Ich weiß noch nicht. Es ist vielleicht zu früh. Ich fühle gar nichts ...«

In der Nacht schafft Eivor Ordnung, damit die Kinder ein einigermaßen fertiges Zuhause antreffen, wenn sie am nächsten Tag kommen. Auch soll Jacob keinen unnötigen Grund für anzügliche Kommentare finden.

Aber als er am Sonntagvormittag gegen elf Uhr mit den Kindern eintrifft, wird nichts so, wie sie es sich gedacht hat. Elin war reisekrank und hat fast die ganze Fahrt über gebrochen, Staffan ist in seiner unfreundlichsten Laune, und Linda will absolut nicht in Borlänge wohnen. Sie weigert sich, aus dem Auto zu steigen, während Jacob Elin hochträgt und Staffan mit einer höhnischen Gewissheit im Blick hinterhertrottet. Nichts ist in Ordnung, Jacob hat sofort ein loses Bodenbrett entdeckt, Staffan tobt wegen einer verschwundenen Kassette, und Linda kommt gar nicht erst rein. Nur Elin ist an diesem schrecklichen Sonntagvormittag Eivors Verbündete. Eivor beißt die Zähne zusammen und stellt sich an den Herd, stumm und verärgert, um das Essen zu machen. Aber sie ist entschlossen, sich zu behaupten, es bleibt ihr ja nichts anderes übrig, wie immer! Als das Essen auf dem Tisch steht, geht sie zum Auto, um Linda zu holen. Die sitzt auf dem Rücksitz, in eine Wochenzeitschrift versunken, und hat die Umwelt ausgeschlossen. Aber als Eivor ganz ruhig die Autotür öffnet und genauso ruhig zu ihr spricht, legt sie die Zeitschrift weg und geht mit.

Jacob fährt am Nachmittag zurück nach Borås, und kurz darauf senkt sich Ruhe über die Wohnung in der Hejargata. Als die Kinder nach vielem Wenn und Aber schlafen gegangen sind, ist Eivor so müde, dass sie sich angezogen aufs Bett legt. Aber natürlich schläft sie nicht. Sie liegt da und denkt daran, was sie sich da eingebrockt hat. Immer diese alleinige Verantwortung, immer dieses schlechte Gewissen, immer nur Klagen ... Sie fürchtet, dass dieser Sommer nur der Beginn einer neuen Periode von Problemen ist, die sich von den früheren nur dadurch unterscheiden, dass sie sich ein paar Hundert Kilometer nach Norden verzogen haben.

Aber der Sommer, den sie fürchtet, kommt ihr zu Hilfe. Beide, sowohl Linda als auch Staffan, werden schnell von den Jugendlichen im Haus angenommen, man akzeptiert sie, weil sie Göteborger sind. Statt ihren Dialekt zu verstecken, betonen sie ihn. Nur wenige Wochen nach ihrer Ankunft in Borlänge hat Staffan sich an ein Mädchen im Treppenhaus nebenan herangepirscht, und Linda mangelt es auch nicht im Geringsten an Verehrern ...

Hin und wieder gehen sie alle zusammen bummeln und fangen an, die Stadt und die Menschen kennenzulernen. Eines Abends, als Eivor sich hinlegt, kann sie zum ersten Mal seit langer Zeit ihre Gedanken ausschließlich darauf konzentrieren, wie sehr sie ihre Kinder liebt.

Am Morgen des Mittsommertages geht sie zu ihrer ersten Schicht im Altersheim. Der Morgen ist frisch, und es duftet längs des Weges. Sie denkt, dass trotz allem ... Doch, es war schon richtig, jetzt wohnt sie hier mit ihrer Familie, und sie werden hier Fuß fassen.

Die lange Zeit bis zum entscheidenden Jahr 1977 wird sie nicht als verlorene Zeit in Erinnerung behalten. Zwar wird nichts so, wie sie es sich gedacht hat, aber es wird auch nicht richtig enttäuschend. Staffan und Linda lotst sie, so gut sie kann, durch die schwierigsten Teenagerjahre, Elin ist noch ein Kleinkind, das immer mehr zu einem selbständigen Menschen heranwächst, mit der Arbeit kommt sie zurecht, und mehr als das braucht es eigentlich nicht. Liisa ist natürlich die ganze Zeit im Hintergrund, aber solange sie nicht zusammen arbeiten, können sie sich eben nur dann und wann treffen.

Während eines dieser Winter in Borlänge geschieht es also, dass sie ihren Traum träumt, Signale aus der Dunkelheit empfängt und nie mehr aufhören kann, nach deren Bedeutung zu suchen. Der Traum verfolgt sie, und sie fährt fort zu grübeln.

Fast drei Jahre vergehen, und endlich ist da jener klare

Septembertag 1977, an dem sie von Liisa Bescheid bekommt, nun sei es so weit. Jetzt wird sie im Personalbüro des großen Werks erwartet.

Es ist ein Freitagnachmittag, als Liisa mit dem Bescheid angestürmt kommt. Eivor ist allein zu Hause. Elin ist bei einem Spielkameraden eine Treppe höher, und Staffan und Linda sind auf eigene Faust unterwegs. Es dauert eine Weile, ehe Eivor versteht, worüber Liisa da spricht. Aber als sie es dann begreift, weiß sie kaum, ob sie noch länger daran interessiert ist. Es gefällt ihr gut in ihrem Altersheim, auch wenn sie als ungelernte Kraft die schwersten Arbeiten zugewiesen bekommt. Es sind vor allem die Alten, die mit ihrer Dankbarkeit dazu beitragen, dass sie sich wohlfühlt. Wie in den meisten Altersheimen sind es überwiegend Frauen, und fast alle haben Männer oder Väter gehabt, die bei Domnarvet gearbeitet haben. Mit diesen Menschen ist sie leicht in Kontakt gekommen, und der Gedanke, sie jetzt zu verlassen … Nein, das muss sie mehr als einmal bedenken.

»Du kannst bis Montag darüber nachdenken«, sagt Liisa. »Aber dann erwarten sie, dass du vorher hochkommst und dich vorstellst. Und vergiss nicht, jetzt sind andere Zeiten!«

»Wieso?«

»Es gibt viele, die dabei sein wollen und sich um Arbeit schlagen.«

»Ich weiß nicht, ob ich will.«

»Das wirst du am Montag wissen. Montagmorgen!«

Und um ihren Worten Gewicht zu verleihen, lehnt sie es ab, zu bleiben und eine Tasse Kaffee zu trinken. *»Du musst denken, also brauchst du deine Ruhe.«* Dann sammelt sie die Plastiktüten zusammen, ohne die sie anscheinend nicht leben kann, und stürmt aus der Wohnung.

Wie immer, wenn Eivor sich in einer Situation befindet, die eine Entscheidung fordert, vermag sie es nicht, sich selbst als Hauptperson zu sehen, von einer Anzahl von Satelliten umkreist. Es ist genau umgekehrt, es sind die Satelliten, die die Entscheidung treffen, und sie selbst ist nur eine Randfigur. Als sie nun versuchen soll, sich zu entscheiden, ob sie Lust hat, im Altersheim aufzuhören, und durch Domnarvets Portal zu treten (*wo solche wie sie hingehören, ins Zentrum der schwedischen Industrie,* hallt Liisas Stimme wider), denkt sie also an Staffan, Linda und Elin. Was ist am besten für sie? Macht es einen Unterschied für ihre Kinder, wo sie ihr Geld verdient? Zu welchem Arbeitsplatz wird sie mit der größeren Zufriedenheit gehen und damit weniger mürrisch nach Hause kommen? In welchem Beruf sehen sie ihre Mutter lieber, als ungelernte, aber beliebte Hilfskraft im Altersheim oder als Kranführerin?

Dass Liisa bei einer Absage vermutlich rasen und damit drohen würde, die Freundschaft aufzukündigen, hilft Eivor auch nicht. Sie wagt es ganz einfach nicht.

Zum Frühjahr wird Staffan die Schule beenden. Seit sie nach Borlänge gekommen sind, ist es im Großen und Ganzen gut gegangen. Wenn er geschwänzt hat, so war es aus reiner Faulheit, er hatte es leicht, sich anzupassen, und Eivor konnte allmählich die große Angst des letzten Jahres in Göteborg zu den Akten legen. Aber zu ihrer großen Enttäuschung lehnt er es kategorisch ab weiterzulernen, obwohl er leicht mitkommt. Er hat versprochen, die Grundschule zu beenden, aber dann ist Schluss! Was er danach für Pläne hat, davon hat Eivor nur äußerst diffuse Vorstellungen. *Geld verdienen* ist die Standardantwort, und wenn sie weiterfragt, riskiert sie den offenen Krieg.

Als Staffan einige Stunden nach Liisas Besuch heimkommt, um sein Essen in sich hineinzuschlingen, zu duschen, sich umzuziehen und genauso schnell wieder zu verschwinden, teilt Eivor ihm die Neuigkeit mit. Sein einziger Kommentar, während er Kleider aus seinem Schrank zieht, besteht in der Frage, ob sie besser bezahlt würde. Als sie sagt, dass sie bei Domnarvet bedeutend mehr verdienen würde, ist er natürlich der Meinung, sie solle so schnell wie möglich dort anfangen. Und dann ist er weg. Eivor sammelt seine Sachen zusammen, die er großzügig um sich verteilt hat, und grübelt weiter. Was denkt Staffan wirklich? Das will sie wissen, auch wenn sie gezwungen sein sollte, die Antwort aus ihm herauszuschütteln.

Am Sonntagnachmittag radelt sie mit Elin zur Trabrennbahn nach Romme. Linda ist es in hartem Konkurrenzkampf geglückt, während der Trabrennen einen Platz als Extrahilfe in einer Würstchenbude zu ergattern. Eivor hat die Trabrennbahn bisher nicht besucht, aber da der Septembersonntag schön ist und sie ihrer Grübeleien wegen sowieso nichts anderes tun kann, will sie sich die Würstchen verkaufende Tochter ansehen. Als sie den Tunaväg entlangradelt, Elin hinter sich auf dem Rad, denkt sie, dass sie noch nie eins ihrer Kinder bei einer bezahlten Arbeit gesehen hat. Die Zeit, als sie gegen ein kleines Entgelt ihre Zimmer selbst geputzt haben, liegt plötzlich unendlich weit zurück ...

Elin ist sofort fasziniert von den Pferden und drückt das Gesicht gegen den Zaun. Eivor nähert sich der Würstchenbude, die nach der Beschreibung die sein muss, in der Linda arbeitet. Sie will nicht gesehen werden, wer weiß, wie Linda reagiert, wenn sie plötzlich ihre Mutter entdeckt ... Es dauert eine Weile, bis sie ihre Tochter erkennt, aber da ist sie, und Eivor empfindet eine plötzliche Freude. Im Gegensatz zu anderen Frauen, die das Erwachsenwerden ihrer Kinder fürchten, wartet Eivor ungeduldig darauf, dass die Kinder zu einer Selbständigkeit heranwachsen, die ihr die eigene zurückgibt ... Plötzlich sieht sie Elin nicht mehr und drängelt sich zurück zum Zaun. Aber Elin hat sich nur in die Hocke gesetzt und angefangen, verschiedenfarbige Wettscheine zu sammeln. Eivor steht da und schaut sie an, Lasse Nymans Tochter, und denkt plötzlich mit Unbehagen daran, dass der Tag näherrückt, an dem Elin sich nicht länger mit der Erklärung begnügen wird, einen unbekannten Vater namens Leon auf Madeira zu haben. Bisher hat Eivor sich immer hinter der Ausflucht versteckt, dass sie auch nicht weiß, wer *ihr* Vater ist …

Sie schaut auf die Pferde, die sich zum Start an der entfernten Längsseite versammeln, und fragt sich, wie sie wohl reagieren würde, wenn ihr Vater plötzlich aus dem Schatten auftauchen und vor sie hintreten würde. Ein Mann, der heute ungefähr fünfzig Jahre alt ist, Nils heißt und einmal Wachtposten an der schwedischen Grenze war, nicht allzu weit von Borlänge entfernt. (War es nicht hier, wo Elna und Vivi sich getroffen haben, als sie sich zu ihrer Fahrradtour aufmachten? Doch, das hat Elna mal gesagt. Hier in Borlänge, haben die Daisy Sisters sich zum ersten Mal getroffen. Hier war Eivor ein Samen in Elnas Bauch, als sie nach Sandviken zurückkehrte. Sicherlich kreuzen sich ihre Spuren …) Aber will sie das? Will sie eigentlich ihren Vater treffen? Sie schaut Elin an und ihr wachsendes Bündel Quittungen, lauter zerbrochene Illusionen, und denkt, dass sie es nicht will. Gott weiß, was das für Probleme mit sich bringen könnte! Es ist schon so genug …

Die Pferde stürmen vorüber, und Eivor stellt sich an den Zaun und folgt ihnen mit dem Blick. Die Jockeys schreien einander an, und ein Sulky ist schon hoffnungslos weit abgeschlagen. Plötzlich hört sie neben sich jemanden in singendem Dalarnadialekt fluchen. Als sie den Kopf dreht, sieht sie das Profil eines hellblonden Mannes, der ein galoppierendes Pferd weit hinten mit Widerwillen betrachtet. Er scharrt irritiert mit einem Fuß im Kies und hält es offensichtlich nicht länger aus, da entdeckt er Eivor, die den Blick nicht rechtzeitig abgewandt hat.

»Hast du den Satan gesehen?«, sagt er. »So eine Trödelei! In der vierten Spur! Als ob es nur noch hundert Meter wären! Was?«

»Ich weiß nicht. Ich verstehe nichts von Pferden.«

»Dieser Jockey auch nicht!«

Er nennt irgendeinen Namen und starrt auf die Pferde, die rasend zum Endspurt kommen. »Pfui«, sagt er und sieht Eivor wieder an. Dann beugt er sich nieder und hält Elin einen grünen Wettschein hin. »Da, für dich«, sagt er.

Elin schaut fragend zu Eivor, die nickt, und sie legt ihn zuoberst auf ihr schwellendes Bündel.

»Zuerst ging das Karussell«, sagt er. »Dann ging die Schaukel und jetzt ist, hol mich der Teufel, nur noch die Tombola übrig.«

»Ach ja?«, sagt Eivor verwundert.

»Ja? Sagt man nicht so? Das, was man beim Karussell verliert, kann man an der Schaukel wiederbekommen. Aber was macht man, wenn beides mit Verlust läuft? Da muss man auf die Tombola hoffen oder die Berg-und-Tal-Bahn oder was auch immer …«

Er wirft einen Blick in sein Programm. »Wenn ich nicht auf den setze, dann gewinnt er natürlich«, sagt er und pocht mit der Fingerspitze auf sein Programm, als ob er dem Pferd eine Nachricht einhämmern wollte.

»Welche Nummer hat er?«, fragt Eivor.

»Sie! Es ist eine Sie! Nummer neun! Sie läuft gut in der Spur, aber sie schafft es sicher, da rauszukommen.«

»Ich werde sie anfeuern.«

»Tu das! Das kann helfen. Aber ich bezweifle es.«

»Hat sie keinen Namen?«

»Klöver Blomman.«

»Das klingt schön!«

»Verdächtig schön …«

Und dann sieht sie ihn zum Wettbüro hin verschwinden und denkt nicht mehr daran. Aber trotzdem hält sie Ausschau nach dem Pferd mit der Neun, und sie sieht, wie es direkt auf der Ziellinie geschlagen wird. Während des folgenden Laufs, als es vor dem Würstchenstand leerer ist, gehen Eivor und Elin dorthin. Linda schreckt hoch, als sie sie entdeckt, aber zu Eivors großer Erleichterung ist sie offensichtlich in so guter Laune, dass sie es erträgt, ihre Mutter und die kleine Schwester auf diesem Platz zu sehen.

»Was, zum Teufel, macht ihr hier?«, fragt sie.

»Pferde anschauen.«

»Das hättest du mir doch wohl sagen können? Dass ihr herkommen würdet?«

»Ich habe mich erst entschlossen, nachdem du heute Morgen schon weg warst. Außerdem bekommen wir jede eine Wurst mit Brot.«

»Äh …«

»Doch, das mein ich so! Wir sind hungrig! Elin, du willst doch sicher eine Wurst haben? Da siehst du! Aber nur mit Senf. Und ich bezahle.«

Linda ist zufällig alleine im Kiosk, und nach einem schnellen Blick über die Schulter schiebt sie den Zehner zurück, den Eivor auf die fleckige Theke gelegt hat.

»Das kannst du doch nicht machen«, sagt Eivor und ist sofort beunruhigt, dass jemand ihre Tochter gesehen haben könnte, wie sie mit dem grundlegendsten aller Geschäftsprinzipien bricht.

»Tu das Geld weg«, zischt Linda, und Eivor beeilt sich, den Schein zurück in die Tasche zu stopfen.

»Wir radeln auch bald nach Hause«, sagt sie. »Kommst du zum Essen?«

»Das weiß ich noch nicht.«

»Es gibt etwas, worüber ich gerne mit dir reden möchte.«

»Was denn?«

»Das dauert viel zu lange, um hier damit anzufangen!«

»Sag, was es ist!«

»Komm zum Essen, dann wirst du es hören! Hej! Danke für die Wurst!«

Die Pferde stürmen los, hinter ihrem Rücken hört sie eine Glocke läuten, und das Gemurmel nimmt zu, um sich dann in zwei Teile zu spalten, enttäuschtes Murren und anfeuernden Applaus. Eivor geht mit Elin an der Hand zum Ausgang. Sie denkt daran, dass Linda jetzt schon älter ist, als sie damals war, als sie Elins Vater, Lasse Nyman, zum ersten Mal getroffen hat, vor dem gelben Mietshaus in Hallsberg. Sie schaut zu Elin hinunter, und für einen kurzen Augenblick glaubt sie ihren Augen nicht zu trauen. Aber da steht Elin, ihr Bündel Wettscheine in der Hand, immer mehr ihrem Vater gleichend mit dem mageren Gesicht und den klarblauen Augen.

Und dann Linda, die junge Linda, die gestern noch ein Kind war. Wie oft hat sie sich nicht selbst das Versprechen gegeben, dass Linda nicht genauso unvorbereitet und ungeschützt in die Erwachsenenwelt eintreten sollte. Aber was hat sie davon zuwege gebracht? Die Welt hat sich so verändert in den letzten zwanzig Jahren, dass Eivor oft glaubt, ihre eigenen Erfahrungen wären unmodern geworden und hätten mit Lindas Leben nichts mehr zu tun. Die Gespräche, die sie über die heikelsten und schwierigsten Themen hatten, mündeten immer in ein zweifelhaftes Schweigen. Linda saß da und starrte ihre Mutter an, als ob sie nicht ganz gescheit wäre, und Eivor fühlte sich einfach blöde. Sie kommt nie hinter den unsichtbaren Vorhang, den die Tochter zwischen sich und ihre Mutter spannt. Nur wenn sie unglücklich ist, meistens unglücklich verliebt, lässt sie Eivor an sich heran, und das sind Momente großer Vertrautheit. Aber sobald Linda ihre verlorene Balance wiedergefunden hat, zieht sie sich zurück, und alles ist wie zuvor.

Hat sie schon mit einem Mann geschlafen? Nicht einmal das weiß sie, und sie wagt nicht zu fragen. Aber warum wagt sie es nicht? Wird sie erst mit ihr sprechen, wenn es zu spät ist? Aber Gott sei Dank kann ihre Tochter ja eine Abtreibung vornehmen lassen, falls es passieren sollte, *die* finsteren Zeiten sind wohl endlich vorbei.

Ich muss mit ihr sprechen, denkt sie. Heute Abend.

Einer Sache ist sie sich nämlich sicher, dass Linda zum Essen auftauchen wird. Die Neugier leuchtete in ihren Augen. Natürlich ist sie überzeugt, dass sich das, was sie zu hören bekommen wird, um sie dreht.

Sie schließt das alte Fahrradschloss auf und denkt daran, dass sie bald eine neue Kette kaufen muss, als sie ein Rufen hört. Sie dreht sich um und entdeckt den Mann von vorhin, der fluchend angelaufen kommt.

Er wedelt mit einem Wettschein in der Hand. »Ich dachte, sie kann die hier auch haben«, sagt er und lächelt Elin an.

»Klöver Blomman?«

»Genau die. Bitte schön!«

Er geht in die Hocke, und Elin nimmt die Quittung entgegen. Eivor empfindet es als etwas eigentümlich, dass Elin nicht scheuer vor dem fremden Mann ist. Meistens pflegt sie Schutz zwischen Eivors Beinen zu suchen, wenn sie es mit Fremden zu tun hat. Es war bestimmt seine natürliche Art. Kein Getue, keine Verstellung. Er muss selbst Kinder haben, denkt Eivor.

»Vorbei«, sagt er, als er aufsteht. »Es sollte einem scheißegal sein. Es ist ja noch nicht einmal spannend.«

»Nicht?«

»Nein. Was ist spannend daran, wenn man immer schon weiß, dass man verliert?«

»Ich dachte, man ... Ja ... Man hofft doch wohl?«

»Tust du das?«

»Ich? Nein, ich wette ja nicht. Ich bin heute zum ersten Mal hier.«

»Aber sonst, hoffst du?«

»Worauf denn?«

»Nein ... Nichts. Es war nur so dahingesagt. Soll sie hier hintendrauf?«

Eivor nickt, und Elin lässt sich ohne Protest auf das Fahrrad heben.

»Ist es jetzt zu Ende?«, fragt Eivor.

»Für mich schon. Aber ... Nein, es sind wohl noch ein paar Läufe übrig.«

»Gehst du oft hierher?«

»Viel zu oft.«

Sie beginnt, das Fahrrad zu schieben, und er geht an ihrer Seite. Die Septembersonne sticht Eivor in die Augen.

»An so einem Tag sollte man eigentlich im Wald sein«, sagt er verdrießlich.

»Ja ...« Er schaut sie plötzlich interessiert an.

»Aber du wettest ja nicht. Warum bist du dann hergekommen? Besitzt du ein Pferd?«

»Ob ich ein Pferd besitze?«

»Ja?«

»Ich habe eine Tochter, die in einer der Würstchenbuden arbeitet.«

»Ach so. Ja, ich hab mich nur gefragt.«

Plötzlich bleibt er stehen, als ob er von einem schnell wiederkehrenden Schmerz heimgesucht würde. Er schaut sie mit einem Ausdruck der Verwunderung an. »Hier gehe ich«, sagt er. »Und ich würde gern noch weitergehen. Aber ich weiß doch, dass ich ein Auto da hinten habe, an der Rennbahn. Und ich gehe hier, als ob es das nicht gäbe. Oder als wäre es mir scheißegal, dass es existiert.«

Er schneidet ein Gesicht und macht plötzlich einen geplagten Eindruck im scharfen, schattenlosen Licht der Septembersonne. Es ist, als wäre er von dem Lichtkegel einer altmodischen Reflektorlampe beschienen, und Eivor denkt, dass sie ihn jetzt vermutlich exakt so sieht, wie er aussieht. Wie er hier steht, mitten auf der Straße, mit den Händen in den Taschen der kurzen Lederjacke, so ist er in Wirklichkeit.

Helles Haar (schlecht geschnitten, aber frisch gewaschen), das ungleichmäßig in die Stirn und über die Ohren fällt. Blauäugig, blass, mageres Gesicht. Lederjacke, Jeans, schwarze Halbschuhe. Auf dem einen Ärmel der Lederjacke sitzt ein Abzeichen, das Eivor nicht kennt. Es sieht aus wie eine große haarige Fliege.

»Ich heiße Peo«, sagt er hilflos, als hätte er einen von vornherein verlorenen Kampf aufgegeben. »Ich muss wohl gehen und das Auto holen.«

»Sonst holt es vielleicht jemand anderes«, sagt Eivor.

Da lächelt er. »Manchmal wünschte ich, jemand täte das.«

Er überlegt, ob er noch mehr sagen soll, ändert aber zögernd seine Meinung, nickt nur und geht zurück Richtung Trabrennbahn. Eivor setzt sich aufs Fahrrad und radelt heimwärts. Ohne dass sie es sieht, lässt Elin einen Wettschein nach dem anderen fortfliegen wie abgerissene Schmetterlingsflügel …

Eivor denkt, dass der, der da auf der Straße stand und so verloren aussah, mit seinem eigentümlichen Abzeichen auf dem Ärmel, sie daran erinnert hat, dass sie auf dem Weg in die mittleren Jahre ist …

Linda steht in der Tür, streift ihre Clogs ab und fragt, was los sei. Eivor berichtet vom Personalbüro, in dem sie am folgenden Tag einen Termin hat, aber Linda ist ungeduldig und fragt, sie unterbrechend, was sie ihr *eigentlich* sagen wollte.

»Es war nur das«, sagt Eivor. »So eine Entscheidung will ich doch nicht treffen, ohne erst mit euch darüber zu reden.«

»Ich fange doch nicht bei Domnarvet an«, sagt Linda erstaunt, und Eivor hegt den lästerlichen Gedanken, dass Oberflächlichkeit nie so dominierend ist wie in der Teenagerzeit.

»Für dich spielt es also keine Rolle, was ich tue?«, fragt Eivor, und nachdem Linda erkannt hat, dass nicht sie die Hauptperson ist, tritt an die Stelle der Neugier ein demonstratives Desinteresse.

»Nein«, brummelt sie nur.

»Woran denkst du?«, fragt Eivor irritiert.

Linda scheint nichts zu hören, darum wiederholt sie ihre Frage so laut, dass Elin mit beunruhigtem Blick in der Küchentür auftaucht.

»Nichts«, sagt Linda. »Können wir bald essen?«

»Wenn Staffan nach Hause kommt.«

»Wann kommt er denn?«

»Ich weiß nicht. Aber wir können ja sagen, dass das Lokal in einer Stunde geöffnet wird.«

»Welches Lokal?«

»Skoglunds Pensionat.«

»Bist du nicht gescheit?«

»Wieso nicht?«

»Das ist hier doch wohl kein Pensionat.«

»Manchmal kommt es mir so vor.«

Linda steht da, als ob sie einen persönlichen Angriff abgewehrt hätte. »Was würdest du sagen, wenn ich Punkerin würde?«

»Wenn du deine Haare grün färbst? Wenn du deine Kleidung zerschneidest?«

»Ja.«

»Nichts.«

»Kümmerst du dich nicht um mich?«

»Natürlich tue ich das! Aber ... Ich mache jetzt das Essen.«

»Hoffentlich ist es bald fertig!«

»Du gehst immer fort.«

»Was gibt es?«

»Koteletts.«

»Aber ohne Fett!«

»Ja, sicher. Ohne Fett ...«

Eivor steht in der Küche, bereitet das Essen und schüttelt den Kopf über das absurde Gespräch. Aber gleichzeitig muss sie lachen und denkt, dass das wohl die Art ist, wie sie ihre Gespräche mit Linda zu führen hat. Vielleicht ist das die Logik der neuen Zeit, ein scheinbar bedeutungsloses Geplapper, das plötzlich das Wesentliche einkreist?

In einem Anfall von unerwarteter Hilfsbereitschaft deckt Linda den Abendbrottisch und fängt mit dem Abwasch an.

Eivor macht etwas für sie sehr Ungewohntes. Sie setzt sich einfach an den Esstisch und schaut Linda zu, die unendlich langsam die Teller abtrocknet.

»Was würdest du sagen, wenn ich heirate?«, fragt sie plötzlich.

Linda lässt fast den Teller fallen und starrt sie an.

»Noch einmal«, sagt sie. »Was hast du gesagt?«

»Ich fragte, was du sagen würdest, wenn ich heirate.«

Linda beginnt zu lachen, laut und roh, und geht dann wieder an die Spüle zurück.

»Na?«

Linda wirft wütend eine unschuldige Gabel ins Spülwasser.

»Mama! Sobald ich mit dem Spülen fertig bin, gehe ich! Du musst mich nicht unterhalten, wenn du das denkst.«

»Ich meine das, was ich gesagt habe!«

»Dass du heiratest?«

»Nein, das habe ich nicht gesagt. Ich habe nur gefragt, was du dazu sagen würdest. Das ist nicht dasselbe.«

»Mach das nur, dann hast du mich zum letzten Mal gesehen!«

»Was meinst du damit?«

»Genau das, was ich sage. Glaubst du, ich will irgend so einen Scheißkerl im Hause haben?«

»Fluch nicht!«

»Das hast du mir doch beigebracht!«

»Du wohnst ja hier nicht allein.«

»Du wolltest doch wohl eine Antwort. Oder?«

»Schon, aber ...«

»Jetzt habe ich geantwortet!«

Das Gespräch bleibt stecken. Nur ein weiterer Kommentar kommt von Linda, als sie in der Tür steht auf dem Weg zu verschwinden. »Du hast das nicht ernst gemeint, nicht?«, fragt sie.

»Nein«, antwortet Eivor erschöpft. »Natürlich nicht.«

»Warum hast du es dann gesagt?«

»Ich weiß nicht ...«

»Nein ... Ich hau jetzt ab.«

»Ja. Ist gut.«

»Hej ...«

Eivor bemerkt jetzt, dass Linda sie dann und wann beobachtet, als ob sie es am besten fände, ihre Mutter unter Bewachung zu stellen. Sie hat einen forschenden, misstrauischen Blick, aber sie sagt nie etwas. Eivor erfährt auch nie, ob sie Staffan darüber informiert hat, welche dunklen Kräfte sich in ihrer Mutter regen.

Diese kleinen, abwartenden Unterströme im Halvarssonschen und Skoglundschen Heim haben sicherlich auch mit der Umwälzung zu tun, die auf Eivors Besuch in Domnarvets Personalbüro folgt. Sie kündigt im Altersheim und findet sich eines Tages im Oktober unter dem Westportal des Eisenwerks ein. An einem frühen Morgen steht sie dort und denkt nervös, dass das, was sie tut, falsch ist, höllisch falsch. Sie hätte bei den alten Arbeiterwitwen bleiben sollen, anstatt an die Tür zu dieser riesenhaften Anlage aus Stahl und Ziegeln zu treten, mit der blauen Flamme, die ständig aus einem der Schornsteine flackert. (Manchmal denkt sie, was für ein unheimlicher Wunsch, die Quelle dieser blauen Flamme zu sehen.) Außer einer kurzen Einweisung in den neuen Arbeitsplatz, die sie in einer glänzenden Broschüre nachlesen konnte – sie erinnert an den Katalog eines Reiseunternehmens –, verdankt sie Liisa alle Informationen darüber, was sie erwartet. Als sie nun an diesem frühen Morgen neben dem Eingangstor steht, immer noch nicht bereit, den letzten Schritt über die Grenze zu tun (sie sieht nur Männer, und bis die erste Frau an ihr vorbeikommt, wartet sie …), wirbeln ihr alle Ermahnungen Liisas durch den Kopf. *Die Kerle werden dich herumkommandieren. Es geht nur darum, von Anfang an zurückzugeben!* Diese Worte haben sich vor allen anderen in ihrem Gedächtnis festgesetzt. Liisas Erklärung dafür, was es bedeutet, in einem Hebekrankorb zu sitzen.

Zwei Frauen sind an ihr vorbeigeeilt und durch das Portal verschwunden. Jetzt kann sie nicht länger warten. Entweder geht sie hinein, oder sie geht weg. Mit einem Ziehen im Magen überschreitet sie die unsichtbare Grenze und steuert auf das Pförtnerhaus vor dem Eingang zu. Vage erinnert sie sich an einen anderen Eingang, vor Konstsilke in Borås, und sie zuckt zusammen, als ihr bewusst wird, dass das zwanzig Jahre her ist.

Obwohl Eivor es sich nie gestattet hat, sich bei jemand auszuweinen, ist doch die nun folgende Zeit ein Zustand an der Grenze zur Hölle für sie geworden. Das ist nicht verwunderlich, da sie ja nicht nur die ständigen Konflikte am neuen Arbeitsplatz bewältigen musste, sondern auch all die aufreibenden Ereignisse im privaten Bereich. Wie viele Male hat sie daran gedacht, aufzugeben und sich zu verstecken (und wie viele Male hat sie sich wirklich in verschiedenen Toiletten eingeschlossen).

Später, als sie kaum wusste, ob sie mit heiler Haut davongekommen war, sagten die Menschen, die ihr nahestanden, dass sie eine große Veränderung durchgemacht habe.

Was zu Beginn – wie sie glaubte – nur ein kleiner Nieselregen war, entwickelte sich schnell zu einem Wolkenbruch. *Es geht nur darum, von Anfang an zurückzugeben.* Die Arbeitsgruppe, zu der sie gehörte, bestand ausschließlich aus Männern unterschiedlichen Alters. Abgesehen von der ersten Woche, in der sie von Ann-Sofi Lundmark, ihrer Vorgängerin, die aufhört, da sie mit dem dritten Kind schwanger war, die Bedienung des Krans lernte, blieb sie die einzige Frau in der Gruppe. Ann-Sofi Lundmark war nicht besonders mitteilsam. Während der Essenspausen versuchte Eivor zu beobachten, wie sie sich ihren männlichen Arbeitskollegen gegenüber verhielt, aber sie sah nie einen Beweis für irgendwelche Aggressionen. Eventuelle Streitigkeiten waren offensichtlich begraben, und solange die Frauen zu zweit waren, wurde Eivor keiner anderen Prüfung unterzogen, als dass man sie aufmerksam und kritisch beäugte bei ihren emsigen Versuchen, den Kran zu zähmen. Wenn sie Fehler machte oder einen Befehl missverstand, der ihr vom Boden zugewinkt wurde, sah sie natürlich, wie die anderen den Kopf schüttelten, und durch den Lärm in der großen Fabrikhalle meinte sie ein unwilliges Stöhnen zu hören. An Ann-Sofi Lundmarks letztem Tag fragte Eivor sie geradeheraus, wie sie die Lage einschätzte. Sie saßen im Umkleideraum, die Schicht hatte ihre Arbeit erledigt, und alle warteten nun nur noch auf die Ablösung. Ann-Sofi Lundmark nickte und lächelte ein wenig ausweichend. Doch, sie meinte, es werde schon gehen ... Das wird schon ... Aber Eivor, die bereits vor dem kommenden Montag zitterte, an dem sie allein in den Korb klettern sollte, hakte nach: Meinte sie das wirklich? Oder sagte sie das nur, weil sie jetzt nicht länger die Verantwortung trug und sich ganz auf ihre Schwangerschaft konzentrieren wollte?

Ann-Sofi Lundmark hatte es so eilig, von der Arbeit wegzukommen, dass sie nicht mehr antwortete, sondern überhaupt davonlief. Vor dem Umkleideraum für Frauen, wo Eivor ihren Overall ausgezogen hatte, stieß sie mit Albin Henriksson zusammen, dem ältesten Mitglied der Arbeitsgruppe, einem Zweiundsechzigjährigen, der Domnarvet seit seiner frühen Jugend treu war. Er war klein und untersetzt, mit grauen Haarsträhnen rund um die Ohren, und er schmatzte immer vergnügt mit seinem künstlichen Gebiss, wenn er sprach. Er hatte Eivor ihren zukünftigen Arbeitskollegen vorgestellt, und er konnte es sich erlauben, ohne Widerspruch von *dem Dummkopf da* und *dem Dummkopf dort* zu reden. Das war an dem Morgen vor einer Woche gewesen, als Eivor vor dem Fabrikeingang stand und kaum wagte, sich in den Strom von Arbeitern einzureihen, die am Pförtnerhaus vorbeieilten.

Aber als sie dem Pförtner ihren Namen gesagt und sich den Weg zum Umkleideraum gesucht hatte, war Albin Henriksson auch schon auf sie zugekommen. »Neues Weib im Kran«, hatte er aus seiner Ecke gerufen, wo er saß und seine Stirn rieb, als wäre er mit einem komplizierten Gedankenproblem beschäftigt. »Ich heiße Albin Henriksson«, begrüßte er sie und nahm ihre Hand. »Du solltest dich einen

Teufel darum scheren, was die anderen sagen, und mir zuhören. Der Dummkopf da drüben heißt Lazarus, und warum, wirst du schon noch verstehen, wenn du siehst, wie er nach dem Kaffee aufwacht. Und hier haben wir Holmsund ... Wie zum Teufel heißt du noch mal mit Vornamen?«

»Hör auf«, sagt Holmsund, dessen Gesicht unmissverständliche Anzeichen einer langen und feuchten Nacht aufwies. Er ist der jüngste in der Gruppe, zweiundzwanzig Jahre alt.

»Janne heißt er«, sagt Albin ungerührt.

»Der Dummkopf hat sich einmal vertan«, fährt Albin fort. »Er glaubte, er hätte ein Team in der schwedischen Nationalmannschaft, und so was wird bestraft. Für so viel Blödheit *muss* man bestraft werden. Oder?«

»Keine Ahnung«, antwortet Eivor und versucht, bestimmt zu klingen.

»Nein, wie solltest du auch«, sagt Albin und zieht sie weiter zu zwei Männern, die wie besiegte Helden in einer Ecke sitzen, bevor die Schlacht überhaupt begonnen hat. Beide sind in den Dreißigern, und der eine befindet sich in der seltenen Situation, keinen Spitznamen zu haben. Er heißt kurz und bündig Göran Svedberg und pendelt zwischen Borlänge und Dala-Järna, wo er seine Familie hat. Er ist schweigsam und lässt niemanden an sich heran. Der andere wird Makadam genannt, und es gibt niemanden, der den Ursprung für diesen Spitznamen kennt. »Möglicherweise seine Unart, mit den Zähnen zu knirschen«, philosophiert Albin. »Aber das weiß man nicht so genau ...«

»Ja, ich heiße also Eivor Skoglund«, sagt sie und nickt den Männern zu, die da in ihren Overalls sitzen und sie betrachten.

»Verheiratet mit Nacka?«, fragt Holmsund und schaut von seinen zitternden Händen auf. Das versteht sie, den

Namen hat sie schon mal gehört! Ein Fußballspieler aus Söder, der den gleichen Nachnamen hat wie sie.

»Jetzt nicht mehr«, versucht sie es, und Holmsund zieht interessiert eine Augenbraue hoch. Eivor hat das Gefühl, dass die Antwort gut war, sie hat es gemacht, wie Liisa es ihr geraten hat. Sie hat zurückgebissen.

»Aber jetzt musst du in deinen Umkleideraum gehen«, sagt Albin und hält sie die ganze Zeit mit seiner mageren Hand am Arm. »Jetzt muss Makadam nämlich seinen Overall anziehen, und er mag es nicht, dass jemand seine Unterhosen sieht.«

»Halt's Maul«, sagt Makadam. »Sonst nehm ich dir deine Zähne weg.«

Eivor wendet sich zur Tür, um zu gehen, und starrt direkt auf ein Poster, wo eine dicke Frau ihre Beine spreizt. Sie fühlt die Blicke der Männer im Rücken und geht hinaus. Sie meint, dass sie jemand aus dem Raum, den sie gerade verlassen hat, »Fotze« rufen hört, und geht zum Umkleideraum für Frauen, wo sie zum ersten Mal Ann-Sofi Lundmark trifft, die dasitzt und auf ihren Bauch starrt ...

Inzwischen ist eine Woche vergangen, und Albin, der es eilig hat, nach Hause zu kommen zu den vielen Aufgaben des Freitagabends: Rasen mähen, Auto reparieren – Eivor hat schon alles während der Kaffeepausen erfahren –, nimmt sich Zeit, sie zu fragen, ob sie meint, dass es bei ihr klappt. Als sie ihn allein trifft, ohne die Gruppe, in der er sich behaupten muss, merkt sie, was ihr schon so oft in ihrem Leben an Männern aufgefallen ist: Außerhalb ihres geschlossenen männlichen Reviers sind sie verändert. Gewiss hat Albin es eilig, gewiss schmatzt er ungeduldig mit seinen Zähnen, aber seine laute und beschäftigte Haltung ist einer leiseren Variante gewichen, die, wie Eivor findet, besser zu ihm passt.

»Was meinst du?«, stellt sie die Gegenfrage.

»Bisschen langsam«, antwortet er. »Bisschen zaghaft. Aber nicht schlecht. Du gewöhnst dich schon noch daran. Dann hast du es schön da oben, wenn nicht so viel zu tun ist. Die meisten Wei... die meisten stricken. Ich brauche übrigens neue Handschuhe für den Winter. Nur, dass du es weißt.«

»Und sonst?«

»Was sonst? Das regelt sich schon, wie der sagte, der in der Gaskammer saß. Geh jetzt nach Hause zu deinem Alten!«

»Ich bin geschieden!«

»Dann geh nach Brage zum Tanzen!«

»Nein, danke.«

»Tja, dann weiß ich auch nicht. Aber ich geh jetzt. Da ist schon wieder was mit diesem verdammten Auspuff nicht in Ordnung. Aber diesmal muss es mit Apothekenzement gehen. Niemand hat in diesen Zeiten Geld für einen neuen Auspuff ...«

Und dann ist er fort, und Eivor kann hinausgehen, die kühle Oktoberluft in die Lungen ziehen und das Dröhnen des Stahlwerks hinter sich lassen. Auf dem Heimweg bleibt sie an der Eisenwarenhandlung stehen und kauft ein Kettenschloss für ihr Fahrrad. Eigentlich wollte sie auch Lebensmittel fürs Wochenende kaufen, aber sie entschließt sich, das auf den nächsten Tag zu verschieben, sie ist einfach zu müde.

Sie radelt heim und fragt sich, was sie eigentlich den ganzen Tag tut. Den Kran zu bedienen, der unter der Decke entlanggleitet, so viel ist klar; sie transportiert und schafft die ausgewalzten Bleche hin und her, rückt sie zurecht und bringt sie an die richtige Stelle. Aber was soll aus den großen Stücken werden, die in regelmäßigen Abständen ausgewalzt sind – worin liegt der Wert all dieses Blechs? Werden es Seitenteile für Boote? Oder gehen sie zur weiteren Bearbeitung in die Industrie? Sie denkt, dass es so ähnlich ist wie damals vor langer Zeit, als sie in der dröhnenden Halle von Konstsilke stand und Zwirnmaschinen geladen hat. Dass sie an einem kleinen Teil eines größeren Prozesses teilhat, den sie nicht überblicken kann. Wie ein Pferd, das mit aufgesetzten Scheuklappen voran durchs Leben hetzt ... Im Altenheim hatte sie wenigstens das Gefühl, den Sinn der Plackerei zu sehen. Wenn ein Lächeln in einem alten, von Falten durchzogenen Gesicht aufleuchtete ...

Eivor hat Glück. Die Nachbarin zur Linken, Frau Solstad, hat von sich aus angeboten, sich Elins anzunehmen, für eine unbedeutende Summe, während Eivor auf der Arbeit ist. Eivor hatte sich schon vor langer Zeit für einen Platz in einer Tagesstätte eingetragen, aber die Liste ist lang, und sie macht sich keine direkten Hoffnungen. Gerade will sie auf Frau Solstads Klingel drücken, als sie sich entschließt, sich fünf Minuten Alleinsein zu gönnen.

Sie geht in ihre Wohnung und öffnet die Tür zum Badezimmer, um sich die Hände zu waschen.

Da drinnen sitzt Staffan, und er hat vergessen, hinter sich abzuschließen. Eivor zuckt zurück, und später wird sie denken, dass das eine Situation war, in der sie *alles auf einmal sah*, einschließlich aller im Bild enthaltenen unsichtbaren Details. Staffan, der auf dem Wannenrand sitzt und wichst, mit heruntergelassenen Jeans, den Blick auf eine Pornozeitschrift geheftet. Aber zu ihrer Verwunderung sieht sie, dass er ihre besten Schuhe anhat, die einzigen mit hohen Absätzen. Er starrt sie an, gelähmt, und sie denkt, dass sie das ja nun auf keinen Fall will, ihm zuliebe. Sie fühlt, wie sie rot wird, und beeilt sich, die Tür zuzuschlagen.

»Oje«, ist alles, was sie herausbekommt, und dann geht sie schnell in ihr Schlafzimmer. In ihrem Schockzustand kann sie nur einen einzigen klaren Gedanken fassen: wie völlig unglaublich und furchtbar das für ihn gewesen sein muss!

Buchstäblich mit heruntergelassener Hose ertappt zu werden! Sie versucht verzweifelt ein Wort aus ihrem Gedächtnis hervorzukramen, mit dem sie ihm sagen kann, *das macht nichts*. Am liebsten würde sie zurück ins Badezimmer laufen und ihm sagen, dass sie nichts gesehen hat. Sie setzt sich auf die Bettkante. Es dauert fast zehn Minuten, ehe sie ihn das Badezimmer verlassen hört. Es tut ihr weh, sich vorzustellen, wie er sich fühlt, aber sie vermag nicht, zu ihm hinauszugehen, und als er wenige Minuten später die Wohnung verlässt, denkt sie, gut so. So tun, als wenn nichts wäre, obwohl beide Bescheid wissen. Wenn er sich jetzt nur nicht so gedemütigt fühlt, dass er etwas anstellt … Sie läuft in die Küche und schaut aus dem Fenster, aber er ist schon in dem dunklen Oktoberabend verschwunden.

Der Abend wird ein einziges lang gezogenes Warten. Als Eivor sich schließlich zwingt, Elin von Frau Solstad zu holen, kann sie ihrer aufgedrehten Tochter absolut nicht mit der Freude begegnen, die sie verdient. Elin hängt sich an ihre Kleider, als sie das Essen vorbereitet, und plappert unaufhörlich, so viele Erlebnisse hat sie während des Tages gehabt, vor allem ist einer der Wellensittiche aus seinem Käfig entkommen und hat für mehrere Stunden *hoch* oben auf einem Schrank gesessen. Eivor murmelt nur etwas mit halb geschlossenen Lippen, flucht in sich hinein, während die Kartoffeln zerkochen, stellt die Teller unsanft auf den Tisch. Als sie Elin zu Bett bringt, ist sie viel zu kurz angebunden und schroff zu ihr, und die großen Augen sehen sie verwundert an, als sie sich kategorisch weigert, mehr als *eine* Geschichte zu lesen. Dann setzt sie sich, ohne Licht zu machen, ins Wohnzimmer und schaltet den Fernseher an. Den Ton stellt sie ab und starrt wütend auf die stummen Bilder.

Natürlich wusste sie, dass er onaniert. Aber das hat sie ohne größere Schwierigkeiten als natürlich akzeptieren können. Die Angst, mit der sie da sitzt, die Unruhe, die sie rastlos macht, ist das Gefühl, dass sie ihn auf irgendeine Art im Stich gelassen hat. Ist ihr jemals der Gedanke gekommen, dass es nicht nur die Töchter sind, auf die man achten, die man an der Hand nehmen und in die komplizierte Welt führen muss? Wer hat behauptet, dass Staffan es weniger schwer haben würde? Das hat niemand. Da sie sich nicht vorstellen kann, dass Jacob jemals mit seinem Sohn gesprochen hat, ist sie es, die die Verantwortung trägt. Hierfür wie für alles andere. Nie wird sie lernen, dass sie *allein* mit den Kindern zurechtkommen muss. Jacob ist eine Schattenfigur draußen in der Kälte, der mit Geld und mit allgemeinen Freundlichkeiten ein paarmal im Monat helfen kann. Aber die Verantwortung für die *Menschen* hat sie, und immer wird sie eingeholt von ihrer eigenen Unzulänglichkeit.

Die Schuhe. Die hochhackigen Schuhe. Die sie sich vor einigen Jahren gekauft hat, es war ein Freitag und Zahltag, und sie hatte plötzlich eine gewaltige Geilheit verspürt, als sie vom Systembolaget nach Hause ging. In ihrer Wut darüber, dass sie es nicht vermochte, die Lust nach einem Kerl zu verdrängen, ging sie in ein Schuhgeschäft und kaufte das raffinierteste Paar, das sie in den Regalen entdecken konnte. Wie oft hatte sie es angezogen? Viel zu selten, denkt sie in einer Mischung aus Missmut und Wut.

Sie versucht, ruhig und sachlich zu denken. Es ist mit aller Wahrscheinlichkeit nichts Unnatürliches, was er sich da ausgesucht hat, die Lust verlangt nach immer neuen Entdeckungen, um befriedigt zu werden. Sexualität ist auch Schmerz und Plage, niemand sagt, dass man sie nur so und nicht anders ausüben kann. Also ist auch nichts Unnatürliches dabei, wenn ihr Sohn herauszufinden versucht, wie es ist, die hochhackigen Schuhe seiner Mutter zu tragen …

Sie denkt, dass sie genau darüber gern mit ihren männlichen Arbeitskollegen reden würde. So sollte es an einem Arbeitsplatz sein, doch obwohl erst eine Woche vergangen ist, ahnt sie die Konturen der Gespräche, die die Essens- und Kaffeepausen füllen. Es dreht sich einzig und allein um Anspielungen auf die Fotze. Ging es ums Trabrennen, von dem alle begeistert zu sein schienen, so war da *immer* ein Jockey, beim letzten Rennen der *wie eine Fotze* fuhr. Liverpool spielte Fußball wie eine Bande Weiber, das verdammte Auto sollte einen Tritt bekommen in ..., wenn es nicht bald eine Lohnerhöhung gibt, hat man ja noch nicht mal genug Geld, um so eine armselige Finnin in den Arsch zu ficken. Und an den Wänden die aufgeklebten Bilder, ständig variierend, aber immer gleich. Die Kommentare sind abgedroschen und freudlos, aber anscheinend notwendig: die hat eine Riesenfotze, und die da hat eine Brust, die man, hol mich der Teufel, ein paarmal um den Schwanz wickeln kann.

Eivor starrt auf das Fernsehbild und fragt sich plötzlich, wie sie es mit diesem ganzen erniedrigenden Geschwätz aushalten soll. Und außerdem hat sie das Gefühl, dass sie absichtlich so quatschen, weil sie in der Nähe ist. Dass Frauen, die sich mit viel Mühe einen Platz im geheiligten Gebiet der Männer erkämpft haben, sich damit abfinden müssen, dass es *trotz allem* eine männliche Welt bleibt.

Eivor merkt, dass sie wütend geworden ist. Zwar hat Liisa sie darauf vorbereitet, dass es kein Jungfrauenkäfig ist, in den sie da kommt, aber *so* ... Sie geht zum Fernseher und wechselt den Kanal: Ein Mann steht vor einer Hafenkulisse und singt. Sie dreht den Ton hoch. Oper! Rutscht mir doch den Buckel runter ... Sie kehrt zu der Stille zurück und beschließt, die Schweinereien nicht länger zu tolerieren. Nie, zur Hölle, wird sie das tun!

Aber Staffan ... Sie denkt alles von Neuem durch, fühlt, wie die Wut verschwindet und einer beinahe wehmütigen

Rührung Platz macht. Sie würde ihn ja so gerne in den Arm nehmen, all den tausend Gefühlen lauschen, die er in sich trägt. Aber wo soll sie beginnen?

Sie erwacht davon, dass das Fernsehbild flimmert: Das Programm ist zu Ende, es ist spät. Sie schaltet ab und wirft noch einen Blick auf Elin. Weder Linda noch Staffan sind zu Hause, und sie erinnert sich, dass Linda dieses Wochenende bei einer Freundin schlafen wollte. Ob sie das auch tut, denkt sie. Warum nicht bei einem Freund? Was weiß ich? Nichts! Sie setzt sich an den Küchentisch und holt ihr Kassenbuch hervor, das sie vor einigen Monaten ohne größere Hoffnungen zu führen begonnen hat. Aber was nützt es, wenn das Geld doch nie reicht? Sie versucht sich vorzustellen, wie es wäre, nie über Geld nachdenken zu müssen.

Obwohl es spät in der Nacht ist, lässt sie Wasser in die Wanne laufen und taucht hinein. Sie schaut auf ihren Körper und denkt, dass sie ihn nicht gegen einen von denen tauschen würde, die sie auf den Bildern im Stahlwerk gesehen hat. Wenn Eivor später in ihrem Leben zurückschaut auf ihre Anfänge im Stahlwerk, als sie sich in einem nahezu permanenten Kriegszustand befand, denkt sie, dass der Gewinn all das Leiden wert war. Der Gewinn, *die Erfahrungen*, das Gefühl, die Grenze überschritten zu haben, mit der sie vorher ihre eigenen Fähigkeiten beschränkt hatte (man muss seine Grenzen kennen!), ohne eigentlich darüber nachzudenken, ob das wirklich richtig war. Aber gleichzeitig erschauderte sie bei der Erinnerung daran, wie nah sie ein paar mal daran gewesen war, aufzugeben, sich geschlagen zu geben. Was sie eigentlich weitergetrieben hatte, als es am schlimmsten war, konnte sie nie herausfinden. Möglicherweise war es so, dass sie es ganz einfach nicht schaffte, den Rückzug anzutreten. Lieber eine vollständige Niederlage, als mit so viel verbliebener Kraft aufzugeben.

Was geschah, war eigentlich sehr einfach, und es begann – wie sie es befürchtet hatte – schon am ersten Montag, als sie zur Arbeit kam, ohne dass sich Ann-Sofi, »die schwangere Leibwache«, an ihrer Seite befunden hätte. Sie hatte schlecht geschlafen und war früh draußen. Das Stahlwerk war eine Industrie, wo es zuging wie überall sonst: Man sollte am besten pünktlich, aber nicht zu früh kommen, besonders an einem Montagmorgen. Obwohl die Schicht erst in einer halben Stunde beginnt, ist sie nicht die Erste. Albin Henriksson befindet sich schon seit zwanzig Minuten am Platz, umgezogen und bereit. Er ist ein Mann, der während der Arbeitswoche dauernd vom Freitag redet, aber schon am Samstagabend beginnt, unruhig zu werden, das Stahlwerk könnte am Montagmorgen vielleicht nicht mehr dastehen. Aber es steht noch da, und schon ehe er durch das Tor geht, mit einem wütenden Blick zu der Person im Pförtnerhaus, hat er angefangen, die fünf langen Tage, die er vor sich hat, zu hassen. Es gibt niemanden, der so oft davon spricht, blauzumachen, sich krankschreiben zu lassen, aber auch keinen, der so wenige Krankentage hat. Jetzt, da Eivor kommt, trödelt er im Flur vor dem Umkleideraum herum wie ein Angeklagter, der darauf wartet, hereingerufen zu werden, um sein Urteil zu vernehmen. Er starrt sie an wie ein Gespenst. Eivor nickt und lächelt, sagt »Guten Morgen«, aber Albin Henriksson sieht durch sie hindurch. Er packt sie, ein Griff mit den dünnen Fingern um ihren Arm, und sagt, dass die Rezession, diese Pest jetzt auch nach Borlänge gekommen sei, die Ansteckung hat sich einen Weg über den Dalälven gesucht, das hat er im Radio in den Morgennachrichten gehört. Die Zeit, als es so aussah, als ob es reichte, Domnarvets Namen zu flüstern wie eine Beschwörung, ein Gütesiegel für die anerkannte Qualität der Werksprodukte, scheint unwiderruflich vorbei zu sein. Eivor, die völlig neu ist und genug mit der Unruhe in sich selbst zu tun hat, um die Arbeit zu schaffen, die von ihr erwartet wird, kann natürlich nicht sofort die neue *große* Drohung verstehen, von der Albin Henriksson spricht. Und den Gedanken, entlassen zu werden, eine Woche nachdem sie angefangen hat, lässt sie gar nicht erst an sich heran. In anderen Ländern, an anderen Arbeitsplätzen, aber doch nicht hier! Albin Henriksson begreift, dass sie vollkommen verständnislos ist, und stürzt sich nun auf Holmsund, der den Flur entlanggewatschelt kommt, verkatert und schwindlig, zerzaust und ungewaschen. Er hat von nichts gehört (wer, zum Teufel, hat Zeit, Radio zu hören?) und will auch nichts hören. Er knurrt Albin an und stolpert über die Schwelle zum Umkleideraum.

Eivor verschwindet in ihrem Raum, und Albin Henriksson wütet wie ein Agitator darüber, dass keiner versteht, was los ist. Erst als der ruhige Göran Svedberg nach seiner morgendlichen Reise aus Dala-Järna auftaucht, hat er jemanden, mit dem er reden kann. Eigentlich sagt Göran Svedberg kein einziges unnötiges Wort, aber an diesem Morgen hat er selbst die Nachrichten gehört, während er mit seiner Frau und dem Neugeborenen in der Küche saß. Während der Autofahrt hat er darüber nachgedacht, dass er, obwohl er seit fünf Jahren hier arbeitet, trotzdem zu denen gehört, die als Erste die schicksalsschweren Worte zu hören bekommen würden: Die zuletzt Angestellten verlassen das Boot zuerst! Aber es sind nur Gerüchte, und in dieser Branche sollte es wohl genug Menschen geben, um sich zu wehren. Das sagt er auch zu Albin Henriksson, und er weiß nicht, ob er es selbst ist oder sein Arbeitskollege, den er zu beruhigen versucht.

Als Eivor dann in ihrem Kran sitzt, schweißnass und mit klopfendem Herzen, achtet sie natürlich nicht mehr auf das schreiend geführte Gespräch der Kerle da unten am Boden. Sie hat genug damit zu tun, ihre Hebel zu finden, in der ruhigen Sekunde den richtigen zu wählen – und das alles so vorsichtig und vor allem so sanft wie möglich. Immer wieder wundert sie sich darüber, dass die wenigen Bewegungen, die sie mit ihren Hebeln macht, so viel bewirken. Die kolossalen Stahlbleche, frisch ausgerollt und dampfend, die sich in ihrer Kettenaufhängung bewegen, wenn sie einen der Hebel zu sich zieht. Sie denkt, dass ihr Käfig wie die Manövriernase eines Flugzeugs ist, und welcher Pilot hätte Zeit, an etwas anderes als an seine Instrumente zu denken!

In der Pause erfährt sie auch nichts, da jetzt alle von der Bedrohung erfahren haben und keiner darüber zu sprechen wagt.

Darum dauert es noch ein paar Tage, ehe Eivor zu ahnen beginnt, dass eine Unruhe sich im Werk ausgebreitet hat, aber sie hat weiterhin genug damit zu tun, ihren Arbeitskollegen keinen unnötigen Grund für spitze Bemerkungen zu geben. Auch den kleinsten Fehler schlägt man ihr, sobald Pause ist, um die Ohren, und der Tenor ist deutlich genug: unbeholfene Weiber ... Die Lundmark hatten sie schließlich gezähmt, als Dank dafür geht sie hin und wird schwanger.

Es ist während der großen Pause an jenem ersten Montag, ungefähr in der Mitte der Schicht, als Eivor allen Mut zusammennimmt und fragt, ob all diese Poster an den Wänden tatsächlich nötig sind. (Selbst Liisa kommt oft darauf zurück; dass Eivor das schon am ersten Tag wagte, das sei vielleicht ihre imponierendste Tat.) Kompaktes Schweigen schlägt ihr entgegen. Ihre Worte kommen so unerwartet, dass selbst Lazarus mit einem Ruck aufwacht. Eivor zeigt auf eine Negerin, die mit schwellenden Formen und gespreizten Beinen direkt vor ihrer Nase hängt, und sagt, sie fände es nicht besonders lustig, so etwas beim Kaffeetrinken ansehen zu müssen. Sie erhält keine richtige Antwort, nur einen Chor von Stöhnen, Brummeln, Schmatzen, und eine geladene Feindseligkeit kommt zurück. Da begeht sie den Fehler zu glauben, dass ihre Worte trotz allem angekommen sind und dass das Schweigen ein Ausdruck von Scham, vielleicht sogar Nachdenken ist.

Aber als sie am Tag darauf, einem Dienstagmorgen, wieder den Essensraum betritt, sieht sie ein, wie falsch sie gelegen hat. Da sind die Wände mit Bildern vom Boden bis zur Decke verziert. Jemand hat sogar ein Bild von einem Riesenpimmel auf den Sitz ihres Stuhls geklebt. Die neuen Bilder sind noch ordinärer, und das schlimmste von allen (ein fetter Mann auf einem Bett, dem zwei sehr junge dunkelhäutige Mädchen zu Willen sind) hängt an der Wand, auf die sie den Blick richten muss, wenn sie nicht an die Decke starren will. Einer hat offensichtlich auch ein altes Foto von ihr entdeckt, »Eivor, 19, aus Strömsnäsbruk. Interessen: Burschen und Kleider«, das sich über die Mittelseiten einer Zeitung erstreckt. Sie zuckt zurück, als sie über die Schwelle kommt, und merkt, wie sie rot wird. Als sie den Pimmel auf dem Stuhlsitz sieht, ist ihr klar, dass die Männer die Oberhand bekommen haben. Das hier schafft sie nicht. Nicht alleine. Aber obwohl sie am liebsten davonrennen würde, ist da etwas, was sie zurückhält. Was ihr sagt, dass sie, wenn sie nicht bleibt, die Schlacht viel zu früh verloren gibt. Sie setzt sich, ohne sich etwas anmerken zu lassen, und das ist natürlich auch eine Form der Niederlage. Aber was soll sie sagen? Als sie aufsieht, begegnen ihre Augen einer Anzahl grinsender, vergnügter Gesichter. Möglicherweise mit Ausnahme von Göran Svedberg und vielleicht auch Albin Henriksson, deren Lächeln angestrengt wirkt. Als die Pause beinahe um ist, kommt es zur Konfrontation. Es ist Makadam, der fragt, ob sie gut sitze, und sie wird so wütend, dass sie ihn errötend anschreit, er solle sie in Ruhe lassen.

»Aber man braucht doch etwas Schönes, auf dem man

seinen Blick ruhen lassen kann«, antwortet Makadam mit offensichtlicher Anspielung darauf, dass Eivor kein Ersatz für die Bilder ist.

»Verdammte Schweine«, schreit Eivor und rast hinaus.

Im weiteren Tagesverlauf kommen keine neuen Kommentare. Aber Eivor ist ungeschickt und unsicher oben im Kran, ununterbrochen sieht sie die Männer dort am Boden die Köpfe schütteln und hört einen Chor von schwarzen Engeln, der in ihre Ohren stöhnt. Mehrere Male treten ihr Tränen in die Augen, und sie flucht und schimpft in ihrer Einsamkeit da oben im Korb. Als der Tag vorüber ist und sie endlich das Werk verlassen kann, tut sie es mit dem Gedanken, nie mehr wiederzukommen. Nicht, solange sie es mit solchen Typen zu tun hat ... Nicht, solange es verhärmte Menschen im Altersheim gibt, die dankbar nach ihren Händen greifen.

Am Abend geht sie hinüber zur Ecke Smidesgatan und Mästargatan, wo Liisa wohnt. Aber es ist nur ihr Sohn Arvo zu Hause, und er weiß nicht, wo Liisa ist. Ausgegangen, aber er weiß nicht, wohin. Eivor entschließt sich, einen Spaziergang zu machen, raus nach Åselsby, und fragt sich, was es eigentlich nützt, dass sie nun am gleichen Arbeitsplatz sind, wenn sie und Liisa verschiedene Schichten haben. Außerdem hat Liisa zu Eivor gleich am ersten Tag gesagt, dass sie die Männer nicht kenne, mit denen die Freundin zusammenarbeitet. Aber jetzt müsste sie trotzdem mit Liisa sprechen, fragen, was sie machen soll. Sie denkt daran, dass sie die anderen Frauen, die in ihrer Nähe arbeiten, nur flüchtig gegrüßt hat. Was sagen sie zu den Pornobildern? Es müsste doch möglich sein, etwas dagegen zu tun, wenn man sich einig war? Es ist kalt, aber sie geht weiter. Sie weiß, dass sie nicht schlafen kann, wenn sie sich nicht zuvor müde gelaufen hat.

Sie läuft bis zum Industriegebiet hinaus und will gerade

umkehren, als ein Auto neben ihr bremst. Sie ist sofort auf der Hut, aber dann sieht sie, dass es ein Auto einer Wachgesellschaft ist, und als er das Seitenfenster herunterkurbelt, erkennt sie den fluchenden Mann wieder, den sie in Romme auf der Trabrennbahn getroffen hat.

Sie beginnen ein tastendes Gespräch, das nirgendwohin zielt und nirgendwohin führt. Sie kennen einander ja nicht. Eivor fühlt sich zurückversetzt auf den Marktplatz in Borås, zum endlosen Aufreißen der Mädchen. Aber jetzt ist es Borlänge 1977, und der Mann, mit dem sie spricht, trägt eine Uniform. Er ist Nachtwächter, ein Soldat aus den Nachtarmeen der neuen Zeit, und er erzählt, dass er sowohl Industrieareale als auch kommunale Büros bewacht. Dunkle, verlassene Korridore ... Trifft er einen Menschen in diesen stillen Räumen an, so ist es automatisch ein Feind. Er fragt, was sie vorhat, und sie sagt, wie es ist, dass sie versucht, sich müde zu laufen, dass sie gerade dabei war, umzukehren und nach Hause zu gehen. Er fragt, ob er sie nach Hause fahren darf. Sie nickt (es ist die Kälte, nicht die Müdigkeit!) und setzt sich neben ihn auf den Beifahrersitz. Er sagt, dass es eigentlich nicht erlaubt sei im Dienst, aber ... zum Teufel! Es ist warm im Auto, und sie hätte sich gewünscht, dass er aus Borlänge hinausführe, hinaus auf die endlosen Straßen, von ebenso endlosen Wäldern umgeben sind. Aber die Hejargata ist nicht weit entfernt, und schon bremst er vor ihrem Eingang. Mit einem Gefühl von Verlegenheit sagt sie, dass sie seinen Namen vergessen hat, aber er lacht nur und antwortet. Peo, Peo für Per-Olof. Sie steigt aus dem Auto, sagt »Gute Nacht« und lässt die Autotür zufallen. Dann geht sie zum Eingang und hört das Auto wegfahren.

Am Abend darauf, als Eivor – ungewöhnlich genug – mit allen drei Kindern beim Essen saß, schellte das Telefon und Linda, die sich beeilte ranzugehen, kam zurück und sagte, es ist *jemand für dich, Mutter*. Eivor sah wieder das misstrauische Schimmern in ihren Augen. Es war der Nachtwächter, der fragte, ob sie sich vorstellen könnte, sich einmal abends mit ihm zu treffen, aber *nur, wenn sie Lust hätte*. Ihr erster Impuls ist, Nein zu sagen, freundlich, aber bestimmt: Nein, sie hat ja keine Zeit (zu sagen, dass sie nicht *will*, ist ihr fremd). Aber sie sagt Ja, ein Ja mit Überzeugung, und sie kommen überein, dass er am Samstagvormittag anruft: *Dann werden wir sehen*. Anschließend nehmen Linda und Staffan sie ins Kreuzverhör, worauf sie so wütend wird, dass sie genau sagt, wie es ist: Sie wird Peo treffen, einen Nachtwächter. Der Ausbruch kommt so unerwartet, dass Linda und Staffan wirklich schweigen. Elin sieht so verängstigt aus, dass Eivor sie anlächelt und ihr durchs Haar fährt. Nach dem Essen stellt Staffan hastig die Teller und das Besteck zusammen und macht sich fertig, um augenblicks zu verschwinden. Er scheut Eivors Blick – aus Trotz, aus Scham? In einem hilflosen Versuch, ihm ihre Zärtlichkeit zu erweisen, streichelt sie ihm schnell über die Hand. Wenn sie ihm doch nur in einer geheimen Sprache signalisieren könnte, dass seine Sitzung im Badezimmer nichts ist, worüber sie bekümmert ist, nichts, weswegen sie ihn *weniger* mag.

Ohne dass sie es eigentlich will, empfindet sie eine gewisse wohltuende Spannung bei dem Gedanken, den Nachtwächter Peo wieder zu treffen. Er wirkte nett, schüchtern auf eine beinahe komische Art, und Elin hatte keine Scheu vor ihm. Dieser zurückhaltende Mann bildet einen guten Kontrast zum Terror mit den Pornobildern. Am nächsten Tag hatten die Kollegen noch schlimmere aufgehängt, aber Eivor hat sich vorgenommen, dass sie sich nicht provozieren lässt. Am Donnerstag war Katarina Björk, ein mageres Mädchen aus Aspeboda, die den Kran in der Schicht vor Eivor bedient, bis zum Schluss im Umkleideraum geblieben, und Eivor merkt, dass sie reden will. Sie fragt, wie es geht, und Eivor sagt, wie es ist: ein bisschen unsicher, aber nicht so schlimm, dass sie es nicht schafft. Katarina Björk hört aufmerksam zu, und Eivor fragt sich, wie sie, die so bleich und mager ist, die Männer in ihrer Schicht zügeln kann. Aber so weit kommen sie nicht, Vertrauen entsteht nicht von einem Moment auf den anderen. Als Katarina Björk in der Tür steht und nickt und »Hej« sagt, ist Eivor jedoch sicher, dass sie beim nächsten Mal mit ihr reden kann. Nach ein paar weiteren Tagen hat sie außerdem Kontakt zu Mari Velander aufgenommen, die Eivor ablöst. Sie ist zweiundvierzig Jahre alt, kräftig gebaut, und sie erinnert Eivor an eine Schauspielerin, die sie in einem alten schwedischen Film gesehen hat. Sie erinnert sich sogar an den Namen, *Bullan Weijden*, und sie fühlt sich sofort wohl in Mari Velanders Gesellschaft. In ihrer Art erinnert sie an Liisa: Umwege gibt es nicht! Mari Velander teilt ihr mit, dass sie die Pornobilder abreißen wird, wenn Eivor es nicht tut. Sie weiß, dass Eivor in die schlimmste Schicht geraten ist, aber obwohl einige Männer in ihrer Gruppe die Bilder auch nicht gut finden, wagt es doch keiner von ihnen, gegen den Strom zu schwimmen. Männer sind ja so unwahrscheinlich *kindisch*! Eivor nickt und fühlt eine heftige Dankbarkeit: Vielleicht klappt es ja wirklich, sie wegzubekommen! Ohne dass sie Liisa hineinziehen muss.

Sie eilt hinaus und stößt an der Tür zur großen Halle mit Lazarus zusammen. Sie macht nicht die geringste Anstrengung, einem Zusammenstoß mit ihm auszuweichen. Während der Zeit des offenen Krieges, die nun folgt, ob die Pornobilder bleiben oder nicht, bekommt Eivor eine Vorstellung davon, dass eine Veränderung in Etappen geschieht, und selten entlang einer vorher erkennbaren Linie.

An einem Tag riss Mari Velander die Bilder ab, aber am nächsten Tag waren die Wände wieder voll. Nun begann auch Eivor die Fotos abzureißen (später kam noch Katarina Björk dazu, und die Liga war komplett), und das ging so lange, bis Holmsund ihr eines Tages eine Ohrfeige gab, als er verkatert war und sie ihm an den Kopf geworfen hatte, er sei ein Schwein. Natürlich gab es einen Aufstand, sogar Göran Svedberg regte sich auf. Makadam und Lazarus ergriffen (wenn auch zögernd) Partei für Holmsund. Albin Henriksson schmatzte mit den Zähnen und wiederholte in einem endlosen Monolog, dass er so etwas ja noch *nie* gehört habe ... Das reine Texas ... Ob Eivor nicht trotz allem zugeben müsse, dass einige der Frauen schöne Körper hätten?

Die Bilder an den Wänden, das sah Eivor ein, waren nur ein kleiner Teil des Rechts, das die Männer ständig zu verteidigen suchten. Die Kommentare und Anzüglichkeiten wegen ihrer Fehler im Kran, ihrer Kleider, versteckte Andeutungen und Anspielungen auf Sex, auf die ständige Lust der Frauen rumzuhuren waren noch anstrengender.

Es war eine nervenzehrende Zeit für Eivor. Es ging um weit mehr als um ein paar Pornobilder und um die Angst der Männer, ihre Rechte an die Frauen abtreten zu müssen. Eine ökonomische Krise bedrohte die Großindustrie. Als sie ihre erste Gewerkschaftsveranstaltung besuchte, um an weiteren Informationen über die Probleme des Werks teilzuhaben, verstand sie zu ihrem Erstaunen, was da gesprochen wurde. Bald darauf zeigte sich, dass das Werk diesmal mit dem Schrecken davongekommen war, und Eivor atmete ebenso erleichtert auf wie ihre Kolleginnen und Kollegen.

Auch aus einem anderen Grund war diese Zeit für Eivor nervenzehrend, und dieser Grund war Peo. Wie versprochen rief er am Samstagmorgen an, aber Eivor schlief noch, und nachdem sie von Linda geweckt worden war (die ihrerseits einen Anruf erwartete), war sie so verschlafen, dass sie ihn bat, eine Stunde später noch einmal anzurufen. (Und er?, dachte sie, als sie im Badezimmer stand; wann schläft er eigentlich? Da er doch in der Nacht arbeitet ...)

Sie fuhren in seinem Auto nach Falun, und er lud sie zum Essen in eine Pizzeria am Marktplatz ein, auf dem eine Statue des Revolutionärs Engelbrekt Engelbrektsson stand. Dann machten sie einen Spaziergang durch die Stadt, gingen hinauf zu den Schlackehügeln und suchten nach dem Geburtshaus des Schlagerstars Ernst Rolf. Wenn Eivor auch einiges gelernt hatte, so war der Ausflug alles in allem doch nicht sehr spannend für sie gewesen. Aber sie trafen sich weiterhin, entdeckten Berührungspunkte und fühlten sich einer in der Gesellschaft des anderen wohl. Peo, in Dalarna geboren, war zweiunddreißig Jahre alt. Er wohnte in einer kleinen Wohnung im Amsbergsvägen, genau dort, wo der Dalälven eine große Biegung macht. Er war unverheiratet und Nachtwächter, seit er seinen Militärdienst in Skövde abgeleistet hatte. Nachdem sie sich einen Monat kannten, versuchte Eivor zusammenzufassen, was sie über seine Interessen wusste, und kam zu einem ziemlich verblüffenden Resultat: Trabrennen und Pilze sammeln! Aber inzwischen gab es durchaus Gefühle zwischen ihnen, und Eivor war sicher, dass sich vieles unter seinem schüchternen Äußeren verbarg.

Als ihnen beiden schließlich klar wurde, dass sie verliebt waren (es war inzwischen Dezember, und Borlänge war ununterbrochenem Schneefall ausgesetzt), erlaubte Eivor ihrem Peo, sie zu Hause zu besuchen, und die Kinder, die vorgewarnt waren, mochten ihn. Eivor wurde jedenfalls nach dem Besuch nicht mit wütenden Protesten überhäuft. Aber sie fragte sich natürlich, wie sie reagiert hätten, wenn er aus dem Schlafzimmer aufgetaucht wäre und sich an den Frühstückstisch gesetzt hätte. Eivor fragte sich allmählich, wie sie es eigentlich so lange – Jahre! – ausgehalten hatte, ohne mit einem Mann ins Bett zu gehen. Zum ersten Mal in ihrem Leben hatte sie Lust, selbst die Initiative zu ergreifen, wenn er das nicht bald tat.

Es war ungefähr vierzehn Tage vor Weihnachten, als ihr eines Nachmittags eine wahnwitzige Idee kam. Sie kämpfte sich vom Werk durch das Schneegestöber nach Hause und stellte sich vor, wie ihre männlichen Kollegen reagieren würden, wenn sie eines Tages Bilder von nackten Kerlen an den Wänden sehen würden. *Etwas Schönes, auf dem man den Blick ruhen lassen kann …* Zunächst verscheuchte sie den Gedanken, aber er kam zurück, und ehe sie am Abend einschlief, hatte sie fest beschlossen, ihrem Impuls zu folgen. Sie weihte Mari Velander in die Sache ein, und nie würde sie das zustimmende Lachen vergessen, das aus Maris Kehle kam. »Mach das«, hatte sie geantwortet. *»Mach das!«*

Von dieser Aufmunterung gestärkt, ging sie zu einem Tabakgeschäft und kaufte eine Zeitschrift mit einer lederbekleideten Blondine auf einem Motorrad als Titelbild. Darin entdeckte sie einen Bestellschein für Homosexuellenzeitschriften, und am folgenden Tag gab sie ihre Bestellung auf. Das Paket kam vor Ablauf einer Woche mit dem versprochenen diskreten Absender, und Eivor verbarrikadierte sich damit am Abend in ihrem Schlafzimmer. Nachdem sie die Zeitschriften mit einem gewissen Unbehagen durchgeblättert hatte, schnitt sie ein Bild nach dem anderen aus. Schließlich war der Bettüberwurf bedeckt von einer bizarren Bilderfolge, und sie versuchte sich vorzustellen, wie beispielsweise Linda reagieren würde, wenn sie in diesem Augenblick zur Tür hereinkäme.

Für den nächsten Tag stellte sie den Wecker eine halbe Stunde früher als gewöhnlich, und nachdem sie sich rasch eine Tasse Kaffee gegönnt hatte, erreichte sie das Werk beinahe eine Stunde vor Schichtbeginn. Der Wärter an der

Pforte sah sie misstrauisch an, aber sie eilte an ihm vorbei und hoffte, dass Albin Henriksson noch nicht eingetroffen wäre. Aber der Essraum lag verlassen da, und nachdem sie die nackten Frauen heruntergerissen hatte, begann sie, ihre Bilder anzukleben. Sie hatte sich gut vorbereitet und wusste genau, welches Bild Holmsund in die Augen stechen sollte, welches Bild für Makadam geeignet war ... Die ganze Zeit behielt sie die Tür im Auge, falls Albin Henriksson aus irgendeinem Grund auftauchen würde. Aber niemand kam, sie wurde in Ruhe fertig und gönnte sich nur einen schnellen Blick, um ihr Kunstwerk zu betrachten. Dann beeilte sie sich, in den Umkleideraum zu kommen.

Natürlich gab es in der ersten Pause einen gewaltigen Krawall. Die Betroffenheit war möglicherweise noch größer und hilfloser, als Eivor es erwartet hatte. Die Männer standen fassungslos da, und zum ersten Mal in ihrem Leben verstand Eivor, was es hieß, seinen Augen nicht zu trauen.

Sie setzte sich auf ihren Stuhl und sah ihnen amüsiert zu, während sie den Deckel ihrer Thermoskanne abschraubte.

Lazarus war es, der das Schweigen brach. Er starrte auf sie, auf die Bilder, dann wieder auf sie – als ob er Zeuge eines Totschlags oder einer Misshandlung geworden wäre. »Was zum Teufel«, sagte er. »Was zum Teufel ... Welcher Teufel hat das hier aufgehängt?«

Es gab nur eine Antwort, und Eivor war bereit: »Man braucht doch etwas Schönes, worauf man seinen Blick ruhen lassen kann. Es gibt ja nicht so viel anderes ...«

»Ja, aber ... (jetzt war Holmsund an der Reihe). Das ist ja eklig, zum Teufel! Nimm den Scheiß da weg ...«

Und dann rissen Holmsund, Makadam und Lazarus die Bilder herunter. Nur Albin Henriksson stand unbeweglich, schmatzte mit den Zähnen und murmelte: »So etwas ...«

Die Bilder wurden mit einer solchen Wut heruntergerissen, dass Eivor einen Moment fürchtete, einer der Männer würde sich auch über sie hermachen.

Aber als die Bilder in Fetzen auf dem Boden lagen, sagte niemand mehr etwas. Jeder war nur auf seine Kaffeetasse konzentriert, als würde sie das erstaunlichste Geheimnis bergen. Am Tag darauf wiederholte Eivor das Spiel, allerdings mit dem Unterschied, dass sie noch obszönere Bilder anklebte. Sie hatte nur einen begrenzten Vorrat, und niemand wusste, wie lange der Streit andauern würde. Zu diesem Zeitpunkt lief bereits ein Gerücht davon um. Es war ein Streit, der alle berührte, aber nur die Frauen redeten darüber. Für die männlichen Arbeiter war es eine so unerhörte Provokation, dass sie schwiegen.

Es waren nur noch wenige Tage bis Weihnachten, als der Streit beigelegt und das letzte Bild aufgehängt wurde, um sofort wieder abgerissen zu werden. Die schweigsame Katarina Björk hatte vorgeschlagen, einmal ein paar Poster über das »Tierleben im Wald« aufzuhängen. Eivor erkannte, wie viel Mut es Katarina Björk gekostet hatte, diesen Vorschlag hervorzustammeln. Da war etwas, was sie wiedererkannte ...

Aber niemand riss ihre Poster herunter, und neue Pornobilder tauchten auch nicht mehr auf.

Nach einigen Tagen abwartenden Schweigens kommentierte Albin Henriksson eines Tages ein Bild von einem Fuchs und erzählte eine unwahrscheinliche Geschichte von einer Jagd, an der er angeblich teilgenommen hatte. In diesem Augenblick begann Eivor an den Erfolg zu glauben. Dass sie nie darüber sprachen, war eine Sache, aber dass sie jetzt begannen, über *etwas anderes* zu reden, das war entscheidend! Auch wenn sie und die anderen Frauen weiterhin Anzüglichkeiten und Anspielungen ausgesetzt waren, so hatte sich doch der Ton verändert.

Mari Velander meinte, die Kerle wären ein bisschen eingeschüchtert. Gleichzeitig warnte sie aber davor zu glauben, dass die alten Bilder nicht wieder auftauchen würden. Aber es wurde tatsächlich anders, und Eivor ahnte, dass es ihr eines Tages bei der Arbeit gefallen könnte. Sie hatte gemerkt, dass man ihr immer seltener die Schuld für irgendein missglücktes Manöver mit dem Kran zuschob, und sie begann, in die raue Gemeinschaft ihrer Schicht hineinzuwachsen. Wenn über Probleme bei Domnarvet gesprochen wurde, vor allem über die finsteren Prophezeiungen, gab es niemand mehr, der sie unterbrach, wenn sie fragte, und auch niemand, der sich demonstrativ abwandte und stöhnte, wenn sie ihre Meinung äußerte. Der Gedanke, ins Altersheim zurückzukehren, wurde ihr immer fremder. Gewiss vermisste sie die Freundlichkeit der Alten, aber im Werk war jeder Tag eine neue Herausforderung, und jetzt, wenige Tage vor Weihnachten, dachte sie, dass sie sich noch nie an einem Arbeitsplatz so wohl gefühlt hatte. Es war, als ob sie jetzt mit Leichtigkeit all das schaffte, wozu sie sich früher zwingen musste, und sie meinte auch zu spüren, dass die Kinder von ihrer guten Laune angesteckt wurden. Es war überhaupt so viel, was während dieser Zeit geschah, und sie erwachte jeden Morgen mit einer gewaltigen Vorfreude …

Mitten in dieser aufgedrehten Zeit schellte eines Samstagnachmittags Eivors Telefon, und während des folgenden Gesprächs wurde ihr wieder einmal klar, dass man nie eine Situation vollständig beherrscht. Gut gelaunt nahm sie den Hörer ab, wartete sie doch auf Peos Anruf. Aber es war Elna, die aus Lomma anrief. Es waren mehrere Monate vergangen, seit sie zuletzt miteinander gesprochen hatten, denn Eivor hatte in diesen intensiven Monaten einfach zu wenig Zeit für Elna und Erik gehabt.

Eivor war sofort klar, dass etwas geschehen sein musste. Sie hielt den Atem an und wartete, während Elna sich auf

Umwegen dem Ziel näherte, indem sie fragte, wie es ging, ob es viel Schnee gab …

Eivor unterbrach sie und sagte, dass sie hören könne, dass etwas geschehen sei. Schließlich rückte Elna damit heraus, dass die Eternitfabrik geschlossen werden sollte. Beiden, ihr und Erik, war gekündigt worden. Dreihundertfünfzig Angestellte wurden entlassen. Die Unternehmensleitung hatte nur mitgeteilt, dass die Rentabilität wegen der neuen Schutzbestimmungen und Grenzwerte so stark gesunken sei, dass man das Werk schließen müsse. Eivor hatte von der Gefährlichkeit des Asbeststaubs gehört, aber die Grenzwerte, von denen Elna sprach, sagten ihr nichts. Das Einzige, was ihr zu fragen einfiel, war, wann die Fabrik geschlossen würde. Elna sagte, dass sie es nicht wisse, *niemand wusste es!* Und was sie machen sollten, wenn die Eternitfabrik geschlossen wurde, wusste sie auch nicht. In Lomma gab es keine Arbeit für dreihundertfünfzig Arbeiter. Und was sollte aus dem Haus werden …

Sie sprachen fast eine Stunde miteinander (was Peo später am Abend mit einer Grimasse kommentierte, hatte er doch fast die ganze Zeit in einer Telefonzelle gestanden und gefroren!), und einmal fing Elna an zu weinen. Ohne dass sie wusste, warum, war Eivor sicher, Elna war allein zu Hause, und sie sah sie vor sich auf dem Hocker vor dem Regal sitzen. Sie wusste nicht recht, was sie sagen sollte, und dachte, dass Zuhören im Augenblick die einzige Hilfe war.

Elnas einsame Klage schien keinen versöhnlichen Zug zu enthalten. Als Eivor nach Erik fragte und danach, wie er es aufnahm, antwortete Elna etwas Unverständliches, und sie unterließ es, noch einmal zu fragen. Sie raffte sich nur zu der Bemerkung auf – und hörte selbst, wie wenig überzeugend es klang –, dass die Nähe zu Malmö wohl trotz allem gewisse Möglichkeiten barg. Aber sie wusste ja, dass die gesamte schwedische Industrie eine schwere Rezession durchmachte. Nicht einmal die alten Flaggschiffe waren davon ausgenommen, und hinsichtlich irgendeiner Besserung der Lage gaben die Politiker nur pflichtschuldig in gleichmäßigen Abständen Versprechungen ab.

Als das Gespräch schließlich endete und Eivor den Hörer auflegte, war sie ganz wirr im Kopf. Sie sah nur eine große Leere vor sich, und mittendrin saß Elna auf einem Hocker und starrte in die Luft. Weiter kam sie nicht, denn endlich gelang es Peo durchzukommen, und sie beschlossen, dass er ein paar Stunden später bei ihr auftauchen sollte.

In der Neujahrsnacht gingen sie zum ersten Mal zusammen ins Bett. Als sie ihm nach einem Fest bei Peos Freunden in seine Wohnung im Amsbergsvägen folgte, war sie beschwipst, aber nicht so schlimm, dass sie nicht wusste, was sie tat. Elin schlief bei Frau Solstad, Linda würde bei einer Freundin übernachten, und Staffan war zusammen mit seinen Freunden in einer Sporthütte auf dem Idrefjäll und würde nicht vor dem 3. Januar nach Hause kommen. Als sie dann neben ihm lag, hatte sie eigentlich nur Lust, seine Körperwärme zu spüren. Mit ihm zu schlafen, nachdem sie so viel getrunken hatte, würde sicher misslingen, und sie hatte Angst, dass es ein schlechtes Vorzeichen für die Zukunft wäre. Aber als er sich ihr näherte, sagte sie nichts, und wenn sie auch keinen großen Gewinn davon hatte, so war es doch alles andere als unangenehm.

Am nächsten Tag sagte er, verlegen auf den Fußboden starrend, dass er sie liebe und heiraten wolle. Für Eivor kam das so schnell, dass sie ihn auslachte, als hätte er einen Spaß gemacht. Aber als sie seine Reaktion sah, erkannte sie, dass er es ernst meinte, und da begann sie sofort, sich zu wehren. Gewiss mochte sie ihn, das verstand er doch wohl? Hatten sie nicht die Nacht miteinander im selben Bett verbracht? Aber zusammenziehen? Und darüber hinaus, heiraten ... Nein, das war ... Das war viel zu groß und ging ihr viel zu schnell.

Sie beeilte sich, nach Hause zu kommen, und holte Elin bei Frau Solstad ab. Diese berichtete, dass die Polizei in der Nacht bei Arvid Andersson aufgeräumt hatte, wo eine Schlägerei ausgebrochen war. Auf der Treppe lagen herausgerissene Holzsplitter von der Nachbartür.

Heiraten? Zusammenziehen? Herrgott, sie kannten einander doch kaum ... Aber er hatte gemeint, was er sagte ... Männer waren eben rätselhafte Geschöpfe. *Niemals* würde sie sie verstehen. Sie hatte ihm doch erzählt, wie gut es ihr im Werk gefiel. Dass die Arbeit das Wichtigste für sie war, jetzt, wo die beiden Großen allmählich allein klarkamen. Da musste er doch verstehen, dass eine neue Ehe ... Sie wollte gern mehr Zeit mit ihm verbringen, aber heiraten? Nein, niemals ...

Wäre sie nicht so verkatert gewesen an diesem Neujahrstag, hätte sie sicher schon damals eingesehen, dass es so einfach nicht war. Beinahe unmerklich war er ein wichtiger Teil ihres Lebens geworden, sie brauchte ihn. Als sie beim nächsten Treffen zusammen im China-Restaurant saßen und er seinen Antrag wiederholte, begann sie zu zweifeln, ob sie sich wirklich nicht vorstellen konnte, mit ihm zusammenzuziehen. Warum hatte sie eigentlich solche Angst davor? Vielleicht wäre es sogar ganz gut? Und warum sollte sie nicht weiterhin arbeiten ...

Als er fragte, woran sie dächte, lächelte sie nur und antwortete ausweichend.

In diesem Winter schneite es reichlich, und als Eivor im März 1978 sechsunddreißig Jahre alt wurde, lag die Stadt unter einer hohen Schneedecke.

Fast vier Jahre später, im Dezember 1981, fährt Eivor mit dem Zug nach Lomma, um ihren Stiefvater Erik ein letztes Mal zu sehen. Er hatte *Asbestose* bekommen von seiner Arbeit, bei der er im Fiberstaub in der Eternitfabrik stand und die Platten sägte und zuteilte. Jetzt liegt er in der Lungenklinik von Lund und wird sterben. Der Eternitarbeiter, der einmal Güterwagen auf dem Bahnhof von Hallsberg rangierte, weiß, was ihn erwartet: die Asbestfibern haben Wurzeln in seiner Lunge geschlagen, und er wird langsam daran ersticken. Zwei Wochen bevor Eivor in Borlänge in den Zug steigt, hat Elna angerufen und gesagt, dass Erik am Morgen mit dem Krankenwagen abgeholt wurde, und Eivor weiß, dass das Ende jetzt schnell kommt. Eine der Kranführerinnen, die einspringt, wenn jemand krank ist, übernimmt Eivors Arbeit.

Sie kommt spätabends in Lomma an, und zeitig am nächsten Morgen nimmt sie zusammen mit Elna den Bus zum Krankenhaus in Lund. Da lag er in seinem Bett, abgemagert zum Skelett, die Haut spannte sich wie ein zu straff aufgespanntes Zelt. Er hatte starke Schmerzen und bekam Sauerstoff, um nicht zu ersticken. Seine Augen schrien heraus, welche Angst er vor dem Sterben hatte. Er konnte Eivor nicht einmal mit seiner zischenden Stimme erzählen, wie verbittert er war.

Eivor sah ihn nicht sterben. Nach drei Tagen musste sie zurück nach Borlänge, und als sie heimkam, stand Peo da und sagte, dass Elna angerufen habe und dass Erik einige Stunden zuvor gestorben sei, noch während sie im Zug saß.

Im Zug hatte Eivor das Gefühl nicht abschütteln können, sie habe verloren. Sie dachte, dass ihr Leben wieder einmal in Bahnen gelenkt wurde, die sie nicht wünschte, gegen die sie sich aber auch nicht wehren konnte. Wenige Abende zuvor war Linda in ihr Schlafzimmer gekommen und hatte gesagt, sie sei schwanger. Linda, die gerade achtzehn geworden war und noch zu Hause wohnte, da sie arbeitslos war, hatte sich auf ihre Bettkante gesetzt und vollkommen ruhig erzählt. Also war auch diese Befürchtung eingetreten, und in Eivors Kopf kreisten stumme und hilflose Flüche.

Linda war sich sicher, dass sie das Kind bekommen wollte, und als Eivor nach dem Namen des Vaters fragte, war die Antwort nur eine Bestätigung dessen, was sie schon befürchtet hatte. Während der letzten Jahre hatte sich Linda – immer verschlossener und verbitterter darüber, dass sie keine Arbeit fand – mit einem gleichaltrigen Jungen zusammengetan, der sich in der gleichen Situation befand. Er hieß Tomas (sein Vater arbeitete natürlich bei Domnarvet) und wirkte, wenn möglich, noch verlorener als Linda. Wenn er manchmal bei ihnen aß und Eivor mit ihm sprach, hatte sie zu ihrer Verwunderung entdeckt, dass er nicht einmal mehr *hoffte*. Das Einzige, was er sich für die Zukunft vorstellen konnte, war, irgendwann das große Los in Händen zu halten. Pferde, Fußball, Lotto: das waren seine Hausgötter, und er setzte seine ganze Energie darein, sie gnädig zu stimmen. Von ihm also erwartete Linda ein Kind. Wie sollte sie Linda dazu bringen, einzusehen, dass sie einen Fehler beging, wenn sie das Kind zur Welt brachte? Wie sollte sie ihr klarmachen, dass ein Kind kein *Ausweg* war, kein Strohhalm, um dem Leben einen Sinn zu geben. Es ist zu früh, sie ist zu jung; das alles *weiß* Eivor nur zu gut.

An all das denkt sie, als sie im Zug nach Lomma sitzt. Der Puderschnee wirbelt vor dem Waggonfenster, Säter, Hedemora ... Linda ist erst einen guten Monat schwanger. Es ist auf jeden Fall noch nicht zu spät, und wenn sie erst einmal aus Lomma zurückgekehrt ist, wird sie all ihre Zeit darauf verwenden, sie davon zu überzeugen, dass eine Abtreibung die einzig sinnvolle Lösung ist. Jeder hat das Recht, über sein

Leben zu bestimmen, aber sie kann nicht dasitzen und zusehen, wie Linda mit offenen Augen in ihr Verderben läuft.

Eivor sieht hinaus in die vorbeiwirbelnde weiße Winterlandschaft. Eine gefrorene Welt, und an der Endstation wartet der Tod. Ein Kaffeewagen klappert vorbei, aber sie schüttelt den Kopf und kauert sich in ihrer Ecke zusammen. Es zieht vom Fenster her, nirgendwo kann man der Kälte entkommen. Sie denkt an Staffan, der jetzt zwanzig ist und seit über einem Jahr allein wohnt. Er kommt zurecht, er hat sein Auskommen gefunden in diesem neuen Bereich, Video, das alle kaufen oder kaufen wollen. Einige von seinen Freunden haben ein Geschäft eröffnet, in dem sie Filme verleihen, und Staffan ist ihr Handlanger. Er holt Filme aus Stockholm, er bedient im Geschäft, macht die Runde und treibt Filme ein, die nicht zurückgegeben wurden. Eivor weiß, dass sie vor allem Filme verkaufen oder ausleihen, gegen die jene Bilder, die die Wände im Essraum von Domnarvet schmückten, wie Kinderzeichnungen in einem christlichen Wochenblatt wirken. Einmal hat sie das kommentiert, und er hat sie nur verständnislos angeschaut und geantwortet, dass sie eben das verkaufen müssen, was die Leute haben wollen.

Aber er kommt zurecht, denkt sie, und was kann man heutzutage mehr erwarten? Die Gesellschaft befindet sich in einer Phase der Auflösung, ohne dass eine Alternative sichtbar wäre. Statt sich zu einem geschlossenen Widerstand zu versammeln gegen die Kräfte, die so viel wie möglich an sich reißen wollen, ist die Spaltung größer denn je. Sie hat es in ihrer eigenen Schicht gemerkt, jetzt, da die Kürzungen begonnen haben. Jeder kriecht in seine Ecke und versucht, sich vor dem Feind unsichtbar zu machen: Hauptsache, ich komme durch …

In wenigen Monaten wird sie vierzig. Es ist zwanzig Jahre her, dass sie ins Leben hinausging, die erste Etappe, von

Hallsberg nach Borås ... Im Sommer werden es vier Jahre, seit Peo und sie zusammengezogen sind. Nachdem sie zu Beginn ganz dagegen gewesen war, weil sie Angst hatte, ein neues Verhältnis hieße, dass sie nicht mehr im Werk arbeiten könnte, war es ihm schließlich gelungen, sie zu überzeugen. Warum sollte sie aufhören? Warum sollte er das wollen? Er zerstreute ihre immer schwächeren Argumente, meinte, sie sähe in jeder Ecke Gespenster, und schließlich gab sie zu, dass er recht hatte. Peo war nicht wie Jacob, die Zeit stellte andere Bedingungen, und bei diesem Mann würde sie sich nicht ständig unterlegen fühlen. Also war er eines Tages in die Wohnung in der Hejargata eingezogen, er kam gut zurecht mit den Kindern, und zu Beginn hatte Eivor den Eindruck, dass alles leichter wurde. Jede zweite Lebensmitteltüte trug er nach Hause, jedes zweite Essen bereitete er zu, jede zweite Krone steuerte er bei. Schwierig war natürlich, dass er nachts arbeitete, und einige Male kam es zu Zusammenstößen vor allem mit Staffan, der seine Musik so laut aufdrehte, dass Peo nicht schlafen konnte. Aber mit einigen Kompromissen hatten sie überlebt ... Es war eine schöne Zeit, in der nicht jeder Abend nur erfüllt war mit dem Bangen vor dem morgigen Tag. Ein Leben, das die *Schwierigkeiten lohnte*!

Wann hatte sie eigentlich die ersten Veränderungen bemerkt? Sie meint selbst, dass Peo gegen Ende des zweiten gemeinsamen Jahres begann, Ansprüche zu stellen. (Als sie über die Sache geredet hatten, und es immer öfter in einem hoffnungslos festgefahrenen Streit mündete, hatte er bestritten, überhaupt irgendwelche Ansprüche gestellt zu haben.) »Man kann sich wohl ändern«, hatte er gesagt, als Eivor ihn daran erinnerte, worauf sie sich geeinigt hatten. Immer dieses bockige: *Man kann sich wohl ändern*.

Nach einem Streit ging es meistens für eine Weile gut zwischen ihnen, aber dann hatte sie gemerkt, dass wieder sie die Lebensmitteltüten schleppte, aufräumte, *alles* machte. Im Sommer sagte er, dass er natürlich ihre drei Kinder gern habe, aber dass es nie dasselbe wäre, als wenn man *eigene* hätte.

Der Zug ruckt an nach einem Aufenthalt auf einem Bahnhof … Wo sind sie? Sala! Schon da … Sie denkt zurück an den Nachmittag vor einem Monat, als sie das Fahrrad vor dem Westeingang des Werks abstellte. Als sie sich entschloss, endlich ihren eigenen Wankelmut zu bekämpfen, den notwendigen Entschluss zu fassen und dann die Konsequenzen zu tragen, auch wenn all ihre Brücken einstürzen sollten. Da wusste sie noch nicht, dass Linda schwanger war. Damals ging es nur um ihre Entschlusslosigkeit: Sollte sie sich noch ein Kind anschaffen und sich damit selbst das Alibi geben, aus freien Stücken den Kran zu verlassen? Wusste sie etwa nicht, dass zum Sturm geblasen wurde? Dass immer mehr Menschen arbeitslos wurden? Und hatte sie nicht einen Mann, der sie versorgen konnte …

Als sie nach der langen Reise am späten Abend in Lomma angekommen war, hatte sie sich entschlossen, erst dann nach Borlänge zurückzukehren, wenn sie wusste, was sie machen wollte. Es war eine Drohung, die sie gegen sich selbst und ihre widerstreitenden Gefühle erhoben hatte.

Die Tage in Lomma mit dem eisigen Wind vom Sund, mit Busfahrten nach Lund, die Abende in dem stummen Haus, Jonas, der manchmal aus dem Theater in Landskrona auftauchte, wo er als Schreiner arbeitete …

Ihre Mutter Elna zu treffen war, als ob man in sein eigenes zukünftiges Alter blickte. Elna war noch keine sechzig, aber in Eivors Augen hätte sie genauso gut auf die siebzig zugehen können. Die Haare waren ergraut, ihre Kleider waren farblos und hingen seltsam verloren an ihrem Körper. Aber vor allen Dingen war es ihre Art, zu sitzen und die Hände zu ringen, die sie erschreckte. Das erinnerte sie an die Witwen im Altersheim, an die dürren Finger, die sich nie an die Beschäftigungslosigkeit gewöhnen konnten. Und jetzt saß ihre Mutter auf die gleiche Weise da, mit scheuen Augen, grau und verloren …

Sie erfuhr, was geschehen war. Stoßweise, als ob sie unter Schmerzen litte, erzählte Elna ihrer Tochter alles, was sie über die Eternitfabrik und das grausame Schicksal der Asbestarbeiter wusste. Solange die Fabrik Gewinne machte, so lange wurden alle Gefahren geleugnet. Man hielt Informationstreffen ab, um die Unruhigen zu besänftigen, Umlaufschreiben an *alle Angestellten* sollten zur Beruhigung beitragen: *Wir können dazu sagen, dass die heutigen Arbeitsbedingungen vor Asbestose und Krebserkrankungen schützen …* hieß es schon im September 1975. (Elna hatte das Papier hervorgeholt, und Eivor liest den Text und denkt an Erik, der in der Klinik von Lund liegt und keine Luft mehr bekommt.) Als dann die Fabrik stillgelegt wurde und Euroc, der neue Besitzer, nicht länger an dem Schweigen verdienen konnte, war es schon zu spät. Die Arbeiter, die bei Kontrollgängen und an den Sägemaschinen den Staub abgekriegt hatten, würden die Asbestpartikel für immer in ihren Körpern behalten.

Elna saß vor ihr mit einem Zorn, der so groß war, dass sie es nie wagen würde, ihn herauszulassen. Denn dabei würde sie selbst mit weggespült werden. Erik würde sterben, nichts konnte ihn retten, und die lange Trauerarbeit musste Elna, wie alle anderen, im entscheidenden Moment selbst bewältigen. Natürlich konnte Eivor sie trösten, stützen, aber die Trauer war nicht teilbar. Viel später würde sie ihr vielleicht helfen können, aber jetzt mit ihr über die Zukunft zu reden, während Erik noch lebte, wäre völlig unpassend gewesen. Eines Abends, als Jonas (*ihr Bruder*, dieses Unbegreifliche!)

und sie eine Weile im Wohnzimmer zusammensaßen, meinte auch er, dass im Moment nichts zu machen wäre. Eivor erlebte ihn als einen klugen jungen Mann. Sein Zorn über das, was geschehen war, war solcher Art, dass er ihn beherrschen und für sich nutzen konnte. Ihm war es wichtig, davon zu berichten, warum das alles hatte geschehen können, um auf diese Weise zu vermeiden, dass es wieder geschah. *Lass alles Vertrauen fahren. Bestimme selbst.* Das waren seine Worte, und er erzählte, dass man in dem Theater, an dem er arbeitete, eine Vorstellung über das Schicksal der Eternitarbeiter geben würde. Sie sah ihn an und dachte einen missmutigen Augenblick lang an Staffan, der Porno- und Gewaltfilme unter der Ladentheke verkaufte ...

Am nächsten Tag, als sie gerade von ihrem Besuch bei Erik zurückkehrten, kam Vivi zu Besuch. Elna hatte Eivor nichts gesagt, aber sie erkannte, dass das Treffen geplant war. Vivi hatte sich im Zorn vom Pressechef der Eternitfabrik scheiden lassen, als sie erkannte, was in der Fabrik geschah. Sie hatte entdeckt, dass sie das Bett mit einem Mann teilte, der, wohl wissend, dass er log, eine trügerische Sicherheit verbreitete. Als sie seinen Namen erwähnte, fauchte sie wie eine Katze mit ausgefahrenen Krallen. Jetzt mit fast sechzig Jahren hatte sie ihre Studien an der Universität wieder aufgenommen und näherte sich ihrem Jugendtraum, Archäologin zu werden, aber die meiste Zeit verwendete sie auf die aktive Arbeit für politische Ziele. Im Gegensatz zu Elna schien sie ihre Kräfte bewahrt zu haben. Auch mit ihr war das Leben nicht gerade schonend umgegangen.

»Wer hätte das vor vierzig Jahren gedacht«, sagt Vivi langsam, als sie am Abend zusammensitzen und Kaffee trinken.

Jonas ist in Landskrona in seinem Theater, nur die drei Frauen sitzen zusammen im Wohnzimmer. Auf einem Regal sieht Eivor Bilder von sich, als sie jung war: das Gesicht, das sich dem Fotografen zuwendet, das neugierige Lächeln. Und daneben Erik, Elna und der kleine Jonas. Eine glückliche Familie.

»Wer hätte das gedacht«, fährt Vivi fort. »Dass wir eines Tages hier sitzen würden. In Lomma. Und du mit einer erwachsenen Tochter. Wir, die wir ... Wie hatten wir uns genannt? Jesses, das hab ich vergessen!«

»Daisy Sisters«, antwortet Elna. »Der Name kommt langsam, als brächte sie es eigentlich nicht über sich, ihn auszusprechen. Vivi bemerkt es und beugt sich zu ihr hinüber, während sie gleichzeitig ein Lied zu summen beginnt.

»Erinnerst du dich?«, fragt sie. »Das sangen wir so laut, dass die Vögel aus den Bäumen fielen. Ich ein paar Meter voraus, du dahinter. Herrgott ...«

»Als wir dich damals in Malmö besucht haben, wollte ich darüber sprechen«, erwidert Elna mit einem Anflug von Bitterkeit in der Stimme. »Aber da sagtest du, man solle sich nicht an Erinnerungen hängen.«

»Du weißt doch, dass ich immer eine große Klappe hatte! Das hat seine Vorteile, aber nicht nur. Und dann habe ich mich wohl auch verändert ...«

»Warum habt ihr euch Daisy Sisters genannt?«, fragt Eivor. »Das wollte ich immer schon wissen.«

Vivi schau Elna fragend an. Erinnert sie sich? Nein, keine von beiden weiß es. Sie kamen wohl auf Daisy, einen amerikanischen Mädchennamen, und fanden, das klänge gut ...

»Ich war für Serrano Sisters«, sagt Elna, und ein schwaches Lächeln zieht über ihr Gesicht.

»Doch, daran erinnere ich mich auch«, sagt Vivi zögernd. »Rosita Serrano« – sie wendet sich erklärend an Eivor – »war damals eine berühmte Sängerin.«

»Aber wofür brauchtet ihr einen Namen?«

»Das war schick damals. Es ist heute wohl auch noch so. Ich glaube, das war der einzige Grund.«

Eivor sitzt da und hört dem Gespräch zwischen Vivi und Elna zu. Zwei Frauen, die eine gemeinsame Fahrradtour gemacht hatten, auf der Suche nach der unsichtbaren und verlockenden Grenze zum Krieg. Sie hört, wie sie über ihre Erinnerungen lachen, selbst Elna scheint sich für einen Moment von ihren Gedanken an den sterbenden Erik frei machen zu können. Ob sie wollen oder nicht – sie haben ein Alter erreicht, in dem es notwendig ist, Bilanz zu ziehen. Während sie zuhört, denkt sie an ihre eigenen Probleme. Linda, die ihr Kind austragen möchte, und sie selbst, die nicht weiß, was sie will, die aber trotzdem rasend wird bei dem Gedanken, dass sie nicht mehr schwanger werden könnte!

Vivi nimmt Abschied, nachdem sie versprochen hat, Erik an einem der nächsten Tage zu besuchen. Elna und Eivor stehen in der Diele und schauen zu, wie sie ihren schwarzen Wintermantel anzieht. Unten auf der Straße steht ihr Auto, ein Volkswagen, und damit wird sie nach Lund fahren in ihre kleine Wohnung. Sie hat keine Kinder, denkt Eivor. Sie kann einfach gehen. Sie hat die Freiheit. Aber hätte sie selbst, Eivor, wählen wollen, um dieser Freiheit willen ohne ihre Kinder zu sein? Nein, *da* ist sie sich sicher, auch wenn es ihre einzige Gewissheit ist. Ohne Kinder wäre ihr Leben unnütz.

Vivi ist fort, und sie sitzen wieder allein zusammen.

»Geht es dir gut?«, fragt Elna.

Eivor nickt. Doch, doch … Es geht. Alles geht.

»Und … Per-Olof?«

»Peo? Doch, das ist in Ordnung.«

»Arbeitet er immer noch nachts?«

»Er ist ja Nachtwächter …«

Sie muss mich nicht unterhalten, denkt Eivor. Ich *ertrage* es nicht! Ich *kann* es nicht! Wir konnten das noch nie …

Aber trotzdem erzählt sie von Linda, von Peo, von seinem Wunsch nach einem eigenen Kind, von dem ständigen Druck im Werk.

»Ich weiß nicht, was ich sagen soll«, erwidert Elna hilflos.

»Du musst gar nichts sagen. Es reicht, dass du mir zuhörst.«

»Ich würde dir so gerne helfen.«

»Das weiß ich.«

In dieser Nacht liegt sie wach und hört, wie Elna ruhelos herumläuft. Ohne dass sie recht weiß, wie ihr geschieht, ist sie sich plötzlich im Klaren darüber, was sie tun wird. Es ist, als ob das Bild von Erik, der da mit seinen Sauerstoffschläuchen liegt und vergeblich gegen den Erstickungstod ankämpft, alles so einfach mache. Er kann nicht mehr, er ist um sein Leben betrogen worden. Aber wer behauptet denn, dass sie ihre Arbeit aufgeben muss? Wird sie es schaffen, dieses Leben zu leben, das sie sich vorstellt? Linda zu überzeugen, dass sie nicht schon jetzt ein Kind haben *muss*, dass sie vielleicht selbst noch ein Kind haben will, *falls* sie schwanger wird und *falls* sie ihre Arbeit behalten kann. Wenn sie das schaffen will, dann muss sie lernen, in sich selbst hineinzuhorchen.

Sie steigt aus dem Bett und geht zum Fenster. Weit entfernt schimmern die Lichter von Malmö. Sie denkt an ihren Traum: die Frauen in Jenny Anderssons exklusivem Schneideratelier. Versteht sie ihn jetzt? Versteht sie ihn, jenseits der normalen Logik? Als eine Verschmelzung von Erfahrungen und Gefühlen …

Eine Katze huscht an einem Schneehügel vorbei. Vielleicht ist das Leben gerade so? Dass man in der Dunkelheit kurz sichtbar ist und dann fort …

Sie geht zurück zum Bett und kriecht hinein.

An der Wand hängt ein Bild, an das sie sich aus ihrer

Kindheit in Hallsberg erinnert. Da hing es über dem Sofa im Wohnzimmer, ein Bild von Fischerbooten, die hochgezogen und umgekippt am Strand liegen …

Aber wird sie es schaffen? Wenn es doch so leicht ist, sich unterzuordnen, sobald die grauen Armeen des Alltags um sie herum aufmarschieren und sie dasteht und tausend Augen sie beobachten.

Was hat sie eigentlich für eine Wahl?

Keine.

Sie fragt sich. Grübelt. Aber trotzdem … Erik in seinem Bett …

Zu sagen, was sie denkt, zu verteidigen, was sie für richtig hält. Nichts anderes, aber das auf jeden Fall …

Jetzt weiß sie es. Aber wird sie es morgen noch wissen?

Im Wohnzimmer steht die schlaflose Elna, unbeweglich wie eine verlassene, vergessene Statue.

Eivor schläft, und tief in ihren Träumen sieht sie sich neben ihrem Fahrrad vor dem Stahlwerk. Zerstreut, aber trotzdem nicht kraftlos …

Ein Bild, ein Traum, an den sie sich nicht erinnert, als sie erwacht.

Bücher von Henning Mankell

Kurt-Wallander-Krimis

1. Fall: *Wallanders erster Fall und andere Erzählungen*
Zsolnay 2001/dtv 21211

2. Fall: *Mörder ohne Gesicht*
Zsolnay 2001/dtv 21212

3. Fall: *Hunde von Riga*
Zsolnay 2000/dtv 21213

4. Fall: *Die weiße Löwin*
Zsolnay 2002/dtv 21214

5. Fall: *Der Mann, der lächelte*
Zsolnay 2001/dtv 21215

6. Fall: *Die falsche Fährte*
Zsolnay 1999/dtv 21216

7. Fall: *Die fünfte Frau*
Zsolnay 1998/dtv 21217

8. Fall: *Mittsommermord*
Zsolnay 2000/dtv 21218

9. Fall: *Die Brandmauer*
Zsolnay 2001/dtv 21219

10. Fall: *Der Feind im Schatten*
Zsolnay 2010

Romane und Erzählungen

Die Rückkehr des Tanzlehrers
Zsolnay 2002/dtv 21171

Vor dem Frost
Zsolnay 2003/dtv 20831

Tiefe
Zsolnay 2005/dtv 20978

Kennedys Hirn
Zsolnay 2006/dtv 21025

Die italienischen Schuhe
Zsolnay 2007/dtv 21152

Der Chinese
Zsolnay 2008/dtv 21203

Daisy Sisters
Zsolnay 2009

Die Pyramide
dtv großdruck 25216

Wallanders erster Fall
Eine Erzählung
dtv großdruck 25270

Der Mann am Strand
Zwei Erzählungen
dtv großdruck 25283

Der Tod des Fotografen
Erzählung
dtv großdruck 25254

Afrika-Bücher

Der Chronist der Winde
Zsolnay 2000/dtv 12964
dtv 21003/dtv großdruck 25242

Die rote Antilope
Zsolnay 2001/dtv 13075

Tea-Bag
Zsolnay 2003/dtv 13326

Butterfly Blues (Theaterstück)
Zsolnay 2003/dtv 13290

Das Auge des Leoparden
Zsolnay 2004/dtv 13424
dtv 21073/dtv großdruck 25290

Ich sterbe, aber die Erinnerung lebt
Zsolnay 2004/dtv 13479

Die flüsternden Seelen
Zsolnay 2007/dtv 21120